LA PEAU DE CHAGRIN

-addiction

Du même auteur
dans la même collection

ANNETTE ET LE CRIMINEL.
BÉATRIX (préface de Julien Gracq).
CÉSAR BIROTTEAU.
LE CHEF-D'ŒUVRE INCONNU – GAMBARA – MASSIMILLA DONI.
LES CHOUANS.
LE COLONEL CHABERT (édition avec dossier).
LE COLONEL CHABERT suivi de L'INTERDICTION.
LE CONTRAT DE MARIAGE.
LA COUSINE BETTE.
LE COUSIN PONS.
LE CURÉ DE TOURS – LA GRENADIÈRE – L'ILLUSTRE GAUDISSART.
LE CURÉ DE VILLAGE
LA DUCHESSE DE LANGEAIS.
EUGÉNIE GRANDET (édition avec dossier).
LE FAISEUR
LA FEMME DE TRENTE ANS.
FERRAGUS – LA FILLE AUX YEUX D'OR.
GOBSECK – UNE DOUBLE FAMILLE.
ILLUSIONS PERDUES.
LE LYS DANS LA VALLÉE.
LA MAISON DU CHAT-QUI-PELOTE – LE BAL DE SCEAUX – LA VENDETTA – LA BOURSE.
MÉMOIRES DE DEUX JEUNES MARIÉES.
NOUVELLES (El Verdugo. Un épisode sous la Terreur. Adieu. Une passion dans le désert. Le Réquisitionnaire. L'Auberge rouge. Madame Firmiani. Le Message. La Bourse. La Femme abandonnée. La Grenadière. Un drame au bord de la mer. La Messe de l'athée. Facino Cane. Pierre Grassou. Z. Marcas).
LES PAYSANS.
PEINES DE CŒUR D'UNE CHATTE ANGLAISE.
LE PÈRE GORIOT.
PHYSIOLOGIE DU MARIAGE.
PIERRETTE.
LA RABOUILLEUSE.
LA RECHERCHE DE L'ABSOLU.
SARRASINE, suivi de Michel Serres, L'HERMAPHRODITE.
SPLENDEURS ET MISÈRES DES COURTISANES.
UN DÉBUT DANS LA VIE.
UNE FILLE D'ÈVE.
URSULE MIROUËT.
LA VIEILLE FILLE – LE CABINET DES ANTIQUES.

BALZAC

LA PEAU DE CHAGRIN

Présentation, notes, annexes, chronologie et bibliographie mise à jour en 2013
par
Nadine SATIAT

GF Flammarion

ISBN : 978-2-0813-0943-2

INTERVIEW

« Jean-Marc Parisis,
pourquoi aimez-vous *La Peau de chagrin* ? »

Parce que la littérature d'aujourd'hui se nourrit de celle d'hier, la GF a interrogé des écrivains contemporains sur leur « classique » préféré. À travers l'évocation intime de leurs souvenirs et de leur expérience de lecture, ils nous font partager leur amour des lettres, et nous laissent entrevoir ce que la littérature leur a apporté. Ce qu'elle peut apporter à chacun de nous, au quotidien.

Jean-Marc Parisis est écrivain et journaliste. Son œuvre romanesque se compose de sept ouvrages : La Mélancolie des fast-foods *(1987),* Le Lycée des artistes *(1992),* Depuis toute la vie *(2000), parus chez Grasset, et* Physique *(2005),* Avant, pendant, après *(2007),* Les Aimants *(2009),* La Recherche de la couleur *(2012), parus chez Stock. Il a accepté de nous parler de* La Peau de chagrin, *et nous l'en remercions.*

Quand avez-vous lu ce livre pour la première fois ? Racontez-nous les circonstances de cette lecture.

J'ai lu *La Peau de chagrin* à quinze ans, dans la foulée des *Chouans* et de *La Femme de trente ans*, qui furent mes deux premiers Balzac. Comment suis-je venu à cet auteur, à ces titres ? Je l'ignore. Je n'ai pas le souvenir de les avoir étudiés au collège ou au lycée. À l'époque, je hantais les librairies… Ce fut sans doute une rencontre clandestine et choisie, comme toutes les rencontres essentielles.

Votre « coup de foudre » a-t-il eu lieu dès le début du livre ou après ?

Difficile de parler de « coup de foudre » pour un livre. Le temps, l'espace, les stimuli de la lecture ne sont pas ceux de la vie, heureusement. Disons que je suis tombé sous le charme à mesure que je tournais les pages. Dès les premières en vérité, avec l'entrée de Raphaël de Valentin dans le tripot du Palais-Royal, un petit enfer où glissent des joueurs décavés, fantomatiques. Des spectres. Ça commence fort. Et cela n'en finit pas. Ce roman a énormément de *charme*, à commencer par celui de la Peau elle-même, de son pouvoir surnaturel.

Relisez-vous ce livre parfois ? À quelle occasion ?

Je l'ai souvent rouvert. Je dis *rouvert*… Je relis très rarement un ouvrage dans son intégralité, c'est du temps pris sur la découverte d'un autre livre. J'apprécie la relecture fragmentaire pour ce qu'elle permet de souplesse, d'improvisation. Revenir à un livre, l'ouvrir au hasard, en relire trois, dix, vingt pages. Pour le plaisir de ranimer la flamme, s'inviter dans l'histoire par effraction, se jeter dans la langue. J'aime *prendre un moment* avec un livre déjà lu, sans façon, sur l'air amical ou désinvolte du *J'ai vu de la lumière, je suis rentré*. Les livres luisent, brillent, surtout les poches avec leurs couvertures. On s'y sent bien, leurs préfaces, leurs appareils de notes mettent le couvert et prolongent le plaisir. *La Peau de chagrin* ne m'a jamais quitté, toujours à portée d'yeux, de main. Cependant, je vous rassure après ce petit moment d'exaltation juvénile, j'ai relu entièrement ce livre pour répondre au questionnaire.

Est-ce que cette œuvre a marqué vos livres ou votre vie ?

La Peau de chagrin compte parmi les œuvres qui m'ont convaincu que le roman avait tous les droits à condition de les utiliser, de produire du sens, d'exciter la réflexion. Son thème emprunte en partie à la littérature fantastique, voire à la science-fiction, deux genres qui ne sont pas trop mon genre. Mais ce roman va beaucoup plus loin ; comme tous les grands romans, il n'exile pas la réalité, il l'amplifie. Cette peau d'âne sauvage capable d'exaucer les volontés de Raphaël, et qui rétrécit au gré de leur accomplissement au risque de le tuer, n'existe évidemment pas, c'est une matière qu'on ne saurait trouver nulle part. Nous sommes donc catapultés dans le surnaturel, la magie, mais cette magie est allégorique, elle rebondit dans l'espace de la vie en posant de *vraies* questions : Faut-il vouloir ou ne pas vouloir ? Est-on libre de désirer ou non ? Ces interrogations et celles qu'elles soulèvent agitent la philosophie depuis l'Antiquité et sont au cœur de notre vie quotidienne. Cette Peau de chagrin, c'est aussi la peau du Temps, figurant la consomption des jours qui passent, le compte à rebours inéluctable qui nous pousse tous vers la mort... Finalement, quoi de plus universel, de plus intime, de plus bouleversant ? Comme *Le Portrait de Dorian Gray* d'Oscar Wilde ou *L'Étrange Histoire de Benjamin Button* de Francis Scott Fitzgerald, *La Peau de chagrin* nous confronte à notre plus vieil ennemi, à notre plus vieil ami : le

Temps. Comme ces deux œuvres, elle a marqué mes livres, notamment l'un de mes romans, *Physique*, l'histoire d'un homme qui rajeunit de plus en plus dangereusement : derrière la comédie, le châtiment.

Quelles sont vos scènes préférées ?

La première, c'est le dîner chez Taillefer, auquel se rend Raphaël avec ses amis après leur rencontre sur le quai Voltaire. Ce « fameux *tronçon de chiere lie* », écrit Balzac pour annoncer le côté rabelaisien de l'affaire, est aussi un fameux tronçon narratif. Les convives sont tous masculins, recrutés chez les écrivains, les journalistes, les savants, les notaires, les hommes de loi, etc. L'épaisse mousse parisienne des cyniques et des nantis. Dans la nombreuse assemblée, seulement « cinq avaient de l'avenir ». On parle politique, évidemment. On glose, médit, s'écharpe, s'esclaffe, se rudoie. Les mots s'envolent ou s'écrasent, les esprits s'échauffent sous les effets de plus en plus désinhibants de la bonne chère et des vins mirifiques. Bientôt on ne sait plus qui parle à qui, « presque tous les convives se roulaient au sein de ces limbes délicieuses [*sic*] où les lumières de l'esprit s'éteignent, où le corps délivré de son tyran s'abandonne aux joies délirantes de la liberté ». L'ironie balzacienne excelle à ce genre d'ambiance, de théâtre. Cette *Grande Bouffe* version 1830 a quelque chose de corrompu qui va tourner à l'indigestion des sens. Les corps sont plus lourds que les mots, ils tombent plus bas. La porte du salon s'ouvre, un « groupe de femmes » apparaît, ce « sérail » promet « des voluptés pour tous les caprices ». Ça va finir en orgie. Saisissante peinture d'époque, celle de la monarchie de Juillet, où les bourgeoisies d'argent et d'esprit s'annulent dans l'hédonisme.

Ma seconde scène de prédilection, c'est le duel entre Raphaël et le joueur de billard d'Aix-les-Bains. Malade, déjà pris dans les serres de la mort, Raphaël éprouve une « sécurité surnaturelle » qui effraie, tétanise, son adversaire. Quelle intensité, quelle économie de moyens dans cette séquence véritablement plombée, brève comme un coup de feu, glaçante dans sa fatalité !

Y a-t-il selon vous des passages « ratés » ?

On peut toujours invoquer les répétitions, les insistances balzaciennes. Mais pour moi elles relèvent d'un pacte, d'un *deal*, entre l'auteur et son lecteur. Si on les accepte, on s'y abandonne, et l'on éprouve alors une sorte de vertige. Lire Balzac, c'est comme marcher à un rythme soutenu et longtemps : à un moment, on décolle. Il vous prend la main, vous emmène haut et loin. Sa lecture est une drogue naturelle, en vente libre, que je recommande. Pas de passages *ratés*, donc, mais un personnage *raté* au sens d'*éludé*, d'*escamoté* : Pauline Gaudin, en extase devant Raphaël. Cette « charmante créature » aux « grâces naïves et secrètes », cette « âme douce et vierge » est trop stylisée, trop archétypale. Elle porte peu l'histoire, dont elle est pourtant l'un des personnages principaux. Quand Raphaël part prendre les eaux à Aix-les-Bains puis au Mont-Dore, elle disparaît du paysage, on ne sait plus ce qu'elle devient, Raphaël ne l'a pas avertie de son départ, alors qu'ils vivent ensemble ; en fait, il l'aime par raccroc. Dans l'épilogue, Balzac semble consentir à ce rôle de figurante placée en dehors des véritables enjeux du roman : « Et que devint Pauline ? »

Cette œuvre reste-t-elle pour vous, par certains aspects, obscure ou mystérieuse ?

Obscure, non. L'histoire est méandreuse, mais claire et logique – « logique comme le mal », dirait Baudelaire dans ses *Fusées.* Concernant Raphaël, elle illustre l'adage du vieux marchand de curiosités, « *Vouloir* nous brûle et *Pouvoir* nous détruit ». L'œuvre ne laisse aucune zone d'ombre, elle ne déçoit ni l'intérêt ni la raison. Mais elle est mystérieuse, oui. Balzac a donné dans le genre fantastique avec *La Recherche de l'absolu*, *Louis Lambert* ou *Le Chef-d'œuvre inconnu*, et les pouvoirs secrets, extensibles, des sens hantent à divers degrés la plupart de ses romans. Cette dimension paranormale renvoit à un mystère plus grand, irrésolu, dont *La Peau de chagrin* n'est qu'un fragment. Ce mystère, c'est le mystère de Balzac lui-même, dont il dit dans la préface de 1831 qu'il échappe à la science. C'est « une sorte de seconde vue » qui permet aux poètes ou aux écrivains « réellement philosophes » de « deviner la vérité dans toutes les situations possibles », une « puissance » énigmatique « qui les transporte là où ils doivent, où ils veulent être. Ils inventent le vrai, par analogie, ou voient l'objet à décrire, soit que l'objet vienne à eux, soit qu'ils aillent eux-mêmes vers l'objet ». La puissance romanesque de Balzac ne défie pas l'imagination, elle défie la raison. Elle défie aussi l'adage du marchand, car Balzac a *voulu* et a *pu*, et s'il s'est *brûlé* et *détruit* au travail, sa *Comédie humaine* résiste au Temps.

Quelle est pour vous la phrase ou la formule « culte » de cette œuvre ?

Culte, dans ce contexte, ça fait dévot, gogo : le mot sied mal à mon rapport à la littérature, à l'art en général. Cela dit, un passage de la préface sonne un peu comme un Onzième Commandement à l'adresse d'une certaine critique et de certains lecteurs sur le mode *Tu ne confondras pas l'auteur avec son livre et ses personnages.* Le voici : « Il y a sans doute beaucoup d'auteurs dont le caractère personnel est vivement reproduit par la nature de leurs compositions, et chez lesquels l'œuvre et l'homme sont une seule et même chose ; mais il est d'autres écrivains dont l'âme et les mœurs contrastent puissamment avec la forme et le fond de leurs ouvrages ; en sorte qu'il n'existe aucune règle positive pour reconnaître les divers degrés d'affinité qui se trouvent entre les pensées favorites d'un artiste et les fantaisies de ses compositions. […] Y aurait-il donc une littérature possible, si le noble cœur de Schiller devait être soupçonné de quelque complicité avec François Moor, la plus exécrable conception, la plus profonde scélératesse que jamais dramatiste ait jetée sur la scène ?… » De quoi clouer le bec aux charognards qui voient de l'autofiction partout.

Si vous deviez présenter ce livre à un adolescent d'aujourd'hui, que lui diriez-vous ?

On a tous quelque chose de Raphaël ou de Fœdora. Éteins ton téléphone portable, éloigne-toi de l'écran de ton ordinateur. Donne-toi la chance de lire les messages d'un génie nommé Balzac qui s'adresse à toi par-delà les siècles. Entre sans peur dans le formidable réseau social de *La Comédie humaine*. Tu t'y feras de vrais amis.

*

Avez-vous un personnage « fétiche » dans cette œuvre ? Qu'est-ce qui vous frappe, séduit (ou déplaît) chez lui ?

Fétiche, le mot s'accorde bien à la magie du texte. J'en ai deux. D'abord Fœdora, « La Femme sans cœur ». Pour Balzac, elle ressemble à la « Société » : équivoque, trompeuse, cruelle, suprêmement toxique. Balzac connaît aussi bien les femmes que la Société. Il les connaît si bien qu'il ne peut toutes les réduire à la Société. Fœdora ressemble aussi et d'abord à elle-même, c'est une femme seule et libre. Elle le balance au visage de Raphaël : « Je me trouve heureuse d'être seule, pourquoi changerais-je ma vie, égoïste si vous voulez, contre les caprices d'un maître ? » Fœdora doit aussi s'affronter à la Société, en l'occurrence à l'« homme » Raphaël. Elle est double, et elle le sait. Cette duplicité positive, assumée, garantit sa liberté. Elle n'est pas « sans cœur », elle le garde pour elle. Elle ne manipule pas Raphaël, elle est autrement plus forte et intelligente que lui, c'est tout.

À côté, Raphaël fait piètre figure. Il est double lui aussi, mais sur un mode aliéné, hystérique, tragique, « ivre de la vie, ou peut-être de la mort ». Ancien pauvre et nouveau riche, c'est une conscience modifiée, malheureuse. Au contraire de Fœdora, il ne se connaît pas. Et comme il ne se connaît pas, il ne se respecte pas, gaspillant ses talents dans la débauche, l'or, la facilité. C'était bien la peine de trimer dans une mansarde pendant des années sur une *Théorie de la volonté* pour finalement confier la sienne à la Peau de chagrin ! De Raphaël, vingt-six ans, on dirait aujourd'hui qu'il n'est *pas fini*. C'est l'*alter ego* « viveur » et désenchanté du personnage de *La Confession d'un enfant du siècle* d'Alfred de Musset. C'est la même génération, inemployée, nostalgique de l'Histoire et des campagnes napoléoniennes, *née trop tard dans un monde trop vieux*, et encore déçue en 1830 par la monarchie de Juillet, qui verra la bourgeoisie torpiller la révolte populaire et triompher du « mouvement ». Raphaël est condamné, se condamne, à l'inaction, à « L'Agonie » – titre de la troisième partie.

Ce personnage commet-il selon vous des erreurs au cours de sa vie de personnage ?

Parlons de Raphaël, puisque Fœdora n'a pas droit à l'erreur sous peine de perdre sa liberté. La seule erreur de Raphaël est de sortir de la boutique de curiosités avec la Peau ; après, tout s'enchaîne, tout l'enchaîne. Mais sans cette erreur, pas de roman. Donc pas d'erreur puisque Balzac l'a voulu ainsi. L'erreur de Raphaël, c'est la victoire de Balzac.

Quel conseil lui donneriez-vous si vous le rencontriez ?

Impossible de répondre à une telle question, mais elle me permet de compléter la précédente. Raphaël est introuvable ailleurs que dans les pages de Balzac. Ma seule position face à lui, c'est de le suivre dans ses aventures, ses errements, son destin de personnage. Je suis assez écrivain pour ne pas confondre la réalité et le roman, ne pas les mettre sur le même plan. Ce serait nier ce que l'on minore ou ce que l'on veut voir disparaître aujourd'hui : l'apport spécifique et irréductible de la langue, du style, de l'imagination dans la production de sens.

Si vous deviez réécrire l'histoire de ce personnage aujourd'hui, que lui arriverait-il ?

Je ferais davantage se confier Raphaël à Pauline, il l'informerait des pouvoirs diaboliques de la Peau de chagrin. Je leur agrandirais le cœur à tous les deux à mesure que la Peau rétrécit. Et Pauline trouverait peut-être la solution pour tirer Raphaël de ce mauvais pas, du moins essaierait-elle – ne jamais négliger la constance féminine. Autrement dit, alors que Balzac a choisi le drame philosophique, mon *remake* tirerait vers le conte. L'amour plus fort que le chagrin, l'amour plus fort que la Peau de chagrin, l'amour plus fort que la mort. Cela dit, je devrais me forcer un peu. J'ai beaucoup écrit sur les fluides et les formules que s'échangent l'homme et la femme dans le rapport amoureux. Le sujet m'intéresse moins. Il y a un temps pour aimer une personne et un autre pour aimer la vie.

*

Quelle question auriez-vous aimé que l'on vous pose ?

Celle à laquelle je vais répondre dans le mot de la fin…

*

Le mot de la fin ?

En réponse à la question que vous ne m'avez pas posée : « Qui nous dit que vous nous proposez la bonne lecture de cette œuvre ? » Personne. Personne d'autre que moi, c'est ma lecture. Il y a autant d'interprétations que de lecteurs. D'autres y liront d'autres choses. Il n'y a pas de vérité romanesque, il n'y a qu'une œuvre qui miroite, se réfracte, parle à l'infini et à l'infinité. J'aurais pu faire un roman de ce questionnaire. Le second mot de la fin reviendra de droit à Balzac dans un passage qui m'apparaît comme une métaphore de l'écriture et de la liberté qu'elle dispense à l'écrivain comme au lecteur. C'est le vieillard aux curiosités qui parle : « En deux mots, j'ai placé ma vie, non dans le cœur qui se brise, non dans les sens qui s'émoussent, mais dans le cerveau qui ne s'use pas et qui survit à tout. […] Que reste-t-il d'une possession matérielle ? une idée. Jugez alors combien doit être belle la vie d'un homme qui, pouvant empreindre toutes les réalités dans sa pensée, transporte en son âme les sources du bonheur, en extrait mille voluptés idéales dépouillées des souillures terrestres. »

PRÉSENTATION

> Bien est donc vrai qu'aux hommes misérables
> Aveugles, imprudents, inquiets, variables,
> Pas n'appartient de faire des souhaits,
> Et que peu d'entre eux sont capables
> De bien user des dons que le ciel leur a faits.
>
> Perrault, *Les Souhaits ridicules.*

Petite chronique de l'automne 1830

En juillet 1830, Balzac n'est pas à Paris. L'auteur à succès de la *Physiologie du mariage* « par un jeune célibataire », publiée six mois plus tôt, est parti en Touraine se reposer de son intense activité journalistique. Désormais reçu dans les salons et réclamé par les journaux, il s'est lié d'une « amitié d'ambition » avec Émile de Girardin, et collabore activement aux publications que celui-ci vient de lancer, *La Mode*, revue élégante, *Le Voleur*, *Le Feuilleton des journaux politiques* [1] – ainsi qu'à *La Silhouette* de Charles Philipon, journal « artiste au service des artistes », né en décembre 1829. Balzac leur livre, au cours des premiers mois de l'année 1830, aussi bien des articles que des nouvelles : *La Vendetta*, *Les Dangers de l'inconduite* [2], *Gloire et Malheur* [3], parus en volume dans les premières *Scènes de la vie privée* en avril – ou encore

1. Dont Balzac était aussi le cofondateur.
2. Futur *Gobseck*.
3. *La Maison du Chat-qui-pelote.*

El Verdugo et *Les Deux Rêves*[4], qui accompagneront en septembre 1831 la deuxième édition de *La Peau de chagrin* sous le titre *Romans et contes philosophiques.*

Balzac s'est installé avec Mme de Berny à la Grenadière, tout près de Tours, lieu enchanteur sur la rive droite de la Loire. Il se retrouve ainsi, en compagnie d'une maîtresse de vingt-deux ans son aînée et mère de plusieurs enfants, à deux pas de l'endroit où il avait passé sa première enfance, chez une nourrice de Saint-Cyr… Situation œdipienne en diable dont maintes réminiscences subtiles ne manqueront pas d'affleurer quelques mois plus tard dans *La Peau de chagrin* – le héros, après tout, ne meurt-il pas *en mordant sa compagne au sein* ? De Tours, le 5 juin 1830, les amants s'embarquent pour Nantes sur le bateau *Ville-d'Angers*, et Balzac, impressionné par « ce fleuve qui, près de la mer, devient immense[5] », se souviendra dans l'épilogue vaporeux de *La Peau de chagrin*[6] de cette croisière sur la Loire, « le plus poétique voyage qui soit possible en France ». Au Croisic, l'auteur du *Dernier Chouan* passe ses journées à courir sur les rochers et à nager, menant « une vie de Mohican ». Trois semaines plus tard, il paresse encore à la Grenadière d'où il écrit, toujours à Victor Ratier : « J'en suis arrivé à regarder la gloire, la Chambre, la politique, l'avenir, la littérature comme de véritables boulettes à tuer les chiens errants et sans domicile, et que je dis : la vertu, le bonheur, la vie, c'est six cents francs de rentes au bord de la Loire[7]. »

---

4. *El Verdugo* a été publié pour la première fois dans *La Mode* le 30 janvier 1830. *Les Deux Rêves*, publié pour la première fois dans *La Mode* le 8 mai 1830, prendra finalement place dans la IIIe partie de *Catherine de Médicis expliquée* en septembre 1844.

5. Lettre à Victor Ratier, 21 juillet 1830, *Correspondance*, Classiques Garnier, t. I, p. 461-462.

6. Et à nouveau dans *Un drame au bord de la mer* (1834), et dans *Béatrix* (1839).

7. Cf. note 5. De retour à Paris, Balzac changea rapidement d'avis. Pour ce qui concerne la politique, il prépara même, au printemps 1831, sa candidature aux élections législatives, ce qui retarda la rédaction de *La Peau de chagrin*, puis y renonça.

Or, tandis que Balzac se prélasse, à Paris la crise politique intérieure, déclenchée par l'adresse des 221 en mars, s'aggrave brutalement. Malgré l'issue des scrutins du 23 juin et du 3 juillet 1830, dont l'opposition sort renforcée, Charles X, se croyant fort du succès de l'expédition d'Alger, signe le 25 juillet les ordonnances de Saint-Cloud, qui suspendent les libertés de la presse, dissolvent l'Assemblée nouvellement élue, et modifient la loi électorale. Le 27 juillet, la police fait briser les presses des journaux parus sans autorisation, et l'on commence à s'attrouper. Au cours de la nuit suivante, les barricades se multiplient, des arbres sont abattus en travers des boulevards, on pille les armureries. Le 29 juillet, Paris est aux mains des révolutionnaires : l'émeute a fait dans leurs rangs près de huit cents tués et quatre mille blessés. Charles X doit quitter précipitamment Paris dans la nuit du 30. Les Républicains veulent proclamer la République et offrir la présidence au vieux général La Fayette. Mais l'opposition libérale s'empresse de soutenir la proclamation de Thiers en faveur du duc d'Orléans, « prince dévoué à la cause de la révolution », « roi-citoyen ». Le 31, Louis-Philippe accepte les fonctions de lieutenant général et se fait applaudir par la foule au balcon de l'Hôtel de Ville, aux côtés de La Fayette. Fin d'une révolution : la bourgeoisie d'affaires libérale a réussi un parfait escamotage. Le 7 août, Louis-Philippe Ier est élu « roi des Français ». Encore quelques semaines, et « la révolution de Juillet aura passé dans les paravents, dans les estampes, et vous vous moucherez avec la prise de l'Hôtel de Ville », ironisera bientôt Balzac, « il n'y a rien comme un triomphe pour tuer un homme ou une idée [8] ».

Peu empressé, il ne rentre à Paris que vers le 10 septembre. Mais dès son retour il propose à Lautour-Mézeray, directeur du *Voleur*, de lui donner tous les

8. *Lettres sur Paris*, III, parue le 20 octobre 1830 dans *Le Voleur*.

dix jours un article politique : paraissent ainsi entre le 30 septembre 1830 et le 31 mars 1831 dix-neuf *Lettres sur Paris*, « destinées à représenter moins une opinion qu'un tableau exact des mouvements politiques et des idées qui se combattent [9] » – répondra Balzac à ceux de ses amis qui auraient préféré que ses positions personnelles fussent plus tranchées.

L'exactitude, en septembre, oblige à rendre compte de la popularité dont jouit encore Louis-Philippe : n'est-il pas le fils de Philippe-Égalité, jacobin et conventionnel régicide, qui finit lui-même sous la guillotine ? N'était-il pas à Valmy et aux côtés de Dumouriez lors de la bataille de Jemmapes ? Ne s'était-il pas tenu à l'écart de la politique contre-révolutionnaire ? À son retour d'exil, la Restauration lui a rendu l'immense fortune de la branche d'Orléans, mais le nouveau roi a des habitudes si simples, une vie familiale si bourgeoise, un si rare bon sens… Dès septembre cependant, Balzac dénonce la « pusillanimité » du nouveau gouvernement, « engourdi comme une marmotte, tiré d'un côté par des hommes qui veulent suivre le mouvement, et de l'autre par des écrevisses libérales, qui veulent se doreloter [*sic*] sur leurs chaises curules [10] ». Il voit bien qu'il ne s'agit déjà plus au fond que d'une « lutte mesquine d'intérêts bourgeois », que la « gérontocratie » barre encore et toujours la route à « la grande, la puissante et noble jeunesse qui, silencieuse, attend le pouvoir » –, et que « les trois journées ont vieilli de cent ans la vieille opposition de 1829… [11] ». Le « défaut de vues et d'unité [12] » du gouvernement orléaniste, conduit par des « gens sans portée et sans plans », est pitoyable. Et

9. Lettre à Zulma Carraud, novembre 1830, *Corr.*, t. I, p. 472, n° 268.
10. *Lettres sur Paris*, I, 30 septembre 1830.
11. *Ibid.*, VII, 30 novembre 1830.
12. *Ibid.*, I, 30 septembre 1830.

Balzac, narquois, n'épargne pas plus les « vieux pantins » de la Chambre que la multitude soudaine des « héros de juillet » : « Vous rencontrez des fashionables qui ont reçu des balles dans la veste de leurs domestiques, des gens qui ont suivi M. Dupin partout, beaucoup d'hommes d'État qui ont organisé la révolution, et six cents héros qui sont entrés *le premier* dans le Louvre [13]. »

Et comme on se paye de mots dans la « *meilleure des républiques* », où surabondent les orateurs [14] ! Une caricature montre « un gros monsieur, peut-être est-ce le ministère, j'aime à le croire, [qui] s'amuse à souffler des bulles avec un chalumeau de paille. Il en prend la matière première dans une jatte sur laquelle est écrit : *Mousse de Juillet*. Puis voltigent des bulles... L'une intitulée : *La Charte sera désormais une vérité* ; l'autre *Liberté de la presse* ; ici, *Plus de liste civile* ; là, *Bon système électoral* ; enfin toutes les bévues politiques dues à l'incapacité, à l'indécision de nos ministres, courent dans l'air, prêtes à se heurter, et à faire éclater la *meilleure des républiques* [15] »...

À ce jeu, les esprits s'exaspèrent et s'aiguisent. « Si les départements ne nous envoient pas un petit Pitt, un cardinal de Richelieu de la liberté, ou un quart de Napoléon, je ne sais pas ce que deviendra le ministère en face d'une masse aussi effroyablement intelligente que l'est la nôtre, hardie à critiquer, inhabile au frein, volontaire, capricieuse, et pauvre d'argent [16]. » En cet automne 1830, c'est dans les journaux que les intelligences se dilapident : « *Les Débats, Le National, Le Globe, La Gazette, La Revue de Paris* [...], tous nos journaux enfin sont un livre immense où les pensées,

---

13. *Ibid.*, I, 30 septembre 1830.
14. *Ibid.*
15. *Ibid.*, XV, 20 mars 1831.
16. *Ibid.*, III, 20 octobre 1830.

les œuvres, le style, sont livrés, avec une étonnante profusion de talent, à l'insouciance de nos intérêts journaliers... Il y a tel article politique digne de Bossuet, où de magnifiques paroles ont été dispersées en pure perte ; tel fragment possède la grâce d'un conte oriental ; telle plaisanterie est digne de Molière. La presse périodique est un gouffre qui dévore tout et ne rend rien ; c'est un monstre qui n'engendre rien [17]. » Dès la fin octobre, les jeunes et brillants journalistes de *La Peau de chagrin* auront éprouvé la réversibilité de toutes les convictions, l'équivalence de tous les systèmes, l'absurdité de toutes les alternatives, la désacralisation de toutes les valeurs, et basculé dans un scepticisme goguenard, résignés comme Balzac lui-même « à tous les gouvernements, même à celui du diable [...] ». « Tous les pouvoirs ne sont-ils pas condamnés à employer les mêmes gobelets, à escamoter les mêmes muscades, à exécuter les mêmes lazzis sur les mêmes planches, qu'ils soient républicains ou monarchiques ? [18] ». C'est en concentrant en quelques pages d'une ébouriffante conversation entre journalistes la verve éparse de ses chroniques, que Balzac débondera dans le roman, en même temps que le réservoir des illusions perdues, celui des jongleries verbales qui à la fois dénoncent, miment et parachèvent la déconfiture du sens.

Les esprits se blasent : « Vous annonceriez le *choléra-morbus* dans un salon ; bien plus, il entrerait... à peine obtiendrait-il la faveur insigne d'être lorgné pendant deux minutes... » La nouvelle de la fin prochaine de Goethe, « le chef de l'école satanique auquel nous devons lord Byron, ainsi que toutes les compositions où le crime en gants blancs produit de vigoureux contrastes et jette de fortes émotions dans nos âmes blasées par tant de révolutions », ne met personne en

---

17. *Ibid.*, XI, 10 janvier 1831.
18. *Ibid.*, XII, 20 janvier 1831.

émoi, en ce temps « où les choses les plus graves n'obtiennent pas deux heures d'attention [19] ». Et « nous sommes singulièrement tristes depuis que nous sommes si singulièrement libres », note Balzac en octobre. « Les mœurs sont d'une atonie désespérante [20]. » L'aristocratie a émigré dans ses terres et boude la capitale : « Plus de fêtes, si ce n'est les raouts d'or et d'argent de vos stupides banquiers, de vos ministres bourgeois, qui ne savent ni concevoir une fête, ni créer des salons où l'on s'amuse, parce que, fidèles à leur patronne, *la Fortune*, ils vendent ce qu'ils donnent ! ... Ainsi a dit le noble faubourg [21]. » Et la seule fête de *La Peau de chagrin* sera... un banquet donné par un banquier pour le lancement d'un journal.

À Paris, écrit Balzac en novembre, « ni réunions, ni nouveautés, ni spectacles, tout est mort [22] ». Au théâtre, « mademoiselle Mars est aussi vieille que la Chambre, la Chambre aussi décrépite que *Le Légataire universel*. [...] Tout est pâle sous un ministère-enfant qui s'amuse à écouter les dialogues des morts, improvisés par des momies [23] ». À l'Opéra, « l'Olympe entier, un magasin de dieux, de héros, de nations ; des mondes, des marines, des couleurs locales, des pyramides, des temples, des édifices, des forêts, des religions, des régiments sont tous en attente et ne savent sur quel pied danser [24]... » L'avenir des arts est triste « car ils exècrent les marchands, et ne veulent pas qu'on les pèse entre une boutique et un garde national [25] ». En littérature, « les hommes qui ont paru sur la scène avant les événements de juillet sont tous

19. *Ibid.*, VIII, 10 décembre 1830.
20. *Ibid.*, XI, 10 janvier 1831.
21. *Ibid.*, III, 20 octobre 1830.
22. *Ibid.*, VI, 20 novembre 1830.
23. *Ibid.*, XI, 10 janvier 1831.
24. *Ibid.*, VIII, 10 décembre 1830.
25. *Ibid.*, XI, 10 janvier 1831.

vieillis de dix ans [et] doivent aller chercher quelque nouveau baptême sous quelque nouveau tropique ; car l'Orient, l'Espagne, l'Italie, la mer, les Bourbons, tout est fourbu [26] ». En attendant que l'horizon politique ne s'éclaire et ne redonne un public à Vigny, Lamartine ou Hugo, qui garde *Notre-Dame de Paris* dans sa manche [27], l'heure est à « l'*École du désenchantement* », que dessine une « singulière coïncidence d'ouvrages ». *La Confession* de Jules Janin « achève le livre de M. de Lamennais [28] et proclame que la religion et l'athéisme sont également morts, tués l'un par l'autre ». Et comme en une « déduction plaisante de *L'Âne mort* [29] » de Janin, Charles Nodier publie son *Histoire du roi de Bohême et de ses sept châteaux* [30], « délicieuse plaisanterie littéraire, pleine de dédain, moqueuse [...], satire d'un vieillard blasé, qui s'aperçoit à la fin de ses jours, du vide affreux caché sous les sciences, sous les littératures. [...] Nodier arrive, jette un regard sur notre ville, sur nos lois, sur nos sciences ; et, par l'organe de *don Pic de Fanferlucchio* et de *Breloque*, il nous dit, en poussant un rire éclatant : "Science ? ... Niaiserie ! À quoi bon ? qu'est-ce que cela me fait ?" » Cette année, commencée avec la *Physiologie du mariage*, dont « l'auteur anonyme [31] [...] prend plaisir à nous ôter les illusions de bonheur

---

26. *Ibid.* (cf. fin de la préface de Balzac dans la section « Annexes » du présent volume).
27. *Notre-Dame de Paris* ne paraîtra que le 17 mars 1831, chez Gosselin, éditeur de *La Peau de chagrin*.
28. *Essai sur l'indifférence en matière de religion* (1817).
29. *L'Âne mort et la femme guillotinée*, de Jules Janin qui, écrit Maurice Bardèche, « fabriquait gravement du cauchemar pour se moquer de la cuisine frelatée des romantiques » (*Balzac*, 1980).
30. Voir notes 151 et 180 du roman – et l'article de P.-G. Castex, « Balzac et Charles Nodier » dans l'*Année balzacienne*, 1962.
31. Balzac lui-même : la *Physiologie du mariage – ou Méditations de philosophie éclectique sur le bonheur et le malheur conjugal, publiées par un jeune célibataire*, parut en décembre 1829 chez Levavasseur et Canel.

conjugal, premier bien des sociétés », s'achève par *Le Rouge et le Noir*, « conception d'une sinistre et froide philosophie », dans laquelle M. de Stendhal « nous arrache le dernier lambeau d'humanité et de croyance qui nous restait : il essaie de nous prouver que la reconnaissance est un mot comme *Amour, Dieu, Monarque* ». Il y a, conclut Balzac, « dans ces quatre conceptions littéraires le génie de l'époque, la senteur cadavéreuse d'une société qui s'éteint. [...] La *Physiologie*, la *Confession, Le Roi de Bohême, Le Rouge et le Noir*... sont les traductions de la pensée intime d'un vieux peuple qui attend une jeune organisation ; ce sont de poignantes moqueries ; et la dernière est un rire de démon, heureux de découvrir en chaque homme un abyme de personnalité où vont se perdre tous les bienfaits. / Un homme viendra peut-être, qui, dans un seul ouvrage, résumera ces quatre idées, et alors le XIXe siècle aura quelque terrible Rabelais, qui pressera la liberté comme Stendhal vient de froisser le cœur humain [32] ».

Coquetterie. Balzac sait bien, en ce début de janvier 1831, quel sera cet ouvrage : il va signer quelques jours plus tard, le 17 janvier, avec Charles Gosselin, l'un des plus grands éditeurs romantiques [33], le contrat pour la publication de *La Peau de chagrin*. Non seulement l'empreinte de Rabelais sera éclatante dans cette première version du roman [34], mais dans la préface qu'il

32. *Lettres sur Paris*, XI, 10 janvier 1831.

33. Associé à Urbain Canel, libraire et ami avec lequel Balzac s'était associé pour la publication des *Œuvres* de La Fontaine et de Molière en 1825, puis qui avait publié *Wann-Chlore*, *Les Chouans* et la *Physiologie du mariage* (cf. *supra*). La revue *La Caricature* avait publié dès le 16 décembre les premières pages du roman en préparation sous le titre *Le Dernier Napoléon* et la signature « Henri B... » (voir la section « Annexes » du présent volume). Balzac annoncera lui-même dans sa treizième *Lettre sur Paris* (31 janvier 1831) : « l'auteur de la *Physiologie du mariage* va publier un nouveau livre intitulé *La Peau de chagrin* ».

34. Pierre Barbéris a donné au Livre de Poche une édition de cette version originale du roman (voir la bibliographie) ; on mesure en la lisant combien l'empreinte formelle (énumérations, etc.) de Rabelais a été gommée dans l'édition définitive, alors que les nom-

donnera en août 1831 à cette première édition, Balzac réaffirmera son ambition et sa fierté de remettre à l'honneur « la littérature franche de nos ancêtres », après avoir amorcé dans la *Physiologie du mariage* un joyeux retour « à la littérature fine, vive, railleuse et gaie du XVIIIe siècle [35] ». Mais attention, ce siècle-ci, dit le roman, rit « au milieu des ruines ». Ruines de la Révolution – et les allusions à la Terreur abondent dès les premières pages –, ruines de l'Empire : le désenchantement des lendemains de Juillet 1830, c'est le mal du siècle dont souffrait déjà René, devenu amertume désespérée et chronique sous l'étouffoir de la Restauration. « Le monde nous demande de belles peintures ? où en seraient les types ? Vos habits mesquins, vos révolutions manquées, vos bourgeois discoureurs, votre religion morte, vos pouvoirs éteints, vos rois en demi-solde sont-ils si poétiques qu'il faille vous les transfigurer ? / Nous ne pouvons que nous moquer. La raillerie est toute la littérature des sociétés expirantes [36]... » Raillerie amère et phosphorique, et Balzac s'excusera, dans la moralité qui clôt la première version du roman, d'avoir osé mener « par les joyeux chemins de Maître Alcofribas » le « corbillard sans saulce ni jambon ni paillardise [37] » de cette société moribonde, dont l'éclat et l'énergie sont tout factices, « comme celle que la pile de Volta communique au

breuses allusions à Rabelais ont été conservées (voir notes 99, 113, 125, 178, 179, 271, 459, 468 du roman).

35. Voir la section « Annexes » du présent volume.

36. *Ibid.*

37. Le texte de cette moralité est donné dans la note 468 du roman. Balzac vient de signer du pseudonyme d'« Alcofribas » le conte fantastique *Zéro* (paru dans *La Silhouette* le 3 octobre 1830), qui formera avec *La Danse des Pierres* le conte *L'Église*, intégré en septembre 1831 dans les *Romans et contes philosophiques*, avant de fusionner avec *Jésus-Christ en Flandre* en 1845. Et il vient d'écrire en janvier 1831 le premier des *Contes drolatiques*, *La Belle Impéria*, publié en juin (voir note 42 du roman).

corps mort[38] » – écrira Philarète Chasles, sous l'œil attentif de Balzac, dans son introduction à l'édition des *Romans et contes philosophiques.* Raillerie amère et toxique aussi : la *Physiologie*, œuvre « de critique railleuse[39] », n'était-elle pas déjà à la fois le symptôme et l'*agent* du « désenchantement », qu'elle aggravait ? Quelqu'un devait finalement saisir aux moelles ce « dix-neuvième siècle blasé, indifférent et peu amusable » en lui mettant sous les yeux « son réel néant, son mal intime », le spectacle de son propre marasme et de sa « criminalité secrète », et pour cela lui faire violence, l'affoler d'« abîmes, précipices, saillies, excroissances, hautes montagnes, précipices sans fond[40] », déployer contre lui toute « la verve hardie et poignante, que l'on réclame aujourd'hui, comme un palais blasé veut de l'orpiment et de l'alcool[41] », et d'un « cri éclatant, cri de désespoir d'une littérature expirante » faire, à l'instar du médecin chinonais, « une immense arabesque, fille du caprice accouplé avec l'observation[42] ». Déclaration d'intention réitérée au seuil du roman, que Balzac ouvre sur une botte facétieuse, le fameux moulinet du caporal Trim[43].

Le dernier jour d'un poète

Et c'est ainsi qu'un matin d'octobre 1830 un jeune inconnu va risquer son dernier napoléon au jeu[44] :

---

38. Introduction de Philarète Chasles aux *Romans et contes philosophiques,* septembre 1831 : Chasles cite son propre article du *Messager des Chambres,* paru le 6 août 1831 (voir la section « Annexes » du présent volume).
39. Préface de Balzac pour l'édition originale de 1831.
40. Chasles, *op. cit.*, note 38.
41. *Ibid.*
42. *Ibid.*
43. Voir note 1 du roman.
44. Voir dans la section « Annexes » du présent volume la première version de ce début.

son regard atteste « des efforts trahis, mille espérances trompées », son front pâle, mat et maladif, « la morne impassibilité du suicide », et son sourire amer, « une résignation qui [fait] mal à voir », même aux yeux des vieillards blasés d'un cercle de jeu crasseux du Palais-Royal… Clin d'œil à Stendhal ? Dès les premières pages, c'est à la Rouge et à la Noire que le jeune inconnu confie le soin de décider de sa peau, en cette arène qui est aussi une place de Grève – manière de dire que la piètre révolution de 1830 immole là, bourgeoisement, sans se salir, l'une de ses victimes. L'inconnu mise sur la Rouge. La Noire l'emporte. Alors ce sera la mort, la Seine où se jeter. Pas tout de suite. Quand il fera nuit.

Or, sans ce délai, point de roman. Non que le jeune homme renonce au suicide au cours des heures qui suivent : mais une autre manière de mourir va s'offrir à lui, ô combien plus fabuleuse et plus atroce… *La Peau de chagrin*, en ce sens, est comme l'illustration anticipée de ce mot cruel de Balzac dans *Le Départ*, petit texte publié fin décembre 1831 : « Il y aura cependant un art dans lequel se feront de gros progrès, l'art du suicide[45]. » Baudelaire ne s'y trompera pas, qui parlera dans son *Salon de 1846* du « suicide étrange et merveilleux de Raphaël de Valentin[46] ».

Le jeune inconnu déambule donc dans Paris, traverse le jardin des Tuileries, la Seine, longe les quais, dans une dissolution intérieure aggravée par la grisaille du ciel. Puis pénètre chez un marchand de curiosités du quai Voltaire. Entrée en matière familière : dans *La Danse des pierres*, petit texte publié le 9 décembre dans *La Caricature*[47] (une semaine avant

45. *Le Départ*, paru dans *L'Émeraude. Morceaux choisis de littérature moderne*, chez Canel et Guyot.
46. Section XVIII : « De l'héroïsme de la vie moderne » (*Œuvres complètes*, Gallimard, « Bibliothèque de la Pléiade », t. II, p. 494).
47. Signé : « Le comte Alex. de B… » ; ce texte prendra place (avec *Zéro* – cf. *supra*, note 37) dans *L'Église* en septembre 1831.

la publication de la première version du début du roman dans la même revue), le narrateur, « fatigué de vivre », l'âme « fluide et molle » comme le ciel pluvieux de l'automne 1830, errait déjà en proie à des « idées funèbres », méditant son « avenir douteux », ses « espérances déchues », et entrait « machinalement » dans la cathédrale Saint-Gatien de Tours. Là il s'abîmait dans la contemplation des « arcades merveilleuses, arabesques, festons, spirales et fantaisies sarrasines qui s'entrelaçaient les unes dans les autres, bizarrement éclairées » ; et bientôt, « pris, comme sur la limite des illusions et de la réalité, dans les pièges de l'optique et presque étourdi par la multitude des aspects », il basculait dans une sorte d'hallucination, la cathédrale s'animant sous ses yeux en « un sabbat étrange » qui lui semblait « la chose du monde la plus naturelle » et dont il ne s'étonnait pas « après avoir vu Charles X à terre ».

Le jeune inconnu de *La Peau de chagrin* est la proie du même phénomène, mais terriblement amplifié, dans le magasin de l'antiquaire. La profusion, le chaos, les rapprochements incongrus, grotesques, voire surréalistes, d'objets de tous les pays et de toutes les époques, preuves éclatantes de la mortalité des civilisations, le mélange des instruments de mort et des instruments de vie, l'entrechoquement du divin et de l'humain, aggravent le vertige de son esprit en une fièvre qui lui déroule, d'objet en objet, toute l'histoire de l'humanité, le projette violemment d'une existence imaginaire dans une autre, et hors de lui-même et du réel. Extravagant « transport » mental que Balzac a expliqué d'avance d'un mot : cet inconnu est *poète.*

Et dès lors cet inconnu n'en est plus tout à fait un… Il ressemble comme un frère au Balzac de vingt ans que déjà « un mot dans une phrase, la rubrique d'un journal, le titre d'un livre, les noms de Mysore, de l'Indoustan, les feuilles déroulées de [son] thé, les peintures chinoises de [sa] soucoupe, un rien embarquait fatalement, à travers le dédale de ses contemplations, sur un vaisseau fantastique[48] ». Bientôt, dans la *Notice biographique sur Louis Lambert*, première et courte version de *Louis Lambert* écrite en juin 1832, Balzac montrera Louis Lambert, l'enfant prodige, plongé par ses lectures dans cet état semblable à l'extase des mystiques et au dédoublement des martyrs ou des êtres absorbés par une passion ou une idée tyrannique. Et dès 1828, il avait doté Victor Morillon, dans l'« Avertissement du *Gars*[49] », de cette même intelligence intuitive, de cette même imagination « bizarre et déréglée », « fantasmagorique » – décrivant l'âme de cet être merveilleux comme « un lac tranquille et inconnu où viennent se réfléchir des milliers d'images », ou mieux encore, « selon la magnifique expression de Leibnitz » – que l'on retrouvera sous la plume de Philarète Chasles, évidemment guidée par Balzac – « *un miroir concentrique de l'univers*[50] ».

Dans la préface de 1831 à *La Peau de chagrin*, Balzac reviendra sur cette capacité d'aller « en esprit, à travers les espaces » qui selon lui caractérise l'homme de génie, et que le jeune inconnu de *La Peau* partage manifestement avec son créateur ; c'est seulement chez les « poètes » et les « écrivains réellement philosophes » que s'opère ce « phénomène moral,

---

48. *VOYAGE DE PARIS À JAVA, suivant la méthode enseignée par M. Ch. Nodier en son « Histoire du Roi de Bohême et de ses sept châteaux », au chapitre où il est traité par lui des divers moyens de transport en usage chez quelques auteurs anciens et modernes*, in *Revue de Paris*, 25 novembre 1832.

49. Texte écrit selon toute probabilité en 1828 (reproduit en document dans l'édition GF des *Chouans*).

50. Est « artiste » « l'homme habitué à faire de son âme un miroir où l'univers tout entier vient se réfléchir, où apparaissent à sa volonté les contrées et leurs mœurs, les hommes et leurs passions », écrit Balzac dans l'article « Des artistes », deuxième partie, publié le 11 mars 1830 dans *La Silhouette*.

inexplicable, inouï, [...] cette sorte de *seconde vue*[51] qui leur permet de deviner la vérité dans toutes les situations possibles ; ou, mieux encore, je ne sais quelle puissance qui les transporte là où ils doivent, où ils veulent être ». Quant à la *nature* de cette faculté merveilleuse... « Les hommes ont-ils le pouvoir de faire venir l'univers dans leur cerveau, ou leur cerveau est-il un talisman avec lequel ils abolissent les lois du temps et de l'espace ?... La science hésitera longtemps à choisir entre ces deux mystères également inexplicables. »

Mais notre inconnu, à la nuit tombante, loin d'être distrait de ses résolutions suicidaires par les chevauchées fantastiques de son imagination de poète, loin d'être retenu à la vie par la profusion des merveilles qui, à la faveur de l'ombre, dansent sous ses yeux un « mystérieux sabbat » digne du *Faust* de Goethe, est au contraire implacablement ramené par ses pensées à son désir de mourir, accablé par un immense sentiment de vanité. C'est que l'âme « compose de terribles poisons par la rapide concentration de ses jouissances, de ses forces ou de ses idées », écrit au passage Balzac : après avoir dilapidé son dernier napoléon au jeu, le jeune poète vient d'« éparpill[er] [...] sa vie et ses sentiments sur les simulacres de cette nature plastique et vide ». Manière d'introduire discrètement dans le roman les prémisses de la thèse philosophique dont toute l'œuvre va se révéler la démonstration, et dont Balzac avait commencé de poser les jalons dès la première version de la *Physiologie du mariage*[52] : « L'homme a une somme donnée d'énergie, écrivait-il

51. Italiques du préfacier.
52. Écrite probablement en 1824, et peut-être même esquissée dès 1820 si l'on en croit Balzac, qui fit imprimer cette première version à ses frais en 1826. Déjà dans une œuvre de jeunesse, *Clotilde de Lusignan* (1822), le docteur Trousse exprimait cette idée que chaque homme possède une somme d'énergie qu'il ne peut dépenser qu'une fois.

dans sa *Dixième Méditation*. [...] La quantité d'énergie ou de volonté que chacun de nous possède se déploie comme le son : elle est tantôt faible, tantôt forte, elle se modifie selon les octaves qu'il lui est permis de parcourir. Cette force est unique, et, bien qu'elle se résolve en désirs, en passions, en labeurs d'intelligence ou en travaux corporels, elle accourt là où l'homme l'appelle. Un boxeur la dépense en coups de poing, le boulanger à pétrir son pain, le poète dans une exaltation qui en absorbe et en demande une énorme quantité [...]. » Dans cette ultime dépense d'énergie mentale, le cerveau-talisman du jeune poète s'est « brisé », comme se brisera bientôt celui de Louis Lambert, jusqu'à la folie. Incapable de s'arrêter sur cette pente d'autodestruction, ce « mourant », cet « homme presque mort » se complaît même étrangement dans les derniers soubresauts fiévreux de son esprit, favorisant « par une sorte de complicité railleuse les bizarreries de ce galvanisme moral dont les prodiges s'accouplaient aux dernières pensées qui lui donnaient encore le sentiment de l'existence ».

Galvanisme : Philarète Chasles n'utilisera pas d'autre image pour évoquer la « splendeur funèbre » de la société contemporaine, la « vie galvanique » dont « ce cadavre s'émeut » encore par intervalles. C'est qu'un même mal affecte la société en son ensemble et chacun de ses individus, en cette époque « la plus analytique de l'ère moderne, toute fondée sur l'analyse » qui « s'empare de tout pour tout flétrir » et finalement, « dernier développement de la pensée », tuer « les jouissances de la pensée. [...] c'est le dernier résultat de cet axiome de Jean-Jacques Rousseau : *L'homme qui pense est un animal dépravé* [53]. / Assurément il n'est pas de donnée plus tragique ; car, à mesure que l'homme se civilise, il se suicide ; et cette

53. Jean-Jacques Rousseau a écrit : « l'homme qui *médite* » (in *Discours sur l'origine et les fondements de l'inégalité parmi les hommes.*)

agonie éclatante des sociétés offre un intérêt profond ». L'étude du « désordre et [du] ravage portés par l'intelligence dans l'homme », la peinture de « la désorganisation produite par la pensée », tel est, résume-t-il, « le fond et la pensée créatrice de *La Peau de chagrin*[54] ».

Parvenu à l'extrême bord du gouffre intime en même temps qu'au dernier étage des magasins de l'antiquaire, où sont exposés les chefs-d'œuvre produits par le dernier degré de la civilisation, le jeune homme voit surgir, comme par magie, un petit vieillard aux yeux verts, large front blême, lèvres minces et railleuses, lampe au poing, comme le vieux serviteur de *L'Élixir de longue vie* (texte fantastique que Balzac vient juste de publier le 24 octobre 1830 dans la *Revue de Paris*[55]) – et comme la vieille femme au visage « blême et presque verdâtre », elle aussi vêtue d'une robe noire, qui sort le narrateur de *La Danse des pierres* de sa fantasmagorie, pour lui désigner « d'éternelles richesses » et le « rendre heureux à jamais ». Figure salvatrice ou tentateur méphistophélique ?

À notre « ange sans rayons », le vieillard découvre un adorable portrait du Christ[56] par Raphaël, au visage « auréol[é] de rayons étincelants », et dont les lèvres vermeilles s'incurvent en un « suave et magnifique sourire » qui « étouff[e] l'égoïsme » et dissipe un instant ses tortures. Mais ce monde-ci est celui de la marchandise et de l'or, l'antiquaire le rappelle froidement au jeune poète – d'une voix dont Balzac avait

54. Chasles, *op. cit.*
55. C'était d'ailleurs la première collaboration de Balzac à cette revue, que venait de lancer le docteur Véron. Le vieux serviteur de *L'Élixir* apparaît pour annoncer que Belvidéro se meurt, et cette annonce semble la réalisation magique du souhait sacrilège que vient juste d'exprimer implicitement son fils – effet que Balzac réutilisera dans *La Peau de chagrin*, avec bien d'autres éléments.
56. Dans *La Danse des pierres*, le narrateur, en pleine fantasmagorie, avait l'impression que le « Christ colossal, fixé sur l'autel » lui souriait « avec une malicieuse bienveillance ».

pris soin de nous dire qu'elle avait « quelque chose de métallique ». La rêverie du jeune homme est brutalement dissipée. Il fait tout à fait nuit, il n'y a décidément plus qu'à mourir.

Alors, comme au début du *Faust* de Goethe, tout est prêt pour le pacte. Invité à se retourner par le vieillard, voici le jeune homme devant cette fameuse « Peau de chagrin » qui donne son titre au roman.

La Peau

C'est probablement au cours du second semestre de 1830 que Balzac nota dans son carnet d'idées [57] : « L'invention d'une peau qui représente la vie. Conte oriental. » Mais à quoi songeait-il alors ? Samuel-Henry Berthoud, qui, au début de 1831, collaborait à *La Mode* et se lia alors d'amitié avec Balzac, a raconté tardivement dans ses souvenirs [58] que Balzac avait d'abord projeté d'écrire une nouvelle, dont il fit le récit chez les Girardin, devant Eugène Sue, Léon Gozlan, Frédéric Soulié, Lamartine, qui montrèrent peu d'enthousiasme pour cet embryon. C'était l'histoire d'un jeune homme du nom de Raphaël qui « professait un matérialisme absolu » et « finissait par se laisser mystifier par la grossière duperie d'un vieux juif, son créancier, que le Don Juan de 1830 traitait beaucoup en M. Dimanche ». La peau était un talisman imaginaire et Raphaël à la fin mourait de peur, tandis que le juif lui criait : « Cette peau n'a diminué dans ta poche que parce que c'était tout bonnement sa propriété d'agir ainsi. Meurs donc, honteux de ton ignorance et de ta crédulité [59]. »

---

57. *Pensées, sujets, fragments*, édition Crépet, 1910.
58. *Petites Chroniques de la science*, Paris, Garnier, 1868, t. VII, p. 50-52.
59. Nous empruntons ces informations et ces citations à l'article de Madeleine Fargeaud consacré à Samuel-Henry Berthoud dans l'*Année balzacienne*, 1962, p. 227.

On n'a d'autant moins de raisons de douter du récit de Berthoud que maints détails coïncident avec d'autres écrits de Balzac à la même époque. Et la question de la *crédulité* du héros reste posée dans *La Peau.* Le jeune homme, « disciple d'Arago et de Gay-Lussac » et de surcroît « contempteur des tours de gobelets que font les hommes du pouvoir », ne se laisse-t-il pas impressionner par l'apparition du vieillard comme par un « conte de nourrices » ? Le « sourire de supériorité » du vieillard lui fait croire qu'il est « la dupe de quelque charlatanisme ». Mais, piqué lorsque le vieillard semble le supposer assez simple d'esprit pour croire au pouvoir du cachet de Salomon, il se demande tout de même : « Est-ce une plaisanterie, est-ce un mystère ? »

Étrange objet que cette « Peau symbolique », qui défie par son éclat paradoxal le portrait du Christ qui lui fait face – et qui défiera à la fin du roman toutes les compétences scientifiques de l'époque : la matière en est une sorte de cuir noir très poli, d'abord aussi peu flexible que du métal, mais qui se révélera ductile et contractile dès le « contrat » accepté par le jeune inconnu. Alors, conformément à l'inscription qu'elle porte, elle accomplira ses désirs, mais rétrécira un peu plus à chaque souhait – en même temps que diminuera le nombre des jours qui restent à vivre à son possesseur.

Le vieillard, pour dissuader le jeune homme de céder à la tentation à laquelle il vient de l'exposer, entreprend de lui révéler les véritables richesses de l'existence et le secret de son exceptionnelle longévité – en des termes que n'aurait sans doute pas désavoués le propre père de l'écrivain. Bernard-François Balzac venait en effet de mourir en juin 1829, à l'âge de quatre-vingt-trois ans : dans l'espoir têtu d'atteindre cent ans, il avait soigneusement réglé sa vie selon les principes de Luigi Cornaro, cet Italien qui, au XVIe siècle, après de multiples excès, s'astreignit à un régime d'une sobriété extrême, et mourut centenaire, après avoir dûment consigné son système d'hygiène dans son journal[60]. Combien de fois Balzac dut-il entendre son original de père accuser les hommes de travailler eux-mêmes à l'abréviation de leur vie, et prêcher une saine économie des forces vitales ! De cette obsession paternelle, Balzac hérita une conscience aiguë de sa propre usure, la conscience de transgresser, par ses extravagantes habitudes de travail, toutes les règles de la nature, de « manger sur son capital » comme il l'écrira à son ami Auguste Borget en 1834, ajoutant : « Ce sera curieux de voir mourir jeune l'auteur de *La Peau de chagrin.* »

L'on ne s'étonne donc guère qu'un terrifiant centenaire, à la mode du *Melmoth* de Maturin traduit en 1821 et que Balzac jugeait « pas moins puissant que le *Faust* de Goethe[61] », soit apparu dès 1822 dans une œuvre de jeunesse, *Le Centenaire* (publié sous le pseudonyme d'Horace de Saint-Aubin) : le vieux Beringheld – qui y règne déjà, comme l'antiquaire de *La Peau*, sur de fabuleuses collections – doit à une science secrète, héritée des sages de l'Inde et du Tibet, le privilège de dépasser les limites normales de la vie humaine – à charge pour lui cependant, détail d'importance, de dérober à autrui, de temps en temps, le fluide vital nécessaire au renouvellement de sa vigueur… En avril 1830, Balzac venait de peindre en la première mouture du personnage de Gobseck[62] – qui va jusqu'à se taire au passage d'une voiture pour ne pas forcer sa voix – un cas extrême d'économie de soi. Et comme lui, l'antiquaire de *La Peau de chagrin* a choisi d'assister

---

60. *Discorso della vita sobria* (1558).

61. Les deux références sont également prégnantes dans le roman : voir les notes 62, 65, 71, 79, 83, 362.

62. La première version de la nouvelle, intitulée *Les Dangers de l'inconduite*, parut en avril 1830 dans le premier tome des *Scènes de la vie privée.* (Pierre Citron analyse les similitudes entre cette nouvelle et *La Peau de chagrin* dans son introduction de l'édition Pléiade, p. 31-34.)

en spectateur à la vie et à la comédie des passions humaines.

Mais plus précisément encore, au cours de l'automne 1830, deux personnages de vieillard préfigurent l'antiquaire, dans des textes qui par maints aspects – allusions à l'Orient, emprunts au roman noir, intrusion du fantastique en ces années marquées par la découverte d'Hoffmann – annoncent le roman.

Bartholoméo Belvidéro [63], père de Don Juan dans *L'Élixir de longue vie*, a comme le père de Balzac passé « la majeure partie de sa vie dans les combinaisons du commerce » et, « ayant traversé souvent les *talismaniques* contrées de l'orient [64] », y a acquis « d'immenses richesses et des connaissances plus précieuses, disait-il, que l'or et les diamants ». Comme le père de Balzac encore, frugal, sobre et soigneusement retranché derrière ses livres, à l'écart des soucis familiaux, Bartholoméo, « rêveur, indécis, préoccupé comme un homme en guerre avec une idée ou avec un souvenir », vit en « volontaire anachorète » dans l'aile la plus incommode de son palais et se contente chaque jour de sept onces de pain et d'eau claire. Comme bientôt l'antiquaire de *La Peau*, il a pesé l'existence en termes de Savoir et de Pouvoir, mais contrairement à l'antiquaire, a préféré au Savoir la promesse d'une nouvelle jeunesse : du précieux élixir qui donne son titre au conte, et dont doit être frotté son cadavre, il attend une deuxième vie. C'était sans compter avec l'« effroyable égoïsme » de son fils, le jeune Don Juan, qui préférera évidemment se réserver l'usage du miraculeux liquide… et qui, une fois en possession de l'élixir et persuadé d'être immortel, dévorera tout sur son passage, « semblable à la Mort », poussant l'esprit d'analyse jusqu'à l'ironie et au doute universels, pour

63. Dont le nom évoque celui de la courtisane Belvidera dans la *Venise sauvée* d'Otway (voir note 169 du roman).
64. Italiques du préfacier.

atteindre en sa vieillesse le « dernier degré de la raillerie ». Mais la précieuse fiole sera brisée, et l'élixir s'évaporera irrémédiablement – comme disparaîtra finalement la Peau.

Dans *Sarrasine*[65], en novembre 1830, Balzac invente un autre inquiétant centenaire, qui « sans être précisément un vampire, une goule, un homme artificiel, une espèce de Faust ou de Robin des Bois, participait, aux dires des amis du fantastique, de toutes ces natures anthropomorphes ». Sorte de « génie familier » de l'hôtel de Lanty, qui suscite par ses apparitions inattendues et son extrême vieillesse la curiosité, la médisance et une inquiétude réfrigérante, il n'est autre que le castrat Zambinella, dont le sculpteur Sarrasine s'était épris dans sa jeunesse, le prenant pour une femme... Le malheureux chanteur ne doit-il pas, au moins en partie, sa longévité à son inéluctable chasteté – comme l'antiquaire de *La Peau*, dont les « plaisirs ont toujours été des jouissances intellectuelles », qui n'a jamais « lassé ses organes », disposant en esprit d'un « sérail imaginaire où [il] possède toutes les femmes [qu'il n'a] pas eues », et qui se gausse des « fébriles [...] admirations » des hommes « pour quelques chairs plus ou moins colorées, pour des formes plus ou moins rondes » ?

C'est que l'homme, explique l'antiquaire au jeune inconnu, « s'épuise par deux actes instinctivement accomplis qui tarissent les sources de son existence [...] : VOULOIR et POUVOIR ». Et l'antiquaire d'évoquer avec emphase sa vie toute de savoir et de jouissance intuitive des choses, de « voluptés idéales dépouillées des souillures terrestres » grâce à « la faculté sublime de faire comparaître en soi l'univers ». Et de désigner la Peau comme le symbole des passions et des

65. Publié pour la première fois dans la *Revue de Paris*, les 21 et 28 novembre 1830, et repris dans le tome II des *Romans et contes philosophiques*.

concupiscences de la civilisation, qui tuent en faisant trop vivre.

Mais au lieu de dissuader le jeune homme, le prêche philosophique de l'antiquaire le précipite dans le pacte fatal avec la Peau, qu'il empoigne « d'une main convulsive », en souhaitant une ultime et formidable débauche. La société tout entière, à vrai dire, ne désire rien d'autre, lasse d'attendre en cette fin du mois d'octobre 1830 : « nous sommes dans la plus détestable des situations, écrit Balzac dans *Le Voleur* : nous attendons des événements, nous attendons de bonnes lois, nous attendons une vengeance, nous attendons des plaisirs, nous attendons une Chambre, une cour, un gouvernement, une littérature, une législation, un crédit et des grands hommes [66] »...

D'une orgie l'autre

Peau en poche, le jeune inconnu sort dans la rue, et se trouve littéralement cueilli sur le quai par ses camarades journalistes, dont la verve railleuse nous ramène à cette fin du mois d'octobre 1830, avec ses désillusions et son scepticisme amer. Le jeune inconnu acquiert enfin une identité, un prénom : Raphaël – il est donc *l'autre* Raphaël, pas le *grand* Raphaël... Et son désir de bacchanale s'accomplit sur-le-champ. Le voilà dans un somptueux hôtel particulier, entouré d'artistes, d'écrivains, d'hommes de loi et de science parmi lesquels les jeunes talents les plus prometteurs du moment – mais aussi une écrasante majorité de médiocres, dont Balzac stigmatise la malhonnêteté intellectuelle et la vénalité en des formules chiasmatiques qui signalent l'entrée dans un univers romanesque où règne (et chez les personnages eux-mêmes) une conscience exaspérée des jeux du langage : un univers structuré et stylisé par

66. *Lettres sur Paris*, III, 20 octobre 1830.

l'emploi constant de quelques figures de rhétorique privilégiées, antithèses et inversions, chiasmes et oxymores qui, en rapprochant constamment des pôles de charge opposée, survoltent le texte.

Le crescendo rossinien du banquet, la cacophonie furieuse et burlesque de la discussion entre les convives, où s'entrechoquent tous les systèmes de pensée, où l'on ébranle à plaisir, entre deux plats, « toutes les lois entre lesquelles flottent les civilisations », fait écho au chaos visuel des magasins de l'antiquaire : le vin aidant, elle dégénère en un « sabbat des intelligences » qui renouvelle le « mystérieux sabbat » des objets au dernier étage du quai Voltaire. Aux voisinages incongrus des objets succèdent coq-à-l'âne, calembours et à-peu-près, débauche de paradoxes et de virtuosité verbale, artifices d'une pensée qui jouit complaisamment de sa déroute, un œil au miroir flatteur des grandes civilisations écroulées. Et jusqu'au dessert, la veine orientale continue de courir dans la description échevelée de cette nouvelle Babel, image d'un siècle semblable à « un vieux sultan perdu de débauche » : des pyramides de fruits exotiques dignes « d'un conte oriental » sont livrées au pillage des convives qui, au dernier degré de l'ivresse, braillent et poussent des rires atroces, tandis qu'attendent au salon, ultime friandise, un « sérail » de femmes semblables à une « troupe d'esclaves orientales » – nouvelle mouture des sept courtisanes qui, « vêtues de satin, étincelantes d'or et chargées de pierreries », pimentent le festin de Ferrare sur lequel s'ouvre *L'Élixir de longue vie*.

Là, comme avait surgi l'antiquaire, une colossale et très baudelairienne courtisane aborde Raphaël : la belle Aquilina aux cheveux noirs, bouche entrouverte et robe rouges – hommage à un amant décapité –, corps puissant et souple comme celui d'une panthère. Sa foudroyante beauté promet toutes les sauvageries de l'amour, elle irait jusqu'à « se détruire elle-même, comme un peuple insurgé », ajoute Balzac – et comment ne pas songer avec Émile Deschamps [67] à *La Liberté guidant le peuple* [68], que Delacroix peignit au cours de cet hiver 1830-1831 et exposa au Salon de 1831 tandis que paraissait *La Peau de chagrin* ? « Naïade ingénue » dont le visage candide cache la dépravation la plus profonde et la corruption la plus froide (et qui rappelle la septième courtisane de *L'Élixir*, « innocente jeune fille accoutumée à jouer avec toutes les choses sacrées »), la frêle Euphrasie sert de repoussoir à Aquilina, et forme avec elle une double et antithétique allégorie du vice. Toutes deux partagent une même philosophie de la vie – strictement inverse à celle de l'antiquaire – et qu'exprimait déjà la quatrième courtisane de *L'Élixir* en s'écriant : « Vive la gaieté ! je prends une existence nouvelle à chaque aurore ! Oublieuse du passé, ivre encore des assauts de la veille, tous les soirs j'épuise une vie de bonheur, une vie d'amour ! » Foin de la longévité et de l'économie de soi : « Nous vivons plus en un jour », déclare Aquilina, « qu'une bonne bourgeoise en dix ans, et alors tout est jugé ».

L'orgie atteint bientôt les mêmes proportions surnaturelles et infernales que le chaos sabbatique des objets dans les magasins de l'antiquaire. Même impression de grotesque et de cauchemar, même confusion inextricable entre le réel et le bizarre, entre la vie et la mort, l'animé et l'inanimé : les convives ivres morts jonchent les tapis du salon comme sur la scène d'une pièce élizabéthaine [69], les couples enlacés se

---

67. Article paru dans *La France nouvelle*, le 10 octobre 1831, et qui voit en *La Peau* une littérature « émeutière », insurrection « de l'atroce et du faux contre le beau et le vrai ».

68. L'œuvre fut acquise par Louis-Philippe pour le musée Royal, alors au palais du Luxembourg, mais ne fut exposée que quelques mois, par crainte que le public n'y trouve des encouragements à l'émeute.

69. Émile comparait déjà Aquilina à une « tragédie de Shakespeare, espèce d'*arabesque* admirable » (je souligne).

confondent avec les groupes de marbre blanc – qui ornaient déjà le palais de Ferrare dans *L'Élixir*.

Au comble de cette confusion, Raphaël éclate d'un rire « burlesquement intempestif » – le contraste entre ses expériences des dernières heures est par trop violent : après le spectacle des « ruines les plus poétiques du monde matériel » se résumant « par une traduction symbolique de la sagesse humaine », celui des « débris de tous les trésors intellectuels [...] saccagés » à la table de Taillefer et aboutissant « à ces deux femmes, images vives et colorées de la folie ». N'y a-t-il donc pas d'autre voie hors ces « deux systèmes d'existence diamétralement opposés » ? Émile, avec sa manie habituelle (qui exaspère Raphaël) de « jeter un livre dans un mot » et de dilapider les ressources de sa cervelle, croit pouvoir résumer l'alternative « en un mot » : « tuer les sentiments pour vivre vieux, ou mourir jeune en acceptant le martyre des passions ». Pour Raphaël, ces dernières heures ont évidemment une tout autre épaisseur. Il révèle à Émile qu'il avait résolu de se suicider, mais celui-ci le raille en lui demandant s'il en était réduit à « manger son chien tout cru, sans sel, dans sa mansarde » – comme l'avait raillé l'antiquaire en lui demandant s'il était « depuis trois ans surnuméraire au trésor, sans y avoir touché de gratification ». Raphaël, développant la réponse succincte qu'il avait faite à l'antiquaire, va entreprendre dès lors de raconter sa vie. Et ce récit sera, comme en abyme au milieu de l'orgie, une « orgie de paroles » pour ce jeune homme dont la vie n'a été jusque-là qu'« un trop long silence ».

Balzac qui, selon les termes du contrat du 17 janvier, s'était engagé à livrer son texte « feuille à feuille d'ici au 15 février prochain au plus tard », achève ainsi, avec un mois de retard, la première partie de son roman. Non sans peine. Fin février ou début mars [70], il s'ouvrait à

---

70. Billet (daté du 1er mars par Bernard Guyon) publié dans l'*Année balzacienne*, 1974, p. 305.

Gosselin, qui sans doute s'impatientait, des difficultés qu'il rencontrait dans la rédaction et lui avouait « avoir travaillé toute la nuit en pure perte, à faire des phrases inutiles ». Le 7 mars, de Saint-Cyr où il s'est « exilé » chez ses amis Carraud pour travailler au calme, il assure cette fois son éditeur qu'il travaille « sans relâche et sans distraction » : « Je termine ce soir la *première partie*, celle qui me donne le plus de soucis, et d'où dépend tout le livre. [...] j'espère vous aller voir jeudi, portant en triomphe de la copie [71]. »

« Rude tâche. » C'est après tout la première fois que Balzac se collette en temps réel avec son époque, et qu'il entreprend une œuvre philosophique à la hauteur de l'ambition qui le travaille depuis sa jeunesse. La première partie achevée, et soigneusement jalonnée d'annonces et de questions restées en suspens, la thèse philosophique incarnée et formulée, Balzac peut d'un cœur plus léger affirmer que « le reste viendra tout seul [72] ». Il sait qu'il va tout d'abord, comme son héros, pouvoir enfin parler un peu... de lui-même.

Portrait du héros en jeune homme pauvre

> « Mon cher Ratier,
> Je suis assez en train sur cette terrible Peau de chagrin, que je voudrais, au rebours de mon héros, voir diminuer. »
>
> Nemours, vers le 15 mai 1831.

> « Quel plaisir a-t-il eu depuis qu'il est au monde ? »
>
> La Fontaine, « La mort et le bûcheron ».

Balzac entretisse en effet d'éléments personnels l'histoire de son héros. Le père de Raphaël est d'origine auvergnate comme le sien, et l'écrivain réalise de

---

71. *Corr.*, t. I, p. 501, n° 284. La composition de la fin de la première partie s'effectuera du 31 mars au 13 avril (dates portées sur la seule épreuve conservée, la dernière, revêtue des bons à tirer).
72. *Ibid.*

manière posthume le fantasme nobiliaire de Bernard-François Balssa en faisant du père de Raphaël le descendant d'une maison historique plus ou moins oubliée. De même, Balzac dramatise la décevante condition de retraité de son père, tombé dans une certaine gêne après les années d'aisance tourangelle, en imputant à une décision de Villèle l'ultime revers de fortune du père de Raphaël, qui, ruiné par la Restauration, a élevé son fils dans une rigueur d'un autre âge. Sevré de tendresse après la mort de sa mère lorsqu'il avait dix ans – manière pour Balzac de transposer le manque d'amour maternel dont il souffrit cruellement –, le jeune garçon a passé toute sa jeunesse courbé sous le despotisme paternel, comme « une jeune fille [mariée] à un squelette ». Et trop longtemps laissé dans « la naïveté primitive du jeune homme » – comme Sarrasine, « maintenu dans l'ignorance profonde des choses de la vie » –, l'angélique et blond Raphaël garde encore à vingt-six ans une délicatesse un peu féminine, qui contraste tout particulièrement avec la masculinité d'une Aquilina, ses « formes d'une mâle élégance[73] ». Cette féminité l'apparente à d'autres personnages créés à la même époque, par exemple à Étienne d'Hérouville, lui aussi privé d'affection paternelle dans *L'Enfant maudit*[74] : comme celles d'Étienne, blanches « comme celles d'une coquette », les mains de Raphaël sont « jolies comme des mains de femme ». Et si Étienne est amoureux des fleurs qui l'attirent par une similitude de nature, Raphaël se range parmi les cœurs « tendres » et « délicats, comme des fleurs ». Cette sensibilité, ces « délicatesses presque

73. Pierre Danger rapproche très justement Aquilina du personnage de Malaga dans *La Fausse Maîtresse* (1841) et de Catherine dans *Les Paysans* (1844).
74. Publié pour la première fois début avril 1831 dans la *Revue des Deux Mondes*. Voir aussi, par exemple, le personnage de Godefroid dans *Les Proscrits*, paru pour la première fois dans la *Revue de Paris* le 1er mai 1831.

féminines » sont « instinctives chez les grands hommes », écrira Balzac dans *Louis Lambert*, mais ne plaisent guère aux femmes, avec lesquelles Raphaël se montre « tour à tour, dans la même heure, homme et enfant, futile et penseur, sans préjugés et plein de superstitions, souvent femme comme elles ». Sa « langueur féminine » et son « excessive mobilité d'imagination » ne sont à leurs yeux qu'inconstance dans les idées et manque d'énergie, et l'« amant efféminé de la paresse orientale, amoureux de [ses] rêves sensuels », est condamné à la solitude et aux « tourments d'une énergie impuissante qui se dévorait elle-même ».

Privé d'argent par son père pendant toute sa jeunesse, il rate aussi complètement l'épreuve du jeu comme rite de transgression de la loi paternelle : après avoir joué en cachette l'argent de son père (et gagné, et fait pour la première fois, par la même occasion, l'expérience de son don de « double vue »), le jeune homme vit dans la culpabilité d'avoir usurpé la confiance que son père lui a finalement accordée, en lui déclarant : « Maintenant, tu es un homme, *mon enfant.* » Prisonnier de ce mensonge et de cette fausse virilité, Raphaël se laissera asservir à la défense des intérêts de son père, s'interdira tout plaisir et toute dépense, et finira par sacrifier ses biens propres pour payer les créanciers de son père – lequel mourra inconsolable d'avoir ruiné son fils. Dès lors, la vie de Raphaël, « zéro social », ne sera plus qu'une « perpétuelle antithèse », en effet, entre le réel et le désir.

Même apprentissage raté pour le langage : l'orphelin hypersensible, timide, mal habillé, replié sur lui-même, gauche, n'ose ni parler ni se taire à propos. « Je ne savais point parler en me taisant et me taire en parlant » : infirmité cruciale dans une société factice où seuls réussissent les virtuoses de la parole, Raphaël l'apprendra à l'école de l'ami Rastignac, respecté et craint pour sa langue aiguisée par une « étude assez spéciale de l'idiome moderne et des artifices naturels dont on se sert pour tout attaquer et tout défendre ».

N'ayant aucune des armes nécessaires pour partir à l'assaut de la société, mais l'esprit rompu au travail et à la lecture, Raphaël décide de se consacrer à l'étude de la philosophie et s'installe, sur les traces de Rousseau, dans un petit hôtel de la rue des Cordiers [75] – comme Balzac s'installa, à la fin de l'été 1819 dans un « grenier » rue Lesdiguières, non loin de la bibliothèque de l'Arsenal où il passait ses journées. À Mme Hanska, Balzac dira explicitement avoir mené là « la vie que j'ai décrite dans *La Peau de chagrin* [76] », vie simple et studieuse, la tête enflammée par les rêves de gloire. Comme Balzac partagé entre ses travaux philosophiques et la rédaction d'une tragédie en vers, Raphaël écrit dans son « sépulcre aérien » à la fois une *Théorie de la volonté* (celle que Balzac écrivit au collège de Vendôme et qu'il attribuera à Louis Lambert) et une comédie : mais comme le *Cromwell* de Balzac, qui ne convainquit personne, sa pièce est moquée comme une « niaiserie ». Comme Balzac, il sent en lui-même « une pensée à exprimer, un système à établir, une science à expliquer » ; mais, animé de la « croyance sublime à une destinée », il retombe dans des abattements terribles et se sent « dans le néant » – comme Balzac lui-même si l'on en croit Mme Balzac mère, qui écrivait à Laure, la sœur de l'écrivain, le 5 août 1822 : « Honoré, ou se croit *tout*, ou se croit *rien* ; alors la tête se détraque… »

Pendant deux ans, vertueusement immergé dans les eaux utérines de l'étude, si « maternellement bonne », Raphaël trompe sa frustration en hallucinant de luxueuses équipées dans Paris, dépaysantes comme un

75. On le retrouvera à la même adresse dans *Les Martyrs ignorés*, sur le manuscrit duquel Balzac avait d'abord écrit « Moi ».
76. Lettre à Mme Hanska du 1er janvier 1846.

voyage imaginaire en Chine [77]. Cependant que dans la vie quotidienne, sa logeuse Mme Gaudin et sa fille Pauline, par maintes menues attentions, lui témoignent une affection toute maternelle – et le plongent dans des affres tout œdipiennes. Incapable de s'avouer son désir, Raphaël ne peut que refouler ses sentiments pour la jeune fille qu'il s'empêche de traiter autrement que comme une sœur – et le thème de l'inceste est discrètement relayé dans le roman par les allusions à Manfred [78]. Pygmalion à rebours, il voudrait même la *pétrifier* pour ne plus éprouver de désir, ou bien (ce qui revient au même) la dénaturer complètement et la transformer en une petite-maîtresse enveloppée de cachemire et de soie, mais sèche, froide et inaccessible.

Fœdora ou la mort

> « Le vaste plan, caché sous ces fantaisies, a dû échapper à plusieurs yeux. [...] La même signification se trouve cachée sous les plus légers incidents de cette fiction. »
>
> Philarète Chasles.

C'est un peu moins d'un an avant le début du roman, en décembre 1829, que Raphaël fait la connaissance de Rastignac, viveur séduisant et rompu aux usages du monde, qui se fait auprès du jeune anachorète l'apôtre du charlatanisme et de la dissipation, conçue comme « système politique ». Il le présente à la comtesse Fœdora, élégante et frigide incarnation de tous ses fantasmes, dont le nom seul l'avait déjà porté à un paroxysme de désir. Cette richissime Circé mi-parisienne mi-russe règne sur une « ménagerie de

---

77. Balzac a dit lui-même combien son enfance avait été « bercée de la Chine et des Chinois », à cause de la passion de son père pour ce « peuple étrange (compte rendu de *La Chine et les Chinois* d'Auguste Borget, dans *La Législature* d'octobre 1842).
78. Voir les notes 351 et 464 du roman.

savants » et de soupirants, en son luxueux hôtel particulier du faubourg Saint-Honoré, laissant à tous visiter sa chambre à coucher, mais ne se donnant à personne. Elle va tenir aisément dans ses rets un Raphaël qui espère grâce à elle échapper à sa misère. En fait, elle va surtout l'éloigner de ses travaux, lui faire boire jusqu'à la lie l'humiliation de sa pauvreté, aiguiser ses désirs sans aucune intention de les satisfaire, le faire osciller constamment de la ferveur à la rage au gré de ses caprices, jusqu'à le rendre dépendant du plaisir paradoxal de la souffrance qu'elle lui inflige, minant encore un peu plus sa virilité déjà si indécise, le laissant « sans idées, sans force, comme *une jeune fille tombée à genoux devant un tigre*[79] ». Incapable de résoudre l'énigme de cette femme (dont il voudrait paradoxalement émouvoir les sens et le cœur de bronze, alors qu'il voulait faire de la frémissante Pauline une statue de marbre), Raphaël ira jusqu'à suspecter en elle quelque monstruosité physique, malformation ou double nature ; et pour assister à son coucher, se cachera dans l'embrasure de la fenêtre de sa chambre[80] – posture analogue à celle du narrateur de *Sarrasine*, égaré lui aussi, au début de la nouvelle, en « pleine macédoine morale ».

Ainsi se dessine dans cette seconde partie du roman une constellation d'antithèses humaines qui se superposent à celles de la première partie, et incarnent finalement les mêmes alternatives philosophiques. Raphaël y mène d'abord la vie ascétique et toute consacrée au Savoir que lui vantera l'Antiquaire. Rastignac, quoique avec un instinct de conservation plus sûr et dans d'autres sphères, illustre avec son « système dissipationnel » la même philosophie de la dépense que les courtisanes. Et d'une certaine manière, antithèse du père de Raphaël, Rastignac ne maintient pas

---

79. Italiques du préfacier.
80. Voir note 280 du roman et p. 208.

moins que lui Raphaël dans l'immaturité. Jeune fille [81] aux pieds d'un tigre, ou mariée avec un squelette, Raphaël voit sa virilité niée autant par Fœdora que par son père. Et Fœdora, au fond, s'économise comme l'Antiquaire – tous deux ne prennent « de plaisir que par la tête ». « Femme sans âme », elle s'oppose terme à terme à la généreuse et aérienne Pauline, que l'épilogue révélera comme une pure âme, « être incréé, tout esprit, tout amour », peut-être un mirage. Et ce chiasme mime celui d'Euphrasie et d'Aquilina. Cheveux bruns, yeux orange, Fœdora est par certains détails – épais sourcils, imperceptible duvet, lèvre supérieure un peu forte et légèrement ombragée – étrangement masculine. Femme de glace, tigre aux yeux doublés de métal, elle est aussi l'antithèse froide de la mâle et rouge Aquilina, souple panthère et femme de feu.

À Mme Hanska qui lui demandera s'il a connu Fœdora, « si elle est vraie », Balzac répondra : « Une femme de la froide Russie, la princesse Bagration [82], passe à Paris pour être le modèle. J'en suis à la septième femme qui a eu l'impertinence de s'y reconnaître, elles sont toutes d'un âge mûr. Mme Récamier [83] elle-même a voulu se *fædoriser*. Rien de tout cela n'est vrai. J'ai fait Fœdora de deux femmes que j'ai connues sans être entré dans leur intimité. L'observation m'a suffi outre quelques confidences [84]. » Quand bien même Balzac

81. Dans *Sarrasine*, le jeune sculpteur, avant son rendez-vous avec Zambinella, se parait déjà « comme une jeune fille qui doit se promener devant son amant ».

82. La princesse Bagration, qui menait une vie fort agitée, s'était installée à Paris en 1819 ; elle donna de fastueuses réceptions, auxquelles Balzac assista semble-t-il quelquefois.

83. Balzac avait été présenté à Mme Récamier en 1829 par la duchesse d'Abrantès ; il semble avoir donné dans son salon, à une date qui n'a pu être précisée (juin ou juillet 1831 ?), une lecture de *La Peau de chagrin*.

84. Lettre à Mme Hanska, fin janvier 1833.

ne dirait pas toute la vérité à Mme Hanska, l'empressement de ces dames à se « fœdoriser », leur jalousie envers un personnage de roman, confirme de manière éclatante la vérité du personnage. Et Montalembert de son côté remerciera Balzac de « l'admirable seconde partie » du roman « au nom de tous les jeunes gens qui ont connu la pauvreté, au nom de tous les jeunes cœurs qu'un misérable amour-propre de femme a brisés [...]. Votre *femme sans cœur* est à faire pleurer de vérité, je vous le dis sans compliments, et peut-être par expérience, je crois que c'est le tableau le plus vrai de la société actuelle, qui ait été tracé [85]. »

Au bord de la folie, incapable de se guérir de Fœdora en se replongeant dans l'étude comme on se ceint d'un cilice, Raphaël songe au suicide et passe en revue les moyens d'en finir avec Rastignac ; celui-ci, fidèle à sa philosophie, lui conseille le suicide par le plaisir, solution à laquelle le jeune Balzac avait déjà songé : « Pendant les longues mélancolies et les secrets désespoirs qui me prirent entre vingt et vingt-deux ans », écrit-il en novembre 1832, « j'avais plus d'une fois savouré les plaisirs du suicide, sans avoir jamais été plus loin que les bords des fossés de la Bastille, dans le temps où il n'y avait point d'eau ; mais le plus délicieux de mes suicides projetés a été le suicide par excès d'amour. Je n'imaginais rien de plus poétique, de plus gracieux, que ces langueurs douces, ces prostrations complètes qui devaient m'amener insensiblement au néant [86] ». On peut mourir ainsi, la preuve en est la mort de Raphaël, *l'autre*, le grand Raphaël d'Urbin, tué, selon une tradition rapportée par Vasari, « par un excès d'amour ». Raphaël quitte donc la chaste mansarde de l'hôtel Saint-Quentin pour un appartement boulevard des Italiens, après une brève

---

85. Lettre de Charles de Montalembert à Balzac, le 17 novembre 1831 (*Corr.*, t. I, p. 610, n° 374).
86. *Voyage de Paris à Java* (cf. *supra*, note 48).

station dans la chambre de Rastignac, vestibule de sa nouvelle vie, dont les contrastes et les incongruités (comparables, à l'échelle domestique, à celles des magasins de l'antiquaire) disent les plaisirs au jour le jour, l'incohérence fantasque et poétique, mais aussi la précarité, la vénalité et la stérilité. Affectant une « noble insouciance » et chaussant les gants beurre frais du « viveur », Raphaël consent à toutes les corruptions et à tous les plaisirs, gaspillant une énergie dont l'accumulation eût sans doute « été dangereuse [s'il ne l'avait] amortie ainsi ». Délaissant toute ambition intellectuelle, il fréquente désormais le monde où l'on vit d'expédients, où l'on écrit des mémoires apocryphes pour des proxénètes littéraires : souvenir des années passées par Balzac à fournir les cabinets de lecture en « cochonnerie », de l'époque où sa mère s'inquiétait, en lisant *Clotilde de Lusignan* : « La fréquentation des jeunes gens qui, entre eux, se gâtent le goût, perdent les convenances, oublient ce qui est bien et ne croient beau que les sornettes qu'ils se débitent pour rire, a je crois, beaucoup influé sur le genre d'Honoré. [...] enfin je suis désolée, voilà mon refrain [87] [...]. » Et souvenir du printemps 1830 encore, où il collabora avec L'Héritier de l'Ain aux *Mémoires* du bourreau Sanson [88]. Mais Raphaël ne parvient ni à s'épuiser ni à se perdre de vue dans le tourbillon de la débauche, véritable pacte faustien dans lequel le dissipateur croit pouvoir se créer lui-même une

87. Lettre de Mme Balzac mère à sa fille Laure Surville et à son mari, 5 août 1822. Elle ajoutait : « Rabelais lui a fait tort aussi ; Sterne est aussi pour quelque chose dans des suspensions de sens [...]. »

88. L'introduction du tome I des *Mémoires pour servir à l'histoire de la Révolution française, par Sanson, exécuteur des arrêts criminels pendant la Révolution* (publié en février 1830) est de la main de Balzac (et sera insérée dans *Un épisode sous la Terreur*), ainsi que deux chapitres du tome II (publié en mai 1830), que Balzac publia sous forme d'articles les 20 et 25 avril 1830 dans *Le Voleur*.

seconde fois, « comme pour fronder Dieu » et, fort des vapeurs de l'alcool et des richesses factices du jeu, se prendre pour le « roi de la création ». Et c'est ainsi qu'accablé par « l'horreur profonde » de sa condition, hanté par les dettes qui, comme dans un *delirium tremens*, lui semblent « jaillir partout comme des sauterelles » (et qui l'obligent, reniement suprême, à vendre l'île où repose sa mère), l'âme profondément « gangrenée », les sens irrémédiablement accoutumés à des « tressaillements continuels », Raphaël finit par aller jouer son dernier napoléon dans un cercle de jeu du Palais-Royal, un certain matin d'octobre 1830…

Raphaël achève ainsi, ivre mort, brandissant le talisman, divaguant jusqu'à la gauloiserie, le récit pathétique (et pathétiquement inopportun) de sa vie, avant de s'écrouler au milieu des ronfleurs. Au réveil, les couleurs flamboyantes de l'allégorie ont déserté le tableau : dans la lumière du soleil de midi qui inonde les salons dévastés, les courtisanes, teints verdâtres, coiffures écroulées, toilettes fanées, bouches desséchées, offrent un spectacle hideux aux yeux caves et cernés des messieurs. La voilà sous son vrai jour, la société cadavéreuse des lendemains de Juillet – qui se replâtre à la hâte avant de repasser à table [89].

Paradoxes du chagrin

On en oublierait presque la Peau, si un notaire ne venait apporter à Raphaël une somme colossale, héritage d'un oncle lointain – et exaucement exact du souhait d'ivrogne de Raphaël, car six millions donnent en effet deux cent mille livres de rente. « Quand je les aurais, tu verras la diminution de tout mon chagrin »,

---

89. On ne sait pas exactement quand Balzac achève cette deuxième partie du roman ; les épreuves d'imprimerie de la fin de la deuxième partie et du début de la troisième sont datées du 21 juin au 4 juillet 1831.

avait dit Raphaël à Émile. La Peau, implacable et goguenarde à la fois, le prend au mot (ne cessera plus de le prendre au mot, fût-il prononcé par inadvertance), et commence son inexorable diminution.

Au seuil de la troisième partie du roman, le vieux professeur Porriquet, venu demander une faveur à Raphaël, entrevoit un corps affaissé et un visage « pâle comme un fleur étiolée », empreints d'« une sorte de grâce efféminée », des mains « semblables à celles d'une jolie femme », d'une « blancheur molle et délicate », des cheveux « devenus rares » et bouclés « par une coquetterie recherchée ». Le regard bleu est celui de « l'impuissant qui refoule ses désirs au fond de son cœur », regard du Prométhée enchaîné [90], regard de Napoléon déchu, regard du damné qui, une fois de plus, a abdiqué sa vie pour vivre, et s'est fait « chaste à la manière d'Origène, en châtrant son imagination ». Le vieux professeur ne reconnaît pas son ancien élève dans « ce jeune cadavre [91] ».

Dès lors, tous les souhaits de Raphaël se réalisent, à sa plus grande horreur, y compris le tout premier, auquel le lecteur lui-même n'a sans doute guère prêté d'attention. Salle Favart, Raphaël retrouve l'antiquaire qui se pavane, à l'entracte de la *Sémiramide* de Rossini, au bras d'Euphrasie – et ce couple grotesque rappelle étrangement celui que forment dans *Sarrasine* le vieux Zambinella et la jeune danseuse que le narrateur a amenée chez les Lanty, et auprès de laquelle le vieillard s'est coulé tandis que la fille de la maison, Marianine, finissait de chanter… la cavatine de *Tancrède* que Raphaël chantonne au sortir du cercle de

90. Voir note 348 du roman.

91. On songe à la réflexion de Balzac dans sa septième *Lettre sur Paris* (30 novembre 1830), à propos du jeune comte de Montalivet, en qui « nous aimions voir le député de la jeunesse [et] le symbole de nos jeunes idées » et qui s'est, à l'épreuve du pouvoir, révélé « un faux jeune homme ou un jeune vieillard ».

jeu. « Ah ! c'était bien la mort et la vie, ma pensée, une *arabesque* [92] imaginaire, une chimère hideuse à moitié, divinement femelle par le corsage », s'exclamait le narrateur de *Sarrasine*. Comme Raphaël, l'antiquaire a basculé d'un extrême à l'autre, et affirme désormais avec Aquilina qu'« il y a toute une vie dans une heure d'amour ».

Se réalisent aussi, comme par extension vague du pouvoir de la Peau, tous les autres présages épars dans le roman, complétant ce « cercle de magie » dont parle Philarète Chasles, qui donne au roman « tout l'intérêt d'un conte arabe, où la féerie et le scepticisme se donnent la main [93] ». Ainsi, un jour, Pauline avait tenu au-dessus de la Bible une clé qui avait tourné, signe que Mme Gaudin avait interprété justement : son mari, fait prisonnier par les Cosaques lors du désastre de la Berezina, était bien vivant et reparaît millionnaire. « Nous serons tous riches » avait dit Mme Gaudin, en incluant Raphaël dans ce « nous ». Un autre jour Pauline, examinant les mains de Raphaël, s'était exclamée avec terreur : « Vous épouserez une femme riche ! [...] mais elle vous donnera bien du chagrin. Ah ! Dieu ! elle vous tuera. J'en suis sûre ! [...] la femme que vous aimerez vous tuera. » Raphaël alors ne pouvait penser qu'à Fœdora, et Pauline ne pouvait savoir que cette femme ne serait autre... qu'elle-même.

Ce n'est pas cependant le désir d'être aimé de Pauline, retrouvée riche et élégante, qui perd Raphaël : car lorsqu'il exprime ce désir, la Peau ne rétrécit pas, apparemment parce que son vœu est déjà exaucé depuis longtemps. C'est l'illusion de liberté que cette absence de réaction de la Peau lui donne, qui le rend négligent dans l'application des stratégies (arrangements domestiques, précautions de langage, lorgnon

92. Italiques du préfacier.
93. Chasles, *op. cit*.

déformant pour voir la vie en laid) qu'il a jusque-là soigneusement mises en œuvre pour échapper au désir.

Avant même de mesurer au nouveau contour de la Peau les heures de vie que ses retrouvailles avec Pauline lui ont coûté, Raphaël le sait, ce bonheur se paiera « de quelque effroyable chagrin », même si la présence de Pauline « a toujours dissipé [ses] chagrins » – et Balzac prend un plaisir macabre à continuer de jouer sur les mots, comme la Peau elle-même, comme la société tout entière. Raphaël, s'il a fini par se débarrasser de Fœdora en la blessant à mort du « tranchant d'une terrible épigramme », en bon élève de Rastignac, n'échappera pas à la férocité de cet autre *tigre*[94] qu'est la Peau, devant le pouvoir de laquelle il n'est plus rien qu'un « jeune chevreuil effrayé ». Même pas en jetant la Peau dans un puits.

Dans un dernier accès de révolte, et bien qu'il ait déclaré peu de temps auparavant à Pauline qu'il se moquait « de toutes les sciences », Raphaël va néanmoins consulter les plus grands savants. Le naturaliste Lavrille ne lui apprend rien qu'il ne sache déjà. Le mécanicien Planchette, « heureux de vivre à l'affût d'une découverte, [ne pensant] ni à la gloire, ni au monde, ni à lui-même, [et vivant] dans la science pour la science », lui offre surtout le spectacle de ce qu'aurait pu être sa propre vie. La Peau brise la presse de Spieghalter et résiste à tous les caustiques du chimiste Japhet. Et pour finir, toutes ces sommités se paient de mots, ni plus ni moins que les politiciens ou les journalistes ! La science se contente de n'être que nomenclatures et babel de théories, comme le montreront les médecins, si imbus de leur système personnel,

94. Lavrille apprendra à Raphaël que l'onagre, dont la peau est nommée le chagrin, a comme Fœdora l'œil « muni d'une espèce de tapis réflecteur auquel les Orientaux attribuent le pouvoir de fascination ».

et pareillement impuissants à traiter le mal dont souffre Raphaël.

Agonie dans « L'Agonie » – puisque tel est le titre de toute la troisième partie –, la fin de Raphaël se dessine de plus en plus nettement. Les symptômes d'une maladie de poitrine probablement héréditaire, lisibles sur le visage de Raphaël dès la scène au Palais-Royal, s'aggravent. Sur les conseils des médecins, Raphaël fuit Paris, désormais obsédé par l'idée de sa propre conservation : la Peau plus que jamais joue comme un miroir [95] implacable, comme le miroir où Fœdora elle-même constatait que « [son] teint se fan[ait] avec une effrayante rapidité ». Et Raphaël sait qu'il n'a plus rien à attendre de qui que ce soit : Pauline, de plus en plus chatte, s'est rangée à la morale fatale des courtisanes, insouciante de dilapider en une heure « toute une vie de paix et d'amour » ; et l'égoïsme féroce des curistes d'Aix lui confirme combien la société tout entière est à l'image de Fœdora [96], insensible et froide – à l'image, en fait, de ce que la Peau est en train de faire de lui-même.

Par un dernier « caprice de mourant », dans « une profonde pensée d'égoïsme où s'engloutit l'univers », Raphaël se réfugie au fond de la coupe utérine, humide et féconde d'un vieux cratère auvergnat – dont la forme de cône renversé reproduit la disposition de la traduction en français de l'inscription arabe au dos de la Peau. Un vieil Auvergnat âgé de cent deux ans fait là pendant à l'antiquaire de la première partie. Le roman est en train de se refermer insensiblement, mais très précisément, sur lui-même. Raphaël mène pendant quelques jours « la vie de l'enfant, la vie paresseuse, la vie du sauvage, moins ses travaux » que Balzac avait goûtée au Croisic avec Mme de Berny – et qui rappelle

95. Cf. article de M. Hayward (voir la bibliographie).
96. L'ajout du Furne corrigé (voir note 468 et texte correspondant) n'a donc rien d'artificiel.

aussi la vision qu'avait suggérée à Raphaël l'aspect d'un pagne de Tahiti dans les magasins de l'antiquaire : son imagination alors lui avait peint « la vie simple de la nature, [...] les délices de la paresse si naturelle à l'homme, toute une destinée calme au bord d'un ruisseau frais et rêveur, sous un bananier qui dispensait une manne savoureuse, sans culture ». Dans ce creux d'Auvergne, Raphaël s'oublie lui-même dans la contemplation de la nature, ressentant physiquement l'unité de tous les règnes et mêlant « fantastiquement [...] sa vie à celle de ce rocher » – et s'abuse quelques heures sur son état de santé ; mais le regard et la pitié insupportables des paysans ne lui laissent aucun doute.

Chagrin, chagrin, le mot revient jusque dans un fragment, sauvé *in extremis*, d'une lettre de Pauline trouvée par Raphaël à son retour à Paris et jetée au feu. Raphaël ferme sa porte et s'abîme dans un sommeil artificiel. Mais sur les conseils du médecin Bianchon, qui espère distraire Raphaël de son mal, Jonathas contrevient aux ordres de son maître et convie ses amis pour un dîner qui renouvelle le banquet Taillefer par ses flots de lumière, ses fleurs rares, son luxe et ses courtisanes ; Aquilina en personne, à la plus grande horreur de Raphaël, l'accueille sur le seuil. Ainsi, la boucle est bouclée, toute chose a fait un ultime retour. La Peau de chagrin, autrefois large comme un atlas de géographie, n'a plus la taille que d'une minuscule feuille de pervenche. Il ne reste plus, comme au début du roman, qu'à mourir. Raphaël s'enfuit dans sa chambre, se drogue et tombe dans un profond sommeil où son visage retrouve miraculeusement, pour la dernière fois, la fraîcheur et la beauté de l'enfance, de l'ange qu'il fut, du jeune génie au front « gracieux comme celui d'une jeune fille ». Mais Pauline, on ne sait comment, parvient jusqu'à la chambre... Raphaël, comme il avait jeté sur le tapis son dernier napoléon, se saborde dans un ultime et mortel élan. Et tout s'accomplit en une dernière scène convulsive, mélodramatique, ahurissante [97].

Morale

« *La Peau de chagrin* est la formule de la vie humaine, abstraction faite des individualités. Et, comme le disait M. Ballanche, tout y est mythe et figure. Elle est donc le point de départ de mon ouvrage. Après viendront se grouper, de nuance en nuance, les individualités, les existences particulières [...]. »

Lettre à Charles de Montalembert, septembre 1831 [98].

La « Moralité [99] » sur laquelle s'achevait la version originale du roman, cette « morale des Thélémites » que Montalembert trouvait « là, franchement, [...] exécrable [100] », a disparu des éditions postérieures, mais pas l'épilogue, qui joue d'ailleurs un peu le même rôle de mise à distance, notamment en faisant *in fine* de Pauline une « illusion [101] ». *La Peau de chagrin*, comme l'écrit Balzac à une correspondante anonyme (qui se révélera être la marquise de Castries), devait « formuler le siècle actuel, notre vie, notre égoïsme [102] » – et en même temps « formuler poétiquement [...] l'effet produit par le désir, la passion sur le capital des forces humaines » et illustrer l'axiome philosophique selon lequel « la vie décroît en raison

---

97. Les épreuves de la fin du roman sont datées des 29 et 30 juillet 1831. La mise en vente eut lieu le 1er août, et l'ouvrage fut enregistré dans la Bibliographie de la France le 6 août.
98. *Corr.*, t. I, p. 568, n° 335.
99. Voir note 468 du roman.
100. Lettre du 17 novembre 1831, déjà citée.
101. Lettre à la marquise de Castries, octobre 1831, *Corr.*, t. I, p. 590, n° 356. On trouve dans *Louis Lambert* et dans *Le Curé de Tours*, une Mlle Pauline de Villenoix qui, comme la Pauline de *La Peau de chagrin*, « consacre les plus beaux dévouements de la femme, son amour naïf et les riches poésies de son cœur ». (*Ibid.*)
102. *Ibid.*

directe de la puissance des désirs ou de la dissipation des idées[103] ». En ce sens, dans *La Comédie humaine*, « *La Peau de chagrin* relie en quelque sorte les *Études de mœurs* aux *Études philosophiques* par l'anneau d'une fantaisie presque orientale où la Vie elle-même est peinte aux prises avec le Désir, principe de toute Passion », comme l'écrira Balzac dans son grand *Avant-propos* à *La Comédie humaine*, en 1845.

Mais une autre « moralité » se dégage du roman et de son épilogue, où la fiction littéraire se déclare en quelque sorte elle-même, fièrement, comme fiction. C'est que pour Balzac la création, l'œuvre est sans doute le seul moyen de se rendre maître du temps et du foisonnement chaotique du réel, de ne pas s'y dissoudre, et de ne pas dépenser en vain son capital vital.

Une même hantise de la dilapidation, de la dispersion – on pourrait presque dire de la « vaporisation », pour parler en termes baudelairiens – habite en effet le roman tout entier, sur tous les plans : hantise de l'usure du corps et de la dépense sexuelle, mais hantise aussi de la dispersion de l'intelligence et du génie littéraire dans le journalisme, les travaux mercenaires ou le bavardage brillant ; hantise de l'éparpillement de la pensée scientifique ; hantise de la perte des repères philosophiques et de l'égarement des esprits dans le scepticisme ; hantise de la perte du sens politique dans « ce juste milieu qui n'a ni queue ni tête[104] », pour reprendre l'expression d'Adrien Brun.

Or, dès le début du roman, une grande figure contemporaine exorcise cette hantise, conjure cette fragmentation : celle de Cuvier, « le plus grand poète de notre siècle », qui a « *reconstruit des mondes* avec des os blanchis », « repeuplé mille forêts de tous les mystères de la géologie avec des fragments de

103. Introduction de Félix Davin aux *Études philosophiques*.
104. Lettre d'Adrien Brun à Balzac, 8 juin 1831, *Corr.*, p. 538, n° 311.

houille », et qui « réveille le néant *sans prononcer des paroles artificiellement agiques*[105] ». Dans l'exemple d'une telle « épouvantable résurrection due à la voix d'un seul homme », Balzac puise de toute évidence un idéal de *concentration*, et la volonté de faire entrer pareillement dans une œuvre, de force, héroïquement, « l'effrayante accumulation d'un monde entier de pensées[106] ».

Aussi faut-il probablement tirer de l'histoire de Raphaël la même leçon qu'à la dernière page de l'article « Des artistes », publié le 22 avril 1830 dans *La Silhouette* : que « tout homme doué par le travail, ou par la nature, du pouvoir de créer, devrait ne jamais oublier de *cultiver l'art pour l'art lui-même* ; ne pas lui demander d'autres plaisirs que ceux qu'il donne, d'autres trésors que ceux qu'il verse dans le silence et la solitude ». Armé de son « cerveau-talisman », l'artiste – au sens large où l'entend Balzac, pour qui Gutenberg, Christophe Colomb, Descartes, Raphaël, Voltaire, David sont également des « artistes », car ils « créaient, ils appliquaient la pensée à une production nouvelle des forces humaines, à une combinaison neuve des éléments de la nature, ou physique ou morale[107] » – l'artiste n'a guère besoin que d'« un grenier et [de] pain ». La société le dédaigne ? Il doit se résigner à être malheureux, l'exemple suprême de cette sublime résignation étant, selon Balzac, le Christ, ce Christ dont Raphaël se détourne pour lui préférer la goguenarde et fatale Peau. Mais il n'en doit pas moins consentir absolument à la dépense : il risque de se disperser en vain dans l'exaltation de la conception, s'il ne se livre au plus puissant effort de *réduction* du réel et de condensation qu'exige la réalisation de l'œuvre

---

105. Italiques du préfacier.

106. Article « Des artistes », deuxième partie, parue dans *La Silhouette* le 11 mars 1830.

107. *Ibid.* (première partie, parue le 25 février 1830).

– et qui dévore son capital d'énergie vitale aussi sûrement que la débauche la plus effrénée, car les arts ne sont rien d'autre que « l'abus de la pensée[108] », et « tous les excès sont frères ». À Zulma Carraud, Balzac écrit en janvier 1830 : « Je ne nie pas, je m'use horriblement, mais périr de travail ou d'autre chose, c'est tout un[109] ! »

Dans un moment de lucidité, en route vers le Mont-Dore, Raphaël avait eu cette pensée « tout à coup que la possession du pouvoir, quelqu'immense qu'il pût être, ne donnait pas la science de s'en servir. Le sceptre est un jouet pour un enfant, une hache pour Richelieu, et pour Napoléon un levier à faire pencher le monde. Le pouvoir nous laisse tels que nous sommes et ne grandit que les grands. Raphaël avait pu tout faire, il n'avait rien fait ». Lui, poète, philosophe, savant, libéré de tout souci d'argent, aimé, *n'avait rien fait* – s'était annulé dans la liberté paradoxale et mortelle que lui avait conférée la Peau, comme la société tout entière s'était aplatie sous la « schlague » de l'illusoire liberté politique de ce début de la monarchie de Juillet. Émile avait pourtant prévenu Raphaël : « Va, tu serais bientôt ennuyé de la fortune en t'apercevant qu'elle te ravirait la chance d'être un homme supérieur. » Tant il est vrai que l'homme a besoin de résistances sur lesquelles appuyer son effort, et que l'extrême liberté stérilise.

Quant à la conscience angoissée de l'irréversibilité du temps et de la fuite des jours, cruellement exacerbée par ce miroir concentrique qu'est aussi la Peau, elle ne stérilise que les médiocres, et donne au contraire aux grands un sentiment d'urgence qui les met immédiatement au travail : « aujourd'hui je dois me presser, je suis dans toute ma force. L'*Essai sur les forces humaines* et *Le Marquis de Carabas* doivent se faire en

---

108. *Ibid.*
109. *Corr.*, t. I, p. 445.

ce moment ; car je suis entre trente et quarante ; nous ne pouvons pas le nier, mon ancienne[110] ? » écrit Balzac à sa sœur Laure, le 4 septembre 1832.

Mais la vie « est un drame qui serpente, ondule, tournoie, et au courant duquel il faut s'abandonner, comme le dit la très spirituelle épigraphe[111] » de *La Peau de chagrin.* Balzac, emporté par d'autres idées, n'écrira jamais ni *L'Histoire de la succession du Marquis de Carabas*, qui devait montrer « la société politique en proie à la même impuissance, au même néant qui dévorent Raphaël dans *La Peau de chagrin* ; même intensité de désir, même éclat extérieur, même misère réelle[112] », ni l'*Essai sur les forces humaines*, dont il esquissera cependant certaines idées dans la *Théorie de la démarche*[113]. Aux lendemains de la publication de *La Peau de chagrin*, loin de dédaigner les plaisirs – car « après ces longues marches de la pensée, après l'habitation de ces solitudes peuplées, de ces palais magiques, [l'artiste] est de tous les êtres celui qui a le plus besoin des ressources créées par la civilisation pour l'amusement des riches et des oisifs[114] » – il ne résiste pas aux petites satisfactions de la vanité : grisé par son succès, il enrichit sa garde-robe, agrandit et redécore son appartement de la rue Cassini, s'offre un élégant cabriolet avec groom en livrée et couverture violette ornée, comme son papier à lettres, d'une couronne comtale, loue avec Lautour-Mézeray une baignoire à l'Opéra, brille dans les salons où il charme les dames par sa virtuosité de conteur – et fait des dettes, qui l'obligeront à renoncer, moins d'un an plus

---

110. *Corr.*, t. II, p. 110-111.

111. Article rédigé par Balzac, publié dans *La Caricature*, le 11 août 1831 (cité par Lovenjoul, *Histoire des œuvres d'Honoré de Balzac*, Paris, Calmann-Lévy, 1879, p. 168).

112. Chasles, *op. cit.*

113. Publiée pour la première fois dans *L'Europe littéraire*, les 15, 18, 25 août et 5 septembre 1833.

114. « Des artistes. »

tard, à ce luxe tapageur. En août 1832, à Aix-les-Bains, il essuie même auprès de la marquise de Castries un revers assez comparable à celui que subit Raphaël avec Fœdora. Mais, en écrivant *La Peau de chagrin*, il a exorcisé pour lui-même les malédictions auxquelles succombe Raphaël, enfant maudit et enfant du siècle.

Des blessures d'amour-propre infligées par la marquise naîtront *Le Médecin de campagne* et *La Duchesse de Langeais*, et le séjour à Aix permettra à Balzac de compléter son évocation du lac du Bourget pour la nouvelle édition Gosselin de *La Peau* en 1833. Tout désormais viendra nourrir l'œuvre qui avec *La Peau de chagrin* commence à s'édifier, l'œuvre qui seule permet de transcender la tyrannie du désir et la finitude de la condition humaine.

Nadine SATIAT.

LA PEAU DE CHAGRIN

STERNE, *Tristram Shandy*,
chap. CCCXXII [1].

1. Dès la première édition, Balzac a placé au seuil du roman, en guise d'épigraphe, cette arabesque, que l'éditeur Houssiaux (en 1855) et d'autres éditeurs après lui ont indûment métamorphosée en serpent. Il l'a empruntée au chapitre IV du livre IX du chef-d'œuvre de Sterne. L'oncle Toby est sur le point d'épouser Mrs. Wadman, et le caporal Trim, plaidant la cause du célibat, évoque le triste sort de son frère Tom que le mariage a conduit dans les cachots de l'Inquisition (traduction Mauron, GF-Flammarion, 1982, p. 547), puis décrit de son bâton un moulinet (*florish*) qui n'est pas exactement celui que reproduit Balzac : l'arabesque comporte chez Sterne une boucle et se trouve vigoureusement orientée vers le haut et vers la droite, avec une sorte d'optimisme que Balzac fait retomber en plaçant son arabesque pratiquement à l'horizontale. Cette arabesque figure évidemment au premier chef « la vie avec ses ondulations bizarres, avec sa course vagabonde et son allure *serpentine* » (Philarète Chasles, introduction aux *Romans et contes philosophiques*). Mais comme les tracés par lesquels Sterne, à la fin du livre VI de *Tristram Shandy,* figure le cours et l'allure de son récit, cette arabesque est aussi une déclaration d'indépendance esthétique.

À monsieur Savary
membre de l'Académie
des sciences [2]

2. C'est seulement en 1845 que Balzac, qui ignorait peut-être qu'il était mort, dédia *La Peau de chagrin* à Félix Savary (1797-1841), mathématicien et astronome, ami de François Arago. Un passage du *Traité de la démarche* (1833) témoigne d'une conversation entre Balzac et Savary à propos des théories de Borelli sur le mouvement – thème qu'on retrouvera dans la dernière partie du texte.

LE TALISMAN

Vers la fin du mois d'octobre dernier, un jeune homme entra dans le Palais-Royal au moment où les maisons de jeu [3] s'ouvraient, conformément à la loi qui protège une passion essentiellement imposable. Sans trop hésiter, il monta l'escalier du tripot désigné sous le nom de numéro 36.

« Monsieur, votre chapeau, s'il vous plaît ? » lui cria d'une voix sèche et grondeuse un petit vieillard blême, accroupi dans l'ombre, protégé par une barricade, et qui se leva soudain en montrant une figure moulée sur un type ignoble.

Quand vous entrez dans une maison de jeu, la loi commence par vous dépouiller de votre chapeau. Est-ce une parabole évangélique et providentielle ? N'est-ce pas plutôt une manière de conclure un contrat infernal avec vous en exigeant je ne sais quel gage ? Serait-ce pour vous obliger à garder un maintien respectueux devant ceux qui vont gagner votre argent ? Est-ce la police tapie dans tous les égouts sociaux qui tient à savoir le nom de votre chapelier ou le vôtre, si

---

3. C'est Philippe d'Orléans – plus tard surnommé Philippe-Égalité, et le père du futur Louis-Philippe – qui fit construire, entre 1781 et 1784, sur trois côtés de l'immense jardin du Palais-Royal, trois ailes composées de pavillons à loyer numérotés, dont les rez-de-chaussée sous arcades formaient boutique. Les fameuses *galeries de bois*, lieu de perdition pour les vertus et les bourses, en formaient le quatrième côté. Louis-Philippe les fit détruire en 1828, expulsa les prostituées et ferma finalement les maisons de jeu en 1837.

vous l'avez inscrit sur la coiffe ? Est-ce enfin pour prendre la mesure de votre crâne et dresser une statistique instructive sur la capacité cérébrale des joueurs ? Sur ce point l'administration garde un silence complet. Mais, sachez-le bien, à peine avez-vous fait un pas vers le tapis vert, déjà votre chapeau ne vous appartient pas plus que vous ne vous appartenez à vous-même : vous êtes au jeu, vous, votre fortune, votre coiffe, votre canne et votre manteau. À votre sortie, le JEU vous démontrera, par une atroce épigramme en action, qu'il vous laisse encore quelque chose en vous rendant votre bagage. Si toutefois vous avez une coiffure neuve, vous apprendrez à vos dépens qu'il faut se faire un costume de joueur.

L'étonnement manifesté par le jeune homme en recevant une fiche numérotée en échange de son chapeau, dont heureusement les bords étaient légèrement pelés, indiquait assez une âme encore innocente ; aussi le petit vieillard, qui sans doute avait croupi dès son jeune âge dans les bouillants plaisirs de la vie des joueurs, lui jeta-t-il un coup d'œil terne et sans chaleur, dans lequel un philosophe aurait vu les misères de l'hôpital, les vagabondages des gens ruinés, les procès-verbaux d'une foule d'asphyxies, les travaux forcés à perpétuité, les expatriations au Guazacoalco [4]. Cet homme, dont la longue face blanche n'était plus nourrie que par les soupes gélatineuses de d'Arcet [5], pré-

---

4. Ou *Coatzacoalcos* : rio de l'isthme du Tehuantepec, qui se jette dans la baie de Campeche (golfe du Mexique), et qui a donné son nom au début du XIXe siècle à une petite ville portuaire située sur son embouchure, au sud-est de Veracruz, où, sous la Restauration, une colonie française tenta de s'établir ; ce fut un désastre et l'objet de nombreuses polémiques, précisément en 1830-1831.

5. Le chimiste Jean-Pierre-Joseph d'Arcet (1777-1844) essaya de fabriquer, à partir de la gélatine extraite des os, un aliment économique à l'usage des pauvres, mais son bouillon se révéla dépourvu de toute qualité nutritive.

sentait la pâle image de la passion réduite à son terme le plus simple. Dans ses rides il y avait trace de vieilles tortures, il devait jouer ses maigres appointements le jour même où il les recevait. Semblable aux rosses sur qui les coups de fouet n'ont plus de prise, rien ne le faisait tressaillir ; les sourds gémissements des joueurs qui sortaient ruinés, leurs muettes imprécations, leurs regards hébétés le trouvaient toujours insensible. C'était le Jeu incarné. Si le jeune homme avait contemplé ce triste Cerbère [6], peut-être se serait-il dit : « Il n'y a plus qu'un jeu de cartes dans ce cœur-là ! » L'inconnu n'écouta pas ce conseil vivant, placé là sans doute par la Providence, comme elle a mis le dégoût à la porte de tous les mauvais lieux [7]. Il entra résolument dans la salle où le son de l'or exerçait une éblouissante fascination sur les sens en pleine convoitise. Ce jeune homme était probablement poussé là par la plus logique de toutes les éloquentes phrases de J.-J. Rousseau, et dont voici, je crois, la triste pensée : *Oui, je conçois qu'un homme aille au jeu, mais c'est lorsque, entre lui et la mort, il ne voit plus que son dernier écu* [8].

Le soir, les maisons de jeu n'ont qu'une poésie vulgaire, mais dont l'effet est assuré comme celui d'un drame sanguinolent. Les salles sont garnies de spectateurs et de joueurs, de vieillards indigents qui s'y traînent pour s'y réchauffer, de faces agitées, d'orgies

---

6. Dans la mythologie grecque, chien monstrueux, trois têtes, queue formée d'un serpent, dos hérissé de têtes de serpents, enchaîné à la porte des Enfers, qui terrifiait les âmes au moment où elles entraient. Son nom désigne dans la langue familière « un portier brutal, un gardien sévère, intraitable » (*Littré*).

7. Allusion probable aux vieilles prostituées qui faisaient office de portières à l'entrée des maisons de plaisir.

8. À la fin du livre IV de *L'Émile,* Rousseau condamne bel et bien le goût du jeu, « ressource d'un désœuvré », « fruit de l'avarice et de l'ennui » qui « ne prend que dans un esprit et un cœur vides » ; mais il n'excuse pas le désespéré qui risque son dernier écu, cette phrase est entièrement du cru de Balzac.

commencées dans le vin et décidées à finir dans la Seine. Si la passion y abonde, le trop grand nombre d'acteurs vous empêche de contempler face à face le démon du jeu. La soirée est un véritable morceau d'ensemble où la troupe entière crie, où chaque instrument de l'orchestre module sa phrase. Vous verriez là beaucoup de gens honorables qui viennent y chercher des distractions et les paient comme ils paieraient le plaisir du spectacle, de la gourmandise, ou comme ils iraient dans une mansarde acheter à bas prix de cuisants regrets pour trois mois. Mais comprenez-vous tout ce que doit avoir de délire et de vigueur dans l'âme un homme qui attend avec impatience l'ouverture d'un tripot ? Entre le joueur du matin et le joueur du soir il existe la différence qui distingue le mari nonchalant de l'amant pâmé sous les fenêtres de sa belle. Le matin seulement arrivent la passion palpitante et le besoin dans sa franche horreur. En ce moment vous pourrez admirer un véritable joueur qui n'a pas mangé, dormi, vécu, pensé, tant il était rudement flagellé par le fouet de sa martingale, tant il souffrait travaillé par le prurit d'un coup de *trente et quarante*[9]. À cette heure maudite, vous rencontrerez des yeux dont le calme effraie, des visages qui vous fascinent, des regards qui soulèvent les cartes et les dévorent. Aussi les maisons de jeu ne sont-elles sublimes qu'à l'ouverture de leurs séances. Si l'Espagne a ses combats de taureaux, si Rome a eu ses gladiateurs, Paris s'enorgueillit de son Palais-Royal dont les agaçantes roulettes donnent le plaisir de voir couler le sang à

---

9. Dans ce jeu de hasard, le « tailleur » bat les cartes puis les tire une à une et les aligne de manière à former deux rangées, une première pour la couleur noire et une seconde pour la couleur rouge, de sorte que le total des points de chaque rangée ne soit ni inférieur à trente et un, ni supérieur à quarante ; celle des deux rangées dont le nombre de points est le plus près de trente et un gagne ; le joueur ou « ponteur » qui a misé sur la bonne couleur gagne ; le « banquier » paie la mise gagnante – ou ramasse les mises perdantes.

flots sans que les pieds du parterre risquent d'y glisser. Essayez de jeter un regard furtif sur cette arène, entrez ?... Quelle nudité ! Les murs couverts d'un papier gras à hauteur d'homme n'offrent pas une seule image qui puisse rafraîchir l'âme. Il ne s'y trouve même pas un clou pour faciliter le suicide. Le parquet est usé, malpropre. Une table oblongue occupe le centre de la salle. La simplicité des chaises de paille pressées autour de ce tapis usé par l'or annonce une curieuse indifférence du luxe chez ces hommes qui viennent périr là pour la fortune et pour le luxe. Cette antithèse humaine se découvre partout où l'âme réagit puissamment sur elle-même. L'amoureux veut mettre sa maîtresse dans la soie, la revêtir d'un moelleux tissu d'Orient, et la plupart du temps il la possède sur un grabat. L'ambitieux se rêve au faîte du pouvoir, tout en s'aplatissant dans la boue du servilisme. Le marchand végète au fond d'une boutique humide et malsaine, en élevant un vaste hôtel, d'où son fils, héritier précoce, sera chassé par une licitation fraternelle. Enfin, existe-t-il chose plus déplaisante qu'une maison de plaisir ? Singulier problème ! Toujours en opposition avec lui-même, trompant ses espérances par ses maux présents, et ses maux par un avenir qui ne lui appartient pas, l'homme imprime à tous ses actes le caractère de l'inconséquence et de la faiblesse. Ici-bas rien n'est complet que le malheur.

Au moment où le jeune homme entra dans le salon, quelques joueurs s'y trouvaient déjà. Trois vieillards à têtes chauves étaient nonchalamment assis autour du tapis vert ; leurs visages de plâtre, impassibles comme ceux des diplomates, révélaient des âmes blasées, des cœurs qui depuis longtemps avaient désappris de palpiter, même en risquant les biens paraphernaux [10] d'une femme. Un jeune Italien aux cheveux noirs, au

10. Les biens propres d'une femme mariée, qui ne font pas partie de sa dot et dont la jouissance et l'administration lui sont laissées.

teint olivâtre, était accoudé tranquillement au bout de la table, et paraissait écouter ces pressentiments secrets qui crient fatalement à un joueur : « Oui. – Non ! » Cette tête méridionale respirait l'or et le feu. Sept ou huit spectateurs, debout, rangés de manière à former une galerie, attendaient les scènes que leur préparaient les coups du sort, les figures des acteurs, le mouvement de l'argent et celui des râteaux. Ces désœuvrés étaient là, silencieux, immobiles, attentifs comme l'est le peuple à la Grève [11] quand le bourreau tranche une tête. Un grand homme sec, en habit râpé, tenait un registre d'une main, et de l'autre une épingle pour marquer les passes de la Rouge ou de la Noire. C'était un de ces Tantales [12] modernes qui vivent en marge de toutes les jouissances de leur siècle, un de ces avares sans trésor qui jouent une mise imaginaire ; espèce de fou raisonnable qui se consolait de ses misères en caressant une chimère, qui agissait enfin avec le vice et le danger comme les jeunes prêtres avec l'Eucharistie, quand ils disent des messes blanches [13]. En face de la banque, un ou deux de ces fins spéculateurs, experts des chances du jeu, et semblables à d'anciens forçats qui ne s'effraient plus des galères, étaient venus là pour hasarder trois coups et remporter immédiatement le gain probable duquel ils vivaient. Deux vieux garçons

---

11. C'est sur la place de Grève que, de 1310 à 1831, eurent lieu les exécutions capitales ; rebaptisée place de l'Hôtel-de-Ville dès 1806, la place de Grève continua d'être appelée ainsi aussi longtemps que s'y déroula ce macabre office.

12. Dans la mythologie grecque, le roi Tantale, fils de Zeus et aimé des dieux qui l'admettaient à leurs festins, fut précipité aux enfers, soit qu'il ait révélé aux hommes les secrets des dieux, soit qu'il ait dérobé aux dieux du nectar et de l'ambroisie et en ait donné aux hommes. Il fut condamné, selon les traditions, à demeurer sous une pierre énorme qui semblait toujours sur le point de l'écraser, ou à subir une soif et une faim éternelles, plongé dans l'eau jusqu'au cou et une branche chargée de fruits pendant au-dessus de sa tête.

13. C'est-à-dire, comme lorsqu'on parle d'« examen blanc », les messes que disent les jeunes prêtres pour s'exercer.

de salle se promenaient nonchalamment les bras croisés, et de temps en temps regardaient le jardin par les fenêtres, comme pour montrer aux passants leurs plates figures, en guise d'enseigne. Le *tailleur* et le *banquier* venaient de jeter sur les ponteurs [14] ce regard blême qui les tue, et disaient d'une voix grêle : « Faites le jeu ! » quand le jeune homme ouvrit la porte. Le silence devint en quelque sorte plus profond, et les têtes se tournèrent vers le nouveau venu par curiosité. Chose inouïe ! les vieillards émoussés, les employés pétrifiés, les spectateurs, et jusqu'au fanatique Italien, tous en voyant l'inconnu éprouvèrent je ne sais quel sentiment épouvantable. Ne faut-il pas être bien malheureux pour obtenir de la pitié, bien faible pour exciter une sympathie, ou d'un bien sinistre aspect pour faire frissonner les âmes dans cette salle où les douleurs doivent être muettes, où la misère est gaie et le désespoir décent ? Eh bien, il y avait de tout cela dans la sensation neuve qui remua ces cœurs glacés quand le jeune homme entra. Mais les bourreaux n'ont-ils pas quelquefois pleuré sur les vierges dont les blondes têtes devaient être coupées à un signal de la Révolution ?

Au premier coup d'œil les joueurs lurent sur le visage du novice quelque horrible mystère, ses jeunes traits étaient empreints d'une grâce nébuleuse, son regard attestait des efforts trahis, mille espérances trompées ! La morne impassibilité du suicide donnait à ce front une pâleur mate et maladive, un sourire amer dessinait de légers plis dans les coins de la bouche, et la physionomie exprimait une résignation qui faisait mal à voir. Quelque secret génie scintillait au fond de ces yeux voilés peut-être par les fatigues du plaisir. Était-ce la débauche qui marquait de son sale cachet cette noble figure jadis pure et brûlante, maintenant dégradée ? Les médecins auraient sans doute

---

14. Cf. *supra*, note 9.

what does it mean to have masculine/feminine features?

attribué à des lésions au cœur ou à la poitrine le cercle jaune qui encadrait les paupières, et la rougeur qui marquait les joues, tandis que les poètes eussent voulu reconnaître à ces signes les ravages de la science, les traces de nuits passées à la lueur d'une lampe studieuse. Mais une passion plus mortelle que la maladie, une maladie plus impitoyable que l'étude et le génie, altéraient cette jeune tête, contractaient ces muscles vivaces, tordaient ce cœur qu'avaient seulement effleuré les orgies, l'étude et la maladie. Comme, lorsqu'un célèbre criminel arrive au bagne, les condamnés l'accueillent avec respect, ainsi tous ces démons humains, experts en tortures, saluèrent une douleur inouïe, une blessure profonde que sondait leur regard, et reconnurent un de leurs princes à la majesté de sa muette ironie, à l'élégante misère de ses vêtements. Le jeune homme avait bien un frac de bon goût, mais la jonction de son gilet et de sa cravate était trop savamment maintenue pour qu'on lui supposât du linge. Ses mains, jolies comme des mains de femme, étaient d'une douteuse propreté ; enfin depuis deux jours il ne portait plus de gants ! Si le tailleur et les garçons de salle eux-mêmes frissonnèrent, c'est que les enchantements de l'innocence florissaient par vestiges dans ces formes grêles et fines, dans ces cheveux blonds et rares, naturellement bouclés. Cette figure avait encore vingt-cinq ans, et le vice paraissait n'y être qu'un accident. La verte vie de la jeunesse y luttait encore avec les ravages d'une impuissante lubricité. Les ténèbres et la lumière, le néant et l'existence s'y combattaient en produisant tout à la fois de la grâce et de l'horreur. Le jeune homme se présentait là comme un ange sans rayons, égaré dans sa route. Aussi tous ces professeurs émérites de vice et d'infamie, semblables à une vieille femme édentée, prise de pitié à l'aspect d'une belle fille qui s'offre à la corruption, furent-ils près de crier au novice : « Sortez ! » Celui-ci marcha droit à la table, s'y tint debout, jeta sans calcul sur le tapis une pièce d'or qu'il avait à la main et qui roula sur Noir ; puis, comme les âmes fortes, abhorrant de chicanières incertitudes, il lança sur le Tailleur un regard tout à la fois turbulent et calme. L'intérêt de ce coup était si grand que les vieillards ne firent pas de mise ; mais l'Italien saisit avec le fanatisme de la passion une idée qui vint lui sourire, et ponta sa masse d'or en opposition au jeu de l'inconnu. Le Banquier oublia de dire ces phrases qui se sont à la longue converties en un cri rauque et inintelligible : « Faites le jeu ! – Le jeu est fait ! – Rien ne va plus. » Le Tailleur étala les cartes, et sembla souhaiter bonne chance au dernier venu, indifférent qu'il était à la perte ou au gain fait par les entrepreneurs de ces sombres plaisirs. Chacun des spectateurs voulut voir un drame et la dernière scène d'une noble vie dans le sort de cette pièce d'or ; leurs yeux arrêtés sur les cartons fatidiques étincelèrent ; mais, malgré l'attention avec laquelle ils regardèrent alternativement et le jeune homme et les cartes, ils ne purent apercevoir aucun symptôme d'émotion sur sa figure froide et résignée. « Rouge, pair, passe [15] », dit officiellement le Tailleur. Une espèce de râle sourd sortit de la poitrine de l'Italien lorsqu'il vit tomber un à un les billets pliés que lui lança le Banquier. Quant au jeune homme, il ne comprit sa ruine qu'au moment où le râteau s'allongea pour ramasser son dernier napoléon. L'ivoire fit rendre un bruit sec à la pièce qui, rapide comme une flèche, alla se réunir au tas d'or étalé devant la caisse. L'inconnu ferma les yeux doucement, ses lèvres blanchirent ; mais il releva bientôt ses paupières, sa bouche

---

15. Balzac avait d'abord écrit « Rouge perd », ce qui signifiait que Raphaël gagnait ! Au lieu de corriger en « Rouge gagne » (car au jeu de trente-et-quarante le tailleur ne prononce jamais le mot *noir*), Balzac, dans l'édition Furne, lui a inexplicablement substitué « Rouge, pair, passe », annonce qui signifie bien que Rouge gagne, mais à la roulette.

reprit une rougeur de corail, il affecta l'air d'un Anglais pour qui la vie n'a plus de mystères, et disparut sans mendier une consolation par un de ces regards déchirants que les joueurs au désespoir lancent assez souvent sur la galerie. Combien d'événements se pressent dans l'espace d'une seconde, et que de choses dans un coup de dé !

« Voilà sans doute sa dernière cartouche, dit en souriant le croupier après un moment de silence pendant lequel il tint cette pièce d'or entre le pouce et l'index pour la montrer aux assistants.

– C'est un cerveau brûlé qui va se jeter à l'eau, répondit un habitué en regardant autour de lui les joueurs qui se connaissaient tous.

– Bah ! s'écria le garçon de chambre en prenant une prise de tabac.

– Si nous avions imité monsieur ? » dit un des vieillards à ses collègues en désignant l'Italien.

Tout le monde regarda l'heureux joueur dont les mains tremblaient en comptant ses billets de banque.

« J'ai entendu, dit-il, une voix qui me criait dans l'oreille : Le Jeu aura raison contre le désespoir de ce jeune homme.

– Ce n'est pas un joueur, reprit le Banquier, autrement il aurait groupé son argent en trois masses pour se donner plus de chances. »

Le jeune homme passait sans réclamer son chapeau ; mais le vieux molosse, ayant remarqué le mauvais état de cette guenille, la lui rendit sans proférer une parole ; le joueur restitua la fiche par un mouvement machinal, et descendit les escaliers en sifflant *Di tanti palpiti* [16] d'un souffle si faible, qu'il en entendit à peine lui-même les notes délicieuses.

---

16. « De tant de battements de cœur… », air très célèbre du premier acte de *Tancrède* de Rossini, créé à Venise en 1813, et représenté à Paris pour la première fois en 1822. Le rôle du jeune chevalier Tancrède est un rôle travesti (mezzo-soprano). Balzac venait d'assister le 3 avril 1830 à une représentation de *Tancrède* au Théâtre-Italien, représentation

Il se trouva bientôt sous les galeries du Palais-Royal, alla jusqu'à la rue Saint-Honoré, prit le chemin des Tuileries et traversa le jardin d'un pas indécis. Il marchait comme au milieu d'un désert, coudoyé par des hommes qu'il ne voyait pas, n'écoutant à travers les clameurs populaires qu'une seule voix, celle de la mort ; enfin perdu dans une engourdissante méditation, semblable à celle dont jadis étaient saisis les criminels qu'une charrette conduisait du Palais à la Grève, vers cet échafaud, rouge de tout le sang versé depuis 1793.

Il existe je ne sais quoi de grand et d'épouvantable dans le suicide. Les chutes d'une multitude de gens sont sans danger, comme celles des enfants qui tombent de trop bas pour se blesser ; mais quand un grand homme se brise, il doit venir de bien haut, s'être élevé jusqu'aux cieux, avoir entrevu quelque paradis inaccessible. Implacables doivent être les ouragans qui le forcent à demander la paix de l'âme à la bouche d'un pistolet. Combien de jeunes talents confinés dans une mansarde s'étiolent et périssent faute d'un ami, faute d'une femme consolatrice, au sein d'un million d'êtres, en présence d'une foule lassée d'or et qui s'ennuie. À cette pensée, le suicide prend des proportions gigantesques. Entre une mort volontaire et la féconde espérance dont la voix appelait un jeune homme à Paris, Dieu seul sait combien se heurtent de conceptions, de poésies abandonnées, de désespoirs et de cris étouffés, de tentatives inutiles et de chefs-d'œuvre avortés. Chaque suicide est un poème sublime de mélancolie. Où trouverez-vous, dans l'océan des littératures, un livre surnageant qui puisse lutter de génie avec cet entrefilet :

> Hier, à quatre heures, une jeune femme s'est jetée dans la Seine du haut du pont des Arts.

---

d'adieu au bénéfice de la Malibran. (Voir Stendhal, *Vie de Rossini*, chapitre II.)

Devant ce laconisme parisien, les drames, les romans, tout pâlit, même ce vieux frontispice : *Les lamentations du glorieux roi de Kaërnavan, mis en prison par ses enfants* ; dernier fragment d'un livre perdu [17], dont la seule lecture faisait pleurer ce Sterne, qui lui-même délaissait sa femme et ses enfants [18].

L'inconnu fut assailli par mille pensées semblables, qui passaient en lambeaux dans son âme, comme des drapeaux déchirés voltigent au milieu d'une bataille. S'il déposait pendant un moment le fardeau de son intelligence et de ses souvenirs pour s'arrêter devant quelques fleurs dont les têtes étaient mollement balancées par la brise parmi les massifs de verdure, bientôt saisi par une convulsion de la vie qui regimbait encore sous la pesante idée du suicide, il levait les yeux au ciel : là, des nuages gris, des bouffées de vent chargées de tristesse, une atmosphère lourde, lui conseillaient encore de mourir. Il

---

17. Grâce à Michael Tilby (*Année balzacienne*, 1984), on connaît l'origine de cette anecdote : elle figure dans d'apocryphes *Mémoires de Sterne*, qui faisaient partie de l'édition française des *Œuvres complètes* que posséda très probablement Balzac, dans le chapitre intitulé « Sur la mélancolie » : « Le titre d'un livre perdu depuis bien longtemps, m'a donné quelques heures de mélancolie : *lamentatio gloriosi regis Eduardi de Kernavan, quam edidit tempore suae incarcerationis* : Lamentation du glorieux roi Édouard de Kernavan, composée par lui pendant son emprisonnement. Le contraste frappant des troisième et quatrième mots avec le dernier, affecte ma sensibilité. Quoique l'histoire soit vieille, je ne puis m'empêcher d'y réfléchir aussi douloureusement que si j'apprenais quelque fâcheuse nouvelle. »

18. Sur ce point Balzac, qui eut dès sa jeunesse la plus grande admiration pour les écrits de Sterne (d'ailleurs aussi l'un des auteurs préférés de son père), subit sans doute l'influence de la *Vie de Sterne* anonyme qui précède les *Mémoires* dans le premier volume des *Œuvres complètes*, et qui contribua à répandre durablement une rumeur calomnieuse concernant l'attitude de Sterne envers sa femme ; M. Tilby note qu'Amédée Pichot, par exemple, dans son *Voyage historique et littéraire en Angleterre et en Écosse* (1825), exprime lui aussi les mêmes graves réserves quant à « la sensibilité réelle de Sterne », qui aurait vécu sans amis et brisé le cœur de son épouse.

s'achemina vers le pont Royal en songeant aux dernières fantaisies de ses prédécesseurs. Il souriait en se rappelant que lord Castlereagh [19] avait satisfait le plus humble de nos besoins avant de se couper la gorge, et que l'académicien Auger [20] était allé chercher sa tabatière pour priser tout en marchant à la mort. Il analysait ces bizarreries et s'interrogeait lui-même, quand, en se serrant contre le parapet du pont, pour laisser passer un fort de la halle, celui-ci ayant légèrement blanchi la manche de son habit, il se surprit à en secouer soigneusement la poussière. Arrivé au point culminant de la voûte, il regarda l'eau d'un air sinistre [21].

« Mauvais temps pour se noyer, lui dit en riant une vieille femme vêtue de haillons. Est-elle sale et froide, la Seine ! »

Il répondit par un sourire plein de naïveté qui attestait le délire de son courage ; mais il frissonna tout à coup en voyant de loin, sur le port des Tuileries, la baraque surmontée d'un écriteau où ces paroles sont tracées en lettres hautes d'un pied : SECOURS AUX ASPHYXIÉS. M. Dacheux [22] lui apparut armé de sa philanthropie, réveillant et faisant mouvoir ces vertueux

---

19. Henry-Robert Stewart, marquis de Londonderry, vicomte Castlereagh (1769-1822), homme politique anglais, artisan du rattachement de l'Irlande à l'Angleterre, fut farouchement opposé à Napoléon Ier et rallia l'Angleterre à la Sainte-Alliance. La rudesse de sa politique intérieure, très conservatrice, le fit détester en Angleterre ; il ne put finalement supporter les haines qu'il s'était attirées, et se trancha la gorge, la veille du jour où il devait partir pour le congrès de Vérone.

20. Louis-Simon Auger, homme de lettres français né en 1772, secrétaire perpétuel de l'Académie française, critique, venait de se jeter dans la Seine à Meulan en 1829.

21. Une première version de ce début du roman, intitulée « Le Dernier Napoléon » et signée Henri B… », avait été publiée dans *La Caricature* le 16 décembre 1830 (voir la section « Annexes »).

22. M. Dacheux dirigeait les postes de secours aux noyés (ou « asphyxiés par immersion ») de Paris, et leur brigade fluviale (les « vertueux avirons ») ; on pratiquait alors, entre autres techniques de réanimation, des « fumigations » (mentionnées plus loin), qui consistaient

avirons qui cassent la tête aux noyés, quand malheureusement ils remontent sur l'eau ; il l'aperçut ameutant les curieux, quêtant un médecin, apprêtant des fumigations ; il lut les doléances des journalistes écrites entre les joies d'un festin et le sourire d'une danseuse ; il entendit sonner les écus comptés à des bateliers pour sa tête par le préfet de la Seine. Mort, il valait cinquante francs, mais vivant il n'était qu'un homme de talent sans protecteurs, sans amis, sans paillasse[23], sans tambour, un véritable zéro social, inutile à l'État, qui n'en avait aucun souci. Une mort en plein jour lui parut ignoble, il résolut de mourir pendant la nuit, afin de livrer un cadavre indéchiffrable à cette Société qui méconnaissait la grandeur de sa vie. Il continua donc son chemin, et se dirigea vers le quai Voltaire en prenant la démarche indolente d'un désœuvré qui veut tuer le temps. Quand il descendit les marches qui terminent le trottoir du pont, à l'angle du quai, son attention fut excitée par les bouquins étalés sur le parapet ; peu s'en fallut qu'il n'en marchandât quelques-uns. Il se prit à sourire, remit philosophiquement les mains dans ses goussets, et allait reprendre son allure d'insouciance où perçait un froid dédain, quand il entendit avec surprise quelques pièces retentir d'une manière véritablement fantastique au fond de sa poche. Un sourire d'espérance illumina son visage, glissa de ses lèvres sur ses traits, sur son front,

---

en insufflations de fumée de tabac dans l'intestin. Quant au repêchage des noyés, la récompense, selon une ordonnance de 1806, était de 25 francs si l'on parvenait à rappeler la personne à la vie, de 15 francs seulement dans le cas contraire – et non de 50 francs comme le dit Balzac, mais les tarifs avaient peut-être augmenté depuis 1806…

23. Il ne s'agit pas en l'occurrence d'un pauvre matelas de paille ; Balzac avait d'abord écrit « Paillasse » avec une majuscule (qui disparut dans l'édition illustrée Delloye et Lecou en 1838 et ne fut jamais rétablie), et le mot (de l'italien *Pagliaccio,* personnage du théâtre populaire napolitain) désigne ici le bouffon de théâtre forain chargé d'amuser et d'attirer le public.

fit briller de joie ses yeux et ses joues sombres. Cette étincelle de bonheur ressemblait à ces feux qui courent dans les vestiges d'un papier déjà consumé par la flamme ; mais le visage eut le sort des cendres noires, il redevint triste quand l'inconnu, après avoir vivement retiré la main de son gousset, aperçut trois gros sous.

« Ah ! mon bon monsieur, *la carita ! la carita ! catarina*[24] *!* Un petit sou pour avoir du pain ! »

Un jeune ramoneur dont la figure bouffie était noire, le corps brun de suie, les vêtements déguenillés, tendit la main à cet homme pour lui arracher ses derniers sous.

À deux pas du petit Savoyard, un vieux pauvre honteux, maladif, souffreteux, ignoblement vêtu d'une tapisserie trouée, lui dit d'une grosse voix sourde : « Monsieur, donnez-moi *ce que vous voudrez*, je prierai Dieu pour vous… » Mais quand l'homme jeune eut regardé le vieillard, celui-ci se tut et ne demanda plus rien, reconnaissant peut-être sur ce visage funèbre la livrée d'une misère plus âpre que n'était la sienne.

« *La carita ! la carita !* »

L'inconnu jeta sa monnaie à l'enfant et au vieux pauvre en quittant le trottoir pour aller vers les maisons, il ne pouvait plus supporter le poignant aspect de la Seine.

« Nous prierons Dieu pour la conservation de vos jours », lui dirent les deux mendiants.

En arrivant à l'étalage d'un marchand d'estampes, cet homme presque mort rencontra une jeune femme qui descendait d'un brillant équipage. Il contempla délicieusement cette charmante personne dont la blanche figure était harmonieusement encadrée dans

---

24. « La charité ! la charité ! » demande le petit Savoyard en italien – sa langue maternelle puisque la Savoie, annexée une première fois par la France en 1796, était de nouveau rattachée au royaume de Sardaigne depuis 1814. « Catarina », c'est-à-dire « Catherine » en italien, est ajouté tout simplement pour faire assonance.

le satin d'un élégant chapeau. Il fut séduit par une taille svelte, par de jolis mouvements. La robe, légèrement relevée par le marchepied, lui laissa voir une jambe dont les fins contours étaient dessinés par un bas blanc et bien tiré. La jeune femme entra dans le magasin, y marchanda des albums, des collections de lithographies ; elle en acheta pour plusieurs pièces d'or qui étincelèrent et sonnèrent sur le comptoir. Le jeune homme, en apparence occupé sur le seuil de la porte à regarder des gravures exposées dans la montre, échangea vivement avec la belle inconnue l'œillade la plus perçante que puisse lancer un homme, contre un de ces coups d'œil insouciants jetés au hasard sur les passants. C'était, de sa part, un adieu à l'amour, à la femme ! mais cette dernière et puissante interrogation ne fut pas comprise, ne remua pas ce cœur de femme frivole, ne la fit pas rougir, ne lui fit pas baisser les yeux. Qu'était-ce pour elle ? une admiration de plus, un désir inspiré qui le soir lui suggérerait cette douce parole : « J'étais *bien* aujourd'hui. » Le jeune homme passa promptement à un autre cadre, et ne se retourna point quand l'inconnue remonta dans sa voiture. Les chevaux partirent, cette dernière image du luxe et de l'élégance s'éclipsa comme allait s'éclipser sa vie. Il marcha d'un pas mélancolique le long des magasins, en examinant sans beaucoup d'intérêt les échantillons de marchandises. Quand les boutiques lui manquèrent, il étudia le Louvre, l'Institut, les tours de Notre-Dame, celles du Palais, le pont des Arts. Ces monuments paraissaient prendre une physionomie triste en reflétant les teintes grises du ciel dont les rares clartés prêtaient un air menaçant à Paris qui, pareil à une jolie femme, est soumis à d'inexplicables caprices de laideur et de beauté. Ainsi, la nature elle-même conspirait à plonger le mourant dans une extase douloureuse. En proie à cette puissance malfaisante dont l'action dissolvante trouve un véhicule dans le fluide [25] qui circule en nos nerfs, il sentait son organisme arriver insensiblement aux phénomènes de la fluidité. Les tourments de cette agonie lui imprimaient un mouvement semblable à celui des vagues, et lui faisaient voir les bâtiments, les hommes, à travers un brouillard où tout ondoyait. Il voulut se soustraire aux titillations que produisaient sur son âme les réactions de la nature physique, et se dirigea vers un magasin d'antiquités dans l'intention de donner une pâture à ses sens, ou d'y attendre la nuit en marchandant des objets d'art. C'était, pour ainsi dire, quêter du courage et demander un cordial, comme les criminels qui se défient de leurs forces en allant à l'échafaud ; mais la conscience de sa prochaine mort rendit pour un moment au jeune homme l'assurance d'une duchesse qui a deux amants, et il entra chez le marchand de curiosités d'un air dégagé, laissant voir sur ses lèvres un sourire fixe comme celui d'un ivrogne. N'était-il pas ivre de la vie, ou peut-être de la mort. Il retomba bientôt dans ses vertiges, et continua d'apercevoir les choses sous d'étranges couleurs, ou animées d'un léger mouvement dont le principe était sans doute dans une irrégulière circulation de son sang, tantôt bouillonnant comme une cascade, tantôt tranquille et fade comme

---

25. Dans son *Avant-propos* à *La Comédie humaine* de 1842, Balzac dit s'être intéressé dès 1820 à la théorie du « magnétisme animal » du médecin allemand Mesmer (1734-1815), qui affirmait avoir découvert l'existence d'un « fluide », émané des aimants et des planètes, qu'il est possible de s'approprier, de domestiquer, de transmettre et d'utiliser à des fins thérapeutiques. Cette théorie, qui rencontra le plus grand succès, fit des adeptes parmi les médecins, qui fondèrent sur elle une nouvelle conception de la physiologie selon laquelle, outre le fluide sanguin qui circule dans les veines et les artères, il existerait un fluide circulant dans les nerfs, sécrété par le cerveau, analogue au fluide électrique. (Cf. Madeleine Fargeaud, *Balzac et « La Recherche de l'absolu »*, Hachette, 1969, p. 203-205.) On retrouvera une allusion au magnétisme dans la troisième partie du roman – cf. *infra*, notes 211 et 241, et texte correspondant.

l'eau tiède. Il demanda simplement à visiter les magasins pour chercher s'ils ne renfermaient pas quelques singularités à sa convenance. Un jeune garçon à figure fraîche et joufflue, à chevelure rousse, et coiffé d'une casquette de loutre, commit la garde de la boutique à une vieille paysanne, espèce de *Caliban*[26] femelle occupée à nettoyer un poêle dont les merveilles étaient dues au génie de Bernard de Palissy[27] ; puis il dit à l'étranger d'un air insouciant : « Voyez, monsieur, voyez ! Nous n'avons en bas que des choses assez ordinaires ; mais si vous voulez prendre la peine de monter au premier étage, je pourrai vous montrer de fort belles momies du Caire, plusieurs poteries incrustées, quelques ébènes sculptés, *vraie renaissance*, récemment arrivés[28], et qui sont de toute beauté. »

Dans l'horrible situation où se trouvait l'inconnu, ce babil de cicérone, ces phrases sottement mercantiles furent pour lui comme les taquineries mesquines par lesquelles des esprits étroits assassinent un homme de génie. Portant sa croix jusqu'au bout, il parut écouter son conducteur et lui répondit par gestes ou par monosyllabes ; mais insensiblement il sut conquérir le droit d'être silencieux, et put se livrer sans crainte à ses dernières méditations, qui furent terribles. Il était poète, et son âme rencontra fortuitement une immense

---

26. Dans *La Tempête* de Shakespeare, Caliban, fils d'une sorcière et d'un démon, est un gnome monstrueux, d'une malice infernale, type de la brute malfaisante obligée d'obéir à une puissance supérieure, mais toujours en révolte contre elle.
27. Balzac accole toujours une particule superflue au nom de Bernard Palissy, célèbre céramiste et savant français (1510-1590) qui découvrit le secret de la composition des émaux après des années de recherches auxquelles il sacrifia tout, allant jusqu'à brûler le plancher et les meubles de sa maison, de sorte qu'il passa pour fou. Entre 1832 et 1834, Balzac songea à écrire un conte inspiré de la vie de Palissy, qui se serait intitulé *Les Souffrances de l'inventeur,* mais ce texte ne vit jamais le jour.
28. *Ébène* est aujourd'hui féminin, mais le genre du mot a varié, et le *Littré* signale qu'on le trouve au masculin, par exemple chez Voltaire.

pâture : il devait voir par avance les ossements de vingt mondes.

Au premier coup d'œil, les magasins lui offrirent un tableau confus, dans lequel toutes les œuvres humaines et divines se heurtaient. Des crocodiles, des singes, des boas empaillés souriaient à des vitraux d'église, semblaient vouloir mordre des bustes, courir après des laques, ou grimper sur des lustres. Un vase de Sèvres, où Mme Jacotot[29] avait peint Napoléon, se trouvait auprès d'un sphinx dédié à Sésostris[30]. Le commencement du monde et les événements d'hier se mariaient avec une grotesque bonhomie. Un tournebroche était posé sur un ostensoir, un sabre républicain sur une hacquebute[31] du Moyen Âge. Mme Du Barry peinte au pastel par La Tour[32], une étoile sur la tête, nue et dans un nuage, paraissait contempler avec concupiscence une chibouque[33] indienne, en cherchant à deviner l'utilité des spirales qui serpentaient vers elle. Les instruments de mort, poignards, pistolets curieux, armes à secret, étaient jetés pêle-mêle avec des instruments de vie : soupières en porcelaine, assiettes de

---

29. Marie-Victoire Jacquotot (1778-1855), médaillée au Salon en 1808, était en 1828 premier peintre sur porcelaine à la Manufacture de Sèvres (elle signait ou Leguay ou Jacquotot).

30. *Sésostris* est le nom grec de plusieurs pharaons égyptiens de la XIIe dynastie (XIXe et XXe siècles avant notre ère).

31. Une *hacquebute*, ou *haquebute*, ou *arquebuse*, était une ancienne arme à feu que l'on faisait partir au moyen d'une mèche ou d'un rouet se bandant avec une clé.

32. Jeanne Bécu, comtesse Du Barry (1743-1793), favorite de Louis XV ; Maurice Quentin de La Tour (1704-1788), portraitiste, pastelliste, nommé peintre du roi en 1750.

33. Une *chibouque* est à proprement parler une « pipe turque à long tuyau de bois au bout duquel est placé le foyer » (*Littré*) ; mais une « chibouque » ne comporte pas de « spirales », et Balzac veut sans doute désigner ici un *houka*, ou *narguilé*, pipe turque, indienne ou persane, composée d'un long tuyau [*souple*], d'un fourneau où brûle le tabac, et d'un vase rempli d'eau parfumée à travers lequel on aspire la fumée » (*Littré*), de sorte que la fumée se parfume avant d'arriver à la bouche. Cf. *infra*, note 347 et texte correspondant.

Saxe, tasses diaphanes venues de Chine, salières antiques, drageoirs féodaux. Un vaisseau d'ivoire voguait à pleines voiles sur le dos d'une immobile tortue. Une machine pneumatique éborgnait l'empereur Auguste, majestueusement impassible. Plusieurs portraits d'échevins français, de bourgmestres hollandais, insensibles alors comme pendant leur vie, s'élevaient au-dessus de ce chaos d'antiquités, en y lançant un regard pâle et froid. Tous les pays de la terre semblaient avoir apporté là quelques débris de leurs sciences, un échantillon de leurs arts. C'était une espèce de fumier philosophique auquel rien ne manquait, ni le calumet du sauvage, ni la pantoufle vert et or du sérail, ni le yatagan du Maure, ni l'idole des Tartares. Il y avait jusqu'à la blague à tabac du soldat, jusqu'au ciboire du prêtre, jusqu'aux plumes d'un trône. Ces monstrueux tableaux étaient encore assujettis à mille accidents de lumière par la bizarrerie d'une multitude de reflets dus à la confusion des nuances, à la brusque opposition des jours et des noirs. L'oreille croyait entendre des cris interrompus, l'esprit saisir des drames inachevés, l'œil apercevoir des lueurs mal étouffées. Enfin une poussière obstinée avait jeté son léger voile sur tous ces objets, dont les angles multipliés et les sinuosités nombreuses produisaient les effets les plus pittoresques.

L'inconnu compara d'abord ces trois salles gorgées de civilisation, de cultes, de divinités, de chefs-d'œuvre, de royautés, de débauches, de raison et de folie, à un miroir plein de facettes dont chacune représentait un monde. Après cette impression brumeuse, il voulut choisir ses jouissances ; mais à force de regarder, de penser, de rêver, il tomba sous la puissance d'une fièvre due peut-être à la faim qui rugissait dans ses entrailles. La vue de tant d'existences nationales ou individuelles, attestées par ces gages humains qui leur survivaient, acheva d'engourdir les sens du jeune homme ; le désir qui l'avait poussé dans le magasin fut exaucé : il sortit de la vie réelle, monta par degrés vers un monde idéal, arriva dans les palais enchantés de l'Extase où l'univers lui apparut par bribes et en traits de feu, comme l'avenir passa jadis flamboyant aux yeux de saint Jean dans Pathmos [34].

Une multitude de figures endolories, gracieuses et terribles, obscures et lucides [35], lointaines et rapprochées, se leva par masses, par myriades, par générations. L'Égypte, roide, mystérieuse, se dressa de ses sables, représentée par une momie qu'enveloppaient des bandelettes noires ; puis ce fut les pharaons ensevelissant des peuples pour se construire une tombe, et Moïse, et les Hébreux, et le désert, il entrevit tout un monde antique et solennel. Fraîche et suave, une statue de marbre assise sur une colonne torse et rayonnant de blancheur lui parla des mythes voluptueux de la Grèce et de l'Ionie. Ah ! qui n'aurait souri comme lui de voir sur un fond rouge la jeune fille brune dansant dans la fine argile d'un vase étrusque devant le dieu Priape qu'elle saluait d'un air joyeux ? En regard, une reine latine caressait sa chimère avec amour ! Les caprices de la Rome impériale respiraient là tout entiers et révélaient le bain, la couche, la toilette d'une Julie indolente, songeuse, attendant son Tibulle [36]. Armée du pouvoir des talismans arabes, la tête de Cicéron évoquait les souvenirs de la Rome libre et lui déroulait les pages de Tite-Live. Le jeune homme contempla *Senatus Populusque romanus* [37] : le consul,

---

34. L'île grecque de Patmos était un lieu d'exil à l'époque romaine ; Jean l'Évangéliste s'y retira à la fin du premier siècle de notre ère et y écrivit l'*Apocalypse*, dernier livre du Nouveau Testament – où se trouve en particulier racontée la chute de Babylone, à laquelle il sera fait allusion plus loin – cf. *infra*, note 129.

35. C'est-à-dire « lumineuses » (sens vieilli).

36. La première muse de Tibulle, poète élégiaque latin, était une dame romaine du nom de *Délie* ; Balzac confond peut-être avec *Julie*, femme de *Tibère*, qui fut bannie par Auguste, son père, pour son inconduite.

37. « Le sénat et le peuple romain. »

les licteurs, les toges bordées de pourpre, les luttes du Forum, le peuple courroucé défilaient lentement devant lui comme les vaporeuses figures d'un rêve. Enfin la Rome chrétienne dominait ces images. Une peinture ouvrait les cieux, il y voyait la Vierge Marie plongée dans un nuage d'or, au sein des anges, éclipsant la gloire du soleil, écoutant les plaintes des malheureux auxquels cette Ève régénérée souriait d'un air doux. En touchant une mosaïque faite avec les différentes laves du Vésuve et de l'Etna, son âme s'élançait dans la chaude et fauve Italie : il assistait aux orgies des Borgia, courait dans les Abruzzes, aspirait aux amours italiennes, se passionnait pour les blancs visages aux longs yeux noirs. Il frémissait aux dénouements nocturnes interrompus par la froide épée d'un mari, en apercevant une dague du Moyen Âge dont la poignée était travaillée comme l'est une dentelle, et dont la rouille ressemblait à des taches de sang. L'Inde et ses religions revivaient dans une idole coiffée de son chapeau pointu, à losanges relevées [38], parée de clochettes, vêtue d'or et de soie. Près du magot [39], une natte, jolie comme la bayadère qui s'y était roulée, exhalait encore les odeurs du sandal [40]. Un monstre de la Chine dont les yeux restaient tordus, la bouche contournée, les membres torturés, réveillait l'âme par les inventions d'un peuple qui, fatigué du beau toujours unitaire, trouve d'ineffables plaisirs dans la fécondité des laideurs. Une salière sortie des ateliers

---

38. Le mot *losange* est resté féminin jusqu'au XVIIe siècle.

39. Le mot, qui renvoie à l'idole indienne décrite juste auparavant, n'est guère approprié ; il désigne en général une figurine grotesque d'Extrême-Orient, plus particulièrement chinoise, faite de porcelaine, ou sculptée dans la pierre ou le jade. Balzac avait d'abord écrit dans l'édition originale : « L'Inde et ses religions revivaient dans un magot chinois [...] » – ce qui n'est pas plus clair.

40. Ou plutôt le *santal*, arbre de l'Inde, du bois duquel on extrait une essence parfumée et balsamique.

de Benvenuto Cellini[41] le reportait au sein de la Renaissance, au temps où les arts et la licence fleurissaient, où les souverains se divertissaient à des supplices, où les conciles couchés dans les bras des courtisanes[42] décrétaient la chasteté pour les simples prêtres. Il vit les conquêtes d'Alexandre sur un camée, les massacres de Pizarre[43] dans une arquebuse à mèche, les guerres de religion échevelées, bouillantes, cruelles, au fond d'un casque. Puis, les riantes images de la chevalerie sourdirent d'une armure de Milan supérieurement damasquinée[44], bien fourbie, et sous la visière de laquelle brillaient encore les yeux d'un paladin[45].

Cet océan de meubles, d'inventions, de modes, d'œuvres, de ruines, lui composait un poème sans fin. Formes, couleurs, pensées, tout revivait là ; mais rien de complet ne s'offrait à l'âme. Le poète devait achever les croquis du grand peintre qui avait fait cette immense palette où les innombrables accidents de la vie humaine étaient jetés à profusion, avec dédain. Après s'être emparé du monde, après avoir contemplé des pays, des âges, des règnes, le jeune homme revint

---

41. Grand orfèvre et sculpteur italien (1500-1571) ; les romantiques s'étaient enflammés à la lecture de ses *Mémoires,* qui venaient d'être traduits en français en 1822 et qui faisaient revivre avec une intensité flamboyante la Rome de Clément VII, la France de François Ier et la Florence de Cosme de Médicis.

42. Balzac songe ici au premier de ses *Contes drolatiques*, intitulé *La Belle Impéria*, qu'il venait d'écrire au cours de l'hiver 1830-1831, et qui relate les amours d'une courtisane au concile de Constance (1414-1418), le concile qui se demanda si la femme avait ou non une âme – question étrangement à propos dans un roman dont la seconde partie sera intitulée « La femme sans cœur ». Balzac avait d'abord situé *La Belle Impéria* au concile de Trente (1545-1563), ce qui correspondait plus précisément à l'époque de Benvenuto Cellini.

43. Lors de la conquête du Pérou au XVIe siècle.

44. C'est-à-dire d'acier incrusté d'or ou d'argent.

45. Chevalier errant du Moyen Âge, en quête de prouesses et d'actions généreuses.

à des existences individuelles. Il se personnifia de nouveau, s'empara des détails en repoussant la vie des nations comme trop accablante pour un seul homme.

Là dormait un enfant en cire, sauvé du cabinet de Ruysch[46], et cette ravissante créature lui rappelait les joies de son jeune âge. Au prestigieux aspect du pagne virginal de quelque jeune fille d'Otaïti, sa brûlante imagination lui peignait la vie simple de la nature, la chaste nudité de la vraie pudeur, les délices de la paresse si naturelle à l'homme, toute une destinée calme au bord d'un ruisseau frais et rêveur, sous un bananier qui dispensait une manne savoureuse, sans culture. Mais tout à coup il devenait corsaire, et revêtait la terrible poésie empreinte dans le rôle de Lara[47], vivement inspiré par les couleurs nacrées de mille coquillages, exalté par la vue de quelques madrépores qui sentaient le varech, les algues et les ouragans atlantiques. Admirant plus loin les délicates miniatures, les arabesques d'azur et d'or qui enrichissaient quelque précieux missel manuscrit, il oubliait les tumultes de la mer. Mollement balancé dans une pensée de paix, il épousait de nouveau l'étude et la science, souhaitait la grasse vie des moines exempte de chagrins, exempte de plaisirs, et se couchait au fond d'une cellule, en contemplant par sa fenêtre en ogive les prairies, les bois, les vignobles de son monastère. Devant quelques Teniers[48], il endossait la casaque

46. Frédéric Ruysch (1638-1731), anatomiste hollandais, professeur de médecine à Amsterdam, inventa un procédé d'injection de cires colorées qui permettait de conserver des pièces anatomiques intactes pendant des années ; il se constitua ainsi un cabinet que Pierre le Grand lui acheta en 1717.

47. Lara, héros éponyme d'un poème de Byron, n'était pas un corsaire et n'avait rien à voir avec la mer ; mais *Lara* faisait suite à un autre poème, *Le Corsaire*, dont le héros s'appelait Conrad ; et à l'époque romantique, le sombre comte Lara passait pour une nouvelle incarnation de Conrad disparu.

48. David Teniers, peintre, dessinateur et graveur flamand (1610-1690), est le plus célèbre des peintres flamands du XVIIe siècle : il peignit des

d'un soldat ou la misère d'un ouvrier ; il désirait porter le bonnet sale et enfumé des Flamands, s'enivrait de bière, jouait aux cartes avec eux, et souriait à une grosse paysanne d'un attrayant embonpoint. Il grelottait en voyant une tombée de neige de Miéris [49], ou se battait en regardant un combat de Salvator Rosa [50]. Il caressait un tomahawk [51] d'Illinois, et sentait le scalpel d'un Chérokée qui lui enlevait la peau du crâne [52]. Émerveillé à l'aspect d'un rebec [53], il le confiait à la main d'une châtelaine en en savourant la romance mélodieuse et lui déclarant son amour, le soir, auprès d'une cheminée gothique, dans la pénombre où se perdait un regard de consentement. Il s'accrochait à toutes les joies, saisissait toutes les douleurs, s'emparait de toutes les formules d'existence en éparpillant si généreusement sa vie et ses sentiments sur les simulacres de cette nature plastique et vide, que le bruit de ses pas retentissait dans son âme comme le

---

scènes de cabaret, de kermesse, des paysages peuplés de paysans pittoresques.

49. Franz van Miéris, peintre hollandais (1635-1681), peignit surtout des portraits et des scènes d'intérieur.

50. Salvator Rosa, peintre, dessinateur, graveur, poète et musicien italien (1615-1673), est resté célèbre tout particulièrement pour ses tumultueuses scènes de batailles.

51. *Sic.* Le mot, qui désigne la hache de guerre des Indiens de l'Amérique du Nord, avait été introduit en France par Chateaubriand dans *Atala* (1801).

52. Les Cherokees, Indiens d'Amérique du Nord de la famille des Iroquois, étaient établis dans le Tennessee et les deux Carolines ; Washington les aida à s'occidentaliser, et ils progressèrent rapidement, adoptant en 1828 une constitution démocratique et l'alphabet syllabique ; Balzac avait peut-être lu dans le numéro de décembre 1829 de la *Revue des Deux Mondes* un article (signalé par Madeleine Fargeaud) qui montrait les Indiens passant « comme par enchantement de la barbarie à la civilisation ». Reste qu'il est fort peu probable que les Cherokees se servissent d'un « scalpel », instrument de chirurgie (du latin *scalpellum*, « scalpel, lancette, bistouri »), pour « scalper » (de l'anglais *scalp*, cuir chevelu) leurs victimes !

53. Instrument de musique à trois cordes et à archet, en usage au Moyen Âge.

son lointain d'un autre monde, comme la rumeur de Paris arrive sur les tours de Notre-Dame.

En montant l'escalier intérieur qui conduisait aux salles situées au premier étage, il vit des boucliers votifs, des panoplies, des tabernacles sculptés, des figures en bois pendues aux murs, posées sur chaque marche. Poursuivi par les formes les plus étranges, par des créations merveilleuses assises sur les confins de la mort et de la vie, il marchait dans les enchantements d'un songe. Enfin, doutant de son existence, il était comme ces objets curieux, ni tout à fait mort, ni tout à fait vivant. Quand il entra dans les nouveaux magasins, le jour commençait à pâlir ; mais la lumière semblait inutile aux richesses resplendissant d'or et d'argent qui s'y trouvaient entassées. Les plus coûteux caprices de dissipateurs morts sous des mansardes après avoir possédé plusieurs millions, étaient dans ce vaste bazar des folies humaines. Une écritoire payée cent mille francs et rachetée pour cent sous gisait auprès d'une serrure à secret dont le prix aurait suffi jadis à la rançon d'un roi. Là, le génie humain apparaissait dans toutes les pompes de sa misère, dans toute la gloire de ses gigantesques petitesses. Une table d'ébène, véritable idole d'artistes, sculptée d'après les dessins de Jean Goujon [54] et qui coûta jadis plusieurs années de travail, avait été peut-être acquise au prix du bois à brûler. Des coffrets précieux, des meubles faits par la main des fées, y étaient dédaigneusement amoncelés.

« Vous avez des millions ici, s'écria le jeune homme en arrivant à la pièce qui terminait une immense enfilade d'appartements dorés et sculptés par des artistes du siècle dernier.

---

54. L'art délicat et sinueux de Jean Goujon, sculpteur, dessinateur et architecte français de la Renaissance (1510-1566), est un mélange très personnel de maniérisme et de classicisme.

– Dites des milliards, répondit le gros garçon joufflu. Mais ce n'est rien encore, montez au troisième étage, et vous verrez ! »

L'inconnu suivit son conducteur et parvint à une quatrième galerie où successivement passèrent devant ses yeux fatigués plusieurs tableaux du Poussin, une sublime statue de Michel-Ange, quelques ravissants paysages de Claude Lorrain, un Gérard Dow[55] qui ressemblait à une page de Sterne, des Rembrandt, des Murillo, des Velasquez sombres et colorés comme un poème de lord Byron ; puis des bas-reliefs antiques, des coupes d'agate, des onyx merveilleux ! Enfin c'était des travaux à dégoûter du travail, des chefs-d'œuvre accumulés à faire prendre en haine les arts et à tuer l'enthousiasme. Il arriva devant une Vierge de Raphaël, mais il était las de Raphaël. Une figure de Corrège qui voulait un regard ne l'obtint même pas. Un vase inestimable en porphyre antique et dont les sculptures circulaires représentaient de toutes les priapées[56] romaines la plus grotesquement licencieuse, délices de quelque Corinne[57], eut à peine un sourire. Il étouffait sous les débris de cinquante siècles évanouis, il était malade de toutes ces pensées humaines, assassiné par le luxe et les arts, oppressé sous ces formes renaissant qui, pareilles à des monstres enfantés sous ses pieds par quelque malin génie, lui livraient un combat sans fin.

---

55. Gérard Dow (ou Dou), peintre et dessinateur hollandais (1613-1675), fut l'élève de Rembrandt ; Balzac évoquera plus loin son *Peseur d'or*, qu'il avait pu voir au Louvre.

56. Les *priapées* étaient dans l'Antiquité les fêtes en l'honneur du dieu *Priape*, dieu des jardins, des vignobles et des vergers, et doté d'un membre viril démesuré qui en faisait un symbole de fécondité ; le mot désigne dans le langage littéraire un poème, une peinture, ou une scène obscène.

57. On ne connaît guère, à l'époque romaine, que la Corinne aimée et chantée par Ovide dans *Les Tristes.*

Semblable en ses caprices à la chimie moderne qui résume la création par un gaz [58], l'âme ne compose-t-elle pas de terribles poisons par la rapide concentration de ses jouissances, de ses forces ou de ses idées ? Beaucoup d'hommes ne périssent-ils pas sous le foudroiement de quelque acide moral soudainement épandu dans leur être intérieur ?

« Que contient cette boîte ? » demanda-t-il en arrivant à un grand cabinet, dernier monceau de gloire, d'efforts humains, d'originalités, de richesses parmi lesquelles il montra du doigt une grande caisse carrée construite en acajou, suspendue à un clou par une chaîne d'argent.

« Ah ! monsieur en a la clef, dit le gros garçon avec un air de mystère. Si vous désirez voir ce portrait, je me hasarderai volontiers à prévenir monsieur.

– Vous hasarder ! reprit le jeune homme. Votre maître est-il un prince ?

– Mais, je ne sais pas », répondit le garçon.

Ils se regardèrent pendant un moment aussi étonnés l'un que l'autre. Après avoir interprété le silence de l'inconnu comme un souhait, l'apprenti le laissa seul dans le cabinet.

Vous êtes-vous jamais lancé dans l'immensité de l'espace et du temps, en lisant les œuvres géologiques de Cuvier [59] ? Emporté par son génie, avez-vous plané sur l'abîme sans bornes du passé, comme soutenu par la main d'un enchanteur ? En découvrant de tranche en tranche, de couche en couche, sous les carrières de

---

58. Balzac avait d'abord écrit « par un sel », ce qui révélait son ignorance en matière de chimie ; il se corrigea dans l'édition de 1835, c'est-à-dire après avoir étudié la chimie pour écrire *La Recherche de l'absolu.* C'est le chimiste anglais William Prout (1785-1850) qui, en 1816, formula l'hypothèse selon laquelle la diversité des corps simples dériverait d'un seul élément originaire, l'hydrogène.

59. Balzac ne manque pas une occasion de nommer, dans *La Comédie humaine*, le célèbre naturaliste Georges Cuvier (1769-1832), fondateur de l'anatomie comparée et de la paléontologie.

Montmartre ou dans les schistes de l'Oural, ces animaux dont les dépouilles fossilisées appartiennent à des civilisations antédiluviennes, l'âme est effrayée d'entrevoir des milliards d'années, des millions de peuples que la faible mémoire humaine, que l'indestructible tradition divine ont oubliés et dont la cendre, entassée à la surface de notre globe, y forme les deux pieds de terre qui nous donnent du pain et des fleurs. Cuvier n'est-il pas le plus grand poète de notre siècle ? Lord Byron a bien reproduit par des mots quelques agitations morales ; mais notre immortel naturaliste a reconstruit des mondes avec des os blanchis, a rebâti comme Cadmus [60] des cités avec des dents, a repeuplé mille forêts de tous les mystères de la zoologie avec quelques fragments de houille, a retrouvé des populations de géants dans le pied d'un mammouth. Ces figures se dressent, grandissent et meublent des régions en harmonie avec leurs statures colossales. Il est poète avec des chiffres, il est sublime en posant un zéro près d'un sept. Il réveille le néant sans prononcer des paroles artificiellement magiques, il fouille une parcelle de gypse, y aperçoit une empreinte, et vous crie : « Voyez ! » Soudain les marbres s'animalisent, la mort se vivifie, le monde se déroule ! Après d'innombrables dynasties de créatures gigantesques, après des races de poissons et des clans de mollusques, arrive enfin le genre humain, produit dégénéré d'un type grandiose, brisé peut-être par le Créateur. Échauffés par son regard rétrospectif, ces hommes chétifs, nés

60. Envoyé par son père à la recherche de sa sœur Europe, Cadmos consulta l'oracle de Delphes, qui lui conseilla d'abandonner sa quête, de suivre une vache jusqu'au lieu où elle s'abattrait d'épuisement, et de fonder là une ville. Il suivit ses recommandations. À l'endroit désigné, il dut tuer un dragon qui lui interdisait l'accès à une fontaine. Athéna lui apparut alors et lui conseilla de semer les dents du dragon : aussitôt sortirent de terre des hommes armés, les *Spartoi* (les Hommes Semés), dont la plupart s'entretuèrent, sauf cinq qui aidèrent Cadmos à bâtir la Cadmée, c'est-à-dire la citadelle de Thèbes.

d'hier, peuvent franchir le chaos, entonner un hymne sans fin et se configurer le passé de l'univers dans une sorte d'Apocalypse rétrograde. En présence de cette épouvantable résurrection due à la voix d'un seul homme, la miette dont l'usufruit nous est concédé dans cet infini sans nom, commun à toutes les sphères et que nous avons nommé LE TEMPS, cette minute de vie nous fait pitié. Nous nous demandons, écrasés que nous sommes sous tant d'univers en ruines, à quoi bon nos gloires, nos haines, nos amours ; et si, pour devenir un point intangible dans l'avenir, la peine de vivre doit s'accepter ? Déracinés du présent, nous sommes morts jusqu'à ce que notre valet de chambre entre et vienne nous dire : « Madame la comtesse a répondu qu'elle attendait monsieur ! »

Les merveilles dont l'aspect venait de présenter au jeune homme toute la création connue mirent dans son âme l'abattement que produit chez le philosophe la vue scientifique des créations inconnues, il souhaita plus vivement que jamais de mourir, et tomba sur une chaise curule [61] en laissant errer ses regards à travers les fantasmagories de ce panorama du passé. Les tableaux s'illuminèrent, les têtes de vierge lui sourirent, et les statues se colorèrent d'une vie trompeuse. À la faveur de l'ombre, et mises en danse par la fiévreuse tourmente qui fermentait dans son cerveau brisé, ces œuvres s'agitèrent et tourbillonnèrent devant lui ; chaque magot lui jeta sa grimace, les paupières des personnages représentés dans les tableaux s'abaissèrent sur leurs yeux pour les rafraîchir. Chacune de ces formes frémit, sautilla, se détacha de sa place gravement, légèrement, avec grâce ou brusquerie, selon ses mœurs, son caractère et sa contexture. Ce fut un mystérieux sabbat digne des fantaisies entrevues par le

61. Dans l'Antiquité romaine, la *chaise curule* était un siège d'ivoire réservé aux premiers magistrats de Rome.

docteur Faust sur le *Brocken* [62]. Mais ces phénomènes d'optique enfantés par la fatigue, par la tension des forces oculaires ou par les caprices du crépuscule, ne pouvaient effrayer l'inconnu. Les terreurs de la vie étaient impuissantes sur une âme familiarisée avec les terreurs de la mort. Il favorisa même par une sorte de complicité railleuse les bizarreries de ce galvanisme moral dont les prodiges s'accouplaient aux dernières pensées qui lui donnaient encore le sentiment de l'existence. Le silence régnait si profondément autour de lui, que bientôt il s'aventura dans une douce rêverie dont les impressions graduellement noires suivirent, de nuance en nuance et comme par magie, les lentes dégradations de la lumière. Une lueur en quittant le ciel fit reluire un dernier reflet rouge en luttant contre la nuit, il leva la tête, vit un squelette à peine éclairé qui pencha dubitativement son crâne de droite à gauche, comme pour lui dire : « Les morts ne veulent pas encore de toi ! » En passant la main sur son front pour en chasser le sommeil, le jeune homme sentit distinctement un vent frais produit par je ne sais quoi de velu qui lui effleura les joues, et il frissonna. Les vitres ayant retenti d'un claquement sourd, il pensa que cette froide caresse digne des mystères de la tombe venait de quelque chauve-souris. Pendant un moment encore, les vagues reflets du couchant lui permirent d'apercevoir indistinctement les fantômes par lesquels il était entouré ; puis toute cette nature morte s'abolit dans une même teinte noire. La nuit, l'heure de mourir était subitement venue. Il s'écoula, dès ce moment, un certain laps de temps pendant lequel il n'eut aucune perception claire des choses terrestres, soit qu'il se fût enseveli dans une rêverie profonde, soit qu'il eût cédé

62. Le *Brocken*, ou *Blocksberg*, est le point culminant du massif du Harz (ou Hartz) en Allemagne, dont les bois profonds, les chaos de pierres et les brumes ont donné matière à maintes légendes, notamment celle de la nuit de Walpurgis, évoquée par Goethe dans son *Faust*.

à la somnolence provoquée par ses fatigues et par la multitude des pensées qui lui déchiraient le cœur. Tout à coup il crut avoir été appelé par une voix terrible, et il tressaillit comme lorsqu'au milieu d'un brûlant cauchemar nous sommes précipités d'un seul bond dans les profondeurs d'un abîme. Il ferma les yeux, les rayons d'une vive lumière l'éblouissaient ; il voyait briller au sein des ténèbres une sphère rougeâtre dont le centre était occupé par un petit vieillard qui se tenait debout et dirigeait sur lui la clarté d'une lampe. Il ne l'avait entendu ni venir, ni parler, ni se mouvoir. Cette apparition eut quelque chose de magique. L'homme le plus intrépide, surpris ainsi dans son sommeil, aurait sans doute tremblé devant ce personnage qui semblait être sorti d'un sarcophage voisin. La singulière jeunesse qui animait les yeux immobiles de cette espèce de fantôme empêchait l'inconnu de croire à des effets surnaturels ; néanmoins, pendant le rapide intervalle qui sépara sa vie somnambulique de sa vie réelle, il demeura dans le doute philosophique recommandé par Descartes[63] et fut alors, malgré lui, sous la puissance de ces inexplicables hallucinations dont les mystères sont condamnés par notre fierté ou que notre science impuissante tâche en vain d'analyser.

Figurez-vous un petit vieillard sec et maigre, vêtu d'une robe en velours noir, serrée autour de ses reins par un gros cordon de soie. Sur sa tête, une calotte en velours également noir laissait passer, de chaque côté de la figure, les longues mèches de ses cheveux blancs et s'appliquait sur le crâne de manière à rigidement encadrer le front. La robe ensevelissait le corps comme dans un vaste linceul, et ne permettait de voir d'autre forme humaine qu'un visage étroit et pâle. Sans le bras décharné, qui ressemblait à un bâton sur lequel on

---

63. Descartes préconisait le doute « méthodique », c'est-à-dire la mise en question philosophique systématique de tout ce qui pouvait donner prise au doute, témoignages des sens, préjugés de l'enfance, etc.

aurait posé une étoffe et que le vieillard tenait en l'air pour faire porter sur le jeune homme toute la clarté de la lampe, ce visage aurait paru suspendu dans les airs. Une barbe grise et taillée en pointe cachait le menton de cet être bizarre, et lui donnait l'apparence de ces têtes judaïques qui servent de types aux artistes quand ils veulent représenter Moïse. Les lèvres de cet homme étaient si décolorées, si minces, qu'il fallait une attention particulière pour deviner la ligne tracée par la bouche dans son blanc visage. Son large front ridé, ses joues blêmes et creuses, la rigueur implacable de ses petits yeux verts dénués de cils et de sourcils, pouvaient faire croire à l'inconnu que le *Peseur d'or* de Gérard Dow [64] était sorti de son cadre. Une finesse d'inquisiteur trahie par les sinuosités de ses rides et par les plis circulaires dessinés sur ses tempes, accusait une science profonde des choses de la vie. Il était impossible de tromper cet homme qui semblait avoir le don de surprendre les pensées au fond des cœurs les plus discrets. Les mœurs de toutes les nations du globe et leurs sagesses se résumaient sur sa face froide, comme les productions du monde entier se trouvaient accumulées dans ses magasins poudreux. Vous y auriez lu la tranquillité lucide d'un Dieu qui voit tout, ou la force orgueilleuse d'un homme qui a tout vu. Un peintre aurait, avec deux expressions différentes et en deux coups de pinceau, fait de cette figure une belle image du Père Éternel ou le masque ricaneur du Méphistophélès [65], car il se trouvait tout

---

64. Cf. *supra*, note 55.

65. Méphistophélès, dans le *Faust* de Goethe, incarne de son propre aveu la négation et le mal ; sa méchanceté, son cynisme, sa logique aiguë bafouent tous les élans généreux de l'âme. Cette allusion annonce évidemment le thème du pacte, et les références à Méphistophélès et à Faust vont ponctuer le texte. En fait de ressemblance diabolique, Moïse Le Yaouanc (*Année balzacienne*, 1970) a montré que le vieil antiquaire était peut-être surtout dessiné d'après le Juif Adonias du *Melmoth* de Maturin, dont il a l'âge, l'ample robe et même le bonnet de velours noir ; la lampe même qu'il tient et qui éblouit Raphaël est une réplique de celle qu'aperçut Monçada dans les souterrains et qui éclairait Ado-

ensemble une suprême puissance dans le front et de sinistres railleries sur la bouche. En broyant toutes les peines humaines sous un pouvoir immense, cet homme devait avoir tué les joies terrestres. Le moribond frémit en pressentant que ce vieux génie habitait une sphère étrangère au monde, et où il vivait seul, sans jouissances parce qu'il n'avait plus d'illusion, sans douleur parce qu'il ne connaissait plus de plaisirs. Le vieillard se tenait debout, immobile, inébranlable comme une étoile au milieu d'un nuage de lumière. Ses yeux verts, pleins de je ne sais quelle malice calme, semblaient éclairer le monde moral comme sa lampe illuminait ce cabinet mystérieux.

Tel fut le spectacle étrange qui surprit le jeune homme au moment où il ouvrit les yeux, après avoir été bercé par des pensées de mort et de fantasques images. S'il demeura comme étourdi, s'il se laissa momentanément dominer par une croyance digne d'enfants qui écoutent les contes de leurs nourrices, il faut attribuer cette erreur au voile étendu sur sa vie et sur son entendement par ses méditations, à l'agacement de ses nerfs irrités, au drame violent dont les scènes venaient de lui prodiguer les atroces délices contenues dans un morceau d'opium [66]. Cette vision avait lieu dans Paris, sur le quai Voltaire, au XIXe siècle, temps et lieux où la magie devait être impossible. Voisin de la maison où le dieu de l'incrédulité française avait expiré, disciple de Gay-Lussac et d'Arago [67], contempteur des tours de gobelets que

---

nias. Voir *infra*, note 437 (et texte correspondant) pour un autre emprunt de Balzac à ce roman noir célèbre à l'époque.

66. Alfred de Musset avait publié en 1828, sous les initiales ADM, *L'Anglais mangeur d'opium*, adaptation des *Confessions* de Thomas de Quincey ; et le 11 novembre 1830 Balzac venait de consacrer à l'opium un article dans *La Caricature*.

67. Le physicien français Gay-Lussac (1778-1850) et l'astronome Arago (cf. *supra*, note 2), tous deux polytechniciens et professeurs occupant de hautes fonctions, sont cités ici comme représentants éminents de la science moderne, expérimentale et positive.

font les hommes du pouvoir, l'inconnu n'obéissait sans doute qu'à ces fascinations poétiques auxquelles nous nous prêtons souvent comme pour fuir de désespérantes vérités, comme pour tenter la puissance de Dieu. Il trembla donc devant cette lumière et ce vieillard, agité par l'inexplicable pressentiment de quelque pouvoir étrange ; mais cette émotion était semblable à celle que nous avons tous éprouvée devant Napoléon, ou en présence de quelque grand homme brillant de génie et revêtu de gloire.

« Monsieur désire voir le portrait de Jésus-Christ peint par Raphaël ? » lui dit courtoisement le vieillard d'une voix dont la sonorité claire et brève avait quelque chose de métallique.

Et il posa la lampe sur le fût d'une colonne brisée, de manière à ce que la boîte brune reçût toute la clarté.

Aux noms religieux de Jésus-Christ et de Raphaël, il échappa au jeune homme un geste de curiosité, sans doute attendu par le marchand qui fit jouer un ressort. Soudain le panneau d'acajou glissa dans une rainure, tomba sans bruit et livra la toile à l'admiration de l'inconnu. À l'aspect de cette immortelle création, il oublia les fantaisies du magasin, les caprices de son sommeil, redevint homme, reconnut dans le vieillard une créature de chair, bien vivante, nullement fantasmagorique, et revécut dans le monde réel. La tendre sollicitude, la douce sérénité du divin visage influèrent aussitôt sur lui. Quelque parfum épanché des cieux dissipa les tortures infernales qui lui brûlaient la moelle des os. La tête du Sauveur des hommes paraissait sortir des ténèbres figurées par un fond noir ; une auréole de rayons étincelait vivement autour de sa chevelure d'où cette lumière voulait sortir ; sous le front, sous les chairs, il y avait une éloquente conviction qui s'échappait de chaque trait par de pénétrantes effluves[68]. Les lèvres vermeilles venaient de faire

68. *Sic.* Le mot *effluves*, souvent employé au féminin, est masculin.

entendre la parole de vie, et le spectateur en cherchait le retentissement sacré dans les airs, il en demandait les ravissantes paraboles au silence, il l'écoutait dans l'avenir, la retrouvait dans les enseignements du passé. L'Évangile était traduit par la simplicité calme de ces adorables yeux où se réfugiaient les âmes troublées. Enfin la religion catholique se lisait tout entière en un suave et magnifique sourire qui semblait exprimer ce précepte où elle se résume : *Aimez-vous les uns les autres !* Cette peinture inspirait une prière, recommandait le pardon, étouffait l'égoïsme, réveillait toutes les vertus endormies. Partageant le privilège des enchantements de la musique, l'œuvre de Raphaël vous jetait sous le charme impérieux des souvenirs, et son triomphe était complet, on oubliait le peintre. Le prestige de la lumière agissait encore sur cette merveille ; par moments il semblait que la tête s'agitât dans le lointain, au sein de quelque nuage.

« J'ai couvert cette toile de pièces d'or, dit froidement le marchand.

– Eh bien, il va falloir mourir, s'écria le jeune homme qui sortait d'une rêverie dont la dernière pensée l'avait ramené vers sa fatale destinée en le faisant descendre par d'insensibles déductions d'une espérance à laquelle il s'était attaché.

– Ah ! ah ! j'avais donc raison de me méfier de toi », répondit le vieillard en saisissant les deux mains du jeune homme qu'il serra par les poignets dans l'une des siennes, comme dans un étau.

L'inconnu sourit tristement de cette méprise et dit d'une voix douce : « Hé ! monsieur, ne craignez rien, il s'agit de ma vie et non de la vôtre. Pourquoi n'avouerais-je pas une innocente supercherie, reprit-il après avoir regardé le vieillard inquiet. En attendant la nuit, afin de pouvoir me noyer sans esclandre, je suis venu voir vos richesses. Qui ne pardonnerait ce dernier plaisir à un homme de science et de poésie ? »

Le soupçonneux marchand examina d'un œil sagace le morne visage de son faux chaland tout en l'écoutant parler. Rassuré bientôt par l'accent de cette voix douloureuse, ou lisant peut-être dans ces traits décolorés les sinistres destinées qui naguère avaient fait frémir les joueurs, il lâcha les mains ; mais par un reste de suspicion qui révéla une expérience au moins centenaire, il étendit nonchalamment le bras vers un buffet comme pour s'appuyer, et dit en y prenant un stylet : « Êtes-vous depuis trois ans surnuméraire au Trésor, sans y avoir touché de gratification ? »

L'inconnu ne put s'empêcher de sourire en faisant un geste négatif.

« Votre père vous a-t-il trop vivement reproché d'être venu au monde, ou bien êtes-vous déshonoré ?

– Si je voulais me déshonorer, je vivrais.

– Avez-vous été sifflé aux Funambules [69], ou vous trouvez-vous obligé de composer des flonflons pour payer le convoi de votre maîtresse [70] ? N'auriez-vous pas plutôt la maladie de l'or ? voulez-vous détrôner l'ennui ? Enfin, quelle erreur vous engage à mourir ?

– Ne cherchez pas le principe de ma mort dans les raisons vulgaires qui commandent la plupart des suicides. Pour me dispenser de vous dévoiler des souffrances inouïes et qu'il est difficile d'exprimer en langage humain, je vous dirai que je suis dans la plus profonde, la plus ignoble, la plus perçante de toutes

---

69. Installé depuis 1815 boulevard du Temple – le fameux « boulevard du Crime » –, le théâtre des Funambules fut d'abord un théâtre de marionnettes ; il devint célèbre autour de 1830 grâce aux pantomimes du mime Deburau, et l'on commença d'y jouer aussi des vaudevilles. Cf. *infra*, note 274.

70. Selon l'éditeur Werdet (dans ses *Souvenirs de la vie littéraire*), l'écrivain Maurice Alhoy se serait réellement trouvé dans cette situation ; Balzac rapportera de nouveau « l'histoire de cet homme qui faisait des chansons à boire pour pouvoir enterrer sa maîtresse adorée » dans une lettre à Mme Hanska du 10 novembre 1833, et s'en inspirera dans *Un grand homme de province à Paris* (1839 – deuxième partie d'*Illusions perdues*), où Lucien de Rubempré paye ainsi le convoi de Coralie.

les misères[71]. Et, ajouta-t-il d'un ton de voix dont la fierté sauvage démentait ses paroles précédentes, je ne veux mendier ni secours ni consolations.

– Eh ! eh ! » Ces deux syllabes que d'abord le vieillard fit entendre pour toute réponse ressemblèrent au cri d'une crécelle. Puis il reprit ainsi : « Sans vous forcer à m'implorer, sans vous faire rougir, et sans vous donner un centime de France, un parat du Levant, un tarain de Sicile, un heller d'Allemagne, un copec de Russie, un farthing d'Écosse, une seule des sesterces[72] ou des oboles de l'ancien monde, ni une piastre du nouveau, sans vous offrir quoi que ce soit en or, argent, billon, papier, billet, je veux vous faire plus riche, plus puissant et plus considéré que ne peut l'être un roi constitutionnel[73]. »

Le jeune homme crut le vieillard en enfance, et resta comme engourdi, sans oser répondre.

« Retournez-vous, dit le marchand en saisissant tout à coup la lampe pour en diriger la lumière sur le mur qui faisait face au portrait, et regardez cette PEAU DE CHAGRIN », ajouta-t-il.

Le jeune homme se leva brusquement et témoigna quelque surprise en apercevant au-dessus du siège où il s'était assis un morceau de *chagrin*[74] accroché

---

71. Raphaël tient ici à l'antiquaire un discours assez analogue à celui que Faust tient à Méphistophélès, juste après s'être éveillé du rêve hallucinatoire dans lequel celui-ci l'a plongé.

72. *Sic.* Le mot *sesterce* est normalement de genre masculin. Les monnaies énumérées précédemment sont les plus petites monnaies existantes chacune dans leur pays. Le mot *billon*, un peu plus loin, désigne une monnaie de cuivre pur, ou mêlé d'un peu d'argent (*Littré*).

73. Louis-Philippe, qui avait prêté officiellement serment à la Charte constitutionnelle que Louis XVIII avait octroyée aux Français en 1814 lors de la première Restauration, était effectivement très riche, s'étant vu restituer par Louis XVIII l'immense fortune de la branche d'Orléans.

74. Selon les sources, le mot désigne du cuir de chèvre, de poisson, de mulet, d'âne ou de cheval. Balzac précise un peu plus loin ce que lui choisit de désigner par ce mot : de la peau d'onagre, c'est-à-dire d'âne

sur le mur, et dont la dimension n'excédait pas celle d'une peau de renard ; mais, par un phénomène inexplicable au premier abord, cette peau projetait au sein de la profonde obscurité qui régnait dans le magasin des rayons si lumineux que vous eussiez dit d'une petite comète. Le jeune incrédule s'approcha de ce prétendu talisman qui devait le préserver du malheur, et s'en moqua par une phrase mentale. Cependant, animé d'une curiosité bien légitime, il se pencha pour regarder alternativement la Peau sous toutes les faces, et découvrit bientôt une cause naturelle à cette singulière lucidité. Les grains noirs du chagrin étaient si soigneusement polis et si bien brunis, les rayures capricieuses en étaient si propres et si nettes que, pareilles à des facettes de grenat [75], les aspérités de ce cuir oriental formaient autant de petits foyers qui réfléchissaient vivement la lumière. Il démontra mathématiquement la raison de ce phénomène au vieillard, qui, pour toute réponse, sourit avec malice. Ce sourire de supériorité fit croire au jeune savant qu'il était la dupe en ce moment de quelque charlatanisme. Il ne voulut pas emporter une énigme de plus dans la tombe, et retourna promptement la Peau comme un enfant pressé de connaître les secrets de son jouet nouveau.

« Ah ! ah ! s'écria-t-il, voici l'empreinte du sceau que les Orientaux nomment le cachet de Salomon [76].

---

sauvage. Sur ce point, voir plus loin les notes 385, 386, 387, 391 de la troisième partie du roman.

75. Pierre précieuse très dure d'un beau rouge sombre.

76. Salomon, fils de David et de Bethsabée, fut roi d'Israël. La tradition fait aussi de lui un magicien. Dans les légendes islamiques, il devient Soliman, fils du prophète Daoud, et lui-même l'un des plus grands prophètes musulmans ; roi des génies (*djinn*), il leur fait bâtir des édifices merveilleux (souvenir des temples que fit bâtir Salomon) : son pouvoir illimité sur les génies lui est conféré par un talisman sur lequel se trouve gravé un sceau, le « cachet de Salomon », étoile à six branches formée de deux triangles équilatéraux superposés en position inverse l'un par rapport à l'autre de manière à former au centre un hexagone,

– Vous le connaissez donc ? demanda le marchand dont les narines laissèrent passer deux ou trois bouffées d'air qui peignirent plus d'idées que n'en auraient exprimé les plus énergiques paroles.

– Existe-t-il au monde un homme assez simple pour croire à cette chimère ? s'écria le jeune homme piqué d'entendre ce rire muet et plein d'amères dérisions. Ne savez-vous pas, ajouta-t-il, que les superstitions de l'Orient ont consacré la forme mystique et les caractères mensongers de cet emblème qui représente une puissance fabuleuse ? Je ne crois pas devoir être plus taxé de niaiserie dans cette circonstance que si je parlais des Sphinx ou des Griffons [77], dont l'existence est en quelque sorte mythologiquement admise.

– Puisque vous êtes un orientaliste, reprit le vieillard, peut-être lirez-vous cette sentence ? »

Il apporta la lampe près du talisman que le jeune homme tenait à l'envers, et lui fit apercevoir des caractères incrustés dans le tissu cellulaire de cette Peau merveilleuse, comme s'ils eussent été produits par l'animal auquel elle avait jadis appartenu.

« J'avoue, s'écria l'inconnu, que je ne devine guère le procédé dont on se sera servi pour graver si profondément ces lettres sur la peau d'un onagre. »

---

au milieu duquel se trouve gravé le vrai nom du dieu Allah, inconnu des hommes. La tradition juive a pris pour emblème ce sceau qu'elle appelle le « bouclier de David », et au centre duquel la Cabale place le tétragramme.

77. Le Sphinx est, dans la mythologie, le monstre à tête de femme, au corps de lion muni d'ailes d'oiseau de proie, envoyé par Héra contre Thèbes pour punir la cité des amours homosexuelles de Laïos ; il ravageait le pays, posait aux passants des énigmes qu'ils ne pouvaient résoudre et les dévorait ; seul Œdipe, fils de Laïos, réussit à répondre – et de désespoir le monstre se précipita du haut d'un rocher. Quant aux Griffons, ce sont des oiseaux fabuleux, tête armée d'un bec d'aigle, ailes puissantes et corps de lion, consacrés à Apollon, dont ils gardent les trésors dans le désert de Scythie.

Et, se retournant avec vivacité vers les tables chargées de curiosités, ses yeux parurent y chercher quelque chose.

« Que voulez-vous ? demanda le vieillard.

– Un instrument pour trancher le chagrin, afin de voir si les lettres y sont empreintes ou incrustées. »

Le vieillard présenta son stylet à l'inconnu, qui le prit et tenta d'entamer la Peau à l'endroit où les paroles se trouvaient écrites ; mais, quand il eut enlevé une légère couche de cuir, les lettres y reparurent si nettes et tellement conformes à celles qui étaient imprimées sur la surface, que, pendant un moment, il crut n'en avoir rien ôté.

« L'industrie du Levant a des secrets qui lui sont réellement particuliers, dit-il en regardant la sentence orientale avec une sorte d'inquiétude.

– Oui, répondit le vieillard, il vaut mieux s'en prendre aux hommes qu'à Dieu ! »

Les paroles mystérieuses étaient disposées de la manière suivante :

لَوْ ملكتني ملكت آلكلّ
ولكن عمرك ملكي
واراد الله هكذا
اطلب و ستنال مطالبك
و لكن قس مطالبك على عمرك
و هي ها هنا
فلكل مر امك ستنزل ايا مك
اتريد في
جذ. الله بجيبك
آمين

Ce qui voulait dire en français :

SI TU ME POSSÈDES, TU POSSÉDERAS TOUT,
MAIS TA VIE M'APPARTIENDRA. DIEU L'A
VOULU AINSI. DÉSIRE, ET TES DÉSIRS
SERONT ACCOMPLIS, MAIS RÈGLE
TES SOUHAITS SUR TA VIE.
ELLE EST LÀ. À CHAQUE
VOULOIR JE DÉCROÎTRAI
COMME TES JOURS.
ME VEUX-TU ?
PRENDS. DIEU
T'EXAUCERA.
SOIT !

« Ah ! vous lisez couramment le sanscrit [78], dit le vieillard. Peut-être avez-vous voyagé en Perse ou dans le Bengale ?

– Non, monsieur », répondit le jeune homme en tâtant avec curiosité cette Peau symbolique, assez semblable à une feuille de métal par son peu de flexibilité.

Le vieux marchand remit la lampe sur la colonne où il l'avait prise, en lançant au jeune homme un regard empreint d'une froide ironie qui semblait dire : « Il ne pense déjà plus à mourir. »

« Est-ce une plaisanterie, est-ce un mystère ? » demanda le jeune inconnu.

Le vieillard hocha de la tête et dit gravement : « Je ne saurais vous répondre. J'ai offert le terrible pouvoir que donne ce talisman à des hommes doués de plus d'énergie que vous ne paraissez en avoir ; mais, tout en se moquant de la problématique influence qu'il devait exercer sur leurs destinées futures, aucun n'a voulu se risquer à

78. Il s'agit évidemment d'arabe, et non de sanscrit. Dans les premières éditions du roman, Balzac ne donnait que le texte français de l'inscription, mais déjà disposé en forme de triangle ; c'est dans l'édition illustrée Delloye et Lecou (1838) qu'il ajouta l'inscription calligraphiée à sa demande par le baron et orientaliste Joseph von Hammer-Purgstall, que Mme Hanska lui avait présenté à Vienne en mai 1835.

conclure ce contrat si fatalement proposé par je ne sais quelle puissance. Je pense comme eux, j'ai douté, je me suis abstenu, et…

– Et vous n'avez pas même essayé ? dit le jeune homme en l'interrompant.

– Essayer ! dit le vieillard. Si vous étiez sur la colonne de la place Vendôme, essaieriez-vous de vous jeter dans les airs ? Peut-on arrêter le cours de la vie ? L'homme a-t-il jamais pu scinder la mort ? Avant d'entrer dans ce cabinet, vous aviez résolu de vous suicider ; mais tout à coup un secret vous occupe et vous distrait de mourir. Enfant ! chacun de vos jours ne vous offrira-t-il pas une énigme plus intéressante que ne l'est celle-ci ? Écoutez-moi. J'ai vu la cour licencieuse du Régent. Comme vous, j'étais alors dans la misère, j'ai mendié mon pain ; néanmoins j'ai atteint l'âge de cent deux ans, et suis devenu millionnaire [79] : le malheur m'a donné la fortune, l'ignorance m'a instruit. Je vais vous révéler en peu de mots un grand mystère de la vie humaine. L'homme s'épuise par deux actes instinctivement accomplis qui tarissent les sources de son existence. Deux verbes expriment toutes les formes que prennent ces deux causes de mort : VOULOIR et POUVOIR. Entre ces deux termes de l'action humaine, il est une autre formule dont s'emparent les sages, et je lui dois le bonheur et ma longévité. *Vouloir* nous brûle et *Pouvoir* nous détruit ; mais SAVOIR laisse notre faible organisation dans un perpétuel état de calme. Ainsi le désir ou le vouloir est mort en moi, tué par la pensée ; le mouvement ou le pouvoir s'est résolu par le jeu naturel de mes organes.

---

79. La phrase n'est pas claire ; comme le Régent est mort en 1723, il faut sans doute comprendre que le vieillard est devenu millionnaire à l'âge de cent deux ans ; son âge au moment où il parle serait alors d'au moins cent vingt-cinq ans. Dans la troisième partie du roman, Balzac appellera effectivement l'antiquaire le « centenaire ». Cf. *infra*, note 364 et texte correspondant.

En deux mots, j'ai placé ma vie, non dans le cœur qui se brise, non dans les sens qui s'émoussent, mais dans le cerveau qui ne s'use pas et qui survit à tout. Rien d'excessif n'a froissé ni mon âme, ni mon corps. Cependant, j'ai vu le monde entier. Mes pieds ont foulé les plus hautes montagnes de l'Asie et de l'Amérique, j'ai appris tous les langages humains, et j'ai vécu sous tous les régimes. J'ai prêté mon argent à un Chinois en prenant pour gage le corps de son père, j'ai dormi sous la tente de l'Arabe sur la foi de sa parole, j'ai signé des contrats dans toutes les capitales européennes, et j'ai laissé sans crainte mon or dans le wigwam [80] des sauvages ; enfin j'ai tout obtenu, parce que j'ai tout su dédaigner. Ma seule ambition a été de voir. Voir, n'est-ce pas savoir ? Oh ! savoir, jeune homme, n'est-ce pas jouir intuitivement ? n'est-ce pas découvrir la substance même du fait et s'en emparer essentiellement ? Que reste-t-il d'une possession matérielle ? une idée. Jugez alors combien doit être belle la vie d'un homme qui, pouvant empreindre toutes les réalités dans sa pensée, transporte en son âme les sources du bonheur, en extrait mille voluptés idéales dépouillées des souillures terrestres. La pensée est la clef de tous les trésors, elle procure les joies de l'avare sans en donner les soucis. Aussi ai-je plané sur le monde, où mes plaisirs ont toujours été des jouissances intellectuelles. Mes débauches étaient la contemplation des mers, des peuples, des forêts, des montagnes ! J'ai tout vu, mais tranquillement, sans fatigue ; je n'ai jamais rien désiré, j'ai tout attendu. Je me suis promené dans l'univers comme dans le jardin d'une habitation qui m'appartenait. Ce que les hommes appellent chagrins, amours, ambitions, revers, tristesse, sont, pour moi, des idées que je change en rêveries ; au lieu de les sentir, je les exprime, je les tra-

---

80. *Sic.* Le *wigwam* est la hutte ou la tente des Indiens d'Amérique du Nord.

duis ; au lieu de leur laisser dévorer ma vie, je les dramatise, je les développe ; je m'en amuse comme de romans que je lirais par une vision intérieure. N'ayant jamais lassé mes organes, je jouis encore d'une santé robuste. Mon âme ayant hérité de toute la force dont je n'abusais pas, cette tête est encore mieux meublée que ne le sont mes magasins. Là, dit-il en se frappant le front, là sont les vrais millions. Je passe des journées délicieuses en jetant un regard intelligent dans le passé ; j'évoque des pays entiers, des sites, des vues de l'Océan, des figures historiquement belles ! J'ai un sérail imaginaire où je possède toutes les femmes que je n'ai pas eues. Je revois souvent vos guerres, vos révolutions, et je les juge. Oh ! comment préférer de fébriles, de légères admirations pour quelques chairs plus ou moins colorées, pour des formes plus ou moins rondes ! comment préférer tous les désastres de vos volontés trompées à la faculté sublime de faire comparaître en soi l'univers, au plaisir immense de se mouvoir sans être garrotté par les liens du temps ni par les entraves de l'espace, au plaisir de tout embrasser, de tout voir, de se pencher sur le bord du monde pour interroger les autres sphères, pour écouter Dieu ! Ceci, dit-il d'une voix éclatante en montrant la Peau de chagrin, est le *pouvoir* et le *vouloir* réunis. Là sont vos idées sociales, vos désirs excessifs, vos intempérances, vos joies qui tuent, vos douleurs qui font trop vivre ; car le mal n'est peut-être qu'un violent plaisir. Qui pourrait déterminer le point où la volupté devient un mal et celui où le mal est encore la volupté ? Les plus vives lumières du monde idéal ne caressent-elles pas la vue, tandis que les plus douces ténèbres du monde physique la blessent toujours ? Le mot de Sagesse ne vient-il pas de savoir ? et qu'est-ce que la folie, sinon l'excès d'un vouloir ou d'un pouvoir ?

– Eh bien, oui, je veux vivre avec excès, dit l'inconnu en saisissant la Peau de chagrin.

– Jeune homme, prenez garde, s'écria le vieillard avec une incroyable vivacité.

– J'avais résolu ma vie par l'étude et par la pensée ; mais elles ne m'ont même pas nourri, répliqua l'inconnu. Je ne veux être la dupe ni d'une prédication digne de Swedenborg [81], ni de votre amulette oriental [82], ni des charitables efforts que vous faites, monsieur, pour me retenir dans un monde où mon existence est désormais impossible. Voyons ! ajouta-t-il en serrant le talisman d'une main convulsive et regardant le vieillard. Je veux un dîner royalement splendide, quelque bacchanale digne du siècle où tout s'est, dit-on, perfectionné ! Que mes convives soient jeunes, spirituels et sans préjugés, joyeux jusqu'à la folie ! Que les vins se succèdent toujours plus incisifs, plus pétillants, et soient de force à nous enivrer pour trois jours ! Que cette nuit soit parée de femmes ardentes ! Je veux que la Débauche en délire et rugissant nous emporte dans son char à quatre chevaux, par-delà les bornes du monde, pour nous verser sur des plages inconnues : que les âmes montent dans les cieux ou se plongent dans la boue, je ne sais si alors elles s'élèvent ou s'abaissent, peu m'importe ! Donc je commande à ce pouvoir sinistre de me fondre toutes les joies dans une joie. Oui, j'ai besoin d'embrasser les plaisirs du ciel et de la terre dans une dernière étreinte pour en mourir [83]. Aussi souhaité-je et des priapées

---

81. Le savant et théosophe suédois Emmanuel Swedenborg (1688-1772) avait fondé une secte mystique, l'Église de la Nouvelle Jérusalem. Quelques années après la rédaction de *La Peau de chagrin*, Balzac se laissera fasciner par la métaphysique étrange de Swedenborg, qui repose sur les correspondances unissant entre eux tous les êtres visibles et invisibles de la Création.

82. C'est seulement dans l'édition Furne qu'*amulette* devient masculin. La désinence *-ette* étant habituellement féminine, l'usage a longtemps varié : le *Littré* trouve le mot au féminin aussi bien chez d'Aubigné que chez Chateaubriand.

83. On songe à Faust qui, lorsque Méphistophélès lui fait remarquer que la mort n'est jamais un hôte bien venu, répond : « ô heureux celui

antiques après boire, et des chants à réveiller les morts, et de triples baisers, des baisers sans fin dont la clameur passe sur Paris comme un craquement d'incendie, y réveille les époux et leur inspire une ardeur cuisante qui les rajeunisse tous, même les septuagénaires ! »

Un éclat de rire, parti de la bouche du petit vieillard, retentit dans les oreilles du jeune fou comme un bruissement de l'enfer, et l'interdit si despotiquement qu'il se tut.

« Croyez-vous, dit le marchand, que mes planchers vont s'ouvrir tout à coup pour donner passage à des tables somptueusement servies et à des convives de l'autre monde ? Non, non, jeune étourdi. Vous avez signé le pacte, tout est dit. Maintenant vos volontés seront scrupuleusement satisfaites, mais aux dépens de votre vie. Le cercle de vos jours, figuré par cette Peau, se resserrera suivant la force et le nombre de vos souhaits, depuis le plus léger jusqu'au plus exorbitant. Le brahmine [84] auquel je dois ce talisman m'a jadis expliqué qu'il s'opérerait un mystérieux accord entre les destinées et les souhaits du possesseur. Votre premier désir est vulgaire, je pourrais le réaliser ; mais j'en laisse le soin aux événements de votre nouvelle existence. Après tout, vous vouliez mourir ? eh bien, votre suicide n'est que retardé. »

L'inconnu, surpris et presque irrité de se voir toujours plaisanté par ce singulier vieillard dont l'intention demi-philanthropique lui parut clairement

---

[…] qu'après l'ivresse d'une danse ardente, elle vient surprendre dans les bras d'une femme ! Oh ! que ne puis-je […] me voir transporté, ravi, et ensuite anéanti ! […] Il faut que dans le gouffre de la sensualité mes passions ardentes s'apaisent ! » Les flots de vins incisifs et pétillants que le jeune homme appelle de ses vœux rappellent les flots de vin et de champagne que Méphistophélès fait gicler de la table de la taverne.

84. Les *Bramines*, ou *brahmanes*, ou *brachmanes*, ou *Brames*, sont les prêtres de la première des quatre grandes castes chez les Hindous, ce sont eux qui enseignent la doctrine des Veda.

démontrée dans cette dernière raillerie, s'écria : « Je verrai bien, monsieur, si ma fortune changera pendant le temps que je vais mettre à franchir la largeur du quai. Mais, si vous ne vous moquez pas d'un malheureux, je désire, pour me venger d'un si fatal service, que vous tombiez amoureux d'une danseuse ! Vous comprendrez alors le bonheur d'une débauche, et peut-être deviendrez-vous prodigue de tous les biens que vous avez si philosophiquement ménagés. »

Il sortit sans entendre un grand soupir que poussa le vieillard, traversa les salles et descendit les escaliers de cette maison, suivi par le gros garçon joufflu qui voulut vainement l'éclairer ; il courait avec la prestesse d'un voleur pris en flagrant délit. Aveuglé par une sorte de délire, il ne s'aperçut même pas de l'incroyable ductilité de la Peau de chagrin, qui, devenue souple comme un gant, se roula sous ses doigts frénétiques et put entrer dans la poche de son habit où il la mit presque machinalement. En s'élançant de la porte du magasin sur la chaussée, il heurta trois jeunes gens qui se tenaient bras dessus bras dessous.

« Animal !

– Imbécile ! »

Telles furent les gracieuses interpellations qu'ils échangèrent.

« Eh ! c'est Raphaël.

– Ah ! bien, nous te cherchions.

– Quoi ! c'est vous ? »

Ces trois phrases amicales succédèrent à l'injure aussitôt que la clarté d'un réverbère balancé par le vent frappa les visages de ce groupe étonné.

« Mon cher ami, dit à Raphaël le jeune homme qu'il avait failli renverser, tu vas venir avec nous.

– De quoi s'agit-il donc ?

– Avance toujours, je te conterai l'affaire en marchant. »

De force ou de bonne volonté, Raphaël fut entouré de ses amis, qui, l'ayant enchaîné par les bras dans leur joyeuse bande, l'entraînèrent vers le pont des Arts.

« Mon cher, dit l'orateur en continuant, nous sommes à ta poursuite depuis une semaine environ. À ton respectable hôtel Saint-Quentin, dont par parenthèse l'enseigne inamovible offre des lettres toujours alternativement noires et rouges comme au temps de J.-J. Rousseau [85], ta Léonarde [86] nous a dit que tu étais parti pour la campagne. Cependant nous n'avions certes pas l'air de gens d'argent, huissiers, créanciers, gardes du commerce, etc. N'importe ! Rastignac t'avait aperçu la veille aux Bouffons [87], nous avons repris courage, et nous avons mis de l'amour-propre à découvrir si tu te perchais sur les arbres des Champs-Élysées, si tu allais coucher pour deux sous dans ces maisons philanthropiques où les mendiants dorment appuyés sur des cordes tendues [88], ou si, plus heureux,

---

85. *Les Confessions*, livre VII : « j'allais loger à l'hôtel Saint-Quentin, rue des Cordiers, proche de la Sorbonne, vilaine rue, vilain hôtel, vilaine chambre, mais où cependant avaient logé des hommes de mérite [...] dont malheureusement je n'y trouvai plus aucun ». Et plus loin : « Là m'attendait la seule consolation réelle que le ciel m'ait fait goûter dans ma misère » – c'est-à-dire la rencontre de Thérèse Le Vasseur, sa future compagne, jeune fille qui le frappa de « son maintien modeste, et plus encore de son regard vif et doux ». Balzac s'est peut-être inspiré de cet épisode pour inventer le personnage de Pauline que nous rencontrerons plus loin. La rue des Cordiers n'existe plus, son emplacement est recouvert par les bâtiments de l'actuelle Sorbonne.

86. Pierre Citron a montré (dans l'*Année balzacienne*, 1970) que Balzac ne songeait pas, en parlant de Léonarde, à la vieille cuisinière très laide, complice d'une bande de brigands du *Gil Blas* de Lesage (roman picaresque du début du XVIIIe siècle), mais à ce que le personnage était devenu dans l'opéra-comique *La Caverne* de Lesueur (1793), librement inspiré d'un épisode du *Gil Blas* : « une brave femme assez bienfaisante, victime des circonstances ».

87. C'est-à-dire aux Italiens (ou Théâtre-Italien) qui se produisit de 1825 à 1838 salle Favart (la salle Favart d'alors, qui a brûlé en 1838 ; l'actuel Opéra-Comique a été construit sur le même emplacement en 1894-1898).

88. Pour réveiller les mendiants, on les faisait rouler à terre en détendant les cordes.

ton bivouac n'était pas établi dans quelque boudoir. Nous ne t'avons rencontré nulle part, ni sur les écrous de Sainte-Pélagie, ni sur ceux de la Force[89] ! Les ministères, l'Opéra, les maisons conventuelles, cafés, bibliothèques, listes de préfets, bureaux de journalistes, restaurants, foyers de théâtre, bref, tout ce qu'il y a dans Paris de bons et de mauvais lieux ayant été savamment explorés, nous gémissions sur la perte d'un homme doué d'assez de génie pour se faire également chercher à la cour et dans les prisons. Nous parlions de te canoniser comme un héros de Juillet[90] ! et, ma parole d'honneur, nous te regrettions. »

En ce moment, Raphaël passait avec ses amis sur le pont des Arts, d'où, sans les écouter, il regardait la Seine dont les eaux mugissantes répétaient les lumières de Paris. Au-dessus de ce fleuve, dans lequel il voulait se précipiter naguère, les prédictions du vieillard étaient accomplies, l'heure de sa mort se trouvait déjà fatalement retardée.

« Et nous te regrettions vraiment ! dit son ami poursuivant toujours sa thèse. Il s'agit d'une combinaison dans laquelle nous te comprenions en ta qualité d'homme supérieur, c'est-à-dire d'homme qui sait se mettre au-dessus de tout. L'escamotage de la muscade[91] constitutionnelle sous le gobelet royal se fait

---

89. Sainte-Pélagie, rue de la Clef, juste derrière le Jardin des plantes et l'Hospice de la Pitié, était connue pour être principalement la prison pour dettes ; la Force, rue du Roi-de-Sicile, à deux pas de l'église Saint-Paul, était la prison des condamnés de droit commun.

90. Les « Trois Glorieuses » (27-28-29 juillet 1830) firent environ huit cents victimes parmi les insurgés. On célébra par exemple la mémoire du jeune polytechnicien Vaneau qui perdit la vie lors de la prise de la caserne Babylone.

91. La *muscade* est la petite boule de liège, de la grosseur d'une noix de muscade, dont se servent les escamoteurs dans leurs tours de passe-passe. Pour comprendre tout le passage qui suit, et les allusions politiques dans la suite du texte, il faut se souvenir de l'état d'esprit de l'opinion publique après les événements de Juillet. Louis-Philippe jouissait au moment de son élection d'une popularité réelle. Mais très vite se dégagèrent deux interprétations différentes des événements de Juillet. Pour les uns (principalement des républicains), que l'on appela le

aujourd'hui, mon cher, plus gravement que jamais. L'infâme Monarchie renversée par l'héroïsme populaire était une femme de mauvaise vie avec laquelle on pouvait rire et banqueter ; mais la Patrie est une épouse acariâtre et vertueuse, il nous faut accepter, bon gré, mal gré, ses caresses compassées. Or donc, le pouvoir s'est transporté, comme tu sais, des Tuileries chez les journalistes, de même que le budget a changé de quartier, en passant du faubourg Saint-Germain à la Chaussée d'Antin [92]. Mais voici ce que tu ne sais peut-être pas ! Le gouvernement, c'est-à-dire l'aristocratie de banquiers et d'avocats [93], qui font aujourd'hui de la patrie comme les prêtres faisaient jadis de la monarchie, a senti la nécessité de mystifier le bon peuple de France avec des mots nouveaux et de vieilles idées, à l'instar des philosophes de toutes les écoles et des hommes forts de tous les temps. Il s'agit donc de nous inculquer une opinion royalement nationale, en nous prouvant qu'il est bien plus heureux de payer douze cents millions trente-trois centimes à la patrie représentée par messieurs tels et tels, que onze cents millions neuf centimes à un roi qui disait *moi* au lieu

---

« parti du Mouvement », les Trois Glorieuses n'étaient qu'un début, il fallait poursuivre l'agitation révolutionnaire, son action devait s'élargir sur le plan national (appui aux mouvements nationaux belges, italiens et polonais) et social. Pour les autres, qui comprenaient une fraction importante des anciens opposants libéraux de la Restauration, et que l'on appela le « parti de la Résistance » (parti dont le chef de file et le théoricien était Guizot, et qui deviendrait plus tard le « parti de l'ordre »), il n'y avait pas eu à proprement parler de « révolution », mais une réaction au coup d'État de Charles X que constituèrent les Ordonnances ; le mouvement de 1830 devait être considéré comme l'aboutissement des principes de 1789. En ce sens, une partie de la bourgeoisie « escamota » donc bel et bien la révolution de Juillet.

92. C'est-à-dire du quartier de l'aristocratie au quartier de la finance.

93. À ce titre, la composition du ministère Lafitte (2 novembre-12 mars 1831) sera particulièrement représentative : Jacques Lafitte et Casimir Perrier (qui lui succédera) étaient banquiers, Dupont de l'Eure, Dupin Aîné et Thiers, avocats.

de dire *nous.* En un mot, un journal armé de deux ou trois cents bons mille francs vient d'être fondé dans le but de faire une opposition qui contente les mécontents, sans nuire au gouvernement national du roi-citoyen [94]. Or, comme nous nous moquons de la liberté autant que du despotisme, de la religion aussi bien que de l'incrédulité ; que pour nous la patrie est une capitale où les idées s'échangent et se vendent à tant la ligne, où tous les jours amènent de succulents dîners, de nombreux spectacles ; où fourmillent de licencieuses prostituées, où les soupers ne finissent que le lendemain, où les amours vont à l'heure comme les citadines [95] ; que Paris sera toujours la plus adorable de toutes les patries ! la patrie de la joie, de la liberté, de l'esprit, des jolies femmes, des mauvais sujets, du bon vin, et où le bâton du pouvoir ne se fera jamais trop sentir, puisque l'on est près de ceux qui le tiennent… Nous, véritables sectateurs du dieu Méphistophélès, avons entrepris de badigeonner l'esprit public, de rhabiller les acteurs, de clouer de nouvelles planches à la baraque gouvernementale, de médicamenter les doctrinaires [96], de recuire les vieux républicains, de réchampir [97] les bonapartistes et de

---

94. « Roi-citoyen », puisque la Charte avait substitué le droit contractuel au droit divin ; Louis-Philippe Ier n'était plus roi de France, mais roi des Français. Quant au journal dont la ligne est décrite ici, on pense évidemment au *National*, journal d'opposition libérale financé par Jacques Lafitte, fondé par Thiers, F. Mignet et Armand Carrel, et dont le premier numéro sortit le 3 janvier 1830 ; mais aussi au *Messager des Chambres*, fondé en 1828 par Martignac et racheté en 1830 par le banquier Aguado.

95. Voitures de place.

96. Cf. *supra*, note 91.

97. Dans la peinture en bâtiment, « détacher les objets du fond sur lequel on les peint, soit en marquant les contours, soit par l'opposition des couleurs » ; dans le jargon des doreurs, « couvrir avec du blanc de céruse les couleurs qui se répandent sur les fonds d'un ouvrage, pour réparer ce qu'il peut y avoir de gâté, et le rendre aussi net qu'il doit être » (*Littré*).

ravitailler le centre, pourvu qu'il nous soit permis de rire *in petto* [98] des rois et des peuples, de ne pas être le soir de notre opinion du matin, et de passer une joyeuse vie à la Panurge ou *more orientali* [99], couchés sur de moelleux coussins. Nous te destinions les rênes de cet empire macaronique [100] et burlesque, ainsi nous t'emmenons de ce pas au dîner donné par le fondateur dudit journal, un banquier [101] retiré qui, ne sachant que faire de son or, veut le changer en esprit. Tu y seras accueilli comme un frère, nous t'y saluerons roi de ces esprits frondeurs que rien n'épouvante, dont la perspicacité découvre les intentions de l'Autriche, de l'Angleterre ou de la Russie, avant que la Russie, l'Angleterre ou l'Autriche n'aient des intentions ! Oui, nous t'instituerons le souverain de ces puissances intelligentes qui fournissent au monde les Mirabeau, les Talleyrand, les Pitt, les Metternich, enfin tous ces hardis Crispins [102] qui jouent entre eux les destinées

---

98. En italien : à part soi, intérieurement, en secret.

99. Panurge (en grec, « rusé, apte à tout faire ») est un personnage de *Pantagruel* de Rabelais, vaniteux, bavard, menteur, pilleur de troncs, égoïste, cynique, paillard, mais toujours inventif, ingénieux et comique, voire un peu méphistophélique. *More orientali* signifie « à la manière orientale ».

100. La poésie « macaronique » était un genre burlesque dans lequel on affublait les mots de terminaisons latines, et l'expression « latin macaronique » est synonyme de « latin de cuisine ». Rabelais lui-même s'est inspiré du *Baldus* de l'Italien Folengo (1517), « opus macaronicum », c'est-à-dire écrit dans une langue mêlant burlesquement le latin et l'italien.

101. Cf. *supra*, note 94. Ce n'est qu'en 1838 que ce personnage, d'abord anonyme, se fondit avec le personnage du banquier Taillefer ; le banquier assassin de *L'Auberge rouge* s'appela d'abord Mauricey dans cette nouvelle écrite en mai 1831 (alors que Balzac écrivait *La Peau de chagrin*), et prit définitivement le nom de Taillefer dans la seconde édition de la nouvelle en 1835, après être apparu sous ce nom dans *Le Père Goriot*, roman avec lequel commençait à se mettre en place le système des personnages reparaissants.

102. Nom (d'origine italienne) d'un personnage de comédie que l'on rencontre par exemple chez Marivaux et Scarron : valet goguenard et fripon, frotté de latin et de philosophie comme ses maîtres, Crispin est toujours prêt à les flatter et à les jouer.

d'un empire comme les hommes vulgaires jouent leur *Kirschenwasser* [103] aux dominos. Nous t'avons donné pour le plus intrépide compagnon qui jamais ait étreint corps à corps la Débauche, ce monstre admirable avec lequel veulent lutter tous les esprits forts ; nous avons même affirmé qu'il ne t'a pas encore vaincu. J'espère que tu ne feras pas mentir nos éloges. Taillefer, notre amphitryon, nous a promis de surpasser les étroites saturnales de nos petits Lucullus [104] modernes. Il est assez riche pour mettre de la grandeur dans les petitesses, de l'élégance et de la grâce dans le vice. Entends-tu, Raphaël ? lui demanda l'orateur en s'interrompant.

– Oui », répondit le jeune homme moins étonné de l'accomplissement de ses souhaits que surpris de la manière naturelle par laquelle les événements s'enchaînaient.

Quoiqu'il lui fût impossible de croire à une influence magique, il admirait les hasards de la destinée humaine.

« Mais tu nous dis oui, comme si tu pensais à la mort de ton grand-père, lui répliqua l'un de ses voisins.

– Ah ! reprit Raphaël avec un accent de naïveté qui fit rire ces écrivains, l'espoir de la jeune France [105], je

---

103. Ou plutôt : *Kirschwasser*, mot allemand, aujourd'hui abrégé en français en « kirsch » : eau-de-vie de cerises aigres et de merises.

104. Les *Saturnales* étaient dans l'Antiquité les fêtes que les Romains célébraient à la fin du mois de décembre en l'honneur de Saturne, fêtes plus ou moins licencieuses au cours desquelles les rapports entre les classes sociales étaient sens dessus dessous. Dans la langue littéraire, le mot désigne des temps de licence, de débauche, d'excès ou de désordre. *Lucullus* est le nom d'un Romain célèbre pour sa richesse et pour son luxe.

105. La jeune bohème romantique de 1830, celle qui se déchaîna lors de la bataille d'*Hernani*, Théophile Gautier (dix-neuf ans), Gérard de Nerval (vingt-deux ans), Pétrus Borel (vingt et un ans) et leurs amis, chahuteurs, passionnés, absolument antiacadémiques et antibourgeois, défenseurs d'une liberté de création absolue, partisans de toutes les fantaisies et de toutes les audaces stylistiques, porta un temps ce nom de Jeune-France comme un étendard. On retrouve cette génération et l'atmosphère de ces années-là dans *Les Jeunes-France*, que Gautier

pensais, mes amis, que nous voilà près de devenir de bien grands coquins ! Jusqu'à présent nous avons fait de l'impiété entre deux vins, nous avons pesé la vie étant ivres, nous avons prisé les hommes et les choses en digérant. Vierges du fait, nous étions hardis en paroles ; mais marqués maintenant par le fer chaud de la politique, nous allons entrer dans ce grand bagne et y perdre nos illusions. Quand on ne croit plus qu'au diable, il est permis de regretter le paradis de la jeunesse, le temps d'innocence où nous tendions dévotement la langue à un bon prêtre, pour recevoir le sacré corps de Notre Seigneur Jésus-Christ. Ah ! mes bons amis, si nous avons eu tant de plaisir à commettre nos premiers péchés, c'est que nous avions des remords pour les embellir et leur donner du piquant, de la saveur ; tandis que maintenant…

– Oh ! maintenant, reprit le premier interlocuteur, il nous reste…

– Quoi ? dit un autre.

– Le crime…

– Voilà un mot qui a toute la hauteur d'une potence et toute la profondeur de la Seine, répliqua Raphaël.

– Oh ! tu ne m'entends pas. Je parle des crimes politiques. Depuis ce matin je n'envie qu'une existence, celle des conspirateurs. Demain, je ne sais si ma fantaisie durera toujours ; mais ce soir la vie pâle de notre civilisation, unie comme la rainure [106] d'un chemin de fer, fait bondir mon cœur de dégoût ! Je suis épris de passion pour les malheurs de la déroute de Moscou [107], pour les émotions du

---

publia en 1833 (alors qu'il s'était lui-même déjà bien assagi), recueil dans lequel le souvenir de *La Peau de chagrin* est prégnant.

106. Avant que le mot anglais *rail* ne s'impose, on le traduisit par « rainure ».

107. Balzac a publié dans *La Mode*, les 15 mai et 5 juin 1830, *Adieu*, histoire militaire dont le deuxième chapitre décrit le passage de la Berezina, qui lui avait probablement été raconté par le capitaine Périolas, l'un des anciens officiers de l'Empire qu'il eut l'occasion de rencontrer à l'époque où, à Saint-Cyr, il s'était lié d'amitié avec Zulma Carraud et son mari, alors directeur des études à l'École militaire. L'imagination

Corsaire rouge[108] et pour l'existence des contrebandiers. Puisqu'il n'y a plus de Chartreux en France, je voudrais au moins un Botany-Bay[109], une espèce d'infirmerie destinée aux petits lords Byrons, qui, après avoir chiffonné la vie comme une serviette après dîner, n'ont plus rien à faire qu'à incendier leur pays, se brûler la cervelle, conspirer pour la république, ou demander la guerre…

– Émile, dit avec feu le voisin de Raphaël à l'interlocuteur, foi d'homme, sans la révolution de Juillet, je me faisais prêtre pour aller mener une vie animale au fond de quelque campagne, et…

– Et tu aurais lu le bréviaire tous les jours ?

– Oui.

– Tu es un fat.

– Nous lisons bien les journaux.

– Pas mal ! pour un journaliste. Mais, tais-toi, nous marchons au milieu d'une masse d'abonnés. Le journalisme, vois-tu, c'est la religion des sociétés modernes, et il y a progrès.

– Comment ?

– Les pontifes ne sont pas tenus de croire, ni le peuple non plus… »

---

excitée par les récits qu'il entendit dans l'entourage des Carraud, Balzac songea autour de 1830 à publier un volume de *Souvenirs soldatesques*, qui ne vit pas le jour (mais il publia plusieurs nouvelles d'inspiration militaire, et en 1832 *La Transaction*, qui deviendrait *Le Colonel Chabert*). Or c'est à Saint-Cyr, chez les Carraud, que, selon une lettre à l'éditeur Gosselin du 7 mars 1831, Balzac acheva la première partie de *La Peau de chagrin.*

108. Roman de Fenimore Cooper, dont la traduction française venait de paraître en 1827 – et deuxième référence aux corsaires (cf. *supra*, note 47). Fenimore Cooper était devenu célèbre en France l'année précédente, lorsque fut traduit en français *Le Dernier des Mohicans.*

109. Baie de la côte orientale de l'Australie, au sud de Sydney – et donc endroit largement aussi isolé que le sont les couvents des Chartreux (c'est-à-dire les moines de l'ordre de Saint-Bruno). Cette baie fut découverte par le capitaine Cook en 1770, et les Anglais y installèrent en 1788 une colonie pénitentiaire.

En devisant ainsi, comme de braves gens qui savaient le *De Viris illustribus*[110] depuis de longues années, ils arrivèrent à un hôtel de la rue Joubert[111].

Émile[112] était un journaliste qui avait conquis plus de gloire à ne rien faire que les autres n'en recueillent de leurs succès. Critique hardi, plein de verve et de mordant, il possédait toutes les qualités que comportaient ses défauts. Franc et rieur, il disait en face mille épigrammes à un ami, qu'absent, il défendait avec courage et loyauté. Il se moquait de tout, même de son avenir. Toujours dépourvu d'argent, il restait, comme tous les hommes de quelque portée, plongé dans une inexprimable paresse, jetant un livre dans un mot au nez de gens qui ne savaient pas mettre un mot dans leurs livres. Prodigue de promesses qu'il ne réalisait jamais, il s'était fait de sa fortune et de sa gloire un coussin pour dormir, courant ainsi la chance de se réveiller vieux à l'hôpital. D'ailleurs, ami jusqu'à l'échafaud, fanfaron de cynisme et simple comme un enfant, il ne travaillait que par boutade ou par nécessité.

---

110. *De Viris illustribus urbis Romae : Des Hommes illustres de Rome*, ouvrage d'histoire romaine de l'abbé Lhomond (vers 1775), servit à l'enseignement du latin pendant tout le XIXe siècle et jusqu'au milieu du XXe.

111. Cette rue donne à une extrémité sur le collège Bourbon (aujourd'hui lycée Condorcet), et à l'autre sur la rue de la Chaussée-d'Antin ; c'est le quartier de la finance (cf. *supra*, note 92 et texte correspondant).

112. Selon Pierre Barbéris, ce personnage (identifié plus tard avec l'Émile Blondet d'*Illusions perdues*, puis des *Paysans*) ne pouvait manquer d'évoquer, pour les contemporains, Émile de Girardin, jeune entrepreneur de presse ; Balzac venait de se lier avec lui et toute une joyeuse bohème littéraire : Lautour-Mézeray (1801-1861), directeur du *Voleur* et Victor Ratier (1807-1898), directeur de *La Silhouette*, Eugène Sue (1804-1857). Mais Pierre Citron fait remarquer que Girardin était ambitieux, intéressé, peu loyal et grand travailleur, et voit plutôt en Émile une figure partielle du feuilletoniste Jean-Toussaint Merle, généreux, paresseux et gastronome – et dont Balzac aurait, selon Antoine Adam, réutilisé certains traits pour créer le personnage de Fulgence Ridai dans *Illusions perdues*.

« Nous allons faire, suivant l'expression de maître Alcofribas[113], un fameux *tronçon de chiere lie*, dit-il à Raphaël en lui montrant les caisses de fleurs qui embaumaient et verdissaient les escaliers.

– J'aime les porches bien chauffés et garnis de riches tapis, répondit Raphaël. Le luxe dès le péristyle est rare en France. Ici, je me sens renaître.

– Et là-haut nous allons boire et rire encore une fois, mon pauvre Raphaël. Ah çà ! reprit-il, j'espère que nous serons les vainqueurs et que nous marcherons sur toutes ces têtes-là. »

Puis, d'un geste moqueur, il montra les convives en entrant dans un salon qui resplendissait de dorures, de lumières, et où ils furent aussitôt accueillis par les jeunes gens les plus remarquables de Paris. L'un venait de révéler un talent neuf, et de rivaliser par son premier tableau avec les gloires de la peinture impériale[114]. L'autre avait hasardé la veille un livre plein de verdeur, empreint d'une sorte de dédain littéraire, et qui découvrait à l'école moderne de nouvelles routes[115]. Plus loin, un statuaire dont la figure pleine

---

113. Alcofribas Nasier : pseudonyme anagrammatique de François Rabelais. C'est au chapitre XXI de *Pantagruel* que Pantagruel dit à la dame de Paris : « ce me seroit bien tout un d'avoir bras et jambes couppez, en condition que nous fissions, vous et moy, un transon de chère lie [...] » Puis il lui montre sa braguette. Si littéralement l'expression signifie « un morceau de plaisir », la connotation sexuelle est on ne peut plus claire dans le texte de Rabelais.

114. Le ton journalistique que Balzac adopte pour brosser le portrait des convives de Taillefer laisse clairement entendre qu'il emprunte ces types à l'actualité contemporaine. Le nouveau talent de la peinture pourrait être Louis Boulanger (1806-1867), révélé au Salon de 1827 par son *Supplice de Mazeppa*, et qui peindra en 1836 un portrait célèbre de Balzac en robe de chambre. On a pensé aussi à Delacroix (1798-1867), bien qu'il fût célèbre depuis plusieurs années déjà ; il avait exposé la même année 1827 *La Mort de Sardanapale* (cf. *infra*, note 308), venait d'exécuter en 1829 dix-neuf lithographies inspirées de *Faust* (cf. *infra*, note 362), et en août 1831 exposerait *La Liberté guidant le peuple*.

115. Peut-être Henri de Latouche, qui avait publié en 1829 *Fragoletta ou Naples et Paris en 1799* (tandis que Balzac de son côté publiait *Le Dernier*

de rudesse accusait quelque vigoureux génie [116], causait avec un de ces froids railleurs qui, selon l'occurrence, tantôt ne veulent voir de supériorité nulle part, et tantôt en reconnaissent partout. Ici, le plus spirituel de nos caricaturistes [117], à l'œil malin, à la bouche mordante, guettait les épigrammes pour les traduire à coups de crayon. Là, ce jeune et audacieux écrivain, qui mieux que personne distillait la quintessence des pensées politiques, ou condensait en se jouant l'esprit d'un écrivain fécond, s'entretenait avec ce poète dont les écrits écraseraient toutes les œuvres du temps présent, si son talent avait la puissance de sa haine [118]. Tous deux essayaient de ne pas dire la vérité et de ne pas mentir, en s'adressant de douces flatteries. Un musicien célèbre [119] consolait en *si bémol*, et d'une

---

Chouan ou la Bretagne en 1800) ; Latouche y peignait une figure d'androgyne, incarnation « des deux natures en un seul être », dont Balzac s'inspira en 1833 pour écrire *Séraphîta* (cf. *infra*, note 275). Mais Latouche (1785-1851) avait déjà quarante-cinq ans en 1830, année où d'ailleurs Balzac se brouilla avec lui. Peut-être s'agit-il donc plutôt de Jules Janin (1804-1874), jeune écrivain sceptique et blasé dont *L'Âne mort et la femme guillotinée* (1829) inaugurait une littérature de cauchemar sarcastique et presque surréaliste, et dont *La Confession* (1830), qui sonnait le glas du catholicisme, était considéré par Balzac comme l'un des livres clés de ce qu'il appelle l'« école du désenchantement » (dans sa onzième *Lettre sur Paris, Le Voleur*, 10 janvier 1831 – cf. *infra*, note 151).

116. Probablement David d'Angers (1789-1856), qui réalisera en 1842 et 1843 deux médaillons de Balzac, puis son buste en marbre. Les médaillons de David étaient très à la mode en 1830.

117. Probablement Henri Monnier (1799-1877), dessinateur satirique, auteur et interprète de saynètes, qui venait de publier en 1830 ses *Scènes populaires dessinées à la plume*, où apparaissait pour la première fois le personnage de Joseph Prudhomme. Balzac restera toujours l'un de ses fervents admirateurs.

118. Probablement Auguste Barthélemy, satiriste politique connu depuis sa *Villéliade* de 1826, et qui ne cessait de fustiger brutalement les Bourbons dans sa *Némésis*, satire hebdomadaire qui parut de mars 1831 à avril 1832. En avril 1831, Balzac écrivit à Barthélemy (qu'il ne connaissait pas) pour lui reprocher la férocité excessive de sa haine à l'égard de la famille royale malheureuse et exilée.

119. Probablement Rossini (cf. *supra*, note 16), connu pour ses plaisanteries.

voix moqueuse, un jeune homme politique récemment tombé de la tribune sans se faire aucun mal. De jeunes auteurs sans style étaient auprès de jeunes auteurs sans idées, des prosateurs pleins de poésie près de poètes prosaïques. Voyant ces êtres incomplets, un pauvre saint-simonien, assez naïf pour croire à sa doctrine, les accouplait avec charité, voulant sans doute les transformer en religieux de son ordre [120]. Enfin, il s'y trouvait deux ou trois de ces savants destinés à mettre de l'azote dans la conversation, et plusieurs vaudevillistes prêts à y jeter de ces lueurs éphémères qui, semblables aux étincelles du diamant, ne donnent ni chaleur ni lumière. Quelques hommes à paradoxes, riant sous cape des gens qui épousent leurs admirations ou leurs mépris pour les hommes et les choses, faisaient déjà de cette politique à double tranchant, avec laquelle ils conspirent contre tous les systèmes, sans prendre parti pour aucun. Le *jugeur* qui ne s'étonne de rien, qui se mouche au milieu d'une cavatine aux Bouffons, y crie *brava* avant tout le monde, et contredit ceux qui préviennent son avis, était là cherchant à s'attribuer les mots des gens d'esprit. Parmi

---

120. Saint-Simon (1760-1825) préconisa, à partir de 1816, une réorganisation de la société moderne industrielle : les pouvoirs publics seraient confiés aux « producteurs », c'est-à-dire à ceux qui concourent à la richesse du pays (savants et littérateurs compris) ; les oisifs et les rentiers seraient proscrits ; l'État se chargerait de distribuer le travail et d'organiser la production. Dans son dernier ouvrage, il affirma la nécessité d'améliorer la condition sociale de la classe la plus pauvre et de créer une nouvelle religion basée sur l'amour et la fraternité, le « nouveau christianisme ». À la mort du maître, ses disciples Bazard et Enfantin reprirent le flambeau et recrutèrent des adeptes ; le quotidien *Le Globe*, organe des Doctrinaires abandonné par ses rédacteurs après la révolution de Juillet, devint l'organe du saint-simonisme. Mais des divergences de vue séparèrent bientôt Enfantin et Bazard ; Bazard mourut en 1832 ; Enfantin transforma l'École en une secte religieuse et forma sur les hauteurs de Ménilmontant une communauté socialiste, expérience à laquelle le gouvernement mit fin en 1832 ; les saint-simoniens furent traduits en justice, et se dispersèrent.

ces convives, cinq avaient de l'avenir, une dizaine devait obtenir quelque gloire viagère ; quant aux autres, ils pouvaient comme toutes les médiocrités se dire le fameux mensonge de Louis XVIII : *Union et oubli*[121]. L'amphitryon[122] avait la gaieté soucieuse d'un homme qui dépense deux mille écus. De temps en temps ses yeux se dirigeaient avec impatience vers la porte du salon, en appelant celui des convives qui se faisait attendre. Bientôt apparut un gros petit homme qui fut accueilli par une flatteuse rumeur, c'était le notaire qui, le matin même, avait achevé de créer le journal. Un valet de chambre vêtu de noir vint ouvrir les portes d'une vaste salle à manger, où chacun alla sans cérémonie reconnaître sa place autour d'une table immense. Avant de quitter les salons, Raphaël y jeta un dernier coup d'œil. Son souhait était certes bien complètement réalisé. La soie et l'or tapissaient les appartements. De riches candélabres supportant d'innombrables bougies faisaient briller les plus légers détails des frises dorées, les délicates ciselures du bronze et les somptueuses couleurs de l'ameublement. Les fleurs rares de quelques jardinières artistement construites avec des bambous répandaient de doux parfums. Tout jusqu'aux draperies respirait une élégance sans prétention ; enfin, il y avait en tout je ne sais quelle grâce poétique dont le prestige devait agir sur l'imagination d'un homme sans argent.

---

121. En vérité, le changement de régime de 1814 ne fut pas, dans un premier temps, accompagné d'épurations massives ; les remplacements dans l'administration furent modérés ; mais l'armée fut humiliée, et surtout l'entourage du roi et la noblesse, pressés de retrouver des privilèges, compromirent gravement par leur comportement le vœu de réconciliation de Louis XVIII, et donnèrent au peuple et à la bourgeoisie l'impression désastreuse d'un retour offensif à l'ancien régime social. La politique ultra au lendemain des Cent-Jours élargit la fracture.

122. C'est-à-dire l'hôte qui offre à dîner (du nom du général thébain qui, dans la comédie mythologique de Molière qui porte son nom, donne un grand dîner).

« Cent mille livres de rente sont un bien joli commentaire du catéchisme, et nous aident merveilleusement à mettre la *morale en actions* ! dit-il en soupirant. Oh ! oui, ma vertu ne va guère à pied. Pour moi, le vice c'est une mansarde, un habit râpé, un chapeau gris en hiver, et des dettes chez le portier. Ah ! je veux vivre au sein de ce luxe un an, six mois, n'importe ! Et puis après mourir. J'aurai du moins épuisé, connu, dévoré mille existences.

– Oh ! lui dit Émile qui l'écoutait, tu prends le coupé d'un agent de change pour le bonheur. Va, tu serais bientôt ennuyé de la fortune en t'apercevant qu'elle te ravirait la chance d'être un homme supérieur. Entre les pauvretés de la richesse et les richesses de la pauvreté, l'artiste a-t-il jamais balancé ? Ne nous faut-il pas toujours des luttes, à nous autres ? Aussi, prépare ton estomac, vois, dit-il en lui montrant par un geste héroïque le majestueux, le trois fois saint et rassurant aspect que présentait la salle à manger du benoît capitaliste. Cet homme-là, reprit-il, ne s'est vraiment donné la peine d'amasser son argent que pour nous. N'est-ce pas une espèce d'éponge oubliée par les naturalistes dans l'ordre des Polypiers, et qu'il s'agit de presser avec délicatesse, avant de la laisser sucer par des héritiers ? Ne trouves-tu pas du style aux bas-reliefs qui décorent les murs ? Et les lustres, et les tableaux, quel luxe bien entendu ! S'il faut croire les envieux et ceux qui tiennent à voir les ressorts de la vie, cet homme aurait tué, pendant la Révolution, un Allemand et quelques autres personnes qui seraient, dit-on, son meilleur ami et la mère de cet ami. Peux-tu donner place à des crimes sous les cheveux grisonnants de ce vénérable Taillefer ? Il a l'air d'un bien bon homme. Vois donc comme l'argenterie étincelle, et chacun de ces rayons brillants serait pour lui un coup de poignard ? … Allons donc ! autant vaudrait croire en Mahomet. Si le public avait raison, voici trente hommes de cœur et de talent qui s'apprêteraient à manger les entrailles, à boire le sang d'une famille. Et nous deux, jeunes gens pleins de candeur, d'enthousiasme, nous serions complices du forfait ! J'ai envie de demander à notre capitaliste s'il est honnête homme.

– Non pas maintenant ! s'écria Raphaël, mais quand il sera ivre mort, nous aurons dîné. »

Les deux amis s'assirent en riant. D'abord et par un regard plus rapide que la parole, chaque convive paya son tribut d'admiration au somptueux coup d'œil qu'offrait une longue table, blanche comme une couche de neige fraîchement tombée, et sur laquelle s'élevaient symétriquement les couverts couronnés de petits pains blonds. Les cristaux répétaient les couleurs de l'iris dans leurs reflets étoilés, les bougies traçaient des feux croisés à l'infini, les mets placés sous des dômes d'argent aiguisaient l'appétit et la curiosité. Les paroles furent assez rares. Les voisins se regardèrent. Le vin de Madère circula. Puis le premier service apparut dans toute sa gloire, il aurait fait honneur à feu Cambacérès, et Brillat-Savarin [123] l'eût célébré. Les vins de Bordeaux et de Bourgogne, blancs et rouges, furent servis avec une profusion royale. Cette première partie du festin était comparable, en tout point, à l'exposition d'une tragédie classique. Le second acte devint quelque peu bavard. Chaque convive avait bu raisonnablement en changeant de

---

123. Les dîners de Cambacérès, second Consul puis archichancelier de l'Empire (1753-1824), furent célèbres. Brillat-Savarin (1754-1826), qui fut aussi musicien et magistrat, est passé à la postérité pour sa *Physiologie du goût* (1825). (Notons que la « gastronomie » – le mot semble avoir été inventé par un collègue magistrat de Brillat, Joseph Berchoux, en 1801 – devint très à la mode sous l'Empire, que les dîners de Talleyrand étaient aussi célèbres que ceux de Cambacérès, et que Grimod de la Reynière – que Brillat détestait – était sans doute encore plus en vue que Brillat.) C'est Mme d'Abrantès, veuve de Junot, qui raconta à Balzac maints dîners fastueux de l'Empire, et qui l'introduisit dans le salon de l'illustre Mme Récamier, cousine de Brillat-Savarin.

crus suivant ses caprices, en sorte qu'au moment où l'on emporta les restes de ce magnifique service, de tempétueuses discussions s'étaient établies ; quelques fronts pâles rougissaient, plusieurs nez commençaient à s'empourprer, les visages s'allumaient, les yeux pétillaient. Pendant cette aurore de l'ivresse, le discours ne sortit pas encore des bornes de la civilité ; mais les railleries, les bons mots s'échappèrent peu à peu de toutes les bouches ; puis la calomnie éleva tout doucement sa petite tête de serpent et parla d'une voix flûtée ; çà et là, quelques sournois écoutèrent attentivement, espérant garder leur raison. Le second service trouva donc les esprits tout à fait échauffés. Chacun mangea en parlant, parla en mangeant, but sans prendre garde à l'affluence des liquides, tant ils étaient lampants [124] et parfumés, tant l'exemple fut contagieux. Taillefer se piqua d'animer ses convives, et fit avancer les terribles vins du Rhône, le chaud Tokay, le vieux Roussillon capiteux. Déchaînés comme les chevaux d'une malle-poste qui part d'un relais, ces hommes fouettés par les flammèches du vin de Champagne impatiemment attendu, mais abondamment versé, laissèrent alors galoper leur esprit dans le vide de ces raisonnements que personne n'écoute, se mirent à raconter ces histoires qui n'ont pas d'auditeur, recommencèrent cent fois ces interpellations qui restent sans réponse. L'orgie seule déploya sa grande voix, sa voix composée de cent clameurs confuses qui grossissent comme les crescendo de Rossini. Puis arrivèrent les toasts insidieux, les forfanteries, les défis. Tous renonçaient à se glorifier de leur capacité intellectuelle pour revendiquer celle des tonneaux, des foudres, des cuves. Il semblait que chacun eût deux

---

124. *Lamper*, dans le langage populaire, c'est « boire à grandes gorgées » ; *lampant* « se dit du vin au sens de corsé, bon à boire, à lamper », dit le *Littré*, qui cite *La Physiologie du goût* de Brillat-Savarin : « Que la progression [des vins dans un repas] soit des plus lampants aux plus parfumés. »

voix. Il vint un moment où les maîtres parlèrent tous à la fois, et où les valets sourirent. Mais cette mêlée de paroles où les paradoxes douteusement lumineux, les vérités grotesquement habillées se heurtèrent à travers les cris, les jugements interlocutoires, les arrêts souverains et les niaiseries, comme au milieu d'un combat se croisent les boulets, les balles et la mitraille, eût sans doute intéressé quelque philosophe par la singularité des pensées, ou surpris un politique par la bizarrerie des systèmes. C'était tout à la fois un livre et un tableau. Les philosophies, les religions, les morales, si différentes d'une latitude à l'autre, les gouvernements, enfin tous les grands actes de l'intelligence humaine tombèrent sous une faux aussi longue que celle du Temps, et peut-être eussiez-vous pu difficilement décider si elle était maniée par la Sagesse ivre, ou par l'Ivresse devenue sage et clairvoyante. Emportés par une espèce de tempête, ces esprits semblaient, comme la mer irritée contre ses falaises, vouloir ébranler toutes les lois entre lesquelles flottent les civilisations, satisfaisant ainsi sans le savoir à la volonté de Dieu, qui laisse dans la nature le bien et le mal en gardant pour lui seul le secret de leur lutte perpétuelle. Furieuse et burlesque, la discussion fut en quelque sorte un sabbat des intelligences. Entre les tristes plaisanteries dites par ces enfants de la Révolution à la naissance d'un journal, et les propos tenus par de joyeux buveurs à la naissance de Gargantua[125], se trouvait tout l'abîme qui sépare le XIXe siècle du XVIe. Celui-ci apprêtait une destruction en riant, le nôtre riait au milieu des ruines.

« Comment appelez-vous le jeune homme que je vois là-bas ? dit le notaire en montrant Raphaël. J'ai cru l'entendre nommer Valentin.

– Que chantez-vous, avec votre Valentin tout court ? s'écria Émile en riant. Raphaël de Valentin, s'il vous

---

125. Chapitre V : « Les propos des bienyvres », du *Gargantua* de Rabelais.

plaît ! Nous portons *un aigle d'or en champ de sable, couronné d'argent becqué et ongle de gueules*, avec une belle devise : NON CECIDIT ANIMUS [126] ! Nous ne sommes pas un enfant trouvé, mais le descendant de l'empereur Valens [127], souche des Valentinois, fondateur des villes de Valence en Espagne et en France, héritier légitime de l'empire d'Orient. Si nous laissons trôner Mahmoud [128] à Constantinople, c'est par pure bonne volonté, et faute d'argent ou de soldats. »

Émile décrivit en l'air, avec sa fourchette, une couronne au-dessus de la tête de Raphaël. Le notaire se recueillit pendant un moment et se remit bientôt à boire en laissant échapper un geste authentique, par lequel il semblait avouer qu'il lui était impossible de rattacher à sa clientèle les villes de Valence, de Constantinople, Mahmoud, l'empereur Valens et la famille des Valentinois.

« La destruction de ces fourmilières nommées Babylone, Tyr, Carthage, ou Venise [129], toujours écrasées

---

126. « Notre courage n'a pas failli. » Ce blason, comme tous les blasons de *La Comédie humaine*, a été créé par le comte Ferdinand de Grammont, et introduit dans l'édition Furne.

127. Valentinien Ier (321-375 – en latin *Flavius Valentinianus*), empereur romain, associa son frère Valens (en latin *Flavius Valens*) à l'Empire et le mit à la tête de l'Orient. La ville de Valence en Espagne était déjà une colonie romaine au IIe siècle avant J.-C., bien avant le règne des deux Flavius. La ville de Valence en France, colonie romaine, fut en effet une ville importante sous Valentinien ; elle devint plus tard la capitale du comté de Valentinois, réuni à la France au XVe siècle, et érigé en duché-pairie pour César Borgia (et Balzac a déjà évoqué les « orgies des Borgia » plus haut, lors de la description du magasin de l'antiquaire). Ce méli-mélo n'est donc pas tout à fait délirant. Mais Balzac s'est peut-être tout simplement souvenu, pour nommer son personnage « Valentin », du chimiste d'un conte de Steele, dont il a lu en juillet 1829 une adaptation sous le titre *L'Élixir d'immortalité*, parue anonymement dans *L'Almanach du prosateur* de 1805 ; Balzac, qui croyait semble-t-il que le texte était d'Hoffmann, s'en serait inspiré pour écrire *L'Élixir de longue vie*.

128. C'est-à-dire Mahmoud II, sultan ottoman de 1808 à 1839, et pour les libéraux l'incarnation de l'oppression turque.

129. Babylone était déjà sur le déclin lorsque Alexandre s'en empara en 331 av. J.-C., et il mourut avant d'avoir eu le temps de la recons-

sous les pieds d'un géant qui passe, ne serait-elle pas un avertissement donné à l'homme par une puissance moqueuse ? dit Claude Vignon, espèce d'esclave acheté pour faire du Bossuet à dix sous la ligne.

– Moïse, Sylla, Louis XI, Richelieu, Robespierre et Napoléon sont peut-être un même homme qui reparaît à travers les civilisations, comme une comète dans le ciel ! répondit un ballanchiste [130].

– Pourquoi sonder la Providence ? dit Canalis le fabricant de ballades.

– Allons, voilà la Providence, s'écria le jugeur en l'interrompant. Je ne connais rien au monde de plus élastique.

– Mais, monsieur, Louis XIV a fait périr plus d'hommes pour creuser les aqueducs de Maintenon [131] que la Convention pour asseoir justement l'impôt, pour mettre de l'unité dans la loi, nationaliser la France et faire également partager les héritages, disait

---

truire ; Tyr, prise par Alexandre à la même époque que Babylone, ne fut effectivement détruite que par les mamelouks d'Égypte au XIIIe siècle ; Carthage, qui devint une grande puissance après la décadence de Tyr, fut détruite par Scipion l'Émilien lors de la troisième guerre punique (IIe siècle av. J.-C.) ; Venise fut prise par Bonaparte en 1797, et livrée à l'Autriche (elle ne rentra dans le royaume d'Italie qu'en 1866).

130. Balzac avait croisé Ballanche dans le salon de Mme Récamier dès 1829, mais n'avait probablement pas encore lu ses œuvres. Pierre-Simon Ballanche (1776-1847), penseur mystique et illuministe, voulait montrer dans ses *Essais de Palingénésie sociale* qu'après un nombre indéfini d'épreuves, une suite ininterrompue de cycles, de décadences et de renaissances, l'Humanité, déchue par le péché originel, devait parvenir à une régénération totale. – Le « ballanchiste » dont il s'agit ici semble plutôt un adepte de la métempsycose.

131. C'est en 1674 que Louis XIV acheta la terre de Maintenon et l'érigea en marquisat pour l'offrir à sa favorite (et future épouse) Françoise d'Aubigné. On peut encore voir aujourd'hui dans le parc, dessiné par Le Nôtre, les vestiges du gigantesque aqueduc que Louis XIV entreprit d'y faire construire, dans le but d'amener jusqu'à Versailles les eaux de l'Eure ; un grand nombre d'ouvriers périrent sur ce chantier, qui dut être abandonné en 1688, lorsque reprit la guerre contre la ligue d'Augsbourg.

Massol, un jeune homme devenu républicain faute d'une syllabe devant son nom [132].

– Monsieur, lui répondit Moreau de l'Oise, bon propriétaire, vous qui prenez le sang pour du vin, cette fois-ci laisserez-vous à chacun sa tête sur ses épaules ?

– À quoi bon, monsieur ? les principes de l'ordre social ne valent-ils donc pas quelques sacrifices ?

– Bixiou ! Hé ! Chose-le-républicain prétend que la tête de ce propriétaire serait un sacrifice, dit un jeune homme à son voisin.

– Les hommes et les événements ne sont rien, disait le républicain en continuant sa théorie à travers les hoquets, il n'y a en politique et en philosophie que des principes et des idées.

– Quelle horreur ! Vous n'auriez nul chagrin de tuer vos amis pour un *si*…

– Hé ! monsieur, l'homme qui a des remords est le vrai scélérat, car il a quelque idée de la vertu ; tandis que Pierre le Grand, le duc d'Albe étaient des systèmes, et le corsaire Montbard, une organisation [133].

– Mais la société ne peut-elle pas se priver de vos systèmes et de vos organisations ? dit Canalis.

– Oh ! d'accord, s'écria le républicain.

– Eh ! votre stupide république me donne des nausées ! nous ne saurions découper tranquillement un chapon sans y trouver la loi agraire.

---

132. Balzac lui-même venait juste de s'arroger la particule : c'est le 30 janvier 1830 qu'il publia pour la première fois un texte signé H. *de* Balzac (*El Verdugo*, dans *La Mode*).

133. Le tsar Pierre Ier (1672-1725), artisan de la grandeur russe, fondateur de Saint-Pétersbourg, réprima brutalement la révolte des Streltsy (corps d'infanterie prestigieux qui composait sa garde et voulut le renverser pendant qu'il voyageait en Europe) et ordonna des exécutions massives. Le duc d'Albe, nommé gouverneur des Pays-Bas par Philippe II d'Espagne en 1567 et chargé d'y faire appliquer l'Inquisition, y exerça une répression implacable. Montbard (ou Montbars), surnommé « l'Exterminateur », était au XVIIe siècle le chef d'une bande de flibustiers qui incendièrent et rançonnèrent les colonies espagnoles des Antilles.

– Tes principes sont excellents, mon petit Brutus [134] farci de truffes ! Mais tu ressembles à mon valet de chambre, le drôle est si cruellement possédé par la manie de la propreté, que si je lui laissais brosser mes habits à sa fantaisie, j'irais tout nu.

– Vous êtes des brutes ! vous voulez nettoyer une nation avec des cure-dents, répliqua l'homme à la république. Selon vous la justice serait plus dangereuse que les voleurs.

– Hé ! hé ! fit l'avoué Desroches.

– Sont-ils ennuyeux avec leur politique ! dit Cardot le notaire. Fermez la porte. Il n'y a pas de science ou de vertu qui vaille une goutte de sang. Si nous voulions faire la liquidation de la vérité, nous la trouverions peut-être en faillite.

– Ah ! il en aurait sans doute moins coûté de nous amuser dans le mal que de nous disputer dans le bien. Aussi, donnerais-je tous les discours prononcés à la tribune depuis quarante ans pour une truite, pour un conte de Perrault ou une croquade de Charlet [135].

– Vous avez bien raison ! Passez-moi des asperges. Car, après tout, la liberté enfante l'anarchie, l'anarchie conduit au despotisme, et le despotisme ramène à la liberté. Des millions d'êtres ont péri sans avoir pu faire triompher aucun de ces systèmes. N'est-ce pas le cercle vicieux dans lequel tournera toujours le monde

---

134. Brutus, fils adoptif de César, organisa le complot qui amena la mort de César en 44 av. J.-C.

135. Balzac se plaçait explicitement sous le patronage de Perrault dans sa préface de 1831 (voir section « Annexes ») et *La Peau de chagrin* doit évidemment son titre au conte de Perrault. (Cf. *infra*, note 228 et texte correspondant.) Nicolas Charlet (1792-1845) fut élevé dans le culte de Bonaparte ; élève de Gros, peintre d'histoire, dessinateur et lithographe, il contribua à la légende napoléonienne par ses nombreuses gravures sur la Garde impériale, l'armée et les costumes militaires, qui eurent un grand succès populaire. Balzac appréciait autant les dessins que les légendes spirituelles des caricatures de Charlet, souvent nommé dans *La Comédie humaine*.

moral ? Quand l'homme croit avoir perfectionné, il n'a fait que déplacer les choses.

– Oh ! oh ! s'écria Cursy le vaudevilliste, alors, messieurs, je porte un toast à Charles X, père de la liberté [136] !

– Pourquoi pas ? dit Émile. Quand le despotisme est dans les lois, la liberté se trouve dans les mœurs, et *vice versa*.

– Buvons donc à l'imbécillité du pouvoir qui nous donne tant de pouvoir sur les imbéciles ! dit le banquier.

– Hé ! mon cher, au moins Napoléon nous a-t-il laissé de la gloire ! criait un officier de marine qui n'était jamais sorti de Brest.

– Ah ! la gloire, triste denrée. Elle se paie cher et ne se garde pas. Ne serait-elle point l'égoïsme des grands hommes, comme le bonheur est celui des sots ?

– Monsieur, vous êtes bien heureux.

– Le premier qui inventa les fossés était sans doute un homme faible, car la société ne profite qu'aux gens chétifs. Placés aux deux extrémités du monde moral, le sauvage et le penseur ont également horreur de la propriété [137].

– Joli ! s'écria Cardot. S'il n'y avait pas de propriétés, comment pourrions-nous faire des actes ?

---

136. L'insurrection de Juillet fut précipitée par les quatre Ordonnances de Charles X suspendant la liberté de la presse, rétablissant la censure, soumettant tout périodique à l'autorisation préalable, dissolvant la Chambre nouvellement élue, diminuant le nombre des députés et celui des électeurs.

137. Balzac se souvient du début de la seconde partie du discours de Rousseau *De l'origine et des fondements de l'inégalité parmi les hommes* : « Le premier qui ayant enclos un terrain, s'avisa de dire, *ceci est à moi*, et trouva des gens assez simples pour le croire, fut le vrai fondateur de la société civile. Que de crimes, de guerres, de meurtres, que de misères et d'horreurs, n'eût point épargnés au Genre-humain celui qui arrachant les pieux ou comblant le fossé, eût crié à ses semblables : Gardez-vous d'écouter cet imposteur ; vous êtes perdus, si vous oubliez que les fruits sont à tous, et que la Terre n'est à personne [...]. »

– Voilà des petits pois délicieusement fantastiques [138] !

– Et le curé fut trouvé mort dans son lit, le lendemain…

– Qui parle de mort ? Ne badinez pas ! J'ai un oncle.

– Vous vous résigneriez sans doute à le perdre.

– Ce n'est pas une question.

– Écoutez-moi, messieurs ! MANIÈRE DE TUER SON ONCLE. Chut ! (Écoutez ! Écoutez !) Ayez d'abord un oncle gros et gras, septuagénaire au moins, ce sont les meilleurs oncles. (Sensation.) Faites-lui manger, sous un prétexte quelconque, un pâté de foie gras…

– Hé ! mon oncle est un grand homme sec, avare et sobre.

– Ah ! ces oncles-là sont des monstres qui abusent de la vie.

– Et, dit l'homme aux oncles en continuant, annoncez-lui, pendant sa digestion, la faillite de son banquier.

– S'il résiste ?

– Lâchez-lui une jolie fille !

– S'il est… dit-il en faisant un geste négatif.

– Alors, ce n'est pas un oncle, l'oncle est essentiellement égrillard.

– La voix de la Malibran a perdu deux notes [139].

– Non, monsieur.

– Si, monsieur.

---

138. Les quatre premiers fascicules de la traduction française des *Contes fantastiques* d'Hoffmann avaient paru chez Renduel en décembre 1829, et les quatre derniers parurent en octobre 1830 : il n'était question que d'Hoffmann partout, et l'adjectif *fantastique* était sur toutes les lèvres.

139. La cantatrice espagnole Maria Malibran (1808-1836) avait triomphé à Paris en 1828 dans la *Sémiramide* de Rossini, et fascina les romantiques ; sa beauté, son extraordinaire talent scénique, sa technique et sa virtuosité dans le double registre de contralto et de soprano, masquaient les petites imperfections de son chant, car il lui « manquait » en effet quelques notes à la liaison entre les deux registres.

– Oh ! oh ! Oui et non, n'est-ce pas l'histoire de toutes les dissertations religieuses, politiques et littéraires ? L'homme est un bouffon qui danse sur des précipices !

– À vous entendre, je suis un sot.

– Au contraire, c'est parce que vous ne m'entendez pas.

– L'instruction, belle niaiserie ! M. Heineffettermach porte le nombre des volumes imprimés à plus d'un milliard, et la vie d'un homme ne permet pas d'en lire cent cinquante mille. Alors expliquez-moi ce que signifie le mot *instruction* ? pour les uns, elle consiste à savoir les noms du cheval d'Alexandre, du dogue Bérécillo, du seigneur des Accords [140], et d'ignorer celui de l'homme auquel nous devons le flottage des bois ou la porcelaine. Pour les autres, être instruit, c'est savoir brûler un testament et vivre en honnêtes gens, aimés, considérés, au lieu de voler une montre en récidive, avec les cinq circonstances aggravantes [141], et d'aller mourir en place de Grève, haïs et déshonorés.

– Nathan restera-t-il ?

– Ah ! Ses collaborateurs, monsieur, ont bien de l'esprit.

– Et Canalis ?

---

140. Le cheval d'Alexandre s'appelait Bucéphale. Pierre Citron a retrouvé dans les *Maximes* de Chamfort « le dogue espagnol Bérécillo, qui dévorait les Indiens de Saint-Domingue, et qui avait la paie de trois soldats ». Quant au seigneur des Accords, il s'agit d'Étienne Tabourot (1547-1590), écrivain surtout connu pour ses *Bigarrures et Touches* (ouvrage que Balzac possédait et pratiqua pour écrire ses *Contes drolatiques*), qui traite de formes poétiques facétieuses comme les *rébus*, *équivoques*, *antistrophes*, *acrostiches*, vers *rétrogrades et léonins*, etc.

141. Les cinq circonstances aggravantes en matière de vol sont l'effraction, l'escalade, la nuit, la violence, et le fait que la maison soit habitée – Balzac se souvient de ses études de droit. Il se souvient aussi des histoires sordides dont il entendit parler au cours de ses années d'apprentissage chez l'avoué Guillonnet-Merville et chez le notaire Victor Passez.

– C'est un grand homme, n'en parlons plus [142].

– Vous êtes ivres !

– La conséquence immédiate d'une constitution est l'aplatissement des intelligences. Arts, sciences, monuments, tout est dévoré par un effroyable sentiment d'égoïsme, notre lèpre actuelle. Vos trois cents bourgeois, assis sur des banquettes [143], ne penseront qu'à planter des peupliers. Le despotisme fait illégalement de grandes choses, la liberté ne se donne même pas la peine d'en faire légalement de très petites.

– Votre enseignement mutuel [144] fabrique des pièces de cent sous en chair humaine, dit un absolutiste en

---

142. Dans l'édition originale, et dans toutes les éditions suivantes, Balzac avait écrit : « Lamartine restera ! / – Ah ! Scribe, Monsieur, a bien de l'esprit… / – Et Victor Hugo ?… / – C'est un grand homme !… n'en parlons plus… » Dans la *Revue des Deux Mondes*, où le 15 mai 1831 parut le récit du dîner chez le banquier sous le titre « Une débauche », une note accompagnait ce passage : « Obligé de donner de l'actualité à son livre, l'auteur a fait parler dans ce banquet les convives avec la liberté que supposent le vin et la bonne chère, mais il espère que son opinion sur les hommes dont il estime sincèrement les ouvrages ne sera pas suspectée » (cf. section « Annexes », II, note 32). Le texte actuel, qui substitue aux écrivains réels des personnages de *La Comédie humaine*, résulte d'une correction dans le Furne corrigé.

143. Manière irrévérencieuse de parler des députés, qui étaient en effet à peu près au nombre de trois cents en octobre 1830 ; quatre cent trente députés avaient été élus au début de juillet 1830, mais cent treize d'entre eux démissionnèrent ou refusèrent de prêter serment au nouveau régime ; il y eut des élections complémentaires fin 1830 pour les remplacer.

144. La méthode de l'enseignement mutuel, inaugurée en Angleterre par Lancaster et importée en France en 1814, consistait à utiliser les élèves les plus avancés comme moniteurs des autres. Mais, étant donné qu'elle avait d'abord été encouragée par Carnot, sous les Cent-Jours, qu'elle venait d'un pays protestant, que ses promoteurs en France étaient des libéraux, groupés dans une Société pour l'encouragement de l'instruction élémentaire, l'esprit de parti s'empara d'une querelle qui aurait dû rester sur le plan purement pédagogique. La droite et le clergé accusèrent les écoles lancastériennes d'être des foyers de corruption morale et d'esprit républicain, tandis que les libéraux accusèrent le clergé de freiner « le progrès des lumières » pour affermir son joug sur le peuple en le maintenant dans l'ignorance.

interrompant. Les individualités disparaissent chez un peuple nivelé par l'instruction.

– Cependant, le but de la société n'est-il pas de procurer à chacun le bien-être ? demanda le saint-simonien.

– Si vous aviez cinquante mille livres de rente, vous ne penseriez guère au peuple. Êtes-vous épris de belle passion pour l'humanité ; allez à Madagascar : vous y trouverez un joli petit peuple tout neuf à saint-simoniser [145], à classer, à mettre en bocal ; mais ici, chacun entre tout naturellement dans son alvéole, comme une cheville dans son trou. Les portiers sont portiers, et les niais sont des bêtes sans avoir besoin d'être promus par un collège de Pères. Ah ! ah !

– Vous êtes un carliste [146] !

– Pourquoi pas ? J'aime le despotisme, il annonce un certain mépris pour la race humaine. Je ne hais pas les rois. Ils sont si amusants ! Trôner dans une chambre, à trente millions de lieues du soleil, n'est-ce donc rien ?

– Mais résumons cette large vue de la civilisation, disait le savant qui, pour l'instruction du sculpteur inattentif, avait entrepris une discussion sur le commencement des sociétés et sur les peuples autochtones. À l'origine des nations, la force fut en quelque sorte matérielle, une, grossière ; puis avec l'accroissement des agrégations, les gouvernements ont procédé par des décompositions plus ou moins habiles du pouvoir primitif. Ainsi, dans la haute antiquité, la force était dans la théocratie ; le prêtre tenait le glaive et l'encensoir. Plus tard, il y eut deux sacerdoces : le pontife et le roi. Aujourd'hui, notre société, dernier terme de la civilisation, a distribué la puissance suivant le nombre

---

145. Cf. *supra*, note 120. Ce verbe est évidemment un néologisme de Balzac, formé à l'imitation du verbe « évangéliser ».

146. Les carlistes étaient les partisans du retour sur le trône de Charles X.

des combinaisons, et nous sommes arrivés aux forces nommées industrie, pensée, argent, parole. Le pouvoir n'ayant plus alors d'unité marche sans cesse vers une dissolution sociale qui n'a plus d'autre barrière que l'intérêt. Aussi ne nous appuyons-nous ni sur la religion, ni sur la force matérielle, mais sur l'intelligence. Le livre vaut-il le glaive, la discussion vaut-elle l'action ? Voilà le problème.

– L'intelligence a tout tué, s'écria le carliste. Allez, la liberté absolue mène les nations au suicide, elles s'ennuient dans le triomphe, comme un Anglais millionnaire.

– Que nous direz-vous de neuf ? Aujourd'hui vous avez ridiculisé tous les pouvoirs, et c'est même chose vulgaire que de nier Dieu ! Vous n'avez plus de croyance. Aussi le siècle est-il comme un vieux sultan perdu de débauche ! Enfin, votre lord Byron, en dernier désespoir de poésie, a chanté les passions du crime [147].

– Savez-vous, lui répondit Bianchon complètement ivre, qu'une dose de phosphore [148] de plus ou de moins fait l'homme de génie ou le scélérat, l'homme d'esprit ou l'idiot, l'homme vertueux ou le criminel ?

– Peut-on traiter ainsi la vertu ! s'écria de Cursy. La vertu, sujet de toutes les pièces de théâtre, dénouement de tous les drames, base de tous les tribunaux.

---

147. Balzac a déjà fait allusion plus haut (cf. note 47) aux poèmes dramatiques de Byron, *Le Corsaire* – que Stendhal et Mme de Staël aussi adoraient – et *Lara* (1814), qui regorgent d'aventures sanglantes.
148. Ce détail est un ajout de l'édition Werdet 1835 ; Balzac avait d'abord écrit : « Savez-vous [...] qu'à peine y a-t-il une membrane de différence entre un homme de génie et un grand criminel ? » Vauquelin avait mis en évidence la présence de phosphore dans le cerveau dès 1812, mais c'est seulement en juillet 1834 qu'un jeune chimiste, Jean-Baptiste Couerbe, émit l'hypothèse d'une relation entre la quantité de phosphore présente dans le cerveau et le bon fonctionnement de l'esprit – hypothèse que Balzac mit au compte de Balthazar Claës dans *La Recherche de l'absolu*.

– Hé ! tais-toi donc, animal. Ta vertu, c'est Achille sans talon ! dit Bixiou.

– À boire !

– Veux-tu parier que je bois une bouteille de vin de Champagne d'un seul trait ?

– Quel trait d'esprit ! s'écria Bixiou.

– Ils sont gris comme des charretiers, dit un jeune homme qui donnait sérieusement à boire à son gilet.

– Oui, monsieur, le gouvernement actuel est l'art de faire régner l'opinion publique.

– L'opinion ? mais c'est la plus vicieuse de toutes les prostituées ! À vous entendre, hommes de morale et de politique, il faudrait sans cesse préférer vos lois à la nature, l'opinion à la conscience. Allez, tout est vrai, tout est faux ! Si la société nous a donné le duvet des oreillers, elle a certes compensé le bienfait par la goutte, comme elle a mis la procédure pour tempérer la justice, et les rhumes à la suite des châles de Cachemire.

– Monstre ! dit Émile en interrompant le misanthrope, comment peux-tu médire de la civilisation en présence de vins, de mets délicieux, et à table jusqu'au menton ? Mords ce chevreuil aux pieds et aux cornes dorées, mais ne mords pas ta mère.

– Est-ce ma faute, à moi, si le catholicisme arrive à mettre un million de dieux dans un sac de farine [149], si la république aboutit toujours à quelque Napoléon, si la royauté se trouve entre l'assassinat de Henri IV et le jugement de Louis XVI, si le libéralisme devient La Fayette ?

– L'avez-vous embrassé en Juillet [150] ?

---

149. Allusion incrédule au dogme catholique de la présence réelle du Christ dans l'hostie, fabriquée avec de la farine de froment.

150. Le vieux La Fayette (1757-1834) s'était déconsidéré aux yeux des républicains en refusant la présidence de la République que lui avaient offerte les chefs de l'insurrection pour se rallier à la solution orléaniste, puis en embrassant cordialement le futur Louis-Philippe au balcon de l'Hôtel de Ville. Et Balzac avait, sous le pseudonyme d'Eugène Morisseau, publié dans *La Caricature* du 16 décembre 1830 un texte intitulé « Les Baisers patriotiques », histoire de trois Anglais venus en France

– Non.
– Alors taisez-vous, sceptique.
– Les sceptiques sont les hommes les plus consciencieux.
– Ils n'ont pas de conscience.
– Que dites-vous ? ils en ont au moins deux.
– Escompter le Ciel ! monsieur, voilà une idée vraiment commerciale. Les religions antiques n'étaient qu'un heureux développement du plaisir physique ; mais nous autres nous avons développé l'âme et l'espérance ; il y a eu progrès.
– Hé ! mes bons amis, que pouvez-vous attendre d'un siècle repu de politique ? dit Nathan. Quel a été le sort du *Roi de Bohème et de ses sept châteaux* [151], la plus ravissante conception…
– Ça ! cria le jugeur d'un bout de la table à l'autre. C'est des phrases tirées au hasard dans un chapeau, véritable ouvrage écrit pour Charenton [152].
– Vous êtes un sot !
– Vous êtes un drôle !
– Oh ! oh !
– Ah ! ah !
– Ils se battront.
– Non.
– À demain, monsieur.
– À l'instant, répondit Nathan.
– Allons ! allons ! vous êtes deux braves.

---

saluer La Fayette et qui croient l'avoir embrassé alors qu'ils ont été victimes d'une mystification.

151. Œuvre de Charles Nodier, qui venait juste de paraître en février 1830 chez Delangle ; c'est en corrigeant son exemplaire de l'édition Furne que Balzac a substitué ce titre à *Smarra*, œuvre plus ancienne (1821) du même Nodier (cf. *infra*, notes 180 et 186). Ce livre est l'un des livres clés de ce que Balzac appela l'« école du désenchantement » (*Lettres sur Paris*, XI, 10 janvier 1831 – cf. *supra*, note 115).

152. C'est-à-dire pour l'asile d'aliénés ; cette ancienne « maison de force » (aujourd'hui « maison de santé » de Saint-Maurice), fondée en 1641 et supprimée par la Révolution, avait été rouverte sous le Directoire.

– Vous en êtes un autre ! dit le provocateur.

– Ils ne peuvent seulement pas se mettre debout.

– Ah ! je ne me tiens pas droit, peut-être ! » reprit le belliqueux Nathan en se dressant comme un cerf-volant indécis.

Il jeta sur la table un regard hébété, puis comme exténué par cet effort, il retomba sur sa chaise, pencha la tête et resta muet.

« Ne serait-il pas plaisant, dit le jugeur à son voisin, de me battre pour un ouvrage que je n'ai jamais vu ni lu !

– Émile, prends garde à ton habit, ton voisin pâlit, dit Bixiou.

– Kant, monsieur. Encore un ballon lancé pour amuser les niais ! Le matérialisme et le spiritualisme sont deux jolies raquettes avec lesquelles des charlatans en robe font aller le même volant. Que Dieu soit en tout selon Spinoza, ou que tout vienne de Dieu selon saint Paul… Imbéciles ! ouvrir ou fermer une porte, n'est-ce pas le même mouvement ? L'œuf vient-il de la poule ou la poule de l'œuf ? (Passez-moi du canard !) Voilà toute la science.

– Nigaud, lui cria le savant, la question que tu poses est tranchée par un fait.

– Et lequel ?

– Les chaires de professeurs n'ont pas été faites pour la philosophie, mais bien la philosophie pour les chaires ? Mets des lunettes et lis le budget.

– Voleurs !

– Imbéciles !

– Fripons !

– Dupes !

– Où trouverez-vous ailleurs qu'à Paris un échange aussi vif, aussi rapide entre les pensées, s'écria Bixiou en prenant une voix de basse-taille.

– Allons, Bixiou, fais-nous quelque farce classique ? Voyons, une charge !

– Voulez-vous que je vous fasse le XIXe siècle ?

– Écoutez !
– Silence !
– Mettez des sourdines à vos mufles !
– Te tairas-tu, chinois !
– Donnez-lui du vin, et qu'il se taise, cet enfant !
– À toi, Bixiou ! »

L'artiste boutonna son habit noir jusqu'au col, mit ses gants jaunes, et se grima de manière à singer la *Revue des Deux Mondes* en louchant [153] ; mais le bruit couvrit sa voix, et il fut impossible de saisir un seul mot de sa moquerie. S'il ne représenta pas le siècle, au moins représenta-t-il la *Revue*, car il ne s'entendit pas lui-même.

Le dessert se trouva servi comme par enchantement. La table fut couverte d'un vaste surtout en bronze doré, sorti des ateliers de Thomire [154]. De hautes figures douées par un célèbre artiste des formes convenues en Europe pour la beauté idéale soutenaient et portaient des buissons de fraises, des ananas, des dattes fraîches, des raisins jaunes, de blondes pêches, des oranges arrivées de Sétubal [155] par un paquebot, des grenades, des fruits de la Chine, enfin toutes les surprises du luxe, les miracles du petit-four, les délicatesses les plus friandes, les friandises les plus séductrices. Les couleurs de ces tableaux gastronomiques étaient rehaussées par l'éclat de la porcelaine, par des lignes étincelantes d'or, par les découpures des vases.

---

153. Balzac avait d'abord écrit : « de manière à singer *Le Globe* » (cf. *supra*, note 120 ; il désignait alors le *Globe* des doctrinaires). C'est dans son exemplaire de l'édition Furne qu'il ajouta « en louchant » et substitua au *Globe* la *Revue des Deux Mondes*, se vengeant ainsi cruellement de Buloz, directeur de cette revue (et en sous-main, à partir de 1833, de la *Revue de Paris*), qui était borgne, et avec qui Balzac eut divers démêlés, notamment en 1836.

154. Pierre-Philippe Thomire (1751-1843), sculpteur, ciseleur, bronzier et monteur en bronze de grand renom, avait sous l'Empire exécuté des « surtouts » de table pour les Tuileries.

155. Ville du Portugal renommée pour ses oranges, non loin de Lisbonne.

Gracieuse comme les liquides franges de l'Océan, verte et légère, la mousse couronnait les paysages du Poussin, copiés à Sèvres. Le territoire d'un prince allemand n'aurait pas payé cette richesse insolente. L'argent, la nacre, l'or, les cristaux furent de nouveau prodigués sous de nouvelles formes ; mais les yeux engourdis et la verbeuse fièvre de l'ivresse permirent à peine aux convives d'avoir une intuition vague de cette féerie digne d'un conte oriental. Les vins de dessert apportèrent leurs parfums et leurs flammes, philtres puissants, vapeurs enchanteresses qui engendrent une espèce de mirage intellectuel et dont les liens puissants enchaînent les pieds, alourdissent les mains. Les pyramides de fruits furent pillées, les voix grossirent, le tumulte grandit. Il n'y eut plus alors de paroles distinctes, les verres volèrent en éclats, et des rires atroces partirent comme des fusées. Cursy saisit un cor et se mit à sonner une fanfare. Ce fut comme un signal donné par le diable. Cette assemblée en délire hurla, siffla, chanta, cria, rugit, gronda. Vous eussiez souri de voir des gens naturellement gais, devenus sombres comme les dénouements de Crébillon[156], ou rêveurs comme des marins en voiture. Les hommes fins disaient leurs secrets à des curieux qui n'écoutaient pas. Les mélancoliques souriaient comme des danseuses qui achèvent leurs pirouettes. Claude Vignon se dandinait à la manière des ours en cage. Des amis intimes se battaient. Les ressemblances animales inscrites sur les figures humaines, et si curieusement démontrées par les physiologistes, reparaissaient vaguement dans les gestes, dans les habitudes du corps. Il y avait un livre tout fait pour quelque

---

156. Crébillon (1674-1762) a laissé neuf tragédies, dont les plus célèbres sont *Atrée et Thyeste* (1707) et *Rhadamiste et Zénobie* (1711) ; il déclara : « Corneille a pris le ciel, Racine la terre ; il me reste l'enfer », et se fit une spécialité d'inspirer la terreur en mettant sous les yeux des spectateurs des scènes atroces, brutales et sanglantes.

Bichat [157] qui se serait trouvé là froid et à jeun. Le maître du logis, se sentant ivre, n'osait se lever, mais il approuvait les extravagances de ses convives par une grimace fixe, en tâchant de conserver un air décent et hospitalier. Sa large figure, devenue rouge et bleue, presque violacée, terrible à voir, s'associait au mouvement général par des efforts semblables au roulis et au tangage d'un brick [158].

« Les avez-vous assassinés ? lui demanda Émile.

– La peine de mort va, dit-on, être abolie en faveur de la révolution de Juillet [159], répondit Taillefer qui haussa les sourcils d'un air tout à la fois plein de finesse et de bêtise.

– Mais ne les voyez-vous pas quelquefois en songe ? reprit Raphaël.

---

157. La tradition physiognomonique (c'est-à-dire touchant à la manière de reconnaître le caractère des gens aux traits de leur visage, et en particulier en les comparant aux têtes des animaux) remonte au XVIIe siècle (voir la célèbre *Physiognomonie humaine* du physicien et naturaliste napolitain Giambattista Della Porta (1535-1615), ou encore le *Traité de la physionomie de l'homme comparée à cette des animaux* de Charles Le Brun). À la fin du XVIIIe siècle, c'est Lavater, pasteur, penseur et théologien suisse (1741-1801), qui donna à cet art une pseudo-légitimité scientifique. La caricature romantique, et au premier chef Grandville, fit son miel de ces théories.

– Marie-François Bichat, chirurgien physiologue, fondateur de la biologie (1771-1802), donna de la vie cette définition restée célèbre : « La vie est l'ensemble des fonctions qui résistent à la mort. » Il mourut très jeune des suites de travaux excessifs, et cette mort prématurée fit de lui une figure emblématique pour les romantiques. Le médecin de Balzac, le docteur Nacquart, lui répéta souvent que, s'il ne se ménageait pas, il mourrait comme Bichat.

158. « Bâtiment à deux mâts, et dont le plus grand est incliné vers l'arrière » (*Littré*, qui cite Lamartine : « un brik [*sic*] aux flancs étroits sous son poids se balance ») ; les bricks avaient une voilure considérable pour leur tonnage, ils étaient rapides mais instables.

159. Il avait été question d'abolir la peine capitale, comme en témoigne l'ode de Lamartine *Contre la peine de mort* (décembre 1830) ; mais elle fut maintenue, et seul le lieu des exécutions changea en 1832 : le bourreau n'officia plus en place de Grève (cf. *supra*, note 11), mais plus loin des regards, à la barrière Saint-Jacques.

– Il y a prescription ! dit le meurtrier plein d'or.

– Et sur sa tombe, s'écria Émile d'un ton sardonique, l'entrepreneur du cimetière gravera : *Passants, accordez une larme à sa mémoire !* Oh ! reprit-il, je donnerais bien cent sous au mathématicien qui me démontrerait par une équation algébrique l'existence de l'enfer. »

Il jeta une pièce en l'air en criant : « Face pour Dieu !

– Ne regarde pas, dit Raphaël en saisissant la pièce, que sait-on ? le hasard est si plaisant.

– Hélas ! reprit Émile d'un air tristement bouffon, je ne vois pas où poser les pieds entre la géométrie de l'incrédule et le *Pater noster* du pape. Bah ! buvons ! *Trinc* est, je crois, l'oracle de la divine bouteille et sert de conclusion au *Pantagruel*[160].

– Nous devons au *Pater noster*, répondit Raphaël, nos arts, nos monuments, nos sciences peut-être ; et, bienfait plus grand encore, nos gouvernements modernes, dans lesquels une société vaste et féconde est merveilleusement représentée par cinq cents intelligences, où les forces opposées les unes aux autres se neutralisent en laissant tout pouvoir à la CIVILISATION, reine gigantesque qui remplace le ROI, cette ancienne et terrible figure, espèce de faux destin créé par l'homme entre le Ciel et lui. En présence de tant d'œuvres accomplies, l'athéisme apparaît comme un squelette qui n'engendre pas. Qu'en dis-tu ?

– Je songe aux flots de sang répandus par le catholicisme, dit froidement Émile. Il a pris nos veines et nos cœurs pour faire une contrefaçon du déluge. Mais

---

160. Troisième allusion à *Pantagruel* (cf. notes 99 et 113). C'est au terme du *Cinquième Livre* (aujourd'hui considéré comme apocryphe) que Pantagruel et Panurge, partis dans le *Quart Livre* pour aller consulter l'oracle de la Dive Bouteille, parviennent au pays des Lanternois, et sont introduits par la Lanterne Reine dans le temple où l'oracle répond par un seul mot : *Trinch* – Bois !

n'importe ! Tout homme qui pense doit marcher sous la bannière du Christ. Lui seul a consacré le triomphe de l'esprit sur la matière, lui seul nous a poétiquement révélé le monde intermédiaire qui nous sépare de Dieu.

– Tu crois ? reprit Raphaël en lui jetant un indéfinissable sourire d'ivresse. Eh bien, pour ne pas nous compromettre, portons le fameux toast : *Diis ignotis*[161] *!* »

Et ils vidèrent leurs calices de science, de gaz carbonique, de parfums, de poésie et d'incrédulité.

« Si ces messieurs veulent passer dans le salon, le café les y attend », dit le maître d'hôtel.

En ce moment presque tous les convives se roulaient au sein de ces limbes délicieuses[162] où les lumières de l'esprit s'éteignent, où le corps délivré de son tyran s'abandonne aux joies délirantes de la liberté. Les uns arrivés à l'apogée de l'ivresse restaient mornes et péniblement occupés à saisir une pensée qui leur attestât leur propre existence, les autres plongés dans le marasme produit par une digestion alourdissante niaient le mouvement. D'intrépides orateurs disaient encore de vagues paroles dont le sens leur échappait à eux-mêmes. Quelques refrains retentissaient comme le bruit d'une mécanique obligée d'accomplir sa vie factice et sans âme. Le silence et le tumulte s'étaient bizarrement accouplés. Néanmoins, en entendant la

---

161. « Aux dieux inconnus », par référence aux Actes des Apôtres (XVII, 23) : « 22. Paul, étant donc au milieu de l'aréopage, leur dit : Seigneurs Athéniens, il me semble qu'en toutes choses vous êtes religieux jusqu'à l'excès. / 23. Car ayant regardé en passant les statues de vos dieux, j'ai trouvé même un autel sur lequel il est écrit : AU DIEU INCONNU. C'est donc ce Dieu que vous adorez sans le connaître, que je vous annonce. »

162. *Sic*. Ce mot, du genre masculin, est « consacré parmi les théologiens pour signifier le lieu où les âmes des justes de l'Ancien Testament attendaient que Jésus-Christ fût venu opérer le mystère de la rédemption ; quelques théologiens y mettent aussi les enfants morts sans baptême » (*Littré*).

voix sonore du valet qui, à défaut d'un maître, leur annonçait des joies nouvelles, les convives se levèrent entraînés, soutenus ou portés les uns par les autres. La troupe entière resta pendant un moment immobile et charmée sur le seuil de la porte. Les jouissances excessives du festin pâlirent devant le chatouillant spectacle que l'amphitryon offrait au plus voluptueux de leurs sens. Sous les étincelantes bougies d'un lustre d'or, autour d'une table chargée de vermeil, un groupe de femmes se présenta soudain aux convives hébétés dont les yeux s'allumèrent comme autant de diamants. Riches étaient les parures, mais plus riches encore étaient ces beautés éblouissantes devant lesquelles disparaissaient toutes les merveilles de ce palais. Les yeux passionnés de ces filles, prestigieuses comme des fées, avaient encore plus de vivacité que les torrents de lumière qui faisaient resplendir les reflets satinés des tentures, la blancheur des marbres et les saillies délicates des bronzes. Le cœur brûlait à voir les contrastes de leurs coiffures agitées et de leurs attitudes, toutes diverses d'attraits et de caractère. C'était une haie de fleurs mêlées de rubis, de saphirs et de corail ; une ceinture de colliers noirs sur des cous de neige, des écharpes légères flottant comme les flammes d'un phare, des turbans orgueilleux, des tuniques modestement provocantes. Ce sérail offrait des séductions pour tous les yeux, des voluptés pour tous les caprices. Posée à ravir, une danseuse semblait être sans voile sous les plis onduleux du cachemire. Là une gaze diaphane, ici la soie chatoyante cachaient ou révélaient des perfections mystérieuses. De petits pieds étroits parlaient d'amour, des bouches fraîches et rouges se taisaient. De frêles et décentes jeunes filles, vierges factices dont les jolies chevelures respiraient une religieuse innocence, se présentaient aux regards comme des apparitions qu'un souffle pouvait dissiper. Puis des beautés aristocratiques au regard fier, mais indolentes, mais fluettes, maigres, gracieuses, penchaient la tête comme si elles avaient encore de royales protections à faire acheter. Une Anglaise, blanche et chaste figure aérienne, descendue des nuages d'Ossian [163], ressemblait à un ange de mélancolie, à un remords fuyant le crime. La Parisienne dont toute la beauté gît dans une grâce indescriptible, vaine de sa toilette et de son esprit, armée de sa toute-puissante faiblesse, souple et dure, sirène sans cœur et sans passion, mais qui sait artificieusement créer les trésors de la passion et contrefaire les accents du cœur, ne manquait pas à cette périlleuse assemblée où brillaient encore des Italiennes tranquilles en apparence et consciencieuses dans leur félicité, de riches Normandes aux formes magnifiques, des femmes méridionales aux cheveux noirs, aux yeux bien fendus. Vous eussiez dit des beautés de Versailles convoquées par Lebel [164], ayant dès le matin dressé tous leurs pièges, arrivant comme une troupe d'esclaves orientales réveillées par la voix du marchand pour partir à l'aurore. Elles restaient interdites, honteuses, et s'empressaient autour de la table comme des abeilles qui bourdonnent dans l'intérieur d'une ruche. Cet embarras craintif, reproche et coquetterie tout ensemble, était ou quelque séduction calculée ou de la pudeur involontaire. Peut-être un sentiment que la femme ne dépouille jamais complètement leur ordonnait-il de s'envelopper dans le manteau de la vertu pour donner plus de charme et de piquant aux prodigalités du vice. Aussi la conspiration ourdie par le vieux Taillefer sembla-t-elle devoir échouer. Ces

163. Chacun sait aujourd'hui que c'est le poète James Macpherson (1736-1796) qui, exploitant habilement le goût de son époque pour la poésie primitive, les paysages mélancoliques et le mystère, composa et publia les fameux « Poèmes d'Ossian », prétendument traduits de manuscrits gaéliques, et sut faire croire à l'existence de ce barde écossais du IIIe siècle ; les récits guerriers, romanesques et brumeux, de celui qu'on appela « l'Homère du Nord », eurent un immense succès dans toute l'Europe.

164. Valet de chambre de Louis XV, chargé de ses plaisirs.

hommes sans frein furent subjugués tout d'abord par la puissance majestueuse dont est investie la femme. Un murmure d'admiration résonna comme la plus douce musique. L'amour n'avait pas voyagé de compagnie avec l'ivresse ; au lieu d'un ouragan de passions, les convives surpris dans un moment de faiblesse s'abandonnèrent aux délices d'une voluptueuse extase. À la voix de la poésie qui les domine toujours, les artistes étudièrent avec bonheur les nuances délicates qui distinguaient ces beautés choisies. Réveillé par une pensée, due peut-être à quelque émanation d'acide carbonique dégagé du vin de Champagne, un philosophe frissonna en songeant aux malheurs qui amenaient là ces femmes, dignes peut-être jadis des plus purs hommages. Chacune d'elles avait sans doute un drame sanglant à raconter. Presque toutes apportaient d'infernales tortures, et traînaient après elles des hommes sans foi, des promesses trahies, des joies rançonnées par la misère. Les convives s'approchèrent d'elles avec politesse, et des conversations aussi diverses que les caractères s'établirent. Des groupes se formèrent. Vous eussiez dit d'un salon de bonne compagnie où les jeunes filles et les femmes vont offrant aux convives, après le dîner, les secours que le café, les liqueurs et le sucre prêtent aux gourmands embarrassés dans les travaux d'une digestion récalcitrante. Mais bientôt quelques rires éclatèrent, le murmure augmenta, les voix s'élevèrent. L'orgie, domptée pendant un moment, menaça par intervalles de se réveiller. Ces alternatives de silence et de bruit eurent une vague ressemblance avec une symphonie de Beethoven [165].

Assis sur un moelleux divan, les deux amis virent d'abord arriver près d'eux une grande fille bien pro-

---

165. Balzac avait d'abord écrit dans l'édition originale : une *harmonie* de Beethoven. C'est seulement le 20 avril 1834 qu'il entendit pour la première fois intégralement une symphonie de Beethoven : la *Cinquième* en ut mineur, exécutée au Conservatoire sous la direction de Habeneck.

portionnée, superbe en son maintien, de physionomie assez irrégulière, mais perçante, mais impétueuse, et qui saisissait l'âme par de vigoureux contrastes. Sa chevelure noire, lascivement bouclée, semblait avoir déjà subi les combats de l'amour, et retombait en flocons légers sur ses larges épaules qui offraient des perspectives attrayantes à voir. De longs rouleaux bruns enveloppaient à demi un cou majestueux sur lequel la lumière glissait par intervalles en révélant la finesse des plus jolis contours. La peau, d'un blanc mat, faisait ressortir les tons chauds et animés de ses vives couleurs. L'œil, armé de longs cils, lançait des flammes hardies, étincelles d'amour ! La bouche, rouge, humide, entrouverte, appelait le baiser. Cette fille avait une taille forte, mais amoureusement élastique ; son sein, ses bras étaient largement développés, comme ceux des belles figures du Carrache[166] ; néanmoins, elle paraissait leste, souple, et sa vigueur supposait l'agilité d'une panthère, comme la mâle élégance de ses formes en promettait les voluptés dévorantes[167]. Quoique cette fille dût savoir rire et folâtrer, ses yeux et son sourire effrayaient la pensée. Semblable à ces prophétesses agitées par un démon, elle étonnait plutôt qu'elle ne plaisait. Toutes les expressions passaient par masses et comme des éclairs sur sa figure mobile. Peut-être eût-elle ravi des gens

166. Les Carrache (*Carracci* en italien), peintres et décorateurs bolonais, fondèrent vers 1585 une académie de peinture dont l'enseignement, en réaction contre le maniérisme, était fondé sur l'étude directe de la nature, et qui exerça une influence décisive sur l'art du XVIIe siècle, annonçant autant le classicisme que le baroque. La figure dominante de la famille était Annibale Carracci (1560-1609), dont l'œuvre maîtresse fut la décoration de la galerie Farnèse, et Balzac fait évidemment plus particulièrement allusion ici aux figures sculpturales, d'une vitalité et d'une sensualité alors nouvelles, de ses œuvres d'inspiration mythologique et allégorique – qu'à ses œuvres d'inspiration religieuse.

167. Balzac venait d'évoquer, dans une nouvelle intitulée *Une passion dans le désert* (décembre 1830), les amours magnétiques d'un soldat et d'une lionne pendant la campagne d'Égypte.

blasés, mais un jeune homme l'eût redoutée. C'était une statue colossale tombée du haut de quelque temple grec, sublime à distance, mais grossière à voir de près. Néanmoins, sa foudroyante beauté devait réveiller les impuissants, sa voix charmer les sourds, ses regards ranimer de vieux ossements ; aussi Émile la compara-t-il vaguement à une tragédie de Shakespeare, espèce d'arabesque admirable où la joie hurle, où l'amour a je ne sais quoi de sauvage, où la magie de la grâce et le feu du bonheur succèdent aux sanglants tumultes de la colère ; monstre qui sait mordre et caresser, rire comme un démon, pleurer comme les anges, improviser dans une seule étreinte toutes les séductions de la femme, excepté les soupirs de la mélancolie et les enchanteresses modesties d'une vierge ; puis en un moment rugir, se déchirer les flancs, briser sa passion, son amant ; enfin, se détruire elle-même comme fait un peuple insurgé. Vêtue d'une robe en velours rouge, elle foulait d'un pied insouciant quelques fleurs déjà tombées de la tête de ses compagnes, et d'une main dédaigneuse tendait aux deux amis un plateau d'argent. Fière de sa beauté, fière de ses vices peut-être, elle montrait un bras blanc, qui se détachait vivement sur le velours. Elle était là comme la reine du plaisir, comme une image de la joie humaine, de cette joie qui dissipe les trésors amassés par trois générations, qui rit sur des cadavres, se moque des aïeux, dissout des perles [168] et des trônes, transforme les jeunes gens en vieillards, et souvent les vieillards en jeunes gens ; de cette joie permise seulement aux géants fatigués du pouvoir, éprouvés par la pensée, ou pour lesquels la guerre est devenue comme un jouet.

« Comment te nommes-tu ? lui dit Raphaël.

---

168. Selon Pline l'Ancien (*Histoire naturelle*, IX, 119-121), Cléopâtre, pour renchérir de luxe sur Antoine, aurait fait dissoudre une perle et bu le breuvage ainsi obtenu.

– Aquilina.

– Oh ! oh ! tu viens de *Venise sauvée*[169], s'écria Émile.

– Oui, répondit-elle. De même que les papes se donnent de nouveaux noms en montant au-dessus des hommes, j'en ai pris un autre en m'élevant au-dessus de toutes les femmes.

– As-tu donc, comme ta patronne, un noble et terrible conspirateur qui t'aime et sache mourir pour toi ? dit vivement Émile, réveillé par cette apparence de poésie.

– Je l'ai eu, répondit-elle. Mais la guillotine a été ma rivale. Aussi metté-je toujours quelques chiffons rouges dans ma parure pour que ma joie n'aille jamais trop loin.

– Oh ! si vous lui laissez raconter l'histoire des quatre jeunes gens de La Rochelle[170], elle n'en finira pas. Tais-toi donc, Aquilina ! Les femmes n'ont-elles

---

169. Thomas Otway, auteur dramatique anglais (1652-1685), adapta des pièces de Corneille, Racine, Molière, et transposa dans l'histoire romaine *Roméo et Juliette* de Shakespeare ; *Venice Preserved* (*Venise sauvée*), son œuvre maîtresse (1682), adaptée de l'*Histoire de la conjuration des Espagnols contre Venise en 1618* de l'abbé de Saint-Réal (1674), eut un immense succès en Europe ; elle venait d'être représentée en anglais à Paris en 1827, avec dans le rôle de Belvidera Harriet Smithson, qui fit vite fureur à Paris et devint en 1833 l'épouse de Berlioz. Au IIIe acte, la courtisane Aquilina fouette le vieux sénateur Antonio qui, à quatre pattes sous la table, fait le chien… épisode déjà évoqué dans la *Physiologie du mariage*, XVII. On en déduit aisément la spécialité de la courtisane de Balzac.

170. Dès les premiers mois du gouvernement Villèle, les ennemis du nouveau régime commencèrent à organiser, sur le modèle de la « Carbonaria » napolitaine, une Charbonnerie française, organisation cloisonnée chargée dans chaque région de préparer des soulèvements qui devaient tous éclater en même temps. Par défaut d'organisation, les mouvements se déclenchèrent de façon sporadique, et donnèrent l'éveil aux autorités. Ainsi échoua le complot de quatre sergents du 45e de ligne de Paris, qui, mutés à La Rochelle, ne furent pas assez discrets dans leurs prises de contact avec les *carbonari* locaux. Dénoncés et arrêtés, ils refusèrent de dénoncer leurs chefs, furent exécutés le 21 septembre 1822, et devinrent des héros de la liberté.

pas toutes un amant à pleurer ; mais toutes n'ont pas, comme toi, le bonheur de l'avoir perdu sur un échafaud. Ah ! j'aimerais bien mieux savoir le mien couché dans une fosse, à Clamart[171], que dans le lit d'une rivale. »

Ces phrases furent prononcées d'une voix douce et mélodieuse par la plus innocente, la plus jolie et la plus gentille petite créature qui sous la baguette d'une fée fût jamais sortie d'un œuf enchanté. Elle était arrivée à pas muets, et montrait une figure délicate, une taille grêle, des yeux bleus ravissants de modestie, des tempes fraîches et pures. Une naïade[172] ingénue, qui s'échappe de sa source, n'est pas plus timide, plus blanche ni plus naïve que cette jeune fille qui paraissait avoir seize ans, ignorer le mal, ignorer l'amour, ne pas connaître les orages de la vie, et venir d'une église où elle aurait prié les anges d'obtenir avant le temps son rappel dans les cieux. À Paris seulement se rencontrent ces créatures au visage candide qui cachent la dépravation la plus profonde, les vices les plus raffinés, sous un front aussi doux, aussi tendre que la fleur d'une marguerite. Trompés d'abord par les célestes promesses écrites dans les suaves attraits de cette jeune fille, Émile et Raphaël acceptèrent le café qu'elle leur versa dans les tasses présentées par Aquilina, et se mirent à la questionner. Elle acheva de transfigurer aux yeux des deux poètes, par une sinistre allégorie, je ne sais quelle face de la vie humaine, en opposant à l'expression rude et passionnée de son imposante compagne le portrait de cette corruption froide, voluptueusement cruelle, assez étourdie pour commettre un crime, assez forte pour en rire ;

---

171. C'est au vieux cimetière de Clamart, rue du Fer-à-Moulin, dans le XIIe arrondissement d'alors (le Ve d'aujourd'hui), qu'on enterra les condamnés à mort jusqu'en 1813 – et notamment les conspirateurs Cadoudal et Pichegru. Janin avait situé là le dernier chapitre de *L'Âne mort et la femme guillotinée*.

172. Divinité des rivières et des sources.

espèce de démon sans cœur, qui punit les âmes riches et tendres de ressentir les émotions dont il est privé, qui trouve toujours une grimace d'amour à vendre, des larmes pour le convoi de sa victime, et de la joie le soir pour en lire le testament. Un poète eût admiré la belle Aquilina ; le monde entier devait fuir la touchante Euphrasie : l'une était l'âme du vice, l'autre le vice sans âme.

« Je voudrais bien savoir, dit Émile à cette jolie créature, si parfois tu songes à l'avenir.

– L'avenir ! répondit-elle en riant. Qu'appelez-vous l'avenir ? Pourquoi penserais-je à ce qui n'existe pas encore ? Je ne regarde jamais ni en arrière ni en avant de moi. N'est-ce pas déjà trop que de m'occuper d'une journée à la fois ? D'ailleurs, l'avenir, nous le connaissons, c'est l'hôpital.

– Comment peux-tu voir d'ici l'hôpital et ne pas éviter d'y aller ? s'écria Raphaël.

– Qu'a donc l'hôpital de si effrayant ? demanda la terrible Aquilina. Quand nous ne sommes ni mères ni épouses, quand la vieillesse nous met des bas noirs aux jambes et des rides au front, flétrit tout ce qu'il y a de femme en nous et sèche la joie dans les regards de nos amis, de quoi pourrions-nous avoir besoin ? Vous ne voyez plus alors en nous, de notre parure, que sa fange primitive qui marche sur deux pattes, froide, sèche, décomposée, et va produisant un bruissement de feuilles mortes. Les plus jolis chiffons nous deviennent des haillons, l'ambre qui réjouissait le boudoir prend une odeur de mort et sent le squelette ; puis, s'il se trouve un cœur dans cette boue, vous y insultez tous, vous ne nous permettez même pas un souvenir. Ainsi, que nous soyons, à cette époque de la vie, dans un riche hôtel à soigner des chiens, ou dans un hôpital à trier des guenilles, notre existence n'est-elle pas exactement la même ? Cacher nos cheveux blancs sous un mouchoir à carreaux rouges et bleus ou sous des dentelles, balayer les rues avec du bouleau ou les marches des Tuileries avec du satin, être assises à des foyers dorés ou nous chauffer à des cendres dans un pot de terre rouge, assister au spectacle de la Grève [173] ou aller à l'Opéra, y a-t-il donc là tant de différence ?

– *Aquilina mia*, jamais tu n'as eu tant de raison au milieu de tes désespoirs, reprit Euphrasie. Oui, les cachemires, les vélins [174], les parfums, l'or, la soie, le luxe, tout ce qui brille, tout ce qui plaît ne va bien qu'à la jeunesse. Le temps seul pourrait avoir raison contre nos folies, mais le bonheur nous absout. Vous riez de ce que je dis, s'écria-t-elle en lançant un sourire venimeux aux deux amis ; n'ai-je pas raison ? J'aime mieux mourir de plaisir que de maladie. Je n'ai ni la manie de la perpétuité ni grand respect pour l'espèce humaine à voir ce que Dieu en fait ! Donnez-moi des millions, je les mangerai ; je ne voudrais pas garder un centime pour l'année prochaine. Vivre pour plaire et régner, tel est l'arrêt que prononce chaque battement de mon cœur. La société m'approuve ; ne fournit-elle pas sans cesse à mes dissipations ? Pourquoi le bon Dieu me fait-il tous les matins la rente de ce que je dépense tous les soirs ? pourquoi nous bâtissez-vous des hôpitaux ? Comme il ne nous a pas mis entre le bien et le mal pour choisir ce qui nous blesse ou nous ennuie, je serais bien sotte de ne pas m'amuser.

– Et les autres ? dit Émile.

– Les autres ? Eh bien, qu'ils s'arrangent ! J'aime mieux rire de leurs souffrances que d'avoir à pleurer sur les miennes. Je défie un homme de me causer la moindre peine.

– Qu'as-tu donc souffert pour penser ainsi ? demanda Raphaël.

---

173. Cf. *supra*, notes 11 et 159.

174. Dentelles d'Alençon, appelées aussi « point royal ». On nomma ainsi les points de France fabriqués à Alençon au XVIIIe siècle parce que les modèles et patrons suivis par les dentellières étaient habituellement tracés sur papier vélin.

– J'ai été quittée pour un héritage, moi ! dit-elle en prenant une pose qui fit ressortir toutes ses séductions. Et cependant j'avais passé les nuits et les jours à travailler pour nourrir mon amant. Je ne veux plus être la dupe d'aucun sourire, d'aucune promesse, et je prétends faire de mon existence une longue partie de plaisir.

– Mais, s'écria Raphaël, le bonheur ne vient-il donc pas de l'âme ?

– Eh bien, reprit Aquilina, n'est-ce rien que de se voir admirée, flattée, de triompher de toutes les femmes, même des plus vertueuses, en les écrasant par notre beauté, par notre richesse ? D'ailleurs nous vivons plus en un jour qu'une bonne bourgeoise en dix ans, et alors tout est jugé.

– Une femme sans vertu n'est-elle pas odieuse ? » dit Émile à Raphaël.

Euphrasie leur lança un regard de vipère, et répondit avec un inimitable accent d'ironie : « La vertu ! nous la laissons aux laides et aux bossues. Que seraient-elles sans cela, les pauvres femmes ?

– Allons, tais-toi, s'écria Émile, ne parle point de ce que tu ne connais pas.

– Ah ! je ne la connais pas ! reprit Euphrasie. Se donner pendant toute la vie à un être détesté, savoir élever des enfants qui vous abandonnent, et leur dire : "Merci !" quand ils vous frappent au cœur ; voilà les vertus que vous ordonnez à la femme ; et encore, pour la récompenser de son abnégation, venez-vous lui imposer des souffrances en cherchant à la séduire ; si elle résiste, vous la compromettez. Jolie vie ! Autant rester libres, aimer ceux qui nous plaisent et mourir jeunes.

– Ne crains-tu pas de payer tout cela un jour ?

– Eh bien, répondit-elle, au lieu d'entremêler mes plaisirs de chagrins, ma vie sera coupée en deux parts : une jeunesse certainement joyeuse, et je ne sais quelle vieillesse incertaine pendant laquelle je souffrirai tout à mon aise.

– Elle n'a pas aimé, dit Aquilina d'un son de voix profond. Elle n'a jamais fait cent lieues pour aller dévorer avec mille délices un regard et un refus ; elle n'a point attaché sa vie à un cheveu, ni essayé de poignarder plusieurs hommes pour sauver son souverain, son seigneur, son dieu. Pour elle, l'amour était un joli colonel.

– Hé ! hé ! *La Rochelle*, répondit Euphrasie, l'amour est comme le vent, nous ne savons d'où il vient. D'ailleurs, si tu avais été bien aimée par une bête, tu prendrais les gens d'esprit en horreur.

– Le Code nous défend d'aimer les bêtes, répliqua la grande Aquilina d'un accent ironique.

– Je te croyais plus indulgente pour les militaires, s'écria Euphrasie en riant.

– Sont-elles heureuses de pouvoir abdiquer ainsi leur raison ! s'écria Raphaël.

– Heureuses ! dit Aquilina souriant de pitié, de terreur, en jetant aux deux amis un horrible regard. Ah ! vous ignorez ce que c'est que d'être condamnée au plaisir avec un mort dans le cœur. »

Contempler en ce moment les salons, c'était avoir une vue anticipée du Pandémonium de Milton [175]. Les flammes bleues du punch coloraient d'une teinte infernale les visages de ceux qui pouvaient boire encore. Des danses folles, animées par une sauvage énergie, excitaient des rires et des cris qui éclataient comme les détonations d'un feu d'artifice. Jonchés de morts et de mourants, le boudoir et un petit salon offraient l'image d'un champ de bataille. L'atmosphère était chaude de vin, de plaisirs et de paroles. L'ivresse, l'amour, le délire, l'oubli du monde étaient dans les

---

175. Capitale des enfers dans *Le Paradis perdu* de Milton (1667), poème biblique dominé par la figure de Satan révolté, qui eut une très grande influence sur le romantisme anglais et français.

cœurs, sur les visages, écrits sur les tapis, exprimés par le désordre, et jetaient sur tous les regards de légers voiles qui faisaient voir dans l'air des vapeurs enivrantes. Il s'était ému, comme dans les bandes lumineuses tracées par un rayon de soleil, une poussière brillante à travers laquelle se jouaient les formes les plus capricieuses, les luttes les plus grotesques. Çà et là, des groupes de figures enlacées se confondaient avec les marbres blancs, nobles chefs-d'œuvre de la sculpture qui ornaient les appartements. Quoique les deux amis conservassent encore une sorte de lucidité trompeuse dans les idées et dans leurs organes, un dernier frémissement, simulacre imparfait de la vie, il leur était impossible de reconnaître ce qu'il y avait de réel dans les fantaisies bizarres, de possible dans les tableaux surnaturels qui passaient incessamment devant leurs yeux lassés. Le ciel étouffant de nos rêves, l'ardente suavité que contractent les figures dans nos visions, surtout je ne sais quelle agilité chargée de chaînes, enfin les phénomènes les plus inaccoutumés du sommeil les assaillaient si vivement qu'ils prirent les jeux de cette débauche pour les caprices d'un cauchemar où le mouvement est sans bruit, où les cris sont perdus pour l'oreille. En ce moment le valet de chambre de confiance réussit, non sans peine, à attirer son maître dans l'antichambre, et lui dit à l'oreille :

« Monsieur, tous les voisins sont aux fenêtres et se plaignent du tapage.

– S'ils ont peur du bruit, ne peuvent-ils pas faire mettre de la paille devant leurs portes ? » s'écria Taillefer.

Raphaël laissa tout à coup échapper un éclat de rire si brusquement [176] intempestif, que son ami lui demanda compte de cette joie brutale.

---

176. Toutes les éditions antérieures donnaient « burlesquement » : « brusquement » est peut-être une inadvertance du typographe, restée inaperçue de Balzac.

« Tu me comprendrais difficilement, répondit-il. D'abord, il faudrait t'avouer que vous m'avez arrêté sur le quai Voltaire, au moment où j'allais me jeter dans la Seine, et tu voudrais sans doute connaître les motifs de ma mort. Mais quand j'ajouterais que, par un hasard presque fabuleux, les ruines les plus poétiques du monde matériel venaient alors de se résumer à mes yeux par une traduction symbolique de la sagesse humaine ; tandis qu'en ce moment les débris de tous les trésors intellectuels que nous avons saccagés à table aboutissent à ces deux femmes, images vives et originales de la folie, et que notre profonde insouciance des hommes et des choses a servi de transition aux tableaux fortement colorés de deux systèmes d'existence si diamétralement opposés, en seras-tu plus instruit ? Si tu n'étais pas ivre, tu y verrais peut-être un traité de philosophie.

– Si tu n'avais pas les deux pieds sur cette ravissante Aquilina dont les ronflements ont je ne sais quelle analogie avec le rugissement d'un orage près d'éclater, reprit Émile qui lui-même s'amusait à rouler et à dérouler les cheveux d'Euphrasie sans trop avoir la conscience de cette innocente occupation, tu rougirais de ton ivresse et de ton bavardage. Tes deux systèmes peuvent entrer dans une seule phrase et se réduisent à une pensée. La vie simple et mécanique conduit à quelque sagesse insensée en étouffant notre intelligence par le travail ; tandis que la vie passée dans le vide des abstractions ou dans les abîmes du monde moral mène à quelque folle sagesse. En un mot, tuer les sentiments pour vivre vieux, ou mourir jeune en acceptant le martyre des passions, voilà notre arrêt. Encore, cette sentence lutte-t-elle avec les tempéraments que nous a donnés le rude goguenard [177] à qui nous devons le patron de toutes les créatures.

---

177. C'est-à-dire Dieu ! Gautier, qui parodiera « l'orgie échevelée » de *La Peau de chagrin* dans *Le Bol de punch*, reprendra l'adjectif pour sous-titrer *Les Jeunes-France* « romans goguenards ».

– Imbécile ! s'écria Raphaël en l'interrompant. Continue à t'abréger toi-même ainsi, tu feras des volumes ! Si j'avais eu la prétention de formuler proprement ces deux idées, je t'aurais dit que l'homme se corrompt par l'exercice de la raison et se purifie par l'ignorance. C'est faire le procès aux sociétés ! Mais que nous vivions avec les sages ou que nous périssions avec les fous, le résultat n'est-il pas tôt ou tard le même ? Aussi, le grand abstracteur de quintessence a-t-il jadis exprimé ces deux systèmes en deux mots : CARYMARY, CARYMARA [178].

– Tu me fais douter de la puissance de Dieu, car tu es plus bête qu'il n'est puissant, répliqua Émile. Notre cher Rabelais a résolu cette philosophie par un mot plus bref que *Carymary, Carymara* : c'est *peut-être* [179], d'où Montaigne a pris son *Que sais-je* [180] ? Encore ces derniers mots de la science morale ne sont-ils guère que l'exclamation de Pyrrhon [181] restant entre le bien et le mal, comme l'âne de Buridan [182] entre deux

---

178. C'est au chapitre XVII de *Gargantua* que Gargantua, en guise de bienvenue, compisse joyeusement les Parisiens, noyant cent soixante mille quatre cent dix-huit d'entre eux, cependant que les autres, réfugiés sur la montagne Sainte-Geneviève, jurent ainsi : « Carymary, carymara ! Par saincte Mamye, nous son baignez par rys » – d'où viendrait le nom de *Paris* !

179. Rabelais mourant aurait, dit-on, murmuré : « Je vais quérir un grand peut-être. »

180. Montaigne, *Essais*, livre II : « Apologie de Raimond Sebond ». Au « peut-être » de Rabelais et au « Que sais-je ? » de Montaigne, Balzac ajoutait, dans les éditions antérieures à 1838 : « et Charles Nodier le : *qu'est-ce que cela me fait ?* de Breloque » – Breloque étant un personnage de l'*Histoire du roi de Bohême et de ses sept châteaux*, citée plus haut (voir *supra*, note 151). Les trois interrogations se trouvaient déjà rapprochées à quelques lignes de distance dans le livre de Nodier.

181. Philosophe sceptique grec (vers 365-275 av. J.-C.), qui niait la possibilité pour l'homme d'atteindre à la vérité.

182. Jean Buridan, philosophe scolastique (vers 1300-après 1366) ; son célèbre argument de l'âne, argument en faveur du libre-arbitre, consiste à dire que, s'il y avait déterminisme, un âne ayant aussi faim que soif, et se trouvant à égale distance d'un boisseau d'avoine et d'un seau d'eau, ne parviendrait pas à choisir et mourrait et de faim et de soif.

mesures d'avoine. Mais laissons là cette éternelle discussion qui aboutit aujourd'hui à *oui et non.* Quelle expérience voulais-tu donc faire en te jetant dans la Seine ? étais-tu jaloux de la machine hydraulique du pont Notre-Dame[183] ?

– Ah ! si tu connaissais ma vie.

– Ah ! s'écria Émile, je ne te croyais pas si vulgaire, la phrase est usée. Ne sais-tu pas que nous avons tous la prétention de souffrir beaucoup plus que les autres ?

– Ah ! s'écria Raphaël.

– Mais tu es bouffon avec ton *ah* ! Voyons ? une maladie d'âme ou de corps t'oblige-t-elle de ramener tous les matins, par une contraction de tes muscles, les chevaux qui le soir doivent t'écarteler, comme jadis le fit Damiens[184] ? As-tu mangé ton chien tout cru, sans sel, dans ta mansarde ? Tes enfants t'ont-ils jamais dit : “J'ai faim” ? As-tu vendu les cheveux de ta maîtresse pour aller au jeu ? Es-tu jamais allé payer à un faux domicile une fausse lettre de change, tirée sur un faux oncle, avec la crainte d'arriver trop tard ? Voyons, j'écoute. Si tu te jetais à l'eau pour une femme, pour un protêt, ou par ennui, je te renie. Confesse-toi, ne mens pas ; je ne te demande point de mémoires historiques[185]. Surtout, sois aussi bref que ton ivresse te le

---

183. Cette « machine hydraulique », construite en 1670 et munie de deux pompes, distribuait l'eau de la Seine à plusieurs fontaines de Paris. Elle fut supprimée sous le Second Empire.

184. Damiens (1715-1757) se crut désigné pour « avertir » Louis XV de mieux songer à ses devoirs, et le frappa d'un coup de canif. Il fut torturé, écartelé en place de Grève, et comme sa résistance physique était grande, il fallut l'achever. L'horreur de son supplice, hors de proportion avec l'infime blessure infligée au Roi, fit scandale.

185. Autre manière de demander à Raphaël de ne pas mentir : comme les mémoires historiques étaient alors fort à la mode, les mémoires apocryphes se multipliaient. Plus loin, Raphaël raconte comment Rastignac le proposa comme nègre à Finot pour rédiger des mémoires historiques sur l'affaire du Collier (cf. *infra*, note 264 et texte correspondant). Au début de 1830, Balzac collabora lui-même à des *Mémoires de Sanson* (voir présentation).

permettra : je suis exigeant comme un lecteur, et près de dormir comme une femme qui lit ses vêpres.

– Pauvre sot ! dit Raphaël. Depuis quand les douleurs ne sont-elles plus en raison de la sensibilité ? Lorsque nous arriverons au degré de science qui nous permettra de faire une histoire naturelle des cœurs, de les nommer, de les classer en genres, en sous-genres, en familles, en crustacés, en fossiles, en sauriens, en microscopiques, en… que sais-je ? alors, mon bon ami, ce sera chose prouvée qu'il en existe de tendres, de délicats, comme des fleurs, et qui doivent se briser comme elles par de légers froissements auxquels certains cœurs minéraux ne sont même pas sensibles.

– Oh ! de grâce, épargne-moi ta préface », dit Émile d'un air moitié riant moitié piteux, en prenant la main de Raphaël.

La femme sans cœur

Après être resté silencieux pendant un moment, Raphaël dit en laissant échapper un geste d'insouciance : « Je ne sais en vérité s'il ne faut pas attribuer aux fumées du vin et du punch l'espèce de lucidité qui me permet d'embrasser en cet instant toute ma vie comme un même tableau où les figures, les couleurs, les ombres, les lumières, les demi-teintes sont fidèlement rendues. Ce jeu poétique de mon imagination ne m'étonnerait pas, s'il n'était accompagné d'une sorte de dédain pour mes souffrances et pour mes joies passées. Vue à distance, ma vie est comme rétrécie par un phénomène moral. Cette longue et lente douleur qui a duré dix ans peut aujourd'hui se reproduire par quelques phrases dans lesquelles la douleur ne sera plus qu'une pensée, et le plaisir une réflexion philosophique. Je juge, au lieu de sentir…

– Tu es ennuyeux comme un amendement qui se développe, s'écria Émile.

– C'est possible, reprit Raphaël sans murmurer. Aussi, pour ne pas abuser de tes oreilles, te ferai-je grâce des dix-sept premières années de ma vie. Jusque-là, j'ai vécu comme toi, comme mille autres, de cette vie de collège ou de lycée, dont les malheurs fictifs et les joies réelles sont les délices de notre souvenir, à laquelle notre gastronomie blasée redemande les légumes du vendredi, tant que nous ne les avons pas goûtés de nouveau : belle vie dont les travaux nous semblent méprisables et qui cependant nous ont appris le travail…

– Arrive au drame, dit Émile d'un air moitié comique et moitié plaintif.

– Quand je sortis du collège, reprit Raphaël en réclamant par un geste le droit de continuer, mon père m'astreignit à une discipline sévère, il me logea dans une chambre contiguë à son cabinet ; je me couchais dès neuf heures du soir et me levais à cinq heures du matin ; il voulait que je fisse mon Droit en conscience, j'allais en même temps à l'École et chez un avoué ; mais les lois du temps et de l'espace étaient si sévèrement appliquées à mes courses, à mes travaux, et mon père me demandait en dînant un compte si rigoureux de…

– Qu'est-ce que cela me fait [186] ? dit Émile.

– Eh ! que le diable t'emporte, répondit Raphaël. Comment pourras-tu concevoir mes sentiments si je ne te raconte les faits imperceptibles qui influèrent sur mon âme, la façonnèrent à la crainte et me laissèrent longtemps dans la naïveté primitive du jeune homme ? Ainsi, jusqu'à vingt et un ans, j'ai été courbé sous un despotisme aussi froid que celui d'une règle monacale. Pour te révéler les tristesses de ma vie, il suffira peut-être de te dépeindre mon père : un grand homme sec et mince, le visage en lame de couteau, le teint pâle, à parole brève, taquin comme une vieille fille, méticuleux comme un chef de bureau. Sa paternité planait au-dessus de mes lutines et joyeuses pensées, et les enfermait comme sous un dôme de plomb ; si je voulais lui manifester un sentiment doux et tendre, il me recevait en enfant qui va dire une sottise ; je le redoutais bien plus que nous ne craignions naguère nos maîtres d'étude, j'avais toujours huit ans pour lui. Je crois encore le voir devant moi. Dans sa redingote marron, où il se tenait droit comme un cierge pascal, il avait l'air d'un hareng saur enveloppé dans la cou-

186. Cf. *supra*, note 180. Balzac met dans la bouche d'Émile la réplique de Breloque.

verture rougeâtre d'un pamphlet. Cependant j'aimais mon père, au fond il était juste. Peut-être ne haïssons-nous pas la sévérité quand elle est justifiée par un grand caractère, par des mœurs pures, et qu'elle est adroitement entremêlée de bonté. Si mon père ne me quitta jamais, si, jusqu'à l'âge de vingt ans, il ne laissa pas dix francs à ma disposition, dix coquins, dix libertins de francs, trésor immense dont la possession vainement enviée me faisait rêver d'ineffables délices, il cherchait du moins à me procurer quelques distractions. Après m'avoir promis un plaisir pendant des mois entiers, il me conduisait aux Bouffons, à un concert, à un bal où j'espérais rencontrer une maîtresse. Une maîtresse ! c'était pour moi l'indépendance. Mais honteux et timide, ne sachant point l'idiome des salons et n'y connaissant personne, j'en revenais le cœur toujours aussi neuf et tout aussi gonflé de désirs. Puis le lendemain, bridé comme un cheval d'escadron par mon père, dès le matin je retournais chez un avoué, au Droit, au Palais. Vouloir m'écarter de la route uniforme que mon père m'avait tracée, c'eût été m'exposer à sa colère ; il m'avait menacé de m'embarquer à ma première faute, en qualité de mousse, pour les Antilles. Aussi me prenait-il un horrible frisson quand par hasard j'osais m'aventurer, pendant une heure ou deux, dans quelque partie de plaisir. Figure-toi l'imagination la plus vagabonde, le cœur le plus amoureux, l'âme la plus tendre, l'esprit le plus poétique, sans cesse en présence de l'homme le plus caillouteux, le plus atrabilaire, le plus froid du monde ; enfin marie une jeune fille à un squelette, et tu comprendras l'existence dont les scènes curieuses ne peuvent que t'être dites : projets de fuite évanouis à l'aspect de mon père, désespoirs calmés par le sommeil, désirs comprimés, sombres mélancolies dissipées par la musique. J'exhalais mon malheur en mélodies. Beethoven ou Mozart furent souvent mes discrets confidents. Aujourd'hui je souris en me souvenant de tous les préjugés qui troublaient ma conscience à cette époque d'innocence et de vertu : si j'avais mis le pied chez un restaurateur, je me serais cru ruiné ; mon imagination me faisait considérer un café comme un lieu de débauche, où les hommes se perdaient d'honneur et engageaient leur fortune ; quant à risquer de l'argent au jeu, il aurait fallu en avoir. Oh ! quand je devrais t'endormir, je veux te raconter l'une des plus terribles joies de ma vie, une de ces joies armées de griffes et qui s'enfoncent dans notre cœur comme un fer chaud sur l'épaule d'un forçat. J'étais au bal chez le duc de Navarreins, cousin de mon père. Mais pour que tu puisses parfaitement comprendre ma position, apprends que j'avais un habit râpé, des souliers mal faits, une cravate de cocher et des gants déjà portés. Je me mis dans un coin afin de pouvoir tout à mon aise prendre des glaces et contempler les jolies femmes. Mon père m'aperçut. Par une raison que je n'ai jamais devinée, tant cet acte de confiance m'abasourdit, il me donna sa bourse et ses clefs à garder. À dix pas de moi quelques hommes jouaient. J'entendais frétiller l'or. J'avais vingt ans, je souhaitais passer une journée entière plongé dans les crimes de mon âge. C'était un libertinage d'esprit dont l'analogue ne se trouverait ni dans les caprices de courtisane, ni dans les songes des jeunes filles. Depuis un an je me rêvais bien mis, en voiture, ayant une belle femme à mes côtés, tranchant du seigneur, dînant chez Véry [187], allant le soir au spectacle, décidé à ne revenir que le lendemain chez mon père, mais armé contre lui d'une aventure plus intriguée [188] que ne l'est *Le Mariage de Figaro*, et de laquelle il lui aurait été impossible de se dépêtrer.

---

187. Le célèbre Café Véry, fondé en 1805 au jardin des Tuileries, était depuis 1808 installé au Palais-Royal ; il resta très à la mode jusqu'au milieu du XIXe siècle.

188. « Où l'intrigue est bien nouée, en parlant d'une pièce de théâtre, d'un roman » (*Littré*).

J'avais estimé toute cette joie cinquante écus. N'étais-je pas encore sous le charme naïf de *l'école buissonnière* ? J'allai donc dans un boudoir où, seul, les yeux cuisants, les doigts tremblants, je comptai l'argent de mon père : cent écus ! Évoquées par cette somme, les joies de mon escapade apparurent devant moi, dansant comme les sorcières de Macbeth[189] autour de leur chaudière, mais alléchantes, frémissantes, délicieuses ! Je devins un coquin déterminé. Sans écouter ni les tintements de mon oreille, ni les battements précipités de mon cœur, je pris deux pièces de vingt francs que je vois encore ! Leurs millésimes étaient effacés et la figure de Bonaparte y grimaçait. Après avoir mis la bourse dans ma poche, je revins vers une table de jeu en tenant les deux pièces d'or dans la paume humide de ma main, et je rôdai autour des joueurs comme un émouchet[190] au-dessus d'un poulailler. En proie à des angoisses inexprimables, je jetai soudain un regard translucide[191] autour de moi. Certain de n'être aperçu par aucune personne de connaissance, je pariai pour un petit homme gras et réjoui, sur la tête duquel j'accumulai plus de prières et de vœux qu'il ne s'en fait en mer pendant trois tempêtes. Puis, avec un instinct de scélératesse ou de machiavélisme surprenant à mon âge, j'allai me planter près d'une porte, regardant à travers les salons sans y rien voir. Mon âme et mes yeux voltigeaient autour du fatal tapis vert. De cette soirée date la première observation physiologique à laquelle j'ai dû cette espèce de pénétration qui m'a permis de saisir quelques mystères de notre double nature. Je tournais le dos à la table où se disputait mon futur bonheur, bonheur d'autant plus profond peut-être qu'il était criminel ; entre les deux

---

189. Deuxième allusion à Shakespeare (cf. *supra*, note 26).
190. « Oiseau de proie semblable à l'épervier » (*Littré*).
191. Balzac n'utilise pas l'adjectif dans son sens propre. Il faut sans doute comprendre : un regard d'une acuité transperçant les choses, un regard de « voyant ».

joueurs et moi, il se trouvait une haie d'hommes, épaisse de quatre ou cinq rangées de causeurs ; le bourdonnement des voix empêchait de distinguer le son de l'or qui se mêlait au bruit de l'orchestre ; malgré tous ces obstacles, par un privilège accordé aux passions et qui leur donne le pouvoir d'anéantir l'espace et le temps, j'entendais distinctement les paroles des deux joueurs, je connaissais leurs points, je savais celui des deux qui retournait le roi comme si j'eusse vu les cartes ; enfin à dix pas du jeu, je pâlissais de ses caprices. Mon père passa devant moi tout à coup, je compris alors cette parole de l'Écriture : “L'esprit de Dieu passa devant sa face [192] !” J'avais gagné. À travers le tourbillon d'hommes qui gravitait autour des joueurs, j'accourus à la table en m'y glissant avec la dextérité d'une anguille qui s'échappe par la maille rompue d'un filet. De douloureuses, mes fibres devinrent joyeuses. J'étais comme un condamné qui, marchant au supplice, a rencontré le roi. Par hasard, un homme décoré réclama quarante francs qui manquaient. Je fus soupçonné par des yeux inquiets, je pâlis et des gouttes de sueur sillonnèrent mon front. Le crime d'avoir volé mon père me parut bien vengé. Le bon gros petit homme dit alors d'une voix certainement angélique : “Tous ces messieurs avaient mis”, et paya les quarante francs. Je relevai mon front et jetai des regards triomphants sur les joueurs. Après avoir réintégré dans la bourse de mon père l'or que j'y avais pris, je laissai mon gain à ce digne et honnête monsieur qui continua de gagner. Dès que je me vis possesseur de cent soixante francs, je les enveloppai dans mon mouchoir de manière à ce qu'ils ne pussent ni remuer ni sonner pendant notre retour au logis, et ne jouai plus. “Que faisiez-vous au jeu ? me dit mon père en entrant dans le fiacre. – Je regardais, répondis-je en

---

192. On pense évidemment à Moïse dans l'Exode, mais il est difficile d'affirmer avec certitude à quel passage de la Bible Balzac fait ici allusion.

tremblant. – Mais, reprit mon père, il n'y aurait eu rien d'extraordinaire à ce que vous eussiez été forcé par amour-propre à mettre quelque argent sur le tapis. Aux yeux des gens du monde, vous paraissez assez âgé pour avoir le droit de commettre des sottises. Aussi vous excuserais-je, Raphaël, si vous vous étiez servi de ma bourse…" Je ne répondis rien. Quand nous fûmes de retour, je rendis à mon père ses clefs et son argent. En rentrant dans sa chambre, il vida la bourse sur sa cheminée, compta l'or, se tourna vers moi d'un air assez gracieux, et me dit en séparant chaque phrase par une pause plus ou moins longue et significative : "Mon fils, vous avez bientôt vingt ans. Je suis content de vous. Il vous faut une pension, ne fût-ce que pour vous apprendre à économiser, à connaître les choses de la vie. Dès ce soir, je vous donnerai cent francs par mois. Vous disposerez de votre argent comme il vous plaira. Voici le premier trimestre de cette année", ajouta-t-il en caressant une pile d'or, comme pour vérifier la somme. J'avoue que je fus près de me jeter à ses pieds, à lui déclarer que j'étais un brigand, un infâme, et… pis que cela, un menteur ! la honte me retint, j'allais l'embrasser, il me repoussa faiblement. "Maintenant, tu es un homme, *mon enfant*, me dit-il. Ce que je fais est une chose simple et juste dont tu ne dois pas me remercier. Si j'ai droit à votre reconnaissance, Raphaël, reprit-il d'un ton doux mais plein de dignité, c'est pour avoir préservé votre jeunesse des malheurs qui dévorent tous les jeunes gens, à Paris. Désormais, nous serons deux amis. Vous deviendrez, dans un an, docteur en droit. Vous avez, non sans quelques déplaisirs et certaines privations, acquis les connaissances solides et l'amour du travail si nécessaires aux hommes appelés à manier les affaires. Apprenez, Raphaël, à me connaître. Je ne veux faire de vous ni un avocat, ni un notaire, mais un homme d'État qui puisse devenir la gloire de notre pauvre maison. À demain !" ajouta-t-il en me renvoyant par un geste mystérieux. Dès ce jour, mon père m'initia franchement à ses projets. J'étais fils unique et j'avais perdu ma mère depuis dix ans. Autrefois, peu flatté d'avoir le droit de labourer la terre l'épée au côté, mon père, chef d'une maison historique à peu près oubliée en Auvergne, vint à Paris pour y lutter avec le diable. Doué de cette finesse qui rend les hommes du Midi de la France si supérieurs quand elle se trouve accompagnée d'énergie, il était parvenu sans grand appui à prendre position au cœur même du pouvoir. La Révolution renversa bientôt sa fortune ; mais il avait su épouser l'héritière d'une grande maison, et s'était vu sous l'Empire au moment de restituer à notre famille son ancienne splendeur. La Restauration, qui rendit à ma mère des biens considérables, ruina mon père. Ayant jadis acheté plusieurs terres données par l'empereur à ses généraux et situées en pays étranger, il se battait depuis dix ans avec des liquidateurs et des diplomates, avec les tribunaux prussiens et bavarois pour se maintenir dans la possession contestée de ces malheureuses dotations. Mon père me jeta dans le labyrinthe inextricable de ce vaste procès d'où dépendait notre avenir. Nous pouvions être condamnés à restituer les revenus ainsi que le prix de certaines coupes de bois faites de 1814 à 1816 ; dans ce cas, le bien de ma mère suffisait à peine pour sauver l'honneur de notre nom. Ainsi, le jour où mon père parut en quelque sorte m'avoir émancipé, je tombai sous le joug le plus odieux. Je dus combattre comme sur un champ de bataille, travailler nuit et jour, aller voir des hommes d'État, tâcher de surprendre leur religion, tenter de les intéresser à notre affaire, les séduire, eux, leurs femmes, leurs valets, leurs chiens [193], et déguiser cet horrible métier sous des formes élégantes, sous

---

193. Balzac parodie « Le Loup et l'Agneau » de La Fontaine : « Car vous ne m'épargnez guère, / Vous, vos bergers et vos chiens. » (*Fables*, I, 10, v. 24-25.)

d'agréables plaisanteries. Je compris tous les chagrins dont l'empreinte flétrissait la figure de mon père. Pendant une année environ, je menai donc en apparence la vie d'un homme du monde ; mais cette dissipation et mon empressement à me lier avec des parents en faveur ou avec des gens qui pouvaient nous être utiles cachaient d'immenses travaux. Mes divertissements étaient encore des plaidoiries, et mes conversations des mémoires. Jusque-là, j'avais été vertueux par l'impossibilité de me livrer à mes passions de jeune homme ; mais craignant alors de causer la ruine de mon père ou la mienne par une négligence, je devins mon propre despote, et n'osai me permettre ni un plaisir ni une dépense. Lorsque nous sommes jeunes, quand, à force de froissements, les hommes et les choses ne nous ont point encore enlevé cette délicate fleur de sentiment, cette verdeur de pensée, cette noble pureté de conscience qui ne nous laisse jamais transiger avec le mal, nous sentons vivement nos devoirs ; notre honneur parle haut et se fait écouter ; nous sommes francs et sans détour : ainsi étais-je alors. Je voulus justifier la confiance de mon père ; naguère, je lui aurais dérobé délicieusement une chétive somme ; mais portant avec lui le fardeau de ses affaires, de son nom, de sa maison, je lui eusse donné secrètement mes biens, mes espérances, comme je lui sacrifiais mes plaisirs, heureux même de mon sacrifice ! Aussi, quand M. de Villèle[194] exhuma, tout exprès pour nous, un décret impérial sur les déchéances, et nous eut ruinés, signai-je la vente de mes propriétés, n'en gardant qu'une île sans valeur, située au milieu de la Loire, et où se trouvait le tombeau de ma mère. Aujourd'hui, peut-être, les arguments, les détours, les discussions philosophiques, philanthropiques et politiques ne me manqueraient pas pour me dispenser de faire ce que mon

---

194. Nous sommes en 1825, au début du règne de Charles X, au moment où se discute âprement à la Chambre la question de l'indemnisation des émigrés. Nous ne savons pas à quel décret Balzac fait allusion.

avoué nommait une *bêtise*. Mais à vingt et un ans, nous sommes, je le répète, tout générosité, tout chaleur, tout amour. Les larmes que je vis dans les yeux de mon père furent alors pour moi la plus belle des fortunes, et le souvenir de ces larmes a souvent consolé ma misère. Dix mois après avoir payé ses créanciers, mon père mourut de chagrin, il m'adorait et m'avait ruiné ; cette idée le tua. En 1826, à l'âge de vingt-deux ans, vers la fin de l'automne, je suivis tout seul le convoi de mon premier ami, de mon père. Peu de jeunes gens se sont trouvés, seuls avec leurs pensées, derrière un corbillard, perdus dans Paris, sans avenir, sans fortune. Les orphelins recueillis par la charité publique ont au moins pour avenir le champ de bataille, pour père le Gouvernement ou le procureur du roi, pour refuge un hospice. Moi, je n'avais rien ! Trois mois après, un commissaire-priseur me remit onze cent douze francs, produit net et liquide de la succession paternelle. Des créanciers m'avaient obligé à vendre notre mobilier. Accoutumé dès ma jeunesse à donner une grande valeur aux objets de luxe dont j'étais entouré, je ne pus m'empêcher de marquer une sorte d'étonnement à l'aspect de ce reliquat exigu. “Oh ! me dit le commissaire-priseur, tout cela était bien *rococo* [195].” Mot épouvantable qui flétrissait toutes les religions de mon enfance et me dépouillait de mes premières illusions, les plus chères de toutes. Ma fortune se résumait par un bordereau de vente, mon avenir gisait dans un sac de toile qui contenait onze cent douze francs, la Société m'apparaissait en la personne d'un huissier-priseur qui me parlait le chapeau sur la tête. Un valet de chambre qui me chérissait, et à qui ma mère avait jadis constitué quatre cents francs de rente viagère,

---

195. Le mot « rococo » (formé sur « rocaille ») désigne au sens propre un style en vogue sous Louis XV, style assez mièvre caractérisé par une profusion d'ornements contournés. Robert atteste en 1830 le sens par extension de « démodé et un peu ridicule ».

Jonathas, me dit en quittant la maison d'où j'étais si souvent sorti joyeusement en voiture pendant mon enfance : "Soyez bien économe, monsieur Raphaël !" Il pleurait, le bon homme.

« Tels sont, mon cher Émile, les événements qui maîtrisèrent ma destinée, modifièrent mon âme, et me placèrent jeune encore dans la plus fausse de toutes les situations sociales, dit Raphaël après avoir fait une pause. Des liens de famille, mais faibles, m'attachaient à quelques maisons riches dont l'accès m'eût été interdit par ma fierté, si le mépris et l'indifférence ne m'en eussent déjà fermé les portes. Quoique parent de personnes très influentes et prodigues de leur protection pour des étrangers, je n'avais ni parents ni protecteurs. Sans cesse arrêtée dans ses expansions, mon âme s'était repliée sur elle-même. Plein de franchise et de naturel, je devais paraître froid, dissimulé ; le despotisme de mon père m'avait ôté toute confiance en moi ; j'étais timide et gauche, je ne croyais pas que ma voix pût exercer le moindre empire, je me déplaisais, je me trouvais laid, j'avais honte de mon regard. Malgré la voix intérieure qui doit soutenir les hommes de talent dans leurs luttes, et qui me criait : "Courage ! marche !" malgré les révélations soudaines de ma puissance dans la solitude, malgré l'espoir dont j'étais animé en comparant les ouvrages nouveaux admirés du public à ceux qui voltigeaient dans ma pensée, je doutais de moi comme un enfant. J'étais la proie d'une excessive ambition, je me croyais destiné à de grandes choses, et je me sentais dans le néant. J'avais besoin des hommes, et je me trouvais sans amis. Je devais me frayer une route dans le monde, et j'y restais seul, moins craintif que honteux. Pendant l'année où je fus jeté par mon père dans le tourbillon de la grande société, j'y vins avec un cœur neuf, avec une âme fraîche. Comme tous les grands enfants, j'aspirai secrètement à de belles amours. Je rencontrai parmi les jeunes gens de mon âge une secte de fanfarons qui allaient tête levée, disant des riens, s'asseyant sans trembler près des femmes qui me semblaient les plus imposantes, débitant des impertinences, mâchant le bout de leurs cannes, minaudant, se prostituant à eux-mêmes les plus jolies personnes, mettant ou prétendant avoir mis leurs têtes sur tous les oreillers, ayant l'air d'être au refus du plaisir, considérant les plus vertueuses, les plus prudes comme de prise facile et pouvant être conquises à la simple parole, au moindre geste hardi, par le premier regard insolent ! Je te le déclare, en mon âme et conscience, la conquête du pouvoir ou d'une grande renommée littéraire me paraissait un triomphe moins difficile à obtenir qu'un succès auprès d'une femme de haut rang, jeune, spirituelle et gracieuse. Je trouvai donc les troubles de mon cœur, mes sentiments, mes cultes en désaccord avec les maximes de la société. J'avais de la hardiesse, mais dans l'âme seulement, et non dans les manières. J'ai su plus tard que les femmes ne voulaient pas être mendiées ; j'en ai beaucoup vu que j'adorais de loin, auxquelles je livrais un cœur à toute épreuve, une âme à déchirer, une énergie qui ne s'effrayait ni des sacrifices, ni des tortures ; elles appartenaient à des sots de qui je n'aurais pas voulu pour portiers. Combien de fois, muet, immobile, n'ai-je pas admiré la femme de mes rêves, surgissant dans un bal ; dévouant alors en pensée mon existence à des caresses éternelles, j'imprimais toutes mes espérances en un regard, et lui offrais dans mon extase un amour de jeune homme qui courait au-devant des tromperies. En certains moments, j'aurais donné ma vie pour une seule nuit. Eh bien, n'ayant jamais trouvé d'oreilles où jeter mes propos passionnés, de regards où reposer les miens, de cœur pour mon cœur, j'ai vécu dans tous les tourments d'une impuissante énergie qui se dévorait elle-même, soit faute de hardiesse ou d'occasions, soit inexpérience. Peut-être ai-je désespéré de me faire comprendre, ou tremblé d'être trop compris. Et cependant j'avais un orage tout prêt à chaque regard poli que l'on pouvait m'adresser. Malgré ma promptitude à prendre ce regard ou des mots en apparence affectueux comme de tendres engagements, je n'ai jamais osé ni parler ni me taire à propos. À force de sentiment ma parole était insignifiante, et mon silence devenait stupide. J'avais sans doute trop de naïveté pour une société factice qui vit aux lumières, qui rend toutes ses pensées par des phrases convenues, ou par des mots que dicte la mode [196]. Puis je ne savais point parler en me taisant, ni me taire en parlant. Enfin, gardant en moi des feux qui me brûlaient, ayant une âme semblable à celles que les femmes souhaitent de rencontrer, en proie à cette exaltation dont elles sont avides, possédant l'énergie dont se vantent les sots, toutes les femmes m'ont été traîtreusement cruelles. Aussi, admirais-je naïvement les héros de coterie quand ils célébraient leurs triomphes, sans les soupçonner de mensonge. J'avais sans doute le tort de désirer un amour sur parole, de vouloir trouver grande et forte dans un cœur de femme frivole et légère, affamée de luxe, ivre de vanité, cette passion large, cet océan qui battait tempétueusement dans mon cœur. Oh ! se sentir né pour aimer, pour rendre une femme bien heureuse, et n'avoir trouvé personne, même pas une courageuse et noble Marceline [197] ou quelque vieille marquise ! Porter des trésors dans une besace et ne pouvoir rencontrer une enfant, quelque jeune fille curieuse pour les lui faire admirer. J'ai souvent voulu me tuer de désespoir.

– Joliment tragique ce soir ! s'écria Émile.

---

196. En mai 1830, Balzac avait publié dans *La Mode* un article intitulé précisément « Des mots à la mode ».

197. Dans *Le Mariage de Figaro* de Beaumarchais (déjà cité plus haut) ; Figaro, amoureux de Suzanne, délaisse Marceline à laquelle il avait promis de l'épouser, mais à l'acte III Marceline découvre que Figaro est le fils qu'elle eut jadis de Bartolo.

– Eh ! laisse-moi condamner ma vie, répondit Raphaël. Si ton amitié n'a pas la force d'écouter mes élégies, si tu ne peux me faire crédit d'une demi-heure d'ennui, dors ! Mais ne me demande plus alors compte de mon suicide qui gronde, qui se dresse, qui m'appelle et que je salue. Pour juger un homme, au moins faut-il être dans le secret de sa pensée, de ses malheurs, de ses émotions ; ne vouloir connaître de sa vie que les événements matériels, c'est faire de la chronologie, l'histoire des sots ! »

Le ton amer avec lequel ces paroles furent prononcées frappa si vivement Émile que, dès ce moment, il prêta toute son attention à Raphaël en le regardant d'un air hébété.

« Mais, reprit le narrateur, maintenant la lueur qui colore ces accidents leur prête un nouvel aspect. L'ordre des choses que je considérais jadis comme un malheur a peut-être engendré les belles facultés dont plus tard je me suis enorgueilli. La curiosité philosophique, les travaux excessifs, l'amour de la lecture qui, depuis l'âge de sept ans jusqu'à mon entrée dans le monde, ont constamment occupé ma vie, ne m'auraient-ils pas doué de la facile puissance avec laquelle, s'il faut vous en croire, je sais rendre mes idées et marcher en avant dans le vaste champ des connaissances humaines ? L'abandon auquel j'étais condamné, l'habitude de refouler mes sentiments et de vivre dans mon cœur ne m'ont-ils pas investi du pouvoir de comparer, de méditer ? En ne se perdant pas au service des irritations mondaines qui rapetissent la plus belle âme et la réduisent à l'état de guenille, ma sensibilité ne s'est-elle pas concentrée pour devenir l'organe perfectionné d'une volonté plus haute que le vouloir de la passion ? Méconnu par les femmes, je me souviens de les avoir observées avec la sagacité de l'amour dédaigné. Maintenant, je le vois, la sincérité de mon caractère a dû déplaire ! Peut-être les femmes veulent-elles un peu d'hypocrisie ? Moi qui suis tour à tour, dans la même heure, homme et enfant, futile et penseur, sans préjugés et plein de superstitions, souvent femme comme elles, n'ont-elles pas dû prendre ma naïveté pour du cynisme, et la pureté même de ma pensée pour du libertinage ? la science leur était ennui, la langueur féminine faiblesse. Cette excessive mobilité d'imagination, le malheur des poètes, me faisait sans doute juger comme un être incapable d'amour, sans constance dans les idées, sans énergie. Idiot quand je me taisais, je les effarouchais peut-être quand j'essayais de leur plaire, et les femmes m'ont condamné. J'ai accepté, dans les larmes et le chagrin, l'arrêt porté par le monde. Cette peine a produit son fruit. Je voulus me venger de la société, je voulus posséder l'âme de toutes les femmes en me soumettant les intelligences, et voir tous les regards fixés sur moi quand mon nom serait prononcé par un valet à la porte d'un salon. Je m'instituai grand homme. Dès mon enfance, je m'étais frappé le front en me disant comme André de Chénier : “Il y a quelque chose là [198] !” Je croyais sentir en moi une pensée à exprimer, un système à établir, une science à expliquer. Ô mon cher Émile ! aujourd'hui que j'ai vingt-six ans à peine, que je suis sûr de mourir inconnu, sans avoir jamais été l'amant de la femme que j'ai rêvé de posséder, laisse-moi te conter mes folies ? N'avons-nous pas tous, plus ou moins, pris nos désirs pour des réalités ? Ah ! je ne voudrais point pour ami d'un jeune homme qui dans ses rêves ne se serait pas tressé des couronnes, construit quelque piédestal ou donné de complaisantes maîtresses. Moi ! j'ai souvent été général, empereur ; j'ai été Byron, puis rien. Après avoir joué sur le

198. Le poète André Chénier (1762-1794) était comme Balzac un grand travailleur, au savoir encyclopédique. On ne connut guère ses œuvres de son vivant. C'est Henri de Latouche, ami de jeunesse de Balzac, qui publia en 1819 la première édition des œuvres choisies de Chénier, publication qui fit sensation dans la jeunesse romantique. Et c'est dans l'introduction à l'édition de Latouche que Balzac put lire ce mot de Chénier.

faîte des choses humaines, je m'apercevais que toutes les montagnes, toutes les difficultés restaient à gravir. Cet immense amour-propre qui bouillonnait en moi, cette croyance sublime à une destinée, et qui devient du génie peut-être, quand un homme ne se laisse pas déchiqueter l'âme par le contact des affaires aussi facilement qu'un mouton abandonne sa laine aux épines des halliers où il passe, tout cela me sauva. Je voulus me couvrir de gloire et travailler dans le silence pour la maîtresse que j'espérais avoir un jour. Toutes les femmes se résumaient par une seule, et cette femme je croyais la rencontrer dans la première qui s'offrait à mes regards ; mais, voyant une reine dans chacune d'elles, toutes devaient, comme les reines qui sont obligées de faire des avances à leurs amants, venir au-devant de moi, souffreteux, pauvre et timide. Ah ! pour celle qui m'eût plaint, j'avais dans le cœur tant de reconnaissance outre l'amour, que je l'eusse adorée pendant toute sa vie. Plus tard, mes observations m'ont appris de cruelles vérités. Ainsi, mon cher Émile, je risquais de vivre éternellement seul. Les femmes sont habituées, par je ne sais quelle pente de leur esprit, à ne voir dans un homme de talent que ses défauts, et dans un sot que ses qualités ; elles éprouvent de grandes sympathies pour les qualités du sot qui sont une flatterie perpétuelle de leurs propres défauts, tandis que l'homme supérieur ne leur offre pas assez de jouissances pour compenser ses imperfections. Le talent est une fièvre intermittente, nulle femme n'est jalouse d'en partager seulement les malaises ; toutes elles veulent trouver dans leurs amants des motifs de satisfaire leur vanité. C'est elles encore qu'elles aiment en nous ! Un homme pauvre, fier, artiste, doué du pouvoir de créer, n'est-il pas armé d'un blessant égoïsme ? il existe autour de lui je ne sais quel tourbillon de pensées dans lequel il enveloppe tout, même sa maîtresse, qui doit en suivre le mouvement. Une femme adulée peut-elle croire à l'amour d'un tel homme ? ira-t-elle le chercher ? Cet amant n'a pas le loisir de s'abandonner autour d'un divan à ces petites singeries de sensibilité auxquelles les femmes tiennent tant et qui sont le triomphe des gens faux et insensibles. Le temps manque à ses travaux, comment en dépenserait-il à se rapetisser, à se chamarrer ? Prêt à donner ma vie d'un coup, je ne l'aurais pas avilie en détail. Enfin il existe, dans le manège d'un agent de change qui fait les commissions d'une femme pâle et minaudière, je ne sais quoi de mesquin dont a horreur l'artiste. L'amour abstrait ne suffit pas à un homme pauvre et grand, il en veut tous les dévouements. Les petites créatures qui passent leur vie à essayer des cachemires ou qui se font les portemanteaux de la mode n'ont pas de dévouement, elles en exigent et voient dans l'amour le plaisir de commander, non celui d'obéir. La véritable épouse en cœur, en chair et en os, se laisse traîner là où va celui en qui réside sa vie, sa force, sa gloire, son bonheur. Aux hommes supérieurs, il faut des femmes orientales dont l'unique pensée soit l'étude de leurs besoins ; car, pour eux, le malheur est dans le désaccord de leurs désirs et des moyens. Moi, qui me croyais homme de génie, j'aimais précisément ces petites-maîtresses [199] ! Nourrissant des idées si contraires aux idées reçues, ayant la prétention d'escalader le ciel sans échelle, possédant des trésors qui n'avaient pas cours, armé de connaissances étendues qui surchargeaient ma mémoire et que je n'avais pas encore classées, que je ne m'étais point assimilées ; me trouvant sans parents, sans amis, seul au milieu du plus

---

199. Balzac avait déjà évoqué dans la deuxième partie de son article « Des artistes » (parue dans *La Silhouette* le 11 mars 1830) quelques figures d'épouses idéales pour hommes de génies, comme la Fornarina et madame de la Sablière. Dans *La Recherche de l'absolu* (1834), il peindra en Marguerite Claës l'une de ces épouses sublimes de dévouement.
– Une « petite-maîtresse » est une « femme qui est d'une élégance recherchée dans son ton, dans ses manières, dans sa parure, et qui a un air avantageux » (*Littré*).

affreux désert [200], un désert pavé, un désert animé, pensant, vivant, où tout vous est bien plus qu'ennemi, indifférent ! la résolution que je pris était naturelle, quoique folle ; elle comportait je ne sais quoi d'impossible qui me donna du courage. Ce fut comme un pari [201] fait avec moi-même, et où j'étais le joueur et l'enjeu. Voici mon plan. Mes onze cents francs devaient suffire à ma vie pendant trois ans, et je m'accordais ce temps pour mettre au jour un ouvrage qui pût attirer l'attention publique sur moi, me faire une fortune ou un nom. Je me réjouissais en pensant que j'allais vivre de pain et de lait, comme un solitaire de la Thébaïde [202], plongé dans le monde des livres et des idées, dans une sphère inaccessible au milieu de ce Paris si tumultueux, sphère de travail et de silence où comme les chrysalides, je me bâtissais une tombe pour renaître brillant et glorieux. J'allais risquer de mourir pour vivre. En réduisant l'existence à ses vrais besoins, au strict nécessaire, je trouvais que trois cent soixante-cinq francs par an devaient suffire à ma pauvreté. En effet, cette maigre somme a satisfait à ma vie, tant que j'ai voulu subir ma propre discipline claustrale…

– C'est impossible, s'écria Émile.

– J'ai vécu près de trois ans ainsi, répondit Raphaël avec une sorte de fierté. Comptons ? reprit-il. Trois sous de pain, deux sous de lait, trois sous de charcuterie m'empêchaient de mourir de faim et tenaient mon esprit dans un état de lucidité singulière. J'ai observé,

---

200. Saint-Preux arrivant à Paris écrivait déjà : « J'entre avec une secrète horreur dans ce vaste désert du monde »… (*La Nouvelle Héloïse*, deuxième partie, lettre XIV).

201. Le Furne corrigé donne « parti », mais nous prenons la liberté de corriger, étant donné que l'édition originale donnait déjà « pari ». Reste que « parti » était un ancien terme de mathématique, qui pouvait être utilisé dans le sens large de « choix à faire, détermination à prendre dans une matière où il y a du hasard, d'après telle condition donnée » (*Littré*).

202. Désert de Haute-Égypte, où les chrétiens persécutés par l'empereur romain Dèce se réfugièrent et menèrent une vie ascétique.

tu le sais, de merveilleux effets produits par la diète sur l'imagination. Mon logement me coûtait trois sous par jour, je brûlais pour trois sous d'huile par nuit, je faisais moi-même ma chambre, je portais des chemises de flanelle pour ne dépenser que deux sous de blanchissage par jour. Je me chauffais avec du charbon de terre, dont le prix divisé par les jours de l'année n'a jamais donné plus de deux sous pour chacun. J'avais des habits, du linge, des chaussures pour trois années, je ne voulais m'habiller que pour aller à certains cours publics et aux bibliothèques. Ces dépenses réunies ne faisaient que dix-huit sous, il me restait deux sous pour les choses imprévues. Je ne me souviens pas d'avoir, pendant cette longue période de travail, passé le pont des Arts[203], ni d'avoir jamais acheté d'eau ; j'allais en chercher le matin à la fontaine de la place Saint-Michel, au coin de la rue des Grès[204]. Oh ! je portais ma pauvreté fièrement. Un homme qui pressent un bel avenir marche dans sa vie de misère comme un innocent conduit au supplice, il n'a point honte. Je n'avais pas voulu prévoir la maladie. Comme Aquilina, j'envisageais l'hôpital sans terreur. Je n'ai pas douté un moment de ma bonne santé. D'ailleurs, le pauvre ne doit se coucher que pour mourir. Je me coupai les cheveux, jusqu'au moment où un ange d'amour ou de bonté… Mais je ne veux pas anticiper sur la situation à laquelle j'arrive. Apprends seulement, mon cher ami, qu'à défaut de maîtresse je vécus avec une grande pensée, avec un rêve, un mensonge auquel nous commençons tous par croire plus ou moins. Aujourd'hui je ris de moi, de ce *moi*, peut-être

---

203. Le pont des Arts, premier pont de fer de Paris, fut construit en 1804 : il était garni de bancs et de caisses d'orangers, à l'intention des flâneurs, mais il fallait payer un sou pour l'emprunter.

204. À peu près l'actuelle place Edmond-Rostand. La rue des Grès est devenue la rue Cujas. Balzac connaissait bien le quartier pour avoir logé, de 1824 à 1826, rue de Tournon.

saint et sublime, qui n'existe plus. La société, le monde, nos usages, nos mœurs, vus de près, m'ont révélé le danger de ma croyance innocente et la superfluité de mes fervents travaux. Ces approvisionnements sont inutiles à l'ambitieux. Que léger soit le bagage de qui poursuit la fortune. La faute des hommes supérieurs est de dépenser leurs jeunes années à se rendre dignes de la faveur. Pendant que les pauvres gens thésaurisent et leur force et la science pour porter sans effort le poids d'une puissance qui les fuit, les intrigants riches de mots et dépourvus d'idées vont et viennent, surprennent les sots, et se logent dans la confiance des demi-niais ; les uns étudient, les autres marchent, les uns sont modestes, les autres hardis ; l'homme de génie tait son orgueil, l'intrigant arbore le sien, il doit arriver nécessairement. Les hommes du pouvoir ont si fort besoin de croire au mérite tout fait, au talent effronté, qu'il y a chez le vrai savant de l'enfantillage à espérer des récompenses humaines. Je ne cherche certes pas à paraphraser les lieux communs de la vertu, le Cantique des Cantiques éternellement chanté par les génies méconnus ; je veux déduire logiquement la raison des fréquents succès obtenus par les hommes médiocres. Hélas ! l'étude est si maternellement bonne, qu'il y a peut-être crime à lui demander des récompenses autres que les pures et douces joies dont elle nourrit ses enfants. Je me souviens d'avoir quelquefois trempé gaiement mon pain dans mon lait, assis auprès de ma fenêtre en y respirant l'air, en laissant planer mes yeux sur un paysage de toits bruns, grisâtres, rouges, en ardoises, en tuiles, couverts de mousses jaunes ou vertes. Si d'abord cette vue me parut monotone, j'y découvris bientôt de singulières beautés. Tantôt le soir des raies lumineuses, parties des volets mal fermés, nuançaient et animaient les noires profondeurs de ce pays original. Tantôt les lueurs pâles des réverbères projetaient d'en bas des reflets jaunâtres à travers le brouillard, et accusaient faiblement dans les rues les ondulations de ces toits pressés, océan de vagues immobiles. Enfin, parfois de rares figures apparaissaient au milieu de ce morne désert, parmi les fleurs de quelque jardin aérien, j'entrevoyais le profil anguleux et crochu d'une vieille femme arrosant des capucines, ou dans le cadre d'une lucarne pourrie quelque jeune fille faisant sa toilette, se croyant seule, et de qui je ne pouvais apercevoir que le beau front et les longs cheveux élevés en l'air par un joli bras blanc. J'admirais dans les gouttières quelques végétations éphémères, pauvres herbes bientôt emportées par un orage ! J'étudiais les mousses, leurs couleurs ravivées par la pluie, et qui sous le soleil se changeaient en un velours sec et brun à reflets capricieux. Enfin les poétiques et fugitifs effets du jour, les tristesses du brouillard, les soudains pétillements du soleil, le silence et les magies de la nuit, les mystères de l'aurore, les fumées de chaque cheminée, tous les accidents de cette singulière nature devenus familiers pour moi, me divertissaient. J'aimais ma prison, elle était volontaire. Ces savanes de Paris formées par des toits nivelés comme une plaine, mais qui couvraient des abîmes peuplés, allaient à mon âme et s'harmoniaient avec mes pensées. Il est fatigant de retrouver brusquement le monde quand nous descendons des hauteurs célestes où nous entraînent les méditations scientifiques ; aussi ai-je alors parfaitement conçu la nudité des monastères. Quand je fus bien résolu à suivre mon nouveau plan de vie, je cherchai mon logis dans les quartiers les plus déserts de Paris. Un soir, en revenant de l'Estrapade, je passais par la rue des Cordiers [205]

---

205. La place de l'Estrapade, reliée à la place du Panthéon par la rue Clotaire, existe toujours. En partant de la place, en descendant la rue des Fossés-Saint-Jacques, puis la rue Saint-Jacques, la rue des Cordiers était la seconde rue à gauche, après la rue des Grès ; elle débouchait en effet sur la rue de Cluny (aujourd'hui rue Victor-Cousin). Son emplacement est aujourd'hui recouvert par les bâtiments de la Sorbonne.

pour retourner chez moi. À l'angle de la rue de Cluny, je vis une petite fille d'environ quatorze ans qui jouait au volant avec une de ses camarades, et dont les rires et les espiègleries amusaient les voisins. Il faisait beau, la soirée était chaude, le mois de septembre durait encore. Devant chaque porte, des femmes assises devisaient comme dans une ville de province par un jour de fête. J'observai d'abord la jeune fille, dont la physionomie était d'une admirable expression, et le corps tout posé pour un peintre. C'était une scène ravissante. Je cherchai la cause de cette bonhomie au milieu de Paris, je remarquai que la rue n'aboutissait à rien, et ne devait pas être très passante. En me rappelant le séjour de J.-J. Rousseau dans ce lieu, je trouvai l'hôtel Saint-Quentin [206], le délabrement dans lequel il était me fit espérer d'y rencontrer un gîte peu coûteux, et je voulus le visiter. En entrant dans une chambre basse, je vis les classiques flambeaux de cuivre garnis de leurs chandelles, méthodiquement rangés au-dessus de chaque clef, et fus frappé de la propreté qui régnait dans cette salle ordinairement assez mal tenue dans les autres hôtels et que je trouvai là peignée comme un tableau de genre ; son lit bleu, les ustensiles, les meubles avaient la coquetterie d'une nature de convention. La maîtresse de l'hôtel, femme de quarante ans environ, dont les traits exprimaient des malheurs, dont le regard était comme terni par des pleurs, se leva, vint à moi ; je lui soumis humblement le tarif de mon loyer ; mais, sans en paraître étonnée, elle chercha une clef parmi toutes les autres, et me conduisit dans les mansardes, où elle me montra une chambre qui avait vue sur les toits, sur les cours des maisons voisines, par les fenêtres desquelles passaient de longues perches chargées de linge. Rien n'était plus horrible

206. Cf. *supra*, note 85. Ce détail anecdotique signale une influence profonde : Balzac à vingt ans est tout nourri de Jean-Jacques Rousseau, l'une des idoles intellectuelles de son père.

que cette mansarde aux murs jaunes et sales, qui sentait la misère et appelait son savant. La toiture s'y abaissait régulièrement et les tuiles disjointes laissaient voir le ciel. Il y avait place pour un lit, une table, quelques chaises, et sous l'angle aigu du toit je pouvais loger mon piano. N'étant pas assez riche pour meubler cette cage digne des *plombs* de Venise[207], la pauvre femme n'avait jamais pu la louer. Ayant précisément excepté de la vente mobilière que je venais de faire les objets qui m'étaient en quelque sorte personnels, je fus bientôt d'accord avec mon hôtesse, et m'installai le lendemain chez elle. Je vécus dans ce sépulcre aérien pendant près de trois ans, travaillant nuit et jour sans relâche, avec tant de plaisir que l'étude me semblait être le plus beau thème, la plus heureuse solution de la vie humaine. Le calme et le silence nécessaires au savant ont je ne sais quoi de doux, d'enivrant comme l'amour. L'exercice de la pensée, la recherche des idées, les contemplations tranquilles de la Science nous prodiguent d'ineffables délices, indescriptibles comme tout ce qui participe de l'intelligence dont les phénomènes sont invisibles à nos sens extérieurs. Aussi sommes-nous toujours forcés d'expliquer les mystères de l'esprit par des comparaisons matérielles. Le plaisir de nager dans un lac d'eau pure, au milieu des rochers, des bois et des fleurs, seul et caressé par une brise tiède, donnerait aux ignorants une bien faible image du bonheur que j'éprouvais quand mon âme se baignait dans les lueurs de je ne sais quelle lumière, quand j'écoutais les voix terribles et confuses de l'inspiration, quand d'une source inconnue les images ruisselaient dans mon

---

207. Casanova raconte dans ses *Mémoires* (qui venaient d'être publiés en 1825-1829 et que Balzac connaissait) son incarcération à Venise « sous les plombs » : « les Plombs, prisons destinées à enfermer les criminels d'État, ne sont autre chose que les greniers du palais ducal, et c'est des larges plaques de plomb dont ce palais est recouvert que ces prisons tirent leur nom ».

cerveau palpitant. Voir une idée qui point[208] dans le champ des abstractions humaines comme le soleil au matin et s'élève comme lui, qui, mieux encore, grandit comme un enfant, arrive à la puberté, se fait lentement virile, est une joie supérieure aux autres joies terrestres, ou plutôt c'est un divin plaisir. L'étude prête une sorte de magie à tout ce qui nous environne. Le bureau chétif sur lequel j'écrivais, et la basane brune qui le couvrait, mon piano, mon lit, mon fauteuil, les bizarreries de mon papier de tenture, mes meubles, toutes ces choses s'animèrent et devinrent pour moi d'humbles amis, les complices silencieux de mon avenir ; combien de fois ne leur ai-je pas communiqué mon âme, en les regardant ? Souvent, en laissant voyager mes yeux sur une moulure déjetée, je rencontrais des développements nouveaux, une preuve frappante de mon système ou des mots que je croyais heureux pour rendre des pensées presque intraduisibles. À force de contempler les objets qui m'entouraient, je trouvais à chacun sa physionomie, son caractère ; souvent ils me parlaient : si, par-dessus les toits, le soleil couchant jetait à travers mon étroite fenêtre quelque lueur furtive, ils se coloraient, pâlissaient, brillaient, s'attristaient ou s'égayaient en me surprenant toujours par des effets nouveaux. Ces menus accidents de la vie solitaire, qui échappent aux préoccupations du monde, sont la consolation des prisonniers. N'étais-je pas captivé par une idée, emprisonné dans un système ; mais soutenu par la perspective d'une vie glorieuse ! À chaque difficulté vaincue, je baisais les mains douces de la femme aux beaux yeux, élégante et riche, qui devait un jour caresser mes cheveux en me disant avec attendrissement : “Tu as bien souffert, pauvre ange !” J'avais entrepris deux grandes œuvres. Une comédie devait en peu de jours me donner une renommée, une fortune, et l'entrée de ce monde, où je

208. Balzac, qui conjugue souvent ce verbe de travers, avait écrit « poind » ; nous prenons la liberté de corriger.

voulais reparaître en y exerçant les droits régaliens de l'homme de génie. Vous avez tous vu dans ce chef-d'œuvre la première erreur d'un jeune homme qui sort du collège, une véritable niaiserie d'enfant [209]. Vos plaisanteries ont coupé les ailes à de fécondes illusions qui depuis ne se sont plus réveillées. Toi seul, mon cher Émile, as calmé la plaie profonde que d'autres firent à mon cœur ! Toi seul admiras ma *Théorie de la volonté* [210], ce long ouvrage pour lequel j'ai appris les langues orientales, l'anatomie, la physiologie, auquel j'avais consacré la plus grande partie de mon temps. Cette œuvre, si je ne me trompe, complétera les travaux de Mesmer [211], de Lavater [212], de Gall [213] de

---

209. Ces pages sont largement autobiographiques (voir présentation et la plus récente des biographies de Balzac, *Honoré de Balzac* de Roger Pierrot, Fayard, 1994, chapitres 16 à 20). Ajoutons qu'en 1820 Balzac avait alors probablement déjà écrit *Sténie ou les erreurs philosophiques*, démarqué de *La Nouvelle Héloïse*, et dont le héros, Del Ryès, est l'image idéale de ce que lui-même et Raphaël rêvent d'être : un jeune homme chez qui tout le monde, et surtout les femmes, s'accorde à pressentir l'éveil du génie et les promesses de la gloire.

210. Balzac, selon les souvenirs de sa sœur Laure Surville, affirma toujours avoir écrit avec un camarade du collège de Vendôme un *Traité de la Volonté* qui lui avait été confisqué, et qu'il attribuera à Louis Lambert. En 1820, il intégra dans *Sténie* diverses « notes philosophiques » rédigées pendant ses années d'étude du droit. Vers la même époque, il écrivit aussi le premier fragment de *Falthurne*, dont l'héroïne éponyme, élevée par les brahmanes de l'Inde, est la dépositaire des secrets de la Grande Science de l'Orient – cela est à rapprocher de l'étude par Raphaël des « langues orientales », qui explique qu'il ait pu déchiffrer l'inscription de la Peau (cf. *supra*, note 78).

211. Cf. *supra*, note 25. Bien que l'Académie des sciences et la Faculté de médecine aient dès 1784 rejeté la théorie de Mesmer, qui dut quitter la France, la question du magnétisme animal n'en rebondit pas moins vers 1818, et donna lieu à de nombreuses publications et rééditions.

212. Cf. *supra*, note 157. Dès 1822, Balzac s'était acheté une coûteuse édition en dix volumes de l'ouvrage de Lavater, et l'avait fait relier.

213. C'est très probablement en 1822 que le docteur Nacquart, vieil ami de la famille Balzac et auteur en 1808 d'un livre sur les travaux de Gall, initia Balzac aux théories de ce médecin allemand (1758-1828), très à la mode à Paris au début du siècle, inventeur de la *phrénologie*, ou art de déchiffrer le caractère d'après la forme extérieure du crâne.

Bichat[214], en ouvrant une nouvelle route à la science humaine. Là s'arrête ma belle vie, ce sacrifice de tous les jours, ce travail de ver à soie inconnu au monde et dont la seule récompense est peut-être dans le travail même. Depuis l'âge de raison jusqu'au jour où j'eus terminé ma théorie, j'ai observé, appris, écrit, lu sans relâche, et ma vie fut comme un long pensum. Amant efféminé de la paresse orientale, amoureux de mes rêves, sensuel, j'ai toujours travaillé, me refusant à goûter les jouissances de la vie parisienne[215]. Gourmand, j'ai été sobre ; aimant et la marche et les voyages maritimes, désirant visiter plusieurs pays, trouvant encore du plaisir à faire, comme un enfant, ricocher des cailloux sur l'eau, je suis resté constamment assis, une plume à la main ; bavard, j'allais écouter en silence les professeurs aux Cours publics de la Bibliothèque et du Muséum[216] ; j'ai dormi sur mon grabat solitaire comme un religieux de l'ordre de Saint-Benoît[217], et la femme était cependant ma seule chimère, une chimère que je caressais et qui me fuyait toujours ! Enfin ma vie a été une cruelle antithèse, un perpétuel mensonge. Puis jugez donc les hommes ! Parfois mes goûts naturels se réveillaient comme un incendie longtemps couvé. Par une sorte de mirage ou de calenture[218], moi, veuf de toutes les femmes que je désirais, dénué de tout et logé dans une mansarde d'artiste, je me voyais alors entouré de maîtresses

---

Les noms de Lavater et de Gall, son « continuateur », sont très souvent cités ensemble dans *La Comédie humaine*.

214. Cf. *supra*, note 157.

215. La vie de Balzac rue Lesdiguières ne fut pas tout à fait aussi monastique, et l'on sait qu'il alla au moins quelquefois au Théâtre-Italien.

216. Si l'on en croit Laure Surville, Balzac lui-même, quand il étudiait le droit en 1818-1819, alla suivre les cours de la Sorbonne et travailla beaucoup dans les bibliothèques publiques.

217. Autrement dit, un « bénédictin ».

218. « Terme de médecine. Espèce de délire furieux auquel les navigateurs sont sujets sous la zone torride » (*Littré*).

ravissantes ! Je courais à travers les rues de Paris, couché sur les moelleux coussins d'un brillant équipage ! J'étais rongé de vices, plongé dans la débauche, voulant tout, ayant tout ; enfin ivre à jeun, comme saint Antoine dans sa tentation. Heureusement le sommeil finissait par éteindre ces visions dévorantes ; le lendemain la science m'appelait en souriant, et je lui étais fidèle. J'imagine que les femmes dites vertueuses doivent être souvent la proie de ces tourbillons de folie, de désirs et de passions, qui s'élèvent en nous, malgré nous. De tels rêves ne sont pas sans charmes, ne ressemblent-ils pas à ces causeries du soir, en hiver, où l'on part de son foyer pour aller en Chine [219]. Mais que devient la vertu, pendant ces délicieux voyages où la pensée a franchi tous les obstacles ? Pendant les dix premiers mois de ma réclusion, je menai la vie pauvre et solitaire que je t'ai dépeinte ; j'allais chercher moi-même, dès le matin et sans être vu, mes provisions pour la journée ; je faisais ma chambre, j'étais tout ensemble le maître et le serviteur [220], je diogénisais [221] avec une incroyable fierté. Mais après ce temps, pendant lequel l'hôtesse et sa fille espionnèrent mes mœurs et mes habitudes, examinèrent ma personne et

---

219. Encore un élément autobiographique. En 1842, dans le compte rendu d'un ouvrage sur la Chine écrit par son ami Auguste Borget, Balzac fera cette confidence : « Mon enfance a été bercée de la Chine et des Chinois par une personne chère qui adorait ce peuple étrange » – son père. Selon Laurence, la plus jeune sœur de Balzac, dans une lettre à sa sœur Laure de juin 1821, Bernard-François Balzac passait alors son temps dans sa chambre à écrire des mémoires « sur la Chine, Rollin, l'Évangile, la Bible, etc. » Balzac donnera cette passion de son père pour la Chine au marquis d'Espard dans *L'Interdiction*.

220. Encore un élément autobiographique. Dans une lettre du 12 août 1819 à sa sœur Laure, Balzac plaisante sur son domestique qui se nomme « Moi-même ».

221. Le néologisme est spirituel ! Diogène, philosophe cynique du ve siècle av. J.-C., méprisait les honneurs, les richesses et les convenances, et préconisait une vie sobre et naturelle ; il ne possédait qu'un manteau pour tout vêtement, et vivait, dit-on, dans un tonneau.

comprirent ma misère, peut-être parce qu'elles étaient elles-mêmes fort malheureuses, il s'établit d'inévitables liens entre elles et moi. Pauline, cette charmante créature dont les grâces naïves et secrètes m'avaient en quelque sorte amené là, me rendit plusieurs services qu'il me fut impossible de refuser. Toutes les infortunes sont sœurs, elles ont le même langage, la même générosité, la générosité de ceux qui ne possédant rien sont prodigues de sentiment, paient de leur temps et de leur personne. Insensiblement Pauline s'impatronisa chez moi, voulut me servir et sa mère ne s'y opposa point. Je vis la mère elle-même raccommodant mon linge et rougissant d'être surprise à cette charitable occupation. Devenu malgré moi leur protégé, j'acceptai leurs services. Pour comprendre cette singulière affection, il faut connaître l'emportement du travail, la tyrannie des idées et cette répugnance instinctive qu'éprouve pour les détails de la vie matérielle l'homme qui vit par la pensée. Pouvais-je résister à la délicate attention avec laquelle Pauline m'apportait à pas muets mon repas frugal, quand elle s'apercevait que, depuis sept ou huit heures, je n'avais rien pris ? Avec les grâces de la femme et l'ingénuité de l'enfance, elle me souriait en faisant un signe pour me dire que je ne devais pas la voir. C'était Ariel [222] se glissant comme un sylphe [223] sous mon toit, et prévoyant mes besoins. Un soir, Pauline me raconta son histoire avec une touchante ingénuité. Son père était chef d'escadron dans les grenadiers à cheval de la garde impériale. Au passage de la Bérézina [224], il avait été fait prisonnier par les Cosaques ; plus tard, quand Napoléon proposa de l'échanger, les autorités russes le firent vainement chercher en Sibérie ; au dire des autres prisonniers, il s'était échappé avec le projet

---

222. Génie de l'air, dans *La Tempête* de Shakespeare.
223. Sylphe – génie de l'air. La comparaison est pléonastique.
224. Cf. *supra*, note 107.

d'aller aux Indes. Depuis ce temps, Mme Gaudin, mon hôtesse, n'avait pu obtenir aucune nouvelle de son mari, les désastres de 1814 et 1815 étaient arrivés ; seule, sans ressources et sans secours, elle avait pris le parti de tenir un hôtel garni pour faire vivre sa fille. Elle espérait toujours revoir son mari. Son plus cruel chagrin était de laisser Pauline sans éducation, sa Pauline, filleule de la princesse Borghèse [225], et qui n'aurait pas dû mentir aux belles destinées promises par son impériale protectrice. Quand Mme Gaudin me confia cette amère douleur qui la tuait, et me dit avec un accent déchirant : "Je donnerais bien et le chiffon de papier qui crée Gaudin baron de l'Empire [226], et le droit que nous avons à la dotation de Witschnau, pour savoir Pauline élevée à Saint-Denis [227] !" tout à coup je tressaillis, et pour reconnaître les soins que me prodiguaient ces deux femmes, j'eus l'idée de m'offrir à finir l'éducation de Pauline. La candeur avec laquelle ces deux femmes acceptèrent ma proposition fut égale à la naïveté qui la dictait. J'eus ainsi des heures de récréation. La petite avait les plus heureuses dispositions, elle apprit avec tant de facilité qu'elle devint bientôt plus forte que je ne l'étais sur le piano. En s'accoutumant à penser tout haut près de moi, elle déployait les mille gentillesses d'un cœur qui s'ouvre à la vie comme le calice d'une fleur lentement dépliée par le soleil, elle m'écoutait avec recueillement et plaisir en arrêtant sur moi ses yeux noirs et veloutés qui

---

225. C'est-à-dire Pauline Borghèse, née Bonaparte, et sœur de Napoléon.

226. Napoléon « créa » la noblesse d'Empire le 1er mars 1808, par un décret rétablissant les anciennes dénominations nobiliaires. L'histoire de la disparition de Gaudin, chef d'escadrons dans les grenadiers à cheval de la garde impériale et baron de l'Empire, annonce celle du colonel Chabert.

227. C'est-à-dire à la Maison d'éducation de la Légion d'honneur, destinée à l'éducation des filles des membres de l'ordre, organisée en 1809 dans l'ancienne abbaye de Saint-Denis – et qui existe toujours.

semblaient sourire, elle répétait ses leçons d'un accent doux et caressant en témoignant une joie enfantine quand j'étais content d'elle. Sa mère, chaque jour plus inquiète d'avoir à préserver de tout danger une jeune fille qui développait en croissant toutes les promesses faites par les grâces de son enfance, la vit avec plaisir s'enfermant pendant toute la journée pour étudier. Mon piano étant le seul dont elle pût se servir, elle profitait de mes absences pour s'exercer. Quand je rentrais, je trouvais Pauline chez moi, dans la toilette la plus modeste ; mais au moindre mouvement, sa taille souple et les attraits de sa personne se révélaient sous l'étoffe grossière. Comme l'héroïne du conte de Peau-d'Âne [228], elle laissait voir un pied mignon dans d'ignobles souliers. Mais ces jolis trésors, cette richesse de jeune fille, tout ce luxe de beauté fut comme perdu pour moi. Je m'étais ordonné à moi-même de ne voir qu'une sœur en Pauline, j'aurais eu horreur de tromper la confiance de sa mère, j'admirais cette charmante jeune fille comme un tableau, comme le portrait d'une maîtresse morte. Enfin, c'était mon enfant, ma statue. Pygmalion [229] nouveau, je voulais faire d'une vierge vivante et colorée, sensible et parlante, un marbre ; j'étais très sévère avec elle, mais plus je lui faisais éprouver les effets de mon despotisme magistral, plus elle devenait douce et soumise. Si je fus encouragé dans ma retenue et dans ma continence par des sentiments nobles, néanmoins les raisons de procureur ne me manquèrent pas. Je ne comprends point la probité des écus sans la probité de la pensée. Tromper une femme ou faire faillite a toujours été même chose pour

---

228. C'est la deuxième fois que Balzac fait allusion au célèbre conte de Perrault (cf. *supra*, note 135).
229. Il faudrait dire Pygmalion à rebours : Pygmalion devint amoureux d'une statue de femme en ivoire – qu'il passait parfois pour avoir sculptée lui-même – et demanda à Aphrodite de lui accorder une femme semblable à la statue ; la déesse exauça son vœu en animant la statue, qu'il épousa.

moi. Aimer une jeune fille ou se laisser aimer par elle constitue un vrai contrat dont les conditions doivent être bien entendues. Nous sommes maîtres d'abandonner la femme qui se vend, mais non pas la jeune fille qui se donne, car elle ignore l'étendue de son sacrifice. J'aurais donc épousé Pauline, et c'eût été une folie. N'était-ce pas livrer une âme douce et vierge à d'effroyables malheurs ? Mon indigence parlait son langage égoïste, et venait toujours mettre sa main de fer entre cette bonne créature et moi. Puis, je l'avoue à ma honte, je ne conçois pas l'amour dans la misère. Peut-être est-ce en moi une dépravation due à cette maladie humaine que nous nommons la civilisation ; mais une femme, fût-elle attrayante autant que la belle Hélène, la Galatée d'Homère[230], n'a plus aucun pouvoir sur mes sens pour peu qu'elle soit crottée. Ah ! vive l'amour dans la soie, sur le cachemire, entouré des merveilles du luxe qui le parent merveilleusement bien, parce que lui-même est un luxe peut-être. J'aime à froisser sous mes désirs de pimpantes toilettes, à briser des fleurs, à porter une main dévastatrice dans les élégants édifices d'une coiffure embaumée. Des yeux brûlants, cachés par un voile de dentelle que les regards percent comme la flamme déchire la fumée du canon, m'offrent de fantastiques attraits. Mon amour veut des échelles de soie escaladées en silence, par une nuit d'hiver. Quel plaisir d'arriver couvert de neige dans une chambre éclairée par des parfums, tapissée de soies peintes et d'y trouver une femme qui, elle aussi, secoue de la neige, car quel autre nom donner à ces voiles de voluptueuses mousselines à travers lesquels elle se dessine vaguement comme un ange dans

---

230. C'est dans l'*Iliade* (XVIII, 45) qu'Homère mentionne le nom de cette divinité marine, mais c'est Ovide qui, dans les *Métamorphoses*, raconte comment, aimée du cyclope Polyphème, elle lui préféra le bel Acis, que Polyphème jaloux écrasa sous un gros rocher. – L'enlèvement d'Hélène de Sparte par Paris provoqua la guerre de Troie.

son nuage, et d'où elle va sortir ? Puis il me faut encore un craintif bonheur, une audacieuse sécurité. Enfin je veux revoir cette mystérieuse femme, mais éclatante, mais au milieu du monde, mais vertueuse, environnée d'hommages, vêtue de dentelles, de diamants, donnant ses ordres à la ville, et si haut placée et si imposante que nul n'ose lui adresser des vœux. Au milieu de sa cour, elle me jette un regard à la dérobée, un regard qui dément ces artifices, un regard qui me sacrifie le monde et les hommes ! Certes, je me suis cent fois trouvé ridicule d'aimer quelques aunes de blonde[231], du velours, de fines batistes, les tours de force d'un coiffeur, des bougies, un carrosse, un titre, d'héraldiques couronnes peintes par des vitriers ou fabriquées par un orfèvre, enfin tout ce qu'il y a de factice et de moins femme dans la femme ; je me suis moqué de moi, je me suis raisonné, tout a été vain. Une femme aristocratique et son sourire fin, la distinction de ses manières et son respect d'elle-même m'enchantent ; quand elle met une barrière entre elle et le monde, elle flatte en moi toutes les vanités, qui sont la moitié de l'amour. Enviée par tous, ma félicité me paraît avoir plus de saveur. En ne faisant rien de ce que font les autres femmes, en ne marchant pas, ne vivant pas comme elles, en s'enveloppant dans un manteau qu'elles ne peuvent avoir, en respirant des parfums à elle, ma maîtresse me semble être bien mieux à moi ; plus elle s'éloigne de la terre, même dans ce que l'amour a de terrestre, plus elle s'embellit à mes yeux. En France, heureusement pour moi, nous sommes depuis vingt ans sans reine[232], j'eusse aimé la reine ! Pour avoir les façons d'une princesse, une femme doit

---

231. Dentelle de soie.

232. Depuis bien plus de vingt ans : Marie-Antoinette a péri sur l'échafaud en 1793. Mais notre héros n'a que vingt-six ans au moment où il parle, et ce chiffre n'est qu'une approximation à la mesure de la durée de sa propre existence.

être riche. En présence de mes romanesques fantaisies, qu'était Pauline ? Pouvait-elle me vendre des nuits qui coûtent la vie, un amour qui tue et met en jeu toutes les facultés humaines ? Nous ne mourons guère pour de pauvres filles qui se donnent ! Je n'ai jamais pu détruire ces sentiments ni ces rêveries de poète. J'étais né pour l'amour impossible, et le hasard a voulu que je fusse servi par-delà mes souhaits. Combien de fois n'ai-je pas vêtu de satin les pieds mignons de Pauline, emprisonné sa taille svelte comme un jeune peuplier dans une robe de gaze, jeté sur son sein une légère écharpe en lui faisant fouler les tapis de son hôtel et la conduisant à une voiture élégante ; je l'eusse adorée ainsi ; je lui donnais une fierté qu'elle n'avait pas, je la dépouillais de toutes ses vertus, de ses grâces naïves, de son délicieux naturel, de son sourire ingénu, pour la plonger dans le Styx [233] de nos vices et lui rendre le cœur invulnérable, pour la farder de nos crimes, pour en faire la poupée fantasque de nos salons, une femme fluette qui se couche au matin pour renaître le soir, à l'aurore des bougies. Pauline était tout sentiment, tout fraîcheur, je la voulais sèche et froide. Dans les derniers jours de ma folie, le souvenir m'a montré Pauline, comme il nous peint les scènes de notre enfance. Plus d'une fois, je suis resté attendri, songeant à de délicieux moments : soit que je revisse cette délicieuse fille assise près de ma table, occupée à coudre, paisible, silencieuse, recueillie et faiblement éclairée par le jour qui, descendant de ma lucarne, dessinait de légers reflets argentés sur sa belle chevelure noire ; soit que j'entendisse son rire jeune, ou sa voix au timbre riche chanter les gracieuses cantilènes [234] qu'elle composait

---

233. Dans la mythologie, le Styx est le fleuve qui entoure l'Enfer de ses méandres. Son eau passait pour avoir des propriétés magiques, et c'est dans ce fleuve que Thétis aurait trempé Achille pour le rendre invulnérable.

234. « La moindre phrase musicale, celle que peut trouver, par exemple, un berger, une nourrice, et subséquemment, mélodie d'un genre langoureux et sentimental » (*Littré*).

sans efforts. Souvent ma Pauline s'exaltait en faisant de la musique, sa figure ressemblait alors d'une manière frappante à la noble tête par laquelle Carlo Dolci a voulu représenter l'Italie[235]. Ma cruelle mémoire me jetait cette jeune fille à travers les excès de mon existence comme un remords, comme une image de la vertu ! Mais laissons la pauvre enfant à sa destinée ! quelque malheureuse qu'elle puisse être, au moins l'aurai-je mise à l'abri d'un effroyable orage, en évitant de la traîner dans mon enfer. Jusqu'à l'hiver dernier, ma vie fut la vie tranquille et studieuse de laquelle j'ai tâché de te donner une faible image. Dans les premiers jours du mois de décembre 1829, je rencontrai Rastignac qui, malgré le misérable état de mes vêtements, me donna le bras et s'enquit de ma fortune avec un intérêt vraiment fraternel ; pris à la glu de ses manières, je lui racontai brièvement et ma vie et mes espérances ; il se mit à rire, me traita tout à la fois d'homme de génie et de sot, sa voix gasconne, son expérience du monde, l'opulence qu'il devait à son savoir-faire, agirent sur moi d'une manière irrésistible. Rastignac me fit mourir à l'hôpital, méconnu comme un niais, conduisit mon propre convoi, me jeta dans le trou des pauvres. Il me parla de charlatanisme. Avec cette verve aimable qui le rend si séduisant, il me montra tous les hommes de génie comme des charlatans. Il me déclara que j'avais un sens de moins, une cause de mort, si je restais seul, rue des Cordiers. Selon lui, je devais aller dans le monde, habituer les gens à prononcer mon nom et me dépouiller moi-même de

---

235. Le peintre baroque florentin Carlo Dolci (1616-1686) peignit des portraits, un beau *Martyre de Saint-André* (Florence, Pitti), puis versa dans la peinture religieuse et suave, de petits formats sur cuivre peints avec une extrême minutie. Nous ne savons pas à quel tableau Balzac fait ici allusion. Les commentateurs s'en tiennent à la suggestion de Maurice Allem, qui renvoie à une figure allégorique (Florence, Corsini) représentant la Poésie ou l'Italie, et dont Musset aurait possédé une copie.

l'humble *monsieur* qui messeyait à un grand homme de son vivant. "Les imbéciles, s'écria-t-il, nomment ce métier-là *intriguer*, les gens à morale le proscrivent sous le mot de *vie dissipée* ; ne nous arrêtons pas aux hommes, interrogeons les résultats. Toi, tu travailles ? … eh bien, tu ne feras jamais rien. Moi, je suis propre à tout et bon à rien, paresseux comme un homard ? eh bien, j'arriverai à tout. Je me répands, je me pousse, l'on me fait place ; je me vante, l'on me croit, je fais des dettes, on les paie ! La dissipation, mon cher, est un système politique. La vie d'un homme occupé à manger sa fortune devient souvent une spéculation ; il place ses capitaux en amis, en plaisirs, en protecteurs, en connaissances. Un négociant risque-t-il un million ? Pendant vingt ans il ne dort, ni ne boit, ni ne s'amuse ; il couve son million, il le fait trotter par toute l'Europe ; il s'ennuie, se donne à tous les démons que l'homme a inventés ; puis une liquidation, comme j'en ai vu faire, le laisse souvent sans un sou, sans un nom, sans un ami. Le dissipateur, lui, s'amuse à vivre, à faire courir ses chevaux. Si par hasard il perd ses capitaux, il a la chance d'être nommé Receveur général, de se bien marier, d'être attaché à un ministre, à un ambassadeur. Il a encore des amis, une réputation et toujours de l'argent. Connaissant les ressorts du monde, il les manœuvre à son profit. Ce système est-il logique, ou ne suis-je qu'un fou ? N'est-ce pas là la moralité de la comédie qui se joue tous les jours dans le monde ? Ton ouvrage est achevé, reprit-il après une pause, tu as un talent immense ! Eh bien, tu arrives à mon point de départ. Il faut maintenant faire ton succès toi-même, c'est plus sûr. Tu iras conclure des alliances avec les coteries, conquérir des prôneurs. Moi, je veux me mettre de moitié dans ta gloire, je serai le bijoutier qui aura monté les diamants de ta couronne. Pour commencer, dit-il, sois ici demain soir. Je te présenterai dans une maison où va tout Paris, notre Paris à nous, celui des beaux, des gens à millions, des célébrités, enfin des hommes qui parlent d'or comme Chrysostome [236]. Quand ces gens ont adopté un livre, le livre devient à la mode ; s'il est réellement bon, ils ont donné quelque brevet de génie sans le savoir. Si tu as de l'esprit, mon cher enfant, tu feras toi-même la fortune de ta *Théorie* en comprenant mieux la théorie de la fortune. Demain soir tu verras la belle comtesse Fœdora, la femme à la mode. – Je n'en ai jamais entendu parler. – Tu es un Cafre [237], dit Rastignac en riant. Ne pas connaître Fœdora ! Une femme à marier qui possède près de quatre-vingt mille livres de rente, qui ne veut de personne ou de qui personne ne veut ! Espèce de problème féminin, une Parisienne à moitié Russe, une Russe à moitié Parisienne ! Une femme chez laquelle s'éditent toutes les productions romantiques qui ne paraissent pas, la plus belle femme de Paris, la plus gracieuse ! Tu n'es même pas un Cafre, tu es la bête intermédiaire qui joint le Cafre à l'animal. Adieu, à demain !" Il fit une pirouette et disparut sans attendre ma réponse, n'admettant pas qu'un homme raisonnable pût refuser d'être présenté à Fœdora. Comment expliquer la fascination d'un nom ? FŒDORA me poursuivit comme une mauvaise pensée avec laquelle on cherche à transiger. Une voix me disait : "Tu iras chez Fœdora." J'avais beau me débattre avec cette voix et lui crier qu'elle mentait, elle écrasait tous mes raisonnements avec ce nom : Fœdora. Mais ce nom, cette femme n'étaient-ils pas le symbole de tous mes désirs et le thème de ma vie ? Le nom réveillait les poésies artificielles du monde, faisait briller les fêtes du haut Paris et les clinquants de la vanité. La femme m'apparaissait avec tous les problèmes de passion dont je m'étais affolé. Ce n'était

---

236. Saint Jean Chrysostome, docteur de l'Église et patriarche de Constantinople (v. 349-407), doit son surnom (littéralement « Bouche d'Or ») à son talent de prédicateur.

237. Les Cafres sont une ethnie noire d'Afrique du Sud.

peut-être ni la femme ni le nom, mais tous mes vices qui se dressaient debout dans mon âme pour me tenter de nouveau. La comtesse Fœdora, riche et sans amant, résistant à des séductions parisiennes, n'était-ce pas l'incarnation de mes espérances, de mes visions ? Je me créai une femme, je la dessinai dans ma pensée, je la rêvai. Pendant la nuit je ne dormis pas, je devins son amant, je fis tenir en peu d'heures une vie entière, une vie d'amour, et j'en savourai les fécondes, les brûlantes délices. Le lendemain, incapable de soutenir le supplice d'attendre longuement la soirée, j'allai louer un roman, et passai la journée à lire, me mettant ainsi dans l'impossibilité de penser ni de mesurer le temps. Pendant ma lecture le nom de Fœdora retentissait en moi comme un son que l'on entend dans le lointain, qui ne vous trouble pas, mais qui se fait écouter. Je possédais heureusement encore un habit noir et un gilet blanc assez honorables ; puis de toute ma fortune il me restait environ trente francs, que j'avais semés dans mes hardes, dans mes tiroirs, afin de mettre entre une pièce de cent sous et mes fantaisies la barrière épineuse d'une recherche et les hasards d'une circumnavigation dans ma chambre. Au moment de m'habiller, je poursuivis mon trésor à travers un océan de papiers. La rareté du numéraire peut te faire concevoir ce que mes gants et mon fiacre emportèrent de richesses, ils mangèrent le pain de tout un mois. Hélas ! nous ne manquons jamais d'argent pour nos caprices, nous ne discutons que le prix des choses utiles ou nécessaires. Nous jetons l'or avec insouciance à des danseuses, et nous marchandons un ouvrier dont la famille affamée attend le paiement d'un mémoire. Combien de gens ont un habit de cent francs, un diamant à la pomme de leur canne, et qui dînent à vingt-cinq sous ! Il semble que nous n'achetions jamais assez chèrement les plaisirs de la vanité. Rastignac, fidèle au rendez-vous, sourit de ma métamorphose et m'en plaisanta ; mais, tout en allant chez la comtesse, il me donna de charitables conseils sur la manière de me conduire avec elle ; il me la peignit avare, vaine et défiante ; mais avare avec faste, vaine avec simplicité, défiante avec bonhomie. “Tu connais mes engagements, me dit-il, et tu sais combien je perdrais à changer d’amour. En observant Fœdora j’étais désintéressé, de sang-froid, mes remarques doivent être justes. En pensant à te présenter chez elle, je songeais à ta fortune ; ainsi prends garde à tout ce que tu lui diras, elle a une mémoire cruelle, elle est d’une adresse à désespérer un diplomate, elle saurait deviner le moment où il dit vrai ; entre nous, je crois que son mariage n’est pas reconnu par l’Empereur, car l’ambassadeur de Russie s’est mis à rire quand je lui ai parlé d’elle. Il ne la reçoit pas, et la salue fort légèrement quand il la rencontre au bois. Néanmoins elle est de la société de Mme de Sérizy, va chez Mmes de Nucingen et de Restaud. En France sa réputation est intacte ; la duchesse de Carigliano [238], la maréchale la plus *collet monté* de toute la coterie bonapartiste, va souvent passer avec elle la belle saison à sa terre. Beaucoup de jeunes fats, le fils d’un pair de France, lui ont offert un nom en échange de sa fortune ; elle les a tous poliment éconduits. Peut-être sa sensibilité ne commence-t-elle qu’au titre de comte ! N’es-tu pas marquis ? marche en avant si elle te plaît ! Voilà ce que j’appelle donner des instructions.” Cette plaisanterie me fit croire que Rastignac voulait rire et piquer ma curiosité, en sorte que ma passion improvisée était arrivée à son paroxysme quand nous nous arrêtâmes devant un péristyle orné de fleurs. En montant un vaste escalier à tapis, où je remarquai toutes les

---

238. Mmes de Sérizy, Nucingen, Restaud, Carigliano, sont des personnages fictifs qui reparaissent souvent dans *La Comédie humaine* ; leurs noms ont été ajoutés ici par Balzac à partir de l’édition Delloye et Lecou de 1838.

recherches du *comfort*[239] anglais, le cœur me battit ; j'en rougissais, je démentais mon origine, mes sentiments, ma fierté, j'étais sottement bourgeois. Hélas ! je sortais d'une mansarde, après trois années de pauvreté, sans savoir encore mettre au-dessus des bagatelles de la vie ces trésors acquis, ces immenses capitaux intellectuels qui vous enrichissent en un moment quand le pouvoir tombe entre vos mains sans vous écraser, parce que l'étude vous a formé d'avance aux luttes politiques. J'aperçus une femme d'environ vingt-deux ans, de moyenne taille, vêtue de blanc, entourée d'un cercle d'hommes, mollement couchée sur une ottomane[240], et tenant à la main un écran de plumes. En voyant entrer Rastignac, elle se leva, vint à nous, sourit avec grâce, me fit d'une voix mélodieuse un compliment sans doute apprêté ; notre ami m'avait annoncé comme un homme de talent, et son adresse, son emphase gasconne me procurèrent un accueil flatteur. Je fus l'objet d'une attention particulière qui me rendit confus ; mais Rastignac avait heureusement parlé de ma modestie. Je rencontrai là des savants, des gens de lettres, d'anciens ministres, des pairs de France. La conversation reprit son cours quelque temps après mon arrivée, et, sentant que j'avais une réputation à soutenir, je me rassurai ; puis, sans abuser de la parole quand elle m'était accordée, je tâchai de résumer les discussions par des mots plus ou moins incisifs, profonds ou spirituels. Je produisis quelque sensation. Pour la millième fois de sa vie Rastignac fut prophète. Quand il y eut assez de monde pour que chacun retrouvât sa liberté, mon interlocuteur me donna le bras, et nous nous promenâmes dans les

---

239. Balzac tient à conserver l'orthographe anglaise, même si le *Littré* confirme qu'il s'agit bien en ce sens d'un anglicisme… d'origine française !

240. « Grand siège, sans dossier, où l'on se repose à la manière des Orientaux » (*Littré*).

appartements. “N’aie pas l’air d’être trop émerveillé de la princesse, me dit-il, elle devinerait le motif de ta visite.” Les salons étaient meublés avec un goût exquis. J’y vis des tableaux de choix. Chaque pièce avait, comme chez les Anglais les plus opulents, son caractère particulier, et la tenture de soie, les agréments, la forme des meubles, le moindre décor s’harmoniaient avec une pensée première. Dans un boudoir gothique dont les portes étaient cachées par des rideaux en tapisserie, les encadrements de l’étoffe, la pendule, les dessins du tapis étaient gothiques ; le plafond formé de solives brunes sculptées présentait à l’œil des caissons pleins de grâce et d’originalité, les boiseries étaient artistement travaillées, rien ne détruisait l’ensemble de cette jolie décoration, pas même les croisées dont les vitraux étaient coloriés et précieux. Je fus surpris à l’aspect d’un petit salon moderne où je ne sais quel artiste avait épuisé la science de notre décor si léger, si frais, si suave, sans éclat, sobre de dorures. C’était amoureux et vague comme une ballade allemande, un vrai réduit taillé pour une passion de 1827, embaumé par des jardinières pleines de fleurs rares. Après ce salon, j’aperçus en enfilade une pièce dorée où revivait le goût du siècle de Louis XIV qui, opposé à nos peintures actuelles, produisait un bizarre mais agréable contraste. “Tu seras assez bien logé, me dit Rastignac avec un sourire où perçait une légère ironie. N’est-ce pas séduisant ?” ajouta-t-il en s’asseyant. Tout à coup, il se leva, me prit par la main, me conduisit à la chambre à coucher, et me montra sous un dais de mousseline et de moires blanches un lit voluptueux doucement éclairé, le vrai lit d’une jeune fée fiancée à un génie. “N’y a-t-il pas, s’écria-t-il à voix basse, de l’impudeur, de l’insolence et de la coquetterie outre mesure, à nous laisser contempler ce trône de l’amour ? Ne se donner à personne, et permettre à tout le monde de mettre là sa carte ! Si j’étais libre, je voudrais voir cette femme soumise et pleurant à ma porte.

– Es-tu donc si certain de sa vertu ? – Les plus audacieux de nos maîtres, et même les plus habiles, avouent avoir échoué près d'elle, l'aiment encore et sont ses amis dévoués. Cette femme n'est-elle pas une énigme ?" Ces paroles excitèrent en moi une sorte d'ivresse, ma jalousie craignait déjà le passé. Tressaillant d'aise, je revins précipitamment dans le salon où j'avais laissé la comtesse, que je rencontrai dans le boudoir gothique. Elle m'arrêta par un sourire, me fit asseoir près d'elle, me questionna sur mes travaux, et sembla s'y intéresser vivement, surtout quand je lui traduisis mon système en plaisanteries au lieu de prendre le langage d'un professeur pour le lui développer doctoralement. Elle parut s'amuser beaucoup en apprenant que la volonté humaine était une force matérielle semblable à la vapeur ; que, dans le monde moral, rien ne résistait à cette puissance quand un homme s'habituait à la concentrer, à en manier la somme, à diriger constamment sur les âmes la projection de cette masse fluide [241] ; que cet homme pouvait à son gré tout modifier relativement à l'humanité, même les lois absolues de la nature. Les objections de Fœdora me révélèrent en elle une certaine finesse d'esprit, je me complus à lui donner raison pendant quelques moments pour la flatter, et je détruisis ses raisonnements de femme par un mot, en attirant son attention sur un fait journalier dans la vie, le sommeil, fait vulgaire en apparence, mais au fond plein de problèmes insolubles pour le savant, et je piquai sa curiosité. La comtesse resta même un instant silencieuse

---

241. Cette comparaison de la volonté avec un « fluide » vient tout droit du mesmérisme (cf. *supra*, notes 25 et 211). Spoelberch de Lovenjoul, dans son *Histoire des œuvres de Balzac*, rapporte ces propos que Balzac, un jour de 1820, aurait tenus à un ancien camarade de Vendôme : « Avant peu, je posséderai les secrets de cette puissance mystérieuse, je contraindrai tous les hommes à m'obéir, toutes les femmes à m'aimer… » Quelques personnages de *La Comédie humaine* auront ce pouvoir, Vautrin par exemple.

quand je lui dis que nos idées étaient des êtres organisés, complets qui vivaient dans un monde invisible et influaient sur nos destinées, en lui citant pour preuves les pensées de Descartes, de Diderot, de Napoléon qui avaient conduit, qui conduisaient encore tout un siècle. J'eus l'honneur d'amuser cette femme, elle me quitta en m'invitant à la venir voir ; en style de cour, elle me donna les grandes entrées. Soit que je prisse, selon ma louable habitude, des formules polies pour des paroles de cœur, soit que Fœdora vît en moi quelque célébrité prochaine, et voulût augmenter sa ménagerie de savants, je crus lui plaire. J'évoquai toutes mes connaissances physiologiques et mes études antérieures sur la femme pour examiner minutieusement pendant cette soirée cette singulière personne et ses manières ; caché dans l'embrasure d'une fenêtre, j'espionnai ses pensées en les cherchant dans son maintien, en étudiant ce manège d'une maîtresse de maison qui va et vient, s'assied et cause, appelle un homme, l'interroge, et s'appuie pour l'écouter sur un chambranle de porte ; je remarquai dans sa démarche un mouvement brisé si doux, une ondulation de robe si gracieuse, elle excitait si puissamment le désir que je devins alors très incrédule sur sa vertu. Si Fœdora méconnaissait aujourd'hui l'amour, elle avait dû jadis être fort passionnée ; car une volupté savante se peignait jusque dans la manière dont elle se posait devant son interlocuteur, elle se soutenait sur la boiserie avec coquetterie, comme une femme près de tomber, mais aussi près de s'enfuir si quelque regard trop vif l'intimide. Les bras mollement croisés, paraissant respirer les paroles, les écoutant même du regard et avec bienveillance, elle exhalait le sentiment. Ses lèvres fraîches et rouges tranchaient sur un teint d'une vive blancheur. Ses cheveux bruns faisaient assez bien valoir la couleur orangée de ses yeux mêlés de veines comme une pierre de Florence, et dont l'expression semblait ajouter de la finesse à ses paroles. Enfin son corsage était paré des grâces les plus attrayantes. Une rivale aurait peut-être accusé de dureté d'épais sourcils qui paraissaient se rejoindre, et blâmé l'imperceptible duvet qui ornait les contours du visage. Je trouvai la passion empreinte en tout. L'amour était écrit sur les paupières italiennes de cette femme, sur ses belles épaules dignes de la Vénus de Milo [242], dans ses traits, sur sa lèvre supérieure un peu forte et légèrement ombragée. C'était plus qu'une femme, c'était un roman. Oui, ces richesses féminines, l'ensemble harmonieux des lignes, les promesses que cette riche structure faisait à la passion étaient tempérés par une réserve constante, par une modestie extraordinaire, qui contrastaient avec l'expression de toute la personne. Il fallait une observation aussi sagace que la mienne pour découvrir dans cette nature les signes d'une destinée de volupté. Pour expliquer plus clairement ma pensée, il y avait en Fœdora deux femmes séparées par le buste peut-être ; l'une était froide, la tête seule semblait être amoureuse ; avant d'arrêter ses yeux sur un homme, elle préparait son regard, comme s'il se passait je ne sais quoi de mystérieux en elle-même, vous eussiez dit d'une convulsion dans ses yeux si brillants. Enfin, ou ma science était imparfaite, et j'avais encore bien des secrets à découvrir dans le monde moral, ou la comtesse possédait une belle âme dont les sentiments et les émanations communiquaient à sa physionomie ce charme qui nous subjugue et nous fascine, ascendant tout moral et d'autant plus puissant qu'il s'accorde avec les sympathies du désir. Je sortis ravi, séduit par cette femme, enivré par son luxe, chatouillé dans tout ce que mon cœur avait de noble, de

---

242. La référence n'était pas encore éculée à l'époque. La Vénus de Milo (du nom de l'île grecque de Mêlos où elle fut découverte) venait d'être offerte en 1820 par le marquis de Rivière, ambassadeur de France en Turquie, à Louis XVIII, lequel l'offrit au Louvre qui l'exposa en 1821.

vicieux, de bon, de mauvais. En me sentant si ému, si vivant, si exalté, je crus comprendre l'attrait qui amenait là ces artistes, ces diplomates, ces hommes de pouvoir, ces agioteurs doublés de tôle comme leurs caisses ; sans doute ils venaient chercher près d'elle l'émotion délirante qui faisait vibrer en moi toutes les forces de mon être, fouettait mon sang dans la moindre veine, agaçait le plus petit nerf et tressaillait dans mon cerveau ! elle ne s'était donnée à aucun pour les garder tous. Une femme est coquette tant qu'elle n'aime pas. "Puis, dis-je à Rastignac, elle a peut-être été mariée ou vendue à quelque vieillard, et le souvenir de ses premières noces lui donne de l'horreur pour l'amour." Je revins à pied du faubourg Saint-Honoré, où Fœdora demeure. Entre son hôtel et la rue des Cordiers il y a presque tout Paris ; le chemin me parut court, et cependant il faisait froid. Entreprendre la conquête de Fœdora dans l'hiver, un rude hiver, quand je n'avais pas trente francs en ma possession, quand la distance qui nous séparait était si grande ! Un jeune homme pauvre peut seul savoir ce qu'une passion coûte en voitures, en gants, en habits, linge, etc. Si l'amour reste un peu trop de temps platonique, il devient ruineux. Vraiment, il y a des Lauzun[243] de l'École de Droit auxquels il est impossible d'approcher d'une passion logée à un premier étage[244]. Et comment pouvais-je lutter, moi, faible, grêle, mis simplement, pâle et hâve comme un artiste en convalescence d'un ouvrage, avec des jeunes gens bien frisés, jolis, pimpants, cravatés à désespérer toute la Croa-

---

243. Antoine-Nompar de Caumont, premier duc de Lauzun (1633-1723), était laid, spirituel et insolent ; la grande aventure de sa vie de courtisan fut l'amour légendaire dont s'éprit pour lui Mlle de Montpensier, cousine du roi Louis XIV. Il s'agit donc plutôt ici d'Armand Louis de Gontaut, second duc de Lauzun puis duc de Biron, dit « le beau Lauzun » (1747-1793), qui eut une jeunesse des plus orageuses et défraya la chronique scandaleuse de la cour juste avant la Révolution.
244. C'est-à-dire dans les meilleurs appartements.

tie[245], riches, armés de tilburys[246] et vêtus d'impertinence ? "Bah ! Fœdora ou la mort ! criai-je au détour d'un pont. Fœdora, c'est la fortune !" Le beau boudoir gothique et le salon à la Louis XIV passèrent devant mes yeux ; je revis la comtesse avec sa robe blanche, ses grandes manches gracieuses, et sa séduisante démarche, et son corsage tentateur. Quand j'arrivai dans ma mansarde nue, froide, aussi mal peignée que la perruque d'un naturaliste[247], j'étais encore environné par les images du luxe de Fœdora. Ce contraste était un mauvais conseiller, les crimes doivent naître ainsi. Je maudis alors, en frissonnant de rage, ma décente et honnête misère, ma mansarde féconde où tant de pensées avaient surgi. Je demandai compte à Dieu, au diable, à l'État social, à mon père, à l'univers entier, de ma destinée, de mon malheur ; je me couchai tout affamé, grommelant de risibles imprécations, mais bien résolu de séduire Fœdora. Ce cœur de femme était un dernier billet de loterie chargé de ma fortune. Je te ferai grâce de mes premières visites chez Fœdora, pour arriver promptement au drame. Tout en tâchant de m'adresser à l'âme de cette femme, j'essayai de gagner son esprit, d'avoir sa vanité pour moi ; afin d'être sûrement aimé, je lui donnai mille raisons de mieux s'aimer elle-même, jamais je ne la laissai dans un état d'indifférence ; les femmes veulent des émotions à tout prix, je les lui prodiguai ;

---

245. Le mot « cravate » est d'abord une corruption du mot « croate » : au mot « cravate », le *Littré* donne d'abord « cheval de Croatie », puis « soldat de cavalerie légère », car Louis XIV avait à son service un régiment appelé le Royal-Croate ou Royal-Cravate. Or l'uniforme du Royal-Cravate comportait un linge de cou : la mode s'empara de cet accessoire et en fit un ornement – que depuis ce temps-là on nomme une « cravate ».

246. Cabriolet élégant à deux places, découvert et léger (du nom d'un carrossier).

247. Balzac a déjà en tête le personnage du naturaliste Lavrille, coiffé d'une perruque « incessamment grattée et fantasquement retroussée », que Raphaël ira consulter dans la troisième partie du roman.

je l'eusse mise en colère plutôt que de la voir insouciante avec moi. Si d'abord, animé d'une volonté ferme et du désir de me faire aimer, je pris un peu d'ascendant sur elle, bientôt ma passion grandit, je ne fus plus maître de moi, je tombai dans le vrai, je me perdis et devins éperdument amoureux. Je ne sais pas bien ce que nous appelons, en poésie ou dans la conversation, *amour* ; mais le sentiment qui se développa tout à coup dans ma double nature, je ne l'ai trouvé peint nulle part, ni dans les phrases rhétoriques et apprêtées de J.-J. Rousseau[248] de qui j'occupais peut-être le logis, ni dans les froides conceptions de nos deux siècles littéraires, ni dans les tableaux de l'Italie. La vue du lac de Bienne[249], quelques motifs de Rossini[250], la Madone de Murillo que possède le maréchal Soult[251], les lettres de la Lescombat[252], certains mots épars dans les recueils d'anecdotes, mais surtout les prières des extatiques et quelques passages

---

248. Balzac songe évidemment à *La Nouvelle Héloïse* (cf. *supra*, notes 200 et 206).

249. Le lac de Bienne, en Suisse, au pied du Jura et non loin de Neuchâtel (voir la cinquième rêverie des *Rêveries du promeneur solitaire* de Rousseau). Balzac ne mentionne ce lieu qu'à partir de l'édition Delloye et Lecou (1838) : c'est au bord du lac de Bienne que Balzac et Mme Hanska ont échangé leur premier baiser, en septembre 1833.

250. Cf. *supra*, note 16. Tout comme Stendhal, Balzac avait une prédilection pour Rossini, qu'il fréquenta souvent entre 1830 et 1833 ; et, note Maurice Bardèche dans son *Balzac* (p. 189, note 32), il était très flatté qu'une partie de la critique jugeât son roman « rossinien ».

251. Maurice Allem a identifié ce tableau comme *L'Immaculée conception de la Vierge*, fleuron de la collection du maréchal Soult, et qui, à sa mort (1851), fut acheté par le musée du Louvre ; Balzac pense probablement au même tableau lorsqu'il écrit dans *Les Marana* (publié les 23 décembre 1832 et 13 janvier 1833) que Murillo est « le seul peintre assez osé pour l'avoir peinte [la Vierge] enivrée de bonheur par la conception du Christ, imagination délirante du plus hardi, du plus chaud des peintres ».

252. Ces lettres, publiées au milieu du XVIIIe siècle, étaient probablement apocryphes ; la Lescombat, héroïne d'un procès célèbre, avait poussé son amant, Mongenot, à assassiner son mari, l'architecte Lescombat, dont Mongenot était l'élève.

de nos fabliaux, ont pu seuls me transporter dans les divines régions de mon premier amour. Rien dans les langages humains, aucune traduction de la pensée faite à l'aide des couleurs, des marbres, des mots ou des sons, ne saurait rendre le nerf, la vérité, le fini, la soudaineté du sentiment dans l'âme ! Oui ! qui dit art, dit mensonge. L'amour passe par des transformations infinies avant de se mêler pour toujours à notre vie et de la teindre à jamais de sa couleur de flamme. Le secret de cette infusion imperceptible échappe à l'analyse de l'artiste. La vraie passion s'exprime par des cris, des soupirs ennuyeux pour un homme froid. Il faut aimer sincèrement pour être de moitié dans les rugissements de Lovelace, en lisant *Clarissa Harlowe* [253]. L'amour est une source naïve, partie de son lit de cresson, de fleurs, de gravier, qui rivière, qui fleuve, change de nature et d'aspect à chaque flot, et se jette dans un incommensurable océan où les esprits incomplets voient la monotonie, où les grandes âmes s'abîment en de perpétuelles contemplations. Comment oser décrire ces teintes transitoires du sentiment, ces riens qui ont tant de prix, ces mots dont l'accent épuise les trésors du langage, ces regards plus féconds que les plus riches poèmes ? Dans chacune des scènes mystiques par lesquelles nous nous éprenons insensiblement d'une femme, s'ouvre un abîme à engloutir toutes les poésies humaines. Eh ! comment pourrions-nous reproduire par des gloses les vives et mystérieuses agitations de l'âme, quand les paroles nous manquent pour peindre les mystères visibles de la beauté ? Quelles fascinations ! Combien d'heures ne suis-je pas resté plongé dans une extase ineffable occupé à *la* voir ! Heureux, de quoi ? je ne sais. Dans ces moments, si son visage était inondé de lumière, il s'y opérait je

---

253. *Clarissa Harlowe*, célèbre roman épistolaire de Samuel Richardson (1748) : Clarissa, pure jeune fille abusée par un cynique séducteur, Lovelace, meurt désespérée.

ne sais quel phénomène qui le faisait resplendir ; l'imperceptible duvet qui dore sa peau délicate et fine en dessinait mollement les contours avec la grâce que nous admirons dans les lignes lointaines de l'horizon quand elles se perdent dans le soleil. Il semblait que le jour la caressât en s'unissant à elle, ou qu'il s'échappât de sa rayonnante figure une lumière plus vive que la lumière même ; puis une ombre passant sur cette douce figure y produisait une sorte de couleur qui en variait les expressions en changeant les teintes. Souvent une pensée semblait se peindre sur son front de marbre ; son œil paraissait rougir, sa paupière vacillait, ses traits ondulaient agités par un sourire ; le corail intelligent de ses lèvres s'animait, se dépliait, se repliait ; je ne sais quel reflet de ses cheveux jetait des tons bruns sur ses tempes fraîches ; à chaque accident, elle avait parlé. Chaque nuance de beauté donnait des fêtes nouvelles à mes yeux, révélait des grâces inconnues à mon cœur. Je voulais lire un sentiment, un espoir, dans toutes ces phases du visage. Ces discours muets pénétraient d'âme à âme comme un son dans l'écho, et me prodiguaient des joies passagères qui me laissaient des impressions profondes. Sa voix me causait un délire que j'avais peine à comprimer. Imitant je ne sais quel prince de Lorraine [254], j'aurais pu ne pas sentir un charbon ardent au creux de ma main pendant qu'elle aurait passé dans ma chevelure ses doigts chatouilleux. Ce n'était plus une admiration, un désir, mais un charme, une fatalité. Souvent, rentré sous mon toit, je voyais indistinctement Fœdora chez elle, et participais vaguement à sa vie ; si elle souffrait, je souffrais, et je lui disais le lendemain : “Vous avez souffert !” Combien de fois n'est-elle pas venue au milieu des silences de la nuit, évoquée par la puissance de mon extase ! Tantôt, soudaine comme une lumière qui jaillit, elle abattait ma plume, elle effarouchait la

254. Allusion restée mystérieuse pour tous les commentateurs…

Science et l'Étude qui s'enfuyaient désolées ; elle me forçait à l'admirer en reprenant la pose attrayante où je l'avais vue naguère. Tantôt j'allais moi-même au-devant d'elle dans le monde des apparitions, et la saluais comme une espérance en lui demandant de me faire entendre sa voix argentine ; puis je me réveillais en pleurant. Un jour, après m'avoir promis de venir au spectacle avec moi, tout à coup elle refusa capricieusement de sortir, et me pria de la laisser seule. Désespéré d'une contradiction qui me coûtait une journée de travail, et, le dirai-je ? mon dernier écu, je me rendis là où elle aurait dû être, voulant voir la pièce qu'elle avait désiré voir. À peine placé, je reçus un coup électrique dans le cœur. Une voix me dit : "Elle est là !" Je me retourne, j'aperçois la comtesse au fond de sa loge, cachée dans l'ombre, au rez-de-chaussée. Mon regard n'hésita pas, mes yeux la trouvèrent tout d'abord [255] avec une lucidité fabuleuse, mon âme avait volé vers sa vie comme un insecte vole à sa fleur. Par quoi mes sens avaient-ils été avertis ? Il est de ces tressaillements intimes qui peuvent surprendre les gens superficiels, mais ces effets de notre nature intérieure sont aussi simples que les phénomènes habituels de notre vision extérieure ; aussi ne fus-je pas étonné, mais fâché. Mes études sur notre puissance morale, si peu connue, servaient au moins à me faire rencontrer dans ma passion quelques preuves vivantes de mon système. Cette alliance du savant et de l'amoureux, d'une véritable idolâtrie et d'un amour scientifique, avait je ne sais quoi de bizarre. La Science était souvent contente de ce qui désespérait l'amant, et, quand il croyait triompher, l'amant chassait loin de lui la Science avec bonheur. Fœdora me vit et devint sérieuse, je la gênais. Au premier entracte, j'allai lui faire une visite ; elle était seule, je restai. Quoique nous n'eussions jamais parlé d'amour, je pressentis une

---

255. Tout de suite.

explication. Je ne lui avais point encore dit mon secret, et cependant il existait entre nous une sorte d'entente : elle me confiait ses projets d'amusement, et me demandait la veille avec une sorte d'inquiétude amicale si je viendrais le lendemain ; elle me consultait par un regard quand elle disait un mot spirituel, comme si elle eût voulu me plaire exclusivement ; si je boudais, elle devenait caressante ; si elle faisait la fâchée, j'avais en quelque sorte le droit de l'interroger ; si je me rendais coupable d'une faute, elle se laissait longtemps supplier avant de me pardonner. Ces querelles, auxquelles nous avions pris goût, étaient pleines d'amour. Elle y déployait tant de grâce et de coquetterie, et moi j'y trouvais tant de bonheur ! En ce moment notre amitié fut tout à fait suspendue, et nous restâmes l'un devant l'autre comme deux étrangers. La comtesse était glaciale ; moi, j'appréhendais un malheur. "Vous allez m'accompagner", me dit-elle quand la pièce fut finie. Le temps avait changé subitement. Lorsque nous sortîmes, il tombait une neige mêlée de pluie. La voiture de Fœdora ne put arriver jusqu'à la porte du théâtre. En voyant une femme bien mise obligée de traverser le boulevard, un commissionnaire étendit son parapluie au-dessus de nos têtes, et réclama le prix de son service quand nous fûmes montés. Je n'avais rien, j'eusse alors vendu dix ans de ma vie pour avoir deux sous. Tout ce qui fait l'homme et ses mille vanités furent écrasés en moi par une douleur infernale. Ces mots : "Je n'ai pas de monnaie, mon cher !" furent dits d'un ton dur qui parut venir de ma passion contrariée, dits par moi, frère de cet homme, moi qui connaissais si bien le malheur ! moi qui jadis avais donné sept cent mille francs avec tant de facilité ! Le valet repoussa le commissionnaire, et les chevaux fendirent l'air. En revenant à son hôtel, Fœdora distraite, ou affectant d'être préoccupée, répondit par de dédaigneux monosyllabes à mes questions. Je gardai le silence. Ce fut un horrible moment. Arrivés chez elle, nous nous assîmes devant la cheminée. Quand le valet de chambre se fut retiré après avoir attisé le feu, la comtesse se tourna vers moi d'un air indéfinissable et me dit avec une sorte de solennité : "Depuis mon retour en France, ma fortune a tenté quelques jeunes gens, j'ai reçu des déclarations d'amour qui auraient pu satisfaire mon orgueil, j'ai rencontré des hommes dont l'attachement était si sincère et si profond qu'ils m'eussent encore épousée, même quand ils n'auraient trouvé en moi qu'une fille pauvre comme je l'étais jadis. Enfin sachez, monsieur de Valentin, que de nouvelles richesses et des titres nouveaux m'ont été offerts ; mais apprenez aussi que je n'ai jamais revu les personnes assez mal inspirées pour m'avoir parlé d'amour. Si mon affection pour vous était légère, je ne vous donnerais pas un avertissement dans lequel il entre plus d'amitié que d'orgueil. Une femme s'expose à recevoir une sorte d'affront lorsque, en se supposant aimée, elle se refuse par avance à un sentiment toujours flatteur. Je connais les scènes d'Arsinoé[256], d'Araminte[257], ainsi je me suis familiarisée avec les réponses que je puis entendre en pareille circonstance ; mais j'espère aujourd'hui ne pas être mal jugée par un homme supérieur pour lui avoir montré franchement mon âme." Elle s'exprimait avec le sang-froid d'un avoué, d'un notaire, expliquant à leurs clients les moyens d'un procès ou les articles d'un contrat. Le timbre clair et séducteur de sa voix n'accusait pas la moindre émotion ; seulement sa figure et son maintien, toujours

256. Arsinoé, personnage du *Misanthrope* de Molière, est une vieille coquette qui a tourné à la pruderie et à la dévotion.

257. Araminte, personnage des *Fausses Confidences* de Marivaux, est une jeune, jolie et riche veuve. (Araminte est aimée de Dorante, jeune homme de bonne famille mais ruiné, qui ne sait comment l'approcher ; sur les conseils du valet Dubois, il entre à son service comme intendant ; Dubois confie bientôt à sa maîtresse comme un secret que Dorante l'aime, et lui recommande de ne point répondre à cette passion – ce qui ne manque pas d'obtenir l'effet recherché : Araminte tombe amoureuse de Dorante, et finit par l'épouser.)

nobles et décents, me semblèrent avoir une froideur, une sécheresse diplomatiques. Elle avait sans doute médité ses paroles et fait le programme de cette scène. Oh ! mon cher ami, quand certaines femmes trouvent du plaisir à nous déchirer le cœur, quand elles se sont promis d'y enfoncer un poignard et de le retourner dans la plaie, ces femmes-là sont adorables, elles aiment ou veulent être aimées ! Un jour elles nous récompenseront de nos douleurs, comme Dieu doit, dit-on, rémunérer nos bonnes œuvres ; elles nous rendront en plaisirs le centuple d'un mal dont la violence est appréciée par elles, leur méchanceté n'est-elle pas pleine de passion ? Mais être torturé par une femme qui nous tue avec indifférence, n'est-ce pas un atroce supplice ? En ce moment Fœdora marchait, sans le savoir, sur toutes mes espérances, brisait ma vie et détruisait mon avenir avec la froide insouciance et l'innocente cruauté d'un enfant qui, par curiosité, déchire les ailes d'un papillon. “Plus tard, ajouta Fœdora, vous reconnaîtrez, je l'espère, la solidité de l'affection que j'offre à mes amis. Pour eux, vous me trouverez toujours bonne et dévouée. Je saurais leur donner ma vie, mais vous me mépriseriez si je subissais leur amour sans le partager. Je m'arrête. Vous êtes le seul homme auquel j'aie encore dit ces derniers mots.” D'abord les paroles me manquèrent, et j'eus peine à maîtriser l'ouragan qui s'élevait en moi ; mais bientôt je refoulai mes sensations au fond de mon âme, et me mis à sourire : “Si je vous dis que je vous aime, répondis-je, vous me bannirez ; si je m'accuse d'indifférence, vous m'en punirez. Les prêtres, les magistrats et les femmes ne dépouillent jamais leur robe entièrement. Le silence ne préjuge rien ; trouvez bon, madame, que je me taise. Pour m'avoir adressé de si fraternels avertissements, il faut que vous ayez craint de me perdre, et cette pensée pourrait satisfaire mon orgueil. Mais laissons la personnalité loin de nous. Vous êtes peut-être la seule femme avec laquelle je puisse discuter en philosophe une résolution si contraire aux lois de la nature. Relativement aux autres sujets de votre espèce, vous êtes un phénomène. Eh bien, cherchons ensemble, de bonne foi, la cause de cette anomalie psychologique. Existe-t-il en vous, comme chez beaucoup de femmes fières d'elles-mêmes, amoureuses de leurs perfections, un sentiment d'égoïsme raffiné qui vous fasse prendre en horreur l'idée d'appartenir à un homme, d'abdiquer votre vouloir et d'être soumise à une supériorité de convention qui vous offense ? vous me sembleriez mille fois plus belle. Auriez-vous été maltraitée une première fois par l'amour ? Peut-être le prix que vous devez attacher à l'élégance de votre taille, à votre délicieux corsage, vous fait-il craindre les dégâts de la maternité : ne serait-ce pas une de vos meilleures raisons secrètes pour vous refuser à être trop bien aimée ? Avez-vous des imperfections qui vous rendent vertueuse malgré vous ? Ne vous fâchez pas, je discute, j'étudie, je suis à mille lieues de la passion. La nature, qui fait des aveugles de naissance, peut bien créer des femmes sourdes, muettes et aveugles en amour. Vraiment vous êtes un sujet précieux pour l'observation médicale ! Vous ne savez pas tout ce que vous valez. Vous pouvez avoir un dégoût fort légitime pour les hommes, je vous approuve, ils me paraissent tous laids et odieux. Mais vous avez raison, ajoutai-je en sentant mon cœur se gonfler, vous devez nous mépriser, il n'existe pas d'homme qui soit digne de vous !" Je ne te dirai pas tous les sarcasmes que je lui débitai en riant. Eh bien, la parole la plus acérée, l'ironie la plus aiguë, ne lui arrachèrent ni un mouvement ni un geste de dépit. Elle m'écoutait en gardant sur ses lèvres, dans ses yeux, son sourire d'habitude, ce sourire qu'elle prenait comme un vêtement, et toujours le même pour ses amis, pour ses simples connaissances, pour les étrangers. "Ne suis-je pas bien bonne de me laisser mettre ainsi sur un amphithéâtre[258] ? dit-elle en saisissant un moment pendant lequel je la regardais en silence. Vous le voyez, continua-t-elle en riant, je n'ai pas de sottes susceptibilités en amitié ! Beaucoup de femmes puniraient votre impertinence en vous faisant fermer leur porte. – Vous pouvez me bannir de chez vous sans être tenue de donner la raison de vos sévérités." En disant cela, je me sentais prêt à la tuer si elle m'avait congédié. "Vous êtes fou, s'écria-t-elle en souriant. – Avez-vous jamais songé, repris-je, aux effets d'un violent amour ? Un homme au désespoir a souvent assassiné sa maîtresse. – Il vaut mieux être morte que malheureuse, répondit-elle froidement. Un homme si passionné doit un jour abandonner sa femme et la laisser sur la paille après lui avoir mangé sa fortune." Cette arithmétique m'abasourdit. Je vis clairement un abîme entre cette femme et moi. Nous ne pouvions jamais nous comprendre. "Adieu, lui dis-je froidement. – Adieu, répondit-elle en inclinant la tête d'un air amical. À demain." Je la regardai pendant un moment en lui dardant tout l'amour auquel je renonçais. Elle était debout, et me jetait son sourire banal, le détestable sourire d'une statue de marbre, paraissant exprimer l'amour, mais froid. Concevras-tu bien, mon cher, toutes les douleurs qui m'assaillirent en revenant chez moi par la pluie et la neige, en marchant sur le verglas des quais pendant une lieue, ayant tout perdu ? Oh ! savoir qu'elle ne pensait seulement pas à ma misère et me croyait, comme elle, riche et doucement voituré ! Combien de ruines et de déceptions ! Il ne s'agissait plus d'argent, mais de toutes les fortunes de mon âme. J'allais au hasard, en discutant avec moi-même les mots de cette étrange conversation, je m'égarais si bien dans mes commentaires que je finissais par douter de

---

258. Sur la table de dissection d'un amphithéâtre de faculté de médecine.

la valeur nominale des paroles et des idées ! Et j'aimais toujours, j'aimais cette femme froide dont le cœur voulait être conquis à tout moment, et qui, en effaçant toujours les promesses de la veille, se produisait le lendemain comme une maîtresse nouvelle. En tournant sous les guichets de l'Institut, un mouvement fiévreux me saisit. Je me souvins alors que j'étais à jeun. Je ne possédais pas un denier. Pour comble de malheur, la pluie déformait mon chapeau. Comment pouvoir aborder désormais une femme élégante et me présenter dans un salon sans un chapeau mettable ! Grâce à des soins extrêmes, et tout en maudissant la mode niaise et sotte qui nous condamne à exhiber la coiffe de nos chapeaux en les gardant constamment à la main, j'avais maintenu le mien jusque-là dans un état douteux. Sans être curieusement neuf ou sèchement vieux, dénué de barbe ou très soyeux, il pouvait passer pour le chapeau d'un homme soigneux ; mais son existence artificielle arrivait à son dernier période, il était blessé, déjeté, fini, véritable haillon, digne représentant de son maître. Faute de trente sous, je perdais mon industrieuse élégance. Ah ! combien de sacrifices ignorés n'avais-je pas faits à Fœdora depuis trois mois ! Souvent je consacrais l'argent nécessaire au pain d'une semaine pour aller la voir un moment. Quitter mes travaux et jeûner, ce n'était rien ! Mais traverser les rues de Paris sans se laisser éclabousser, courir pour éviter la pluie, arriver chez elle aussi bien mis que les fats qui l'entouraient, ah ! pour un poète amoureux et distrait, cette tâche avait d'innombrables difficultés. Mon bonheur, mon amour, dépendait d'une moucheture de fange sur mon seul gilet blanc ! Renoncer à la voir si je me crottais, si je me mouillais ! Ne pas posséder cinq sous pour faire effacer par un décrotteur la plus légère tache de boue sur ma botte ! Ma passion s'était augmentée de tous ces petits supplices inconnus, immenses chez un homme irritable. Les malheureux ont des dévouements desquels il ne leur est point permis de parler aux femmes qui vivent dans une sphère de luxe et d'élégance ; elles voient le monde à travers un prisme qui teint en or les hommes et les choses. Optimistes par égoïsme, cruelles par bon ton, ces femmes s'exemptent de réfléchir au nom de leurs jouissances, et s'absolvent de leur indifférence au malheur par l'entraînement du plaisir. Pour elles un denier n'est jamais un million, c'est le million qui leur semble être un denier. Si l'amour doit plaider sa cause par de grands sacrifices, il doit aussi les couvrir délicatement d'un voile, les ensevelir dans le silence ; mais, en prodiguant leur fortune et leur vie, en se dévouant, les hommes riches profitent des préjugés mondains qui donnent toujours un certain éclat à leurs amoureuses folies ; pour eux le silence parle et le voile est une grâce, tandis que mon affreuse détresse me condamnait à d'épouvantables souffrances sans qu'il me fût permis de dire : “J'aime !” ou : “Je meurs !” Était-ce du dévouement après tout ? N'étais-je pas richement récompensé par le plaisir que j'éprouvais à tout immoler pour elle ? La comtesse avait donné d'extrêmes valeurs, attaché d'excessives jouissances aux accidents les plus vulgaires de ma vie. Naguère insouciant en fait de toilette, je respectais maintenant mon habit comme un autre moi-même. Entre une blessure à recevoir et la déchirure de mon frac, je n'aurais pas hésité ! Tu dois alors épouser ma situation et comprendre les rages de pensées, la frénésie croissante qui m'agitaient en marchant, et que peut-être la marche animait encore ! J'éprouvais je ne sais quelle joie infernale à me trouver au faîte du malheur. Je voulais voir un présage de fortune dans cette dernière crise ; mais le mal a des trésors sans fond. La porte de mon hôtel était entrouverte. À travers les découpures en forme de cœur pratiquées dans le volet, j'aperçus une lumière projetée dans la rue. Pauline et sa mère causaient en m'attendant. J'entendis prononcer mon nom, j'écoutai. “Raphaël, disait Pauline, est bien mieux que l'étudiant du numéro sept ! Ses cheveux blonds sont d'une si jolie couleur ! Ne trouves-tu pas quelque chose dans sa voix, je ne sais, mais quelque chose qui vous remue le cœur ? Et puis, quoiqu'il ait l'air un peu fier, il est si bon, il a des manières si distinguées ! Oh ! il est vraiment très bien ! Je suis sûre que toutes les femmes doivent être folles de lui. – Tu en parles comme si tu l'aimais, reprit Mme Gaudin. – Oh ! je l'aime comme un frère, répondit-elle en riant. Je serais joliment ingrate si je n'avais pas de l'amitié pour lui ! Ne m'a-t-il pas appris la musique, le dessin, la grammaire, enfin tout ce que je sais ? Tu ne fais pas grande attention à mes progrès, ma bonne mère ; mais je deviens si instruite que dans quelque temps je serai assez forte pour donner des leçons, et alors nous pourrons avoir une domestique." Je me retirai doucement ; et, après avoir fait quelque bruit, j'entrai dans la salle pour y prendre ma lampe que Pauline voulut allumer. La pauvre enfant venait de jeter un baume délicieux sur mes plaies. Ce naïf éloge de ma personne me rendit un peu de courage. J'avais besoin de croire en moi-même et de recueillir un jugement impartial sur la véritable valeur de mes avantages. Mes espérances, ainsi ranimées, se reflétèrent peut-être sur les choses que je voyais. Peut-être aussi n'avais-je point encore bien sérieusement examiné la scène assez souvent offerte à mes regards par ces deux femmes au milieu de cette salle ; mais alors j'admirai dans sa réalité le plus délicieux tableau de cette nature modeste si naïvement reproduite par les peintres flamands. La mère, assise au coin d'un foyer à demi éteint, tricotait des bas, et laissait errer sur ses lèvres un bon sourire. Pauline coloriait des écrans, ses couleurs, ses pinceaux étalés sur une petite table parlaient aux yeux par de piquants effets ; mais, ayant quitté sa place et se tenant debout pour allumer ma lampe, sa blanche figure en recevait toute la lumière ; il fallait être subjugué par une bien terrible passion pour ne pas adorer ses mains transparentes et roses, l'idéal de sa tête et sa virginale attitude ! La nuit et le silence prêtaient leur charme à cette laborieuse veillée, à ce paisible intérieur. Ces travaux continus et gaiement supportés attestaient une résignation religieuse pleine de sentiments élevés. Une indéfinissable harmonie existait là entre les choses et les personnes. Chez Fœdora le luxe était sec, il réveillait en moi de mauvaises pensées ; tandis que cette humble misère et ce bon naturel me rafraîchissaient l'âme. Peut-être étais-je humilié en présence du luxe ; près de ces deux femmes, au milieu de cette salle brune où la vie simplifiée semblait se réfugier dans les émotions du cœur, peut-être me réconciliai-je avec moi-même en trouvant à exercer la protection que l'homme est si jaloux de faire sentir. Quand je fus près de Pauline, elle me jeta un regard presque maternel, et s'écria, les mains tremblantes, en posant vivement la lampe : "Dieu ! comme vous êtes pâle ! Ah ! il est tout mouillé ! Ma mère va vous essuyer. Monsieur Raphaël, reprit-elle après une légère pause, vous êtes friand de lait : nous avons eu ce soir de la crème, tenez, voulez-vous y goûter ?" Elle sauta comme un petit chat sur un bol de porcelaine plein de lait, et me le présenta si vivement, me le mit sous le nez d'une si gentille façon, que j'hésitai. "« Vous me refuseriez ?" dit-elle d'une voix altérée. Nos deux fiertés se comprenaient : Pauline paraissait souffrir de sa pauvreté, et me reprocher ma hauteur. Je fus attendri. Cette crème était peut-être son déjeuner du lendemain, j'acceptai cependant. La pauvre fille essaya de cacher sa joie, mais elle pétillait dans ses yeux. "J'en avais besoin, lui dis-je en m'asseyant. (Une expression soucieuse passa sur son front.) Vous souvenez-vous, Pauline, de ce passage où Bossuet nous peint Dieu récompensant un verre d'eau plus richement qu'une victoire [259] ? – Oui",

---

259. Selon Pierre Citron, Balzac déformerait ici le sens d'un passage de l'*Oraison funèbre de Louis de Bourbon* : « Servez donc ce roi immortel [le Roi du Ciel] et si plein de miséricorde qui vous comptera vos

dit-elle. Et son sein battait comme celui d'une jeune fauvette entre les mains d'un enfant. "Eh bien, comme nous nous quitterons bientôt, ajoutai-je d'une voix mal assurée, laissez-moi vous témoigner ma reconnaissance pour tous les soins que vous et votre mère vous avez eus de moi. – Oh ! ne comptons pas", dit-elle en riant. Son rire cachait une émotion qui me fit mal. "Mon piano, repris-je sans paraître avoir entendu ses paroles, est un des meilleurs instruments d'Érard[260] : acceptez-le. Prenez-le sans scrupule, je ne saurais vraiment l'emporter dans le voyage que je compte entreprendre." Éclairées peut-être par l'accent de mélancolie avec lequel je prononçai ces mots, les deux femmes semblèrent m'avoir compris et me regardèrent avec une curiosité mêlée d'effroi. L'affection que je cherchais au milieu des froides régions du grand monde était donc là, vraie, sans faste, mais onctueuse et peut-être durable. "Il ne faut pas prendre tant de souci, me dit la mère. Restez ici. Mon mari est en route à cette heure, reprit-elle. Ce soir, j'ai lu l'Évangile de saint Jean pendant que Pauline tenait suspendue entre ses doigts notre clef attachée dans une Bible, la clef a tourné. Ce présage annonce que Gaudin se porte bien et prospère. Pauline a recommencé pour vous et pour le jeune homme du numéro sept ; mais la clef n'a tourné que pour vous. Nous serons tous riches, Gaudin reviendra millionnaire. Je l'ai vu en rêve sur un vaisseau plein de serpents ; heureusement l'eau était trouble, ce qui signifie or et pierreries d'outremer." Ces paroles amicales et vides, semblables aux vagues chansons avec lesquelles une mère endort les

---

soupirs et un verre d'eau donné en son nom plus que tous les autres ne feront jamais pour tout votre sang répandu. » Ce verre d'eau est celui dont Jésus a dit, dans l'Évangile selon saint Matthieu (chapitre X, v. 42) : « Et quiconque aura donné seulement à boire un verre d'eau froide à l'un de ces plus petits, comme étant de mes disciples, je vous dis en vérité qu'il ne perdra point sa récompense. »

260. Sébastien Érard (1752-1831), célèbre facteur de pianos.

douleurs de son enfant, me rendirent une sorte de calme. L'accent et le regard de la bonne femme exhalaient cette douce cordialité qui n'efface pas le chagrin, mais qui l'apaise, qui le berce et l'émousse. Plus perspicace que sa mère, Pauline m'examinait avec inquiétude, ses yeux intelligents semblaient deviner ma vie et mon avenir. Je remerciai par une inclination de tête la mère et la fille ; puis je me sauvai, craignant de m'attendrir. Quand je me trouvai seul sous mon toit, je me couchai dans mon malheur. Ma fatale imagination me dessina mille projets sans base et me dicta des résolutions impossibles. Quand un homme se traîne dans les décombres de sa fortune, il y rencontre encore quelques ressources ; mais j'étais dans le néant. Ah ! mon cher, nous accusons trop facilement la misère. Soyons indulgents pour les effets du plus actif de tous les dissolvants sociaux. Là où règne la misère, il n'existe plus ni pudeur, ni crimes, ni vertus, ni esprit. J'étais alors sans idées, sans force, comme une jeune fille tombée à genoux devant un tigre. Un homme sans passion et sans argent reste maître de sa personne ; mais un malheureux qui aime ne s'appartient plus et ne peut pas se tuer. L'amour nous donne une sorte de religion pour nous-mêmes, nous respectons en nous une autre vie ; il devient alors le plus horrible des malheurs ; le malheur avec une espérance, une espérance qui vous fait accepter des tortures. Je m'endormis avec l'idée d'aller le lendemain confier à Rastignac la singulière détermination de Fœdora. "Ah ! ah ! me dit Rastignac en me voyant entrer chez lui dès neuf heures du matin, je sais ce qui t'amène, tu dois être congédié par Fœdora. Quelques bonnes âmes jalouses de ton empire sur la comtesse ont annoncé votre mariage. Dieu sait les folies que tes rivaux t'ont prêtées et les calomnies dont tu as été l'objet ! – Tout s'explique !" m'écriai-je. Je me souvins de toutes mes impertinences et trouvai la comtesse sublime. À mon gré, j'étais un infâme qui n'avait pas encore assez souffert, et je ne vis plus dans son indulgence que la patiente charité de l'amour. "N'allons pas si vite, me dit le prudent Gascon. Fœdora possède la pénétration naturelle aux femmes profondément égoïstes, elle t'aura jugé peut-être au moment où tu ne voyais encore en elle que sa fortune et son luxe ; en dépit de ton adresse, elle aura lu dans ton âme. Elle est assez dissimulée pour qu'aucune dissimulation ne trouve grâce devant elle. Je crois, ajouta-t-il, t'avoir mis dans une mauvaise voie. Malgré la finesse de son esprit et de ses manières, cette créature me semble impérieuse comme toutes les femmes qui ne prennent de plaisir que par la tête. Pour elle le bonheur gît tout entier dans le bien-être de la vie, dans les jouissances sociales ; chez elle, le sentiment est un rôle, elle te rendrait malheureux, et ferait de toi son premier valet !" Rastignac parlait à un sourd. Je l'interrompis, en lui exposant avec une apparente gaieté ma situation financière. "Hier au soir, me répondit-il, une veine contraire m'a emporté tout l'argent dont je pouvais disposer. Sans cette vulgaire infortune, j'eusse partagé volontiers ma bourse avec toi. Mais, allons déjeuner au cabaret, les huîtres nous donneront peut-être un bon conseil." Il s'habilla, fit atteler son tilbury ; puis semblables à deux millionnaires, nous arrivâmes au Café de Paris[261] avec l'impertinence de ces audacieux spéculateurs qui vivent sur des capitaux imaginaires. Ce diable de Gascon me confondait par l'aisance de ses manières et par son aplomb imperturbable. Au moment où nous prenions le café, après avoir fini un repas fort délicat et très bien entendu, Rastignac, qui distribuait des coups de tête à une foule de jeunes gens également recommandables par les grâces de leur personne et par l'élégance de leur mise, me dit en voyant entrer un de

---

261. Célèbre restaurant sur le boulevard des Italiens, à l'angle de la rue Taitbout, juste à côté du non moins célèbre Café Tortoni, et le *nec plus ultra* de l'élégance boulevardière.

ces *dandys* : “Voici ton affaire !” Et il fit signe à un gentilhomme bien cravaté, qui semblait chercher une table à sa convenance, de venir lui parler. “Ce gaillard-là, me dit Rastignac à l’oreille, est décoré pour avoir publié des ouvrages qu’il ne comprend pas ; il est chimiste, historien, romancier, publiciste [262] ; il possède des quarts, des tiers, des moitiés, dans je ne sais combien de pièces de théâtre, et il est ignorant comme la mule de don Miguel [263]. Ce n’est pas un homme, c’est un nom, une étiquette familière au public. Aussi se garderait-il bien d’entrer dans ces cabinets sur lesquels il y a cette inscription : *Ici l’on peut écrire soi-même.* Il est fin à jouer tout un congrès. En deux mots, c’est un métis en morale, ni tout à fait probe, ni complètement fripon. Mais chut ! il s’est déjà battu, le monde n’en demande pas davantage et dit de lui : ‘C’est un homme honorable.’” “Eh bien, mon excellent ami, mon honorable ami, comment se porte Votre Intelligence ? lui dit Rastignac au moment où l’inconnu s’assit à la table voisine. – Mais ni bien ni mal. Je suis accablé de travail. J’ai entre les mains tous les matériaux nécessaires pour faire des mémoires historiques très curieux, et je ne sais à qui les attribuer. Cela me tourmente, il faut se hâter, les mémoires vont passer

262. C’est-à-dire écrivain politique.

263. Peut-être, suggère Pierre Citron, une allusion au poète Viennet (1777-1868), adversaire passionné du mouvement romantique. Don Miguel, roi du Portugal (1828-1834), ayant en 1828 été victime d’un accident provoqué par l’emballement des mules qui tiraient son carrosse, Viennet publia en effet en janvier 1829 un texte intitulé *Épître aux mules de Don Miguel.* L’occasion était trop belle pour qu’une plume romantique anonyme ne s’empressât de souligner, dans une pochade intitulée *La Muléide*, que Viennet avait en la mule de don Miguel trouvé son emblème ! « Ignorant comme la mule de don Miguel » pourrait donc avoir signifié, du moins entre romantiques, « bête comme Viennet ». À moins que l’expression ne fût tout simplement pour se moquer, en l’assimilant à l’une de ses mules, de Don Miguel lui-même, qui, selon le *Larousse* du XIXᵉ siècle, ne savait encore ni lire ni écrire à l’âge de dix-neuf ans, et dont le court règne fut déplorable.

de mode. – Sont-ce des mémoires contemporains, anciens, sur la cour, sur quoi ? – Sur l'affaire du Collier[264]. – N'est-ce pas un miracle ?" me dit Rastignac en riant. Puis, se retournant vers le spéculateur : "M. de Valentin, reprit-il en me désignant, est un de mes amis que je vous présente comme l'une de nos célébrités littéraires. Il avait jadis une tante fort bien en cour, marquise, et depuis deux ans il travaille à une histoire royaliste de la Révolution." Puis, se penchant à l'oreille de ce singulier négociant, il lui dit : "C'est un homme de talent ; mais un niais qui peut vous faire vos mémoires, au nom de sa tante, pour cent écus par volume. – Le marché me va, répondit l'autre en haussant sa cravate. Garçon, mes huîtres, donc ! – Oui, mais vous me donnerez vingt-cinq louis de commission et lui paierez un volume d'avance, reprit Rastignac. – Non, non. Je n'avancerai que cinquante écus pour être plus sûr d'avoir promptement mon manuscrit." Rastignac me répéta cette conversation mercantile à voix basse. Puis sans me consulter : "Nous sommes d'accord, lui répondit-il. Quand pouvons-nous aller vous voir pour terminer cette affaire ? – Eh bien, venez dîner ici, demain soir, à sept heures." Nous nous levâmes, Rastignac jeta de la monnaie au garçon, mit la carte à payer dans sa poche, et nous sortîmes. J'étais stupéfait de la légèreté, de l'insouciance avec laquelle il avait vendu ma respectable tante, la marquise de Montbauron. "J'aime mieux m'embarquer pour le Brésil, et y enseigner aux Indiens l'algèbre que

---

264. En 1785, la comtesse de La Motte dupa le cardinal de Rohan, en lui faisant acheter à crédit, prétendument pour Marie-Antoinette, un collier d'une valeur extravagante, qu'elle lui subtilisa. Le cardinal, incapable de payer sa dette, fut embastillé puis acquitté mais exilé, et Mme de La Motte fut flagellée, marquée au fer rouge et enfermée à la Salpêtrière. L'affaire devenue politique marqua le début de l'impopularité de Marie-Antoinette. Madeleine Fargeaud note qu'au printemps 1831 on jouait précisément une pièce intitulée *L'Affaire du collier* au théâtre de l'Ambigu-Comique.

je ne sais pas, que de salir le nom de ma famille !" Rastignac m'interrompit par un éclat de rire. "Es-tu bête ! Prends d'abord les cinquante écus et fais les mémoires. Quand ils seront achevés, tu refuseras de les mettre sous le nom de ta tante, imbécile ! Mme de Montbauron, morte sur l'échafaud, ses paniers, ses considérations, sa beauté, son fard, ses mules valent bien plus de six cents francs. Si le libraire ne veut pas alors payer ta tante ce qu'elle vaut, il trouvera quelque vieux chevalier d'industrie, ou je ne sais quelle fangeuse comtesse pour signer les mémoires. – Oh ! m'écriai-je, pourquoi suis-je sorti de ma vertueuse mansarde ? Le monde a des envers bien salement ignobles. – Bon, répondit Rastignac, voilà de la poésie, et il s'agit d'affaires. Tu es un enfant. Écoute : quant aux mémoires, le public les jugera ; quant à mon proxénète littéraire, n'a-t-il pas dépensé huit ans de sa vie, et payé ses relations avec la librairie par de cruelles expériences ? En partageant inégalement avec lui le travail du livre, ta part d'argent n'est-elle pas aussi la plus belle ? Vingt-cinq louis sont une bien plus grande somme pour toi, que mille francs pour lui. Va, tu peux écrire des mémoires historiques, œuvres d'art si jamais il en fut, quand Diderot a fait six sermons pour cent écus[265]. – Enfin, lui dis-je tout ému, c'est pour moi une nécessité : ainsi, mon pauvre ami, je te dois des remerciements. Vingt-cinq louis me rendront bien riche. – Et plus riche que tu ne penses, reprit-il en riant. Si Finot me donne une commission dans l'affaire, ne devines-tu pas qu'elle sera pour toi ? Allons au bois de Boulogne, dit-il ; nous y verrons ta comtesse, et je te montrerai la jolie petite veuve que je dois épouser, une charmante personne, Alsacienne un

---

265. Les biographes de Diderot rapportent en effet qu'il écrivit pour un missionnaire six sermons, payés chacun cinquante écus.

peu grasse. Elle lit Kant, Schiller, Jean-Paul [266], et une foule de livres hydrauliques [267]. Elle a la manie de toujours me demander mon opinion, je suis obligé d'avoir l'air de comprendre toute cette sensiblerie allemande, de connaître un tas de ballades, toutes drogues qui me sont défendues par le médecin. Je n'ai pas encore pu la déshabituer de son enthousiasme littéraire, elle pleure des averses à la lecture de Goethe, et je suis obligé de pleurer un peu, par complaisance, car il y a cinquante mille livres de rentes, mon cher, et le plus joli petit pied, la plus jolie petite main de la terre ! Ah ! si elle ne disait pas *mon anche*, et *proulier* pour *mon ange* et *brouiller*, ce serait une femme accomplie."

Nous vîmes la comtesse, brillante dans un brillant équipage. La coquette nous salua fort affectueusement en me jetant un sourire qui me parut alors divin et plein d'amour. Ah ! j'étais bien heureux, je me croyais aimé, j'avais de l'argent et des trésors de passion, plus de misère. Léger, gai, content de tout, je trouvai la maîtresse de mon ami charmante. Les arbres, l'air, le ciel, toute la nature semblait me répéter le sourire de Fœdora. En revenant des Champs-Élysées, nous allâmes chez le chapelier et chez le tailleur de Rastignac. L'affaire du Collier me permit de quitter mon misérable pied de paix, pour passer à un formidable pied de guerre. Désormais je pouvais sans crainte

---

266. Surnom de Johann Paul Richter (1763-1825), romancier allemand romantique, lyrique et idéaliste. – Friedrich Schiller (1759-1805), poète et dramaturge romantique allemand, fortement influencé (comme Jean-Paul) par Rousseau, et auteur, entre autres drames, des célèbres *Brigands*, voulut être au théâtre le Shakespeare allemand. – Bien que Schiller et Goethe aient été en philosophie des fils de Kant, Kant ne saurait être rangé avec eux dans la rubrique « sensiblerie allemande », et l'on voit assez mal la petite veuve alsacienne « pleurer des averses » en lisant, par exemple, *La Critique de la raison pure* ! Serait-ce donc que Balzac, comme le suggère avec malice Pierre Citron, n'a jamais lu une page de Kant ? Ou Balzac tourne-t-il en dérision l'ignorance de Rastignac, comme le suggère Maurice Ménard ?

267. C'est-à-dire, des livres qui font pleurer.

lutter de grâce et d'élégance avec les jeunes gens qui tourbillonnaient autour de Fœdora. Je revins chez moi. Je m'y enfermai, restant tranquille en apparence, près de ma lucarne ; mais disant d'éternels adieux à mes toits, vivant dans l'avenir, dramatisant ma vie, escomptant l'amour et ses joies. Ah ! comme une existence peut devenir orageuse entre les quatre murs d'une mansarde ! L'âme humaine est une fée, elle métamorphose une paille en diamants ; sous sa baguette les palais enchantés éclosent comme les fleurs des champs sous les chaudes inspirations du soleil. Le lendemain, vers midi, Pauline frappa doucement à ma porte et m'apporta, devine quoi ? une lettre de Fœdora. La comtesse me priait de venir la prendre au Luxembourg pour aller, de là, voir ensemble le Muséum et le Jardin des plantes. "Un commissionnaire attend la réponse", me dit-elle après un moment de silence. Je griffonnai promptement une lettre de remerciement que Pauline emporta. Je m'habillai. Au moment où, assez content de moi-même, j'achevais ma toilette, un frisson glacial me saisit à cette pensée : "Fœdora est-elle venue en voiture ou à pied ? pleuvra-t-il, fera-t-il beau ? Mais, me dis-je, qu'elle soit à pied ou en voiture, est-on jamais certain de l'esprit fantasque d'une femme ? elle sera sans argent et voudra donner cent sous à un petit Savoyard parce qu'il aura de jolies guenilles." J'étais sans un rouge liard et ne devais avoir de l'argent que le soir. Oh ! combien, dans ces crises de notre jeunesse, un poète paie cher la puissance intellectuelle dont il est investi par le régime et par le travail ! En un instant, mille pensées vives et douloureuses me piquèrent comme autant de dards. Je regardai le ciel par ma lucarne, le temps était fort incertain. En cas de malheur, je pouvais bien prendre une voiture pour la journée ; mais aussi ne tremblerais-je pas à tout moment, au milieu de mon bonheur, de ne pas rencontrer Finot le soir ? Je ne me sentis pas assez fort pour supporter tant de craintes au sein de ma joie. Malgré la certitude de ne rien trouver, j'entrepris une grande exploration à travers ma chambre, je cherchai des écus imaginaires jusque dans les profondeurs de ma paillasse, je fouillai tout, je secouai même de vieilles bottes. En proie à une fièvre nerveuse, je regardais mes meubles d'un œil hagard après les avoir renversés tous. Comprendras-tu le délire qui m'anima, lorsqu'en ouvrant pour la septième fois le tiroir de ma table à écrire que je visitais avec cette espèce d'indolence dans laquelle nous plonge le désespoir, j'aperçus collée contre une planche latérale, tapie sournoisement, mais propre, brillante, lucide comme une étoile à son lever, une belle et noble pièce de cent sous ? Ne lui demandant compte ni de son silence ni de la cruauté dont elle était coupable en se tenant ainsi cachée, je la baisai comme un ami fidèle au malheur et la saluai par un cri qui trouva de l'écho. Je me retournai brusquement et vis Pauline devenue pâle. "J'ai cru, dit-elle d'une voix émue, que vous vous faisiez mal. Le commissionnaire..." Elle s'interrompit comme si elle étouffait. "Mais ma mère l'a payé", ajouta-t-elle. Puis elle s'enfuit, enfantine et follette comme un caprice. Pauvre petite ! je lui souhaitai mon bonheur. En ce moment, il me semblait avoir dans l'âme tout le plaisir de la terre, et j'aurais voulu restituer aux malheureux la part que je croyais leur voler. Nous avons presque toujours raison dans nos pressentiments d'adversité, la comtesse avait renvoyé sa voiture. Par un de ces caprices que les jolies femmes ne s'expliquent pas toujours à elles-mêmes, elle voulait aller au Jardin des plantes par les boulevards et à pied. "Mais il va pleuvoir", lui dis-je. Elle prit plaisir à me contredire. Par hasard, il fit beau pendant tout le temps que nous marchâmes dans le Luxembourg. Quand nous en sortîmes, un gros nuage dont la marche excitait mon inquiétude ayant laissé tomber quelques gouttes d'eau, nous montâmes dans un fiacre. Lorsque nous eûmes atteint les boulevards, la pluie cessa, le ciel reprit sa sérénité. En arrivant au Muséum, je voulus renvoyer la voiture, Fœdora me pria de la garder. Que de tortures ! Mais causer avec elle en comprimant un secret délire qui sans doute se formulait sur mon visage par quelque sourire niais et arrêté ; errer dans le Jardin des plantes, en parcourir les allées bocagères [268] et sentir son bras appuyé sur le mien, il y eut dans tout cela je ne sais quoi de fantastique : c'était un rêve en plein jour. Cependant ses mouvements, soit en marchant, soit en nous arrêtant, n'avaient rien de doux ni d'amoureux, malgré leur apparente volupté. Quand je cherchais à m'associer en quelque sorte à l'action de sa vie, je rencontrais en elle une intime et secrète vivacité, je ne sais quoi de saccadé, d'excentrique. Les femmes sans âme n'ont rien de moelleux dans leurs gestes. Aussi n'étions-nous unis, ni par une même volonté, ni par un même pas. Il n'existe point de mots pour rendre ce désaccord matériel de deux êtres, car nous ne sommes pas encore habitués à reconnaître une pensée dans le mouvement. Ce phénomène de notre nature se sent instinctivement, il ne s'exprime pas.

« Pendant ces violents paroxysmes de ma passion, reprit Raphaël après un moment de silence, et comme s'il répondait à une objection qu'il se fût adressée à lui-même, je n'ai pas disséqué mes sensations, analysé mes plaisirs, ni supputé les battements de mon cœur, comme un avare examine et pèse ses pièces d'or. Oh ! non, l'expérience jette aujourd'hui sa triste lumière sur les événements passés, et le souvenir m'apporte ces images, comme par un beau temps les flots de la mer amènent brin à brin les débris d'un naufrage sur la grève. “Vous pouvez me rendre un service assez important, me dit la comtesse en me regardant d'un air confus. Après vous avoir confié mon antipathie pour

268. Ces allées bocagères, aménagées pendant la Restauration, simulaient une « vallée suisse » ; promenade, donc, en plein artifice.

l'amour, je me sens plus libre en réclamant de vous un bon office au nom de l'amitié. N'aurez-vous pas, reprit-elle en riant, beaucoup plus de mérite à m'obliger aujourd'hui ?" Je la regardais avec douleur. N'éprouvant rien près de moi, elle était pateline et non pas affectueuse ; elle me paraissait jouer un rôle en actrice consommée ; puis tout à coup son accent, un regard, un mot réveillaient mes espérances ; mais si mon amour ranimé se peignait alors dans mes yeux, elle en soutenait les rayons sans que la clarté des siens s'en altérât, car ils semblaient, comme ceux des tigres, être doublés par une feuille de métal. En ces moments-là, je la détestais. "La protection du duc de Navarreins, dit-elle en continuant avec des inflexions de voix pleines de câlinerie, me serait très utile auprès d'une personne toute-puissante en Russie, et dont l'intervention est nécessaire pour me faire rendre justice dans une affaire qui concerne à la fois ma fortune et mon état dans le monde, la reconnaissance de mon mariage par l'Empereur. Le duc de Navarreins n'est-il pas votre cousin ? Une lettre de lui déciderait tout. – Je vous appartiens, lui répondis-je, ordonnez. – Vous êtes bien aimable, reprit-elle en me serrant la main. Venez dîner avec moi, je vous dirai tout comme à un confesseur." Cette femme si méfiante, si discrète, et à laquelle personne n'avait entendu dire un mot sur ses intérêts, allait donc me consulter. "Oh ! combien j'aime maintenant le silence que vous m'avez imposé ! m'écriai-je. Mais j'aurais voulu quelque épreuve plus rude encore." En ce moment, elle accueillit l'ivresse de mes regards et ne se refusa point à mon admiration, elle m'aimait donc ! Nous arrivâmes chez elle. Fort heureusement, le fond de ma bourse put satisfaire le cocher. Je passai délicieusement la journée, seul avec elle, chez elle ; c'était la première fois que je pouvais la voir ainsi. Jusqu'à ce jour, le monde, sa gênante politesse et ses façons froides nous avaient toujours séparés, même pendant ses somptueux dîners ; mais alors j'étais chez elle comme si j'eusse vécu sous son toit, je la possédais pour ainsi dire. Ma vagabonde imagination brisait les entraves, arrangeait les événements de la vie à ma guise, et me plongeait dans les délices d'un amour heureux. Me croyant son mari, je l'admirais occupée de petits détails ; j'éprouvais même du bonheur à lui voir ôter son schall[269] et son chapeau. Elle me laissa seul un moment, et revint les cheveux arrangés, charmante. Cette jolie toilette avait été faite pour moi ! Pendant le dîner, elle me prodigua ses attentions et déploya des grâces infinies dans mille choses qui semblent des riens et qui cependant sont la moitié de la vie. Quand nous fûmes tous deux devant un foyer pétillant, assis sur la soie, environnés des plus désirables créations d'un luxe oriental ; quand je vis si près de moi cette femme dont la beauté célèbre faisait palpiter tant de cœurs, cette femme si difficile à conquérir, me parlant, me rendant l'objet de toutes ses coquetteries, ma voluptueuse félicité devint presque de la souffrance. Pour mon malheur, je me souvins de l'importante affaire que je devais conclure, et voulus aller au rendez-vous qui m'avait été donné la veille. "Quoi ! déjà !" dit-elle en me voyant prendre mon chapeau. Elle m'aimait ! Je le crus du moins, en l'entendant prononcer ces deux mots d'une voix caressante. Pour prolonger mon extase, j'aurais alors volontiers troqué deux années de ma vie contre chacune des heures qu'elle voulait bien m'accorder. Mon bonheur s'augmenta de tout l'argent que je perdais ! Il était minuit quand elle me renvoya. Néanmoins le lendemain, mon héroïne me coûta bien des remords, je craignis d'avoir manqué l'affaire des mémoires, devenue si capitale pour moi ; je courus chez Rastignac, et nous allâmes surprendre à son lever le titulaire de mes travaux futurs. Finot me lut un petit acte où il n'était point question de ma tante, et après la signature

---

269. À l'époque romantique, on écrivait indifféremment *schall* ou *châle*.

duquel il me compta cinquante écus. Nous déjeunâmes tous les trois. Quand j'eus payé mon nouveau chapeau, soixante cachets[270] à trente sous et mes dettes, il ne me resta plus que trente francs ; mais toutes les difficultés de la vie s'étaient aplanies pour quelques jours. Si j'avais voulu écouter Rastignac, je pouvais avoir des trésors en adoptant avec franchise le *système anglais*. Il voulait absolument m'établir un crédit et me faire faire des emprunts, en prétendant que les emprunts soutiendraient le crédit. Selon lui, l'avenir était de tous les capitaux du monde le plus considérable et le plus solide. En hypothéquant ainsi mes dettes sur de futurs contingents, il donna ma pratique à son tailleur, un artiste qui comprenait *le jeune homme* et devait me laisser tranquille jusqu'à mon mariage. Dès ce jour, je rompis avec la vie monastique et studieuse que j'avais menée pendant trois ans. J'allai fort assidûment chez Fœdora, où je tâchai de surpasser en apparence les impertinents ou les héros de coterie qui s'y trouvaient. En croyant avoir échappé pour toujours à la misère, je recouvrai ma liberté d'esprit, j'écrasai mes rivaux, et passai pour un homme plein de séductions, prestigieux, irrésistible. Cependant les gens habiles disaient en parlant de moi : "Un garçon aussi spirituel ne doit avoir de passions que dans la tête !" Ils vantaient charitablement mon esprit aux dépens de ma sensibilité. "Est-il heureux de ne pas aimer ! s'écriaient-ils. S'il aimait, aurait-il autant de gaieté, de verve ?" J'étais cependant bien amoureusement stupide en présence de Fœdora ! Seul avec elle, je ne savais rien lui dire, ou si je parlais, je médisais de l'amour ; j'étais tristement gai comme un courtisan

---

270. Balzac avait d'abord écrit : « cachets de dîners ». Le cachet était une « petite carte portant un cachet, ou du moins une marque et servant à tenir le compte du nombre de fois qu'on fait une chose. [Par exemple :] On a quinze cachets pour vingt-cinq francs chez ce restaurateur, c'est-à-dire quinze repas » (*Littré*).

qui veut cacher un cruel dépit. Enfin, j'essayai de me rendre indispensable à sa vie, à son bonheur, à sa vanité : tous les jours près d'elle, j'étais un esclave, un jouet sans cesse à ses ordres. Après avoir ainsi dissipé ma journée, je revenais chez moi pour y travailler pendant les nuits, ne dormant guère que deux ou trois heures de la matinée. Mais n'ayant pas, comme Rastignac, l'habitude du système anglais, je me vis bientôt sans un sou. Dès lors, mon cher ami, fat sans bonnes fortunes, élégant sans argent, amoureux anonyme, je retombai dans cette vie précaire, dans ce froid et profond malheur soigneusement caché sous les trompeuses apparences du luxe. Je ressentis alors mes souffrances premières, mais moins aiguës : je m'étais familiarisé sans doute avec leurs terribles crises. Souvent les gâteaux et le thé, si parcimonieusement offerts dans les salons, étaient ma seule nourriture. Quelquefois, les somptueux dîners de la comtesse me substantaient [271] pendant deux jours. J'employai tout mon temps, mes efforts et ma science d'observation à pénétrer plus avant dans l'impénétrable caractère de Fœdora. Jusqu'alors, l'espérance ou le désespoir avaient influencé mon opinion, je voyais en elle tour à tour la femme la plus aimante ou la plus insensible de son sexe ; mais ces alternatives de joie et de tristesse devinrent intolérables : je voulus chercher un dénouement à cette lutte affreuse, en tuant mon amour. De sinistres lueurs brillaient parfois dans mon âme et me faisaient entrevoir des abîmes entre nous. La comtesse justifiait toutes mes craintes, je n'avais pas encore surpris de larmes dans ses yeux ; au théâtre une scène attendrissante la trouvait froide et rieuse, elle réservait toute sa finesse pour elle, et ne devinait ni le malheur ni le bonheur d'autrui. Enfin elle m'avait joué ! Heureux de lui faire un sacrifice, je m'étais presque avili

---

271. Archaïsme délibéré, peut-être par allusion ironique à la « substantifique moelle » de Rabelais.

pour elle en allant voir mon parent le duc de Navarreins, homme égoïste qui rougissait de ma misère et qui avait de trop grands torts envers moi pour ne pas me haïr ; il me reçut donc avec cette froide politesse qui donne aux gestes et aux paroles l'apparence de l'insulte, son regard inquiet excita ma pitié. J'eus honte pour lui de sa petitesse au milieu de tant de grandeur, de sa pauvreté au milieu de tant de luxe. Il me parla des pertes considérables que lui occasionnait le trois pour cent [272], je lui dis alors quel était l'objet de ma visite. Le changement de ses manières, qui de glaciales devinrent insensiblement affectueuses, me dégoûta. Eh bien, mon ami, il vint chez la comtesse, il m'y écrasa. Fœdora trouva pour lui des enchantements, des prestiges inconnus ; elle le séduisit, traita sans moi cette affaire mystérieuse de laquelle je ne sus pas un mot : j'avais été pour elle un moyen ! ... Elle paraissait ne plus m'apercevoir quand mon cousin était chez elle, elle m'acceptait alors avec moins de plaisir peut-être que le jour où je lui fus présenté. Un soir, elle m'humilia devant le duc par un de ces gestes et par un de ces regards qu'aucune parole ne saurait peindre. Je sortis pleurant, formant mille projets de vengeance, combinant d'épouvantables viols. Souvent je l'accompagnais aux Bouffons ; là, près d'elle, tout entier à mon amour, je la contemplais en me livrant au charme d'écouter la musique, épuisant mon âme dans la double jouissance d'aimer et de retrouver les mouvements de mon cœur bien rendus par les phrases du musicien. Ma passion était dans l'air, sur la scène ; elle triomphait partout, excepté chez ma maîtresse. Je

---

272. Il ne s'agit pas encore à cette date (avril 1830) de l'effondrement spectaculaire de la rente qui aura lieu au moment des événements de Juillet, mais des premières turbulences provoquées par l'amorce de la crise politique au mois de mars, à l'ouverture de la session des Chambres (« Adresse des 221 », lue le 18 mars par Royer-Collard, qui demandait un remaniement gouvernemental).

prenais alors la main de Fœdora, j'étudiais ses traits et ses yeux en sollicitant une fusion de nos sentiments, une de ces soudaines harmonies qui, réveillées par les notes, font vibrer les âmes à l'unisson ; mais sa main était muette et ses yeux ne disaient rien. Quand le feu de mon cœur émané de tous mes traits la frappait trop fortement au visage, elle me jetait ce sourire cherché, phrase convenue qui se reproduit au Salon sur les lèvres de tous les portraits. Elle n'écoutait pas la musique. Les divines pages de Rossini, de Cimarosa, de Zingarelli [273] ne lui rappelaient aucun sentiment, ne lui traduisaient aucune poésie de sa vie ; son âme était aride. Fœdora se produisait là comme un spectacle dans le spectacle. Sa lorgnette voyageait incessamment de loge en loge ; inquiète, quoique tranquille, elle était victime de la mode ; sa loge, son bonnet, sa voiture, sa personne étaient tout pour elle. Vous rencontrez souvent des gens de colossale apparence de qui le cœur est tendre et délicat sous un corps de bronze ; mais elle cachait un cœur de bronze sous sa frêle et gracieuse enveloppe. Ma fatale science me déchirait bien des voiles. Si le bon ton consiste à s'oublier pour autrui, à mettre dans sa voix et dans ses gestes une constante douceur, à plaire aux autres en les rendant contents d'eux-mêmes, malgré sa finesse, Fœdora n'avait pas effacé tout vestige de sa plébéienne origine : son oubli d'elle-même était fausseté ; ses manières, au lieu d'être

---

273. Il est relativement aisé de conjecturer à quelles œuvres de ces compositeurs Balzac fait ici allusion. Le grand succès (européen) de Rossini en 1830, et son dernier opéra, c'est *Guillaume Tell*, créé à l'Opéra de Paris en août 1829 et qui atteignit sa 100e en 1834 ; Rossini y offrait à Charles X un célèbre « Mort au tyran ». – En fredonnant un peu plus loin « Pria que spunti » (cf. *infra*, note 283), Fœdora indique assez à quelle œuvre de Cimarosa Balzac pense ici, puisque cet air est le plus célèbre du *Mariage secret* (1792) : créée à Paris, au Théâtre-Italien, en 1801, l'œuvre fut jouée près de 400 fois à Paris au cours du XIXe siècle. – Quant à Zingarelli, Balzac pense très probablement à *Giulietta e Romeo* (1796), le meilleur succès du compositeur à Paris.

innées, avaient été laborieusement conquises ; enfin sa politesse sentait la servitude. Eh bien, ses paroles emmiellées étaient pour ses favoris l'expression de la bonté, sa prétentieuse exagération était un noble enthousiasme. Moi seul avais étudié ses grimaces, j'avais dépouillé son être intérieur de la mince écorce qui suffit au monde, et n'étais plus la dupe de ses singeries ; je connaissais à fond son âme de chatte. Quand un niais la complimentait, la vantait, j'avais honte pour elle. Et je l'aimais toujours ! j'espérais fondre ses glaces sous les ailes d'un amour de poète. Si je pouvais une fois ouvrir son cœur aux tendresses de la femme, si je l'initiais à la sublimité des dévouements, je la voyais alors parfaite ; elle devenait un ange. Je l'aimais en homme, en amant, en artiste, quand il aurait fallu ne pas l'aimer pour l'obtenir ; un fat bien gourmé, un froid calculateur, en aurait triomphé peut-être. Vaine, artificieuse, elle eût sans doute entendu le langage de la vanité, se serait laissé entortiller dans les pièges d'une intrigue ; elle eût été dominée par un homme sec et glacé. Des douleurs acérées entraient jusqu'au vif dans mon âme, quand elle me révélait naïvement son égoïsme. Je l'apercevais avec douleur seule un jour dans la vie et ne sachant à qui tendre la main, ne rencontrant pas de regards amis où reposer les siens. Un soir, j'eus le courage de lui peindre, sous des couleurs animées, sa vieillesse déserte, vide et triste. À l'aspect de cette épouvantable vengeance de la nature trompée, elle dit un mot atroce. "J'aurai toujours de la fortune, me répondit-elle. Eh bien, avec de l'or nous pouvons toujours créer autour de nous les sentiments qui sont nécessaires à notre bien-être." Je sortis foudroyé par la logique de ce luxe, de cette femme, de ce monde, en me blâmant d'en être si sottement idolâtre. Je n'aimais pas Pauline pauvre, Fœdora riche n'avait-elle pas le droit de repousser Raphaël ? Notre conscience est un juge infaillible, quand nous ne l'avons pas encore assassinée. "Fœdora, me criait une voix sophistique, n'aime ni ne repousse personne ; elle est libre, mais elle s'est autrefois donnée pour de l'or. Amant ou époux, le comte russe l'a possédée. Elle aura bien une tentation dans sa vie ! Attends-la." Ni vertueuse ni fautive, cette femme vivait loin de l'humanité, dans une sphère à elle, enfer ou paradis. Ce mystère femelle vêtu de cachemire et de broderies mettait en jeu dans mon cœur tous les sentiments humains, orgueil, ambition, amour, curiosité. Un caprice de la mode, ou cette envie de paraître original qui nous poursuit tous, avait amené la manie de vanter un petit spectacle du boulevard. La comtesse témoigna le désir de voir la figure enfarinée d'un acteur qui faisait les délices de quelques gens d'esprit, et j'obtins l'honneur de la conduire à la première représentation de je ne sais quelle mauvaise farce. La loge coûtait à peine cent sous, je ne possédais pas un traître liard. Ayant encore un demi-volume de mémoires à écrire, je n'osais pas aller mendier un secours à Finot, et Rastignac, ma providence, était absent. Cette gêne constante maléficiait toute ma vie. Une fois, au sortir des Bouffons, par une horrible pluie, Fœdora m'avait fait avancer une voiture sans que je pusse me soustraire à son obligeance de parade : elle n'admit aucune de mes excuses, ni mon goût pour la pluie, ni mon envie d'aller au jeu. Elle ne devinait mon indigence ni dans l'embarras de mon maintien, ni dans mes paroles tristement plaisantes. Mes yeux rougissaient, mais comprenait-elle un regard ? La vie des jeunes gens est soumise à de singuliers caprices ! Pendant le voyage, chaque tour de roue réveilla des pensées qui me brûlèrent le cœur ; j'essayai de détacher une planche au fond de la voiture en espérant glisser sur le pavé ; mais rencontrant des obstacles invincibles, je me pris à rire convulsivement et demeurai dans un calme morne, hébété comme un homme au carcan. À mon arrivée au logis, aux premiers mots que je balbutiai, Pauline m'interrompit en disant : "Si vous n'avez pas de monnaie..." Ah ! la musique de

Rossini n'était rien auprès de ces paroles. Mais revenons aux Funambules[274] ! Pour pouvoir y conduire la comtesse, je pensai à mettre en gage le cercle d'or qui entourait le portrait de ma mère. Quoique le Mont-de-Piété se fût toujours dessiné dans ma pensée comme une des portes du bagne, il valait encore mieux y porter mon lit moi-même que de solliciter une aumône. Le regard d'un homme à qui vous demandez de l'argent fait tant de mal ! Certains emprunts nous coûtent notre honneur, comme certains refus prononcés par une bouche amie nous enlèvent une dernière illusion. Pauline travaillait, sa mère était couchée. Jetant un regard furtif sur le lit dont les rideaux étaient légèrement relevés, je crus Mme Gaudin profondément endormie, en apercevant au milieu de l'ombre son profil calme et jaune imprimé sur l'oreiller. "Vous avez du chagrin, me dit Pauline qui posa son pinceau sur son coloriage. – Ma pauvre enfant, vous pouvez me rendre un grand service", lui répondis-je. Elle me regarda d'un air si heureux que je tressaillis. "M'aimerait-elle ?" pensai-je. "Pauline ?" repris-je. Et je m'assis près d'elle pour la bien étudier. Elle me devina, tant mon accent était interrogateur ; elle baissa les yeux, et je l'examinai, croyant pouvoir lire dans son cœur comme dans le mien, tant sa physionomie était naïve et pure. "Vous m'aimez ? lui dis-je. – Un peu, passionnément, pas du tout !" s'écria-t-elle. Elle ne m'aimait pas. Son accent moqueur et la gentillesse du geste qui lui échappa peignaient seulement une folâtre reconnaissance de jeune fille. Je lui avouai donc ma détresse, l'embarras dans lequel je me trouvais, et la priai de m'aider. "Comment, monsieur Raphaël, dit-elle, vous ne voulez pas aller au Mont-de-Piété, et vous m'y envoyez !" Je rougis, confondu par la logique

---

274. Un acteur à la figure enfarinée, au théâtre des Funambules : tout laisse à penser qu'il s'agit du mime Deburau (1796-1846), qui créa avec un immense succès le personnage de Pierrot (cf. *supra*, note 69).

d'un enfant. Elle me prit alors la main comme si elle eût voulu compenser par une caresse la vérité de son exclamation. "Oh ! j'irais bien, dit-elle, mais la course est inutile. Ce matin, j'ai trouvé derrière le piano deux pièces de cent sous qui s'étaient glissées à votre insu entre le mur et la barre, et je les ai mises sur votre table. – Vous devez bientôt recevoir de l'argent, monsieur Raphaël, me dit la bonne mère qui montra sa tête entre les rideaux, je puis bien vous prêter quelques écus en attendant. – Oh ! Pauline, m'écriai-je en lui serrant la main, je voudrais être riche. – Bah ! pourquoi ?" dit-elle d'un air mutin. Sa main tremblant dans la mienne répondait à tous les battements de mon cœur ; elle retira vivement ses doigts, examina les miens : "Vous épouserez une femme riche ! dit-elle, mais elle vous donnera bien du chagrin. Ah ! Dieu ! elle vous tuera. J'en suis sûre !" Il y avait dans son cri une sorte de croyance aux folles superstitions de sa mère. "Vous êtes bien crédule, Pauline ! – Oh ! bien certainement ! dit-elle en me regardant avec terreur, la femme que vous aimerez vous tuera." Elle reprit son pinceau, le trempa dans la couleur en laissant paraître une vive émotion, et ne me regarda plus. En ce moment, j'aurais bien voulu croire à des chimères. Un homme n'est pas tout à fait misérable quand il est superstitieux. Une superstition, c'est souvent une espérance. Retiré dans ma chambre, je vis en effet deux nobles écus dont la présence me parut inexplicable. Au sein des pensées confuses du premier sommeil, je tâchai de vérifier mes dépenses pour me justifier cette trouvaille inespérée, mais je m'endormis perdu dans d'inutiles calculs. Le lendemain, Pauline vint me voir au moment où je sortais pour aller louer une loge. "Vous n'avez peut-être pas assez de dix francs, me dit en rougissant cette bonne et aimable fille, ma mère m'a chargée de vous offrir cet argent. Prenez, prenez !" Elle jeta trois écus sur ma table et voulut se sauver ; mais je la retins. L'admiration sécha les larmes qui roulaient dans mes yeux : “Pauline, lui dis-je, vous êtes un ange ! Ce prêt me touche bien moins que la pudeur de sentiment avec laquelle vous me l’offrez. Je désirais une femme riche, élégante, titrée ; hélas ! maintenant je voudrais posséder des millions et rencontrer une jeune fille pauvre comme vous et comme vous riche de cœur, je renoncerais à une passion fatale qui me tuera. Vous aurez peut-être raison. – Assez !” dit-elle. Elle s’enfuit, et sa voix de rossignol, ses roulades fraîches retentirent dans l’escalier. “Elle est bien heureuse de ne pas aimer encore !” me dis-je en pensant aux tortures que je souffrais depuis plusieurs mois. Les quinze francs de Pauline me furent bien précieux. Fœdora, songeant aux émanations populacières de la salle où nous devions rester pendant quelques heures, regretta de ne pas avoir un bouquet, j’allai lui chercher des fleurs, je lui apportai ma vie et ma fortune. J’eus à la fois des remords et des plaisirs en lui donnant un bouquet dont le prix me révéla tout ce que la galanterie superficielle en usage dans le monde avait de dispendieux. Bientôt elle se plaignit de l’odeur un peu trop forte d’un jasmin du Mexique, elle éprouva un intolérable dégoût en voyant la salle, en se trouvant assise sur de dures banquettes, elle me reprocha de l’avoir amenée là. Quoiqu’elle fût près de moi, elle voulut s’en aller ; elle s’en alla. M’imposer des nuits sans sommeil, avoir dissipé deux mois de mon existence, et ne pas lui plaire ! Jamais ce démon ne fut ni plus gracieux ni plus insensible. Pendant la route, assis près d’elle dans un étroit coupé, je respirais son souffle, je touchais son gant parfumé, je voyais distinctement les trésors de sa beauté, je sentais une vapeur douce comme l’iris : toute la femme et point de femme. En ce moment, un trait de lumière me permit de voir les profondeurs de cette vie mystérieuse. Je pensai tout à coup au livre récemment publié par un poète[275], une vraie conception d'artiste taillée dans la statue de Polyclès[276]. Je croyais voir ce monstre qui, tantôt officier, dompte un cheval fougueux, tantôt jeune fille, se met à sa toilette et désespère ses amants, amant, désespère une vierge douce et modeste. Ne pouvant plus résoudre autrement Fœdora, je lui racontai cette histoire fantastique ; mais rien ne décela sa ressemblance avec cette poésie de l'impossible, elle s'en amusa de bonne foi, comme un enfant d'une fable prise aux *Mille et Une Nuits.* "Pour résister à l'amour d'un homme de mon âge, à la chaleur communicative de cette belle contagion de l'âme, Fœdora doit être gardée par quelque mystère, me dis-je en revenant chez moi. Peut-être, semblable à lady Delacour[277], est-elle dévorée par un cancer ? Sa vie est sans doute une vie artificielle." À cette pensée, j'eus froid. Puis je formai le projet le plus extravagant et le plus raisonnable en même temps auquel un amant puisse jamais songer.

---

275. Le texte original mentionnait ici deux personnages : la princesse Brambilla d'Hoffmann, et Fragoletta. – L'allusion à la princesse Brambilla disparut à partir de l'édition Werdet (1835) : et de fait, elle était assez peu compréhensible dans le contexte, car s'il est bien question dans le texte d'Hoffmann de « dualisme chronique », il s'agit de la « confusion mentale » qui affecte Giglio Fava, alias Prince Cornelio Chiapperi, et non de quoi que ce soit qui puisse mettre en doute la féminité de la cousette/princesse. – L'allusion à Fragoletta confirmait en revanche que Raphaël se demande bien ici un instant si Fœdora n'est pas un hermaphrodite, comme l'héroïne éponyme du roman de Latouche (cf. *supra*, note 115). Le nom de Fragoletta fut gommé à partir de l'édition Delloye et Lecou (1838).

276. Acheté par Napoléon Ier, avec le gros de la collection de sculptures des Borghèse, l'*Hermaphrodite* attribué à Polyclès fut exposé au Louvre en 1811. Le sujet troubla les esprits, et l'indéniable charme sensuel de l'œuvre était souligné par le matelas en marbre (ajouté au début du XVIIe, probablement par le Bernin) sur lequel est allongée la statue – matelas d'un rendu tel que tous les voyageurs, incrédules, le tâtaient.

277. Dans *Belinda* (1801, traduit en français en 1802), second roman de la romancière irlandaise Maria Edgeworth (1767-1849), Lady Delacour dissimule à tout le monde la maladie qui la ronge. (Maria Edgeworth avait eu beaucoup de succès dès son premier roman, *Castle Rackrent* [1800], qui inspira Walter Scott.)

Pour examiner cette femme corporellement comme je l'avais étudiée intellectuellement, pour la connaître enfin tout entière, je résolus de passer une nuit chez elle, dans sa chambre, à son insu. Voici comment j'exécutai cette entreprise, qui me dévorait l'âme comme un désir de vengeance mord le cœur d'un moine corse[278]. Aux jours de réception, Fœdora réunissait une assemblée trop nombreuse pour qu'il fût possible au portier d'établir une balance exacte entre les entrées et les sorties. Sûr de pouvoir rester dans la maison sans y causer de scandale, j'attendis impatiemment la prochaine soirée de la comtesse. En m'habillant, je mis dans la poche de mon gilet un petit canif anglais, à défaut de poignard. Trouvé sur moi, cet instrument littéraire[279] n'avait rien de suspect, et ne sachant jusqu'où me conduirait ma résolution romanesque, je voulais être armé. Lorsque les salons commencèrent à se remplir, j'allai dans la chambre à coucher y examiner les choses, et trouvai les persiennes et les volets fermés, ce fut un premier bonheur ; comme la femme de chambre pourrait venir pour détacher les rideaux drapés aux fenêtres, je lâchai leurs embrasses ; je risquais beaucoup en me hasardant ainsi à faire le ménage par avance, mais je m'étais soumis aux périls de ma situation et les avais froidement calculés. Vers minuit, je vins me cacher dans l'embrasure d'une fenêtre[280]. Afin de ne pas laisser voir mes pieds,

---

278. En avril 1830, Balzac venait de publier dans ses premières *Scènes de la vie privée* (1830) une nouvelle intitulée *La Vendetta*.

279. « Espèce de petit couteau pour tailler les plumes » (*Littré*).

280. Selon Amédée Pichot, Balzac aurait usé de ce stratagème pour assister en 1830 au coucher de la courtisane Olympe Pélissier, qui était alors la maîtresse d'Eugène Sue, et avec laquelle il entretint probablement une liaison en 1830-1831. Le personnage de Fœdora est d'ailleurs sans doute inspiré en partie de la belle Olympe aux cheveux de jais et au teint admirablement blanc qui, après avoir été la maîtresse d'Horace Vernet (qui en 1831 la peignit en Judith), devait devenir, en 1846, l'épouse de Rossini.

j'essayai de grimper sur la plinthe de la boiserie, le dos appuyé contre le mur, en me cramponnant à l'espagnolette. Après avoir étudié mon équilibre, mes points d'appui, mesuré l'espace qui me séparait des rideaux, je parvins à me familiariser avec les difficultés de ma position, de manière à demeurer là sans être découvert, si les crampes, la toux et les éternuements me laissaient tranquille. Pour ne pas me fatiguer inutilement, je me tins debout en attendant le moment critique pendant lequel je devais rester suspendu comme une araignée dans sa toile. La moire blanche et la mousseline des rideaux formaient devant moi de gros plis semblables à des tuyaux d'orgue, où je pratiquai des trous avec mon canif afin de tout voir par ces espèces de meurtrières. J'entendis vaguement le murmure des salons, les rires des causeurs, leurs éclats de voix. Ce tumulte vaporeux, cette sourde agitation diminua par degrés. Quelques hommes vinrent prendre leurs chapeaux placés près de moi, sur la commode de la comtesse. Quand ils froissaient les rideaux, je frissonnais en pensant aux distractions, aux hasards de ces recherches faites par des gens pressés de partir et qui furètent alors partout. J'augurai bien de mon entreprise en n'éprouvant aucun de ces malheurs. Le dernier chapeau fut emporté par un vieil amoureux de Fœdora, qui, se croyant seul, regarda le lit et poussa un gros soupir suivi de je ne sais quelle exclamation assez énergique. La comtesse, qui n'avait plus autour d'elle, dans le boudoir voisin de sa chambre, que cinq ou six personnes intimes, leur proposa d'y prendre le thé. Les calomnies, pour lesquelles la société actuelle a réservé le peu de croyance qui lui reste, se mêlèrent alors à des épigrammes, à des jugements spirituels, au bruit des tasses et des cuillers. Sans pitié pour mes rivaux, Rastignac excitait un rire fou par de mordantes saillies. "M. de Rastignac est un homme avec lequel il ne faut pas se brouiller, dit la comtesse en riant. – Je le crois, répondit-il naïvement. J'ai toujours eu raison dans mes haines. Et dans mes amitiés, ajouta-t-il. Mes ennemis me servent autant que mes amis peut-être. J'ai fait une étude assez spéciale de l'idiome moderne et des artifices naturels dont on se sert pour tout attaquer ou pour tout défendre. L'éloquence ministérielle est un perfectionnement social. Un de vos amis est-il sans esprit ? vous parlez de sa probité, de sa franchise. L'ouvrage d'un autre est-il lourd ? vous le présentez comme un travail consciencieux. Si le livre est mal écrit, vous en vantez les idées. Tel homme est sans foi, sans constance, vous échappe à tout moment ? Bah ! il est séduisant, prestigieux, il charme. S'agit-il de vos ennemis ? vous leur jetez à la tête les morts et les vivants ; vous renversez pour eux les termes de votre langage, et vous êtes aussi perspicace à découvrir leurs défauts que vous étiez habile à mettre en relief les vertus de vos amis. Cette application de la lorgnette à la vue morale est le secret de nos conversations et tout l'art du courtisan. N'en pas user, c'est vouloir combattre sans armes des gens bardés de fer comme des chevaliers bannerets [281]. Et j'en use ! j'en abuse même quelquefois. Aussi me respecte-t-on, moi et mes amis, car, d'ailleurs, mon épée vaut ma langue." Un des plus fervents admirateurs de Fœdora, jeune homme dont l'impertinence était célèbre, et qui s'en faisait même un moyen de parvenir, releva le gant si dédaigneusement jeté par Rastignac. Il se mit, en parlant de moi, à vanter outre mesure mes talents et ma personne. Rastignac avait oublié ce genre de médisance. Cet éloge sardonique trompa la comtesse, qui m'immola sans pitié ; pour amuser ses amis, elle abusa de mes secrets, de mes prétentions et de mes espérances. "Il a de l'avenir, dit Rastignac. Peut-être sera-t-il un jour homme à prendre de cruelles revanches, ses talents

281. C'est-à-dire, dans les temps féodaux, « qui avaient le droit de lever bannière, pour composer une compagnie militaire de leurs vassaux » (*Littré*).

égalent au moins son courage ; aussi regardé-je comme bien hardis ceux qui s'attaquent à lui, car il a de la mémoire… – Et fait des mémoires, dit la comtesse, à qui parut déplaire le profond silence qui régna. – Des mémoires de fausse comtesse, madame, répliqua Rastignac. Pour les écrire, il faut avoir une autre sorte de courage. – Je lui crois beaucoup de courage, reprit-elle, il m'est fidèle." Il me prit une vive tentation de me montrer soudain aux rieurs comme l'ombre de Banquo dans *Macbeth*[282]. Je perdais une maîtresse, mais j'avais un ami ! Cependant l'amour me souffla tout à coup un de ces lâches et subtils paradoxes avec lesquels il sait endormir toutes nos douleurs. Si Fœdora m'aime, pensé-je, ne doit-elle pas dissimuler son affection sous une plaisanterie malicieuse ? Combien de fois le cœur n'a-t-il pas démenti les mensonges de la bouche ? Enfin bientôt mon impertinent rival resté seul avec la comtesse voulut partir. "Eh quoi, déjà ? lui dit-elle avec un son de voix plein de câlineries et qui me fit palpiter. Ne me donnerez-vous pas encore un moment ? N'avez-vous donc plus rien à me dire, et ne me sacrifierez-vous point quelques-uns de vos plaisirs ?" Il s'en alla. "Ah ! s'écria-t-elle en bâillant, ils sont tous bien ennuyeux !" Et tirant avec force un cordon, le bruit d'une sonnette retentit dans les appartements. La comtesse rentra dans sa chambre en fredonnant une phrase du *Pria che spunti*[283]. Jamais personne ne l'avait entendue chanter, et ce mutisme donnait lieu à de bizarres interprétations. Elle avait,

---

282. Dans *Macbeth* de Shakespeare, les apparitions du spectre de Banquo (ou Banco) terrifient Macbeth, assassin du roi Duncan et de Banquo lui-même qui avait assisté au meurtre du roi.

283. *Pria que spunti in ciel l'aurora* (« Avant que ne pointe au ciel l'aurore »), célèbre air de ténor du *Mariage secret* de Cimarosa (cf. *supra*, note 273). Noter que si, au début du roman, Raphaël sifflait l'air de Tancrède qui est toujours chanté par une femme (cf. *supra*, note 16), Fœdora fredonne, elle, un air destiné à un ténor. Encore un symptôme de la confusion des sexes et de l'inversion des rôles sexuels dans le roman.

dit-on, promis à son premier amant, charmé de ses talents et jaloux d'elle par-delà le tombeau, de ne donner à personne un bonheur qu'il voulait avoir goûté seul. Je tendis les forces de mon âme pour aspirer les sons. De note en note la voix s'éleva, Fœdora sembla s'animer, les richesses de son gosier se déployèrent et cette mélodie prit alors quelque chose de divin. La comtesse avait dans l'organe une clarté vive, une justesse de ton, je ne sais quoi d'harmonique et de vibrant qui pénétrait, remuait et chatouillait le cœur. Les musiciennes sont presque toujours amoureuses. Celle qui chantait ainsi devait savoir bien aimer. La beauté de cette voix fut donc un mystère de plus dans une femme déjà si mystérieuse. Je la voyais alors comme je te vois, elle paraissait s'écouter elle-même et ressentir une volupté qui lui fût particulière ; elle éprouvait comme une jouissance d'amour. Elle vint devant la cheminée en achevant le principal motif de ce *rondo* ; mais quand elle se tut, sa physionomie changea, ses traits se décomposèrent et sa figure exprima la fatigue. Elle venait d'ôter un masque ; actrice, son rôle était fini. Cependant l'espèce de flétrissure imprimée à sa beauté par son travail d'artiste, ou par la lassitude de la soirée, n'était pas sans charme. “La voilà vraie”, me dis-je. Elle mit, comme pour se chauffer, un pied sur la barre de bronze qui surmontait le garde-cendre, ôta ses gants, détacha ses bracelets, et enleva par-dessus sa tête une chaîne d'or au bout de laquelle était suspendue sa cassolette ornée de pierres précieuses. J'éprouvais un plaisir indicible à voir ses mouvements empreints de la gentillesse dont les chattes font preuve en se toilettant au soleil. Elle se regarda dans la glace, et dit tout haut d'un air de mauvaise humeur : “Je n'étais pas jolie ce soir, mon teint se fane avec une effrayante rapidité. Je devrais peut-être me coucher plus tôt, renoncer à cette vie dissipée. Mais Justine se moque-t-elle de moi ?” Elle sonna de nouveau, la femme de chambre accourut. Où logeait-elle ? je ne sais. Elle arriva par un escalier dérobé. J'étais curieux de l'examiner. Mon imagination de poète avait souvent incriminé cette invisible servante, grande fille brune, bien faite. "Madame a sonné ? – Deux fois, répondit Fœdora. Vas-tu donc maintenant devenir sourde ? – J'étais à faire le lait d'amandes de madame." Justine s'agenouilla, défit les cothurnes [284] des souliers, déchaussa sa maîtresse, qui nonchalamment étendue sur un fauteuil à ressorts, au coin du feu, bâillait en se grattant la tête. Il n'y avait rien que de très naturel dans tous ses mouvements, et nul symptôme ne me révéla ni les souffrances secrètes, ni les passions que j'avais supposées. "Georges est amoureux, dit-elle, je le renverrai. N'a-t-il pas encore défait les rideaux ce soir ? à quoi pense-t-il ?" À cette observation, tout mon sang reflua vers mon cœur, mais il ne fut plus question des rideaux. "L'existence est bien vide, reprit la comtesse. Ah çà ! prends garde de m'égratigner comme hier. Tiens, vois-tu, dit-elle en lui montrant un petit genou satiné, je porte encore la marque de tes griffes." Elle mit ses pieds nus dans des pantoufles de velours fourrées de cygne, et détacha sa robe pendant que Justine prit un peigne pour lui arranger les cheveux. "Il faut vous marier, madame, avoir des enfants. – Des enfants ! Il ne me manquerait plus que cela pour m'achever, s'écria-t-elle. Un mari ! Quel est l'homme auquel je pourrais me... Étais-je bien coiffée ce soir ? – Mais, pas très bien. – Tu es une sotte. – Rien ne vous va plus mal que de trop crêper vos cheveux, reprit Justine. Les grosses boucles bien lisses vous sont plus avantageuses. – Vraiment ? – Mais oui, madame, les cheveux crêpés clair ne vont bien qu'aux blondes. – Me marier ? non, non. Le mariage est un trafic pour lequel je ne suis pas née." Quelle épouvantable scène pour un amant ! Cette femme soli-

284. Les « cothurnes » sont des chaussures de théâtre à semelles très épaisses, qu'on portait surtout pour jouer la tragédie.

taire, sans parents, sans amis, athée en amour, ne croyant à aucun sentiment ; et quelque faible que fût en elle ce besoin d'épanchement cordial, naturel à toute créature humaine, réduite pour le satisfaire à causer avec sa femme de chambre, à dire des phrases sèches ou des riens ! J'en eus pitié. Justine la délaça. Je la contemplai curieusement au moment où le dernier voile s'enleva. Elle avait un corsage de vierge qui m'éblouit ; à travers sa chemise et à la lueur des bougies, son corps blanc et rose étincela comme une statue d'argent qui brille sous son enveloppe de gaze. Non, nulle imperfection ne devait lui faire redouter les yeux furtifs de l'amour. Hélas ! un beau corps triomphera toujours des résolutions les plus martiales. La maîtresse s'assit devant le feu, muette et pensive, pendant que la femme de chambre allumait la bougie de la lampe d'albâtre suspendue devant le lit. Justine alla chercher une bassinoire, prépara le lit, aida sa maîtresse à se coucher ; puis, après un temps assez long employé par de minutieux services qui accusaient la profonde vénération de Fœdora pour elle-même, cette fille partit. La comtesse se retourna plusieurs fois, elle était agitée, elle soupirait ; ses lèvres laissaient échapper un léger bruit perceptible à l'ouïe et qui indiquait des mouvements d'impatience ; elle avança la main vers la table, y prit une fiole, versa dans son lait avant de le boire quelques gouttes d'une liqueur brune ; enfin, après quelques soupirs pénibles, elle s'écria : "Mon Dieu !" Cette exclamation, et surtout l'accent qu'elle y mit, me brisa le cœur. Insensiblement elle resta sans mouvement. J'eus peur, mais bientôt j'entendis retentir la respiration égale et forte d'une personne endormie ; j'écartai la soie criarde des rideaux, quittai ma position et vins me placer au pied de son lit, en la regardant avec un sentiment indéfinissable. Elle était ravissante ainsi. Elle avait la tête sous le bras comme un enfant ; son tranquille et joli visage enveloppé de dentelles exprimait une suavité qui m'enflamma. Présumant trop de moi-même, je n'avais pas compris mon supplice : être si près et si loin d'elle. Je fus obligé de subir toutes les tortures que je m'étais préparées. *Mon Dieu !* ce lambeau d'une pensée inconnue, que je devais remporter pour toute lumière, avait tout à coup changé mes idées sur Fœdora. Ce mot insignifiant ou profond, sans substance ou plein de réalités, pouvait s'interpréter également par le bonheur ou par la souffrance, par une douleur de corps ou par des peines. Était-ce imprécation ou prière, souvenir ou avenir, regret ou crainte ? Il y avait toute une vie dans cette parole, vie d'indigence ou de richesse ; il y tenait même un crime ! L'énigme cachée dans ce beau semblant de femme renaissait, Fœdora pouvait être expliquée de tant de manières qu'elle devenait inexplicable. Les fantaisies du souffle qui passait entre ses dents, tantôt faible, tantôt accentué, grave ou léger, formaient une sorte de langage auquel j'attachais des pensées et des sentiments. Je rêvais avec elle, j'espérais m'initier à ses secrets en pénétrant dans son sommeil, je flottais entre mille partis contraires, entre mille jugements. À voir ce beau visage, calme et pur, il me fut impossible de refuser un cœur à cette femme. Je résolus de faire encore une tentative. En lui racontant ma vie, mon amour, mes sacrifices, peut-être pourrais-je réveiller en elle la pitié, lui arracher une larme, à celle [285] qui ne pleurait jamais. J'avais placé toutes mes espérances dans cette dernière épreuve, quand le tapage de la rue m'annonça le jour. Il y eut un moment où je me représentai Fœdora se réveillant dans mes bras. Je pouvais me mettre tout doucement à ses côtés, m'y glisser, et l'étreindre. Cette idée me tyrannisa si cruellement, que, voulant y résister, je me sauvai dans le salon sans prendre aucune précaution pour éviter le bruit ; mais j'arrivai heureusement à une porte dérobée qui donnait sur un petit escalier. Ainsi

285. L'édition originale donnait « elle », qui semble préférable.

que je le présumai, la clef se trouvait à la serrure ; je tirai la porte avec force, je descendis hardiment dans la cour, et sans regarder si j'étais vu, je sautai vers la rue en trois bonds. Deux jours après, un auteur devait lire une comédie chez la comtesse, j'y allai dans l'intention de rester le dernier pour lui présenter une requête assez singulière ; je voulais la prier de m'accorder la soirée du lendemain, et de me la consacrer tout entière, en faisant fermer sa porte. Quand je me trouvai seul avec elle, le cœur me faillit. Chaque battement de la pendule m'épouvantait. Il était minuit moins un quart. "Si je ne lui parle pas, me dis-je, il faut me briser le crâne sur l'angle de la cheminée." Je m'accordai trois minutes de délai, les trois minutes se passèrent, je ne me brisai pas le crâne sur le marbre, mon cœur s'était alourdi comme une éponge dans l'eau. "Vous êtes extrêmement aimable, me dit-elle. – Ah ! madame, répondis-je, si vous pouviez me comprendre ! – Qu'avez-vous ! reprit-elle, vous pâlissez. – J'hésite à réclamer de vous une grâce." Elle m'encouragea par un geste, et je lui demandai le rendez-vous. "Volontiers, dit-elle. Mais pourquoi ne me parleriez-vous pas en ce moment ? – Pour ne pas vous tromper, je dois vous montrer l'étendue de votre engagement, je désire passer cette soirée près de vous, comme si nous étions frère et sœur. Soyez sans crainte, je connais vos antipathies ; vous avez pu m'apprécier assez pour être certaine que je ne veux rien de vous qui puisse vous déplaire ; d'ailleurs, les audacieux ne procèdent pas ainsi. Vous m'avez témoigné de l'amitié, vous êtes bonne, pleine d'indulgence. Eh bien, sachez que je dois vous dire adieu demain. Ne vous rétractez pas !" m'écriai-je en la voyant près de parler, et je disparus. En mai dernier, vers huit heures du soir, je me trouvai seul avec Fœdora, dans son boudoir gothique. Je ne tremblai pas alors, j'étais sûr d'être heureux. Ma maîtresse devait m'appartenir, ou je me réfugiais dans les bras de la mort. J'avais condamné mon lâche amour.

Un homme est bien fort quand il s'avoue sa faiblesse. Vêtue d'une robe de cachemire bleu, la comtesse était étendue sur un divan, les pieds sur un coussin. Un béret oriental, coiffure que les peintres attribuent aux premiers Hébreux, avait ajouté je ne sais quel piquant attrait d'étrangeté à ses séductions. Sa figure était empreinte d'un charme fugitif, qui semblait prouver que nous sommes à chaque instant des êtres nouveaux, uniques, sans aucune similitude avec le *nous* de l'avenir et le *nous* du passé. Je ne l'avais jamais vue aussi éclatante. "Savez-vous, dit-elle en riant, que vous avez piqué ma curiosité ? – Je ne la tromperai pas, répondis-je froidement, en m'asseyant près d'elle et lui prenant une main qu'elle m'abandonna. Vous avez une bien belle voix ! – Vous ne m'avez jamais entendue, s'écria-t-elle en laissant échapper un mouvement de surprise. – Je vous prouverai le contraire quand cela sera nécessaire. Votre chant délicieux serait-il donc encore un mystère ? Rassurez-vous, je ne veux pas le pénétrer." Nous restâmes environ une heure à causer familièrement. Si je pris le ton, les manières et les gestes d'un homme auquel Fœdora ne devait rien refuser, j'eus aussi tout le respect d'un amant. En jouant ainsi, j'obtins la faveur de lui baiser la main ; elle se déganta par un mouvement mignon, et j'étais alors si voluptueusement enfoncé dans l'illusion à laquelle j'essayais de croire, que mon âme se fondit et s'épancha dans ce baiser. Fœdora se laissa flatter, caresser avec un incroyable abandon. Mais ne m'accuse pas de niaiserie ; si j'avais voulu faire un pas de plus au-delà de cette câlinerie fraternelle, j'eusse senti les griffes de la chatte. Nous restâmes dix minutes environ, plongés dans un profond silence. Je l'admirais, lui prêtant des charmes auxquels elle mentait. En ce moment, elle était à moi, à moi seul. Je possédais cette ravissante créature, comme il était permis de la posséder, intuitivement ; je l'enveloppai dans mon désir, la tins, la serrai, mon imagination l'épousa. Je vainquis alors la comtesse par la puissance d'une fascination magnétique. Aussi ai-je toujours regretté de ne pas m'être entièrement soumis cette femme ; mais, en ce moment, je n'en voulais pas à son corps, je souhaitais une âme, une vie, ce bonheur idéal et complet, beau rêve auquel nous ne croyons pas longtemps. "Madame, lui dis-je enfin, sentant que la dernière heure de mon ivresse était arrivée, écoutez-moi. Je vous aime, vous le savez, je vous l'ai dit mille fois, vous auriez dû m'entendre. Ne voulant devoir votre amour ni à des grâces de fat, ni à des flatteries ou à des importunités de niais, je n'ai pas été compris. Combien de maux n'ai-je pas soufferts pour vous, et dont cependant vous êtes innocente ! Mais dans quelques moments vous me jugerez. Il y a deux misères, madame : celle qui va par les rues effrontément en haillons, qui, sans le savoir, recommence Diogène [286], se nourrissant de peu, réduisant la vie au simple ; heureuse plus que la richesse peut-être, insouciante du moins, elle prend le monde là où les puissants n'en veulent plus. Puis la misère du luxe, une misère espagnole, qui cache la mendicité sous un titre ; fière, emplumée, cette misère en gilet blanc, en gants jaunes, a des carrosses, et perd une fortune faute d'un centime. L'une est la misère du peuple ; l'autre, celle des escrocs, des rois et des gens de talent. Je ne suis ni peuple, ni roi, ni escroc ; peut-être n'ai-je pas de talent : je suis une exception. Mon nom m'ordonne de mourir plutôt que de mendier. Rassurez-vous, madame, je suis riche aujourd'hui, je possède de la terre tout ce qu'il m'en faut, lui dis-je en voyant sa physionomie prendre la froide expression qui se peint dans nos traits quand nous sommes surpris par des quêteuses de bonne compagnie. Vous souvenez-vous du jour où vous avez voulu venir au Gymnase [287] sans

286. Cf. *supra*, note 221, et texte correspondant.
287. Théâtre inauguré le 23 décembre 1820, boulevard de Bonne-Nouvelle, où l'on joua notamment les pièces de Scribe.

moi, croyant que je ne m'y trouverais point ?" Elle fit un signe de tête affirmatif. "J'avais employé mon dernier écu pour aller vous y voir. Vous rappelez-vous la promenade que nous fîmes au Jardin des plantes ? Votre voiture me coûta toute ma fortune." Je lui racontai mes sacrifices, je lui peignis ma vie, non pas comme je te la raconte aujourd'hui, dans l'ivresse du vin, mais dans la noble ivresse du cœur. Ma passion déborda par des mots flamboyants, par des traits de sentiment oubliés depuis, et que ni l'art, ni le souvenir ne sauraient reproduire. Ce ne fut pas la narration sans chaleur d'un amour détesté, mon amour dans sa force et dans la beauté de son espérance m'inspira ces paroles qui projettent toute une vie en répétant les cris d'une âme déchirée. Mon accent fut celui des dernières prières faites par un mourant sur le champ de bataille. Elle pleura. Je m'arrêtai. Grand Dieu ! ses larmes étaient le fruit de cette émotion factice achetée cent sous à la porte d'un théâtre, j'avais eu le succès d'un bon acteur. "Si j'avais su, dit-elle. – N'achevez pas, m'écriai-je. Je vous aime encore assez en ce moment pour vous tuer…" Elle voulut saisir le cordon de la sonnette. J'éclatai de rire. "N'appelez pas, repris-je. Je vous laisserai paisiblement achever votre vie. Ce serait mal entendre la haine que de vous tuer ! Ne craignez aucune violence ; j'ai passé toute une nuit au pied de votre lit, sans… – Monsieur", dit-elle en rougissant ; mais après ce premier mouvement donné à la pudeur que doit posséder toute femme, même la plus insensible, elle me jeta un regard méprisant et me dit : "Vous avez dû avoir bien froid ! – Croyez-vous, madame, que votre beauté me soit si précieuse ? lui répondis-je en devinant les pensées qui l'agitaient. Votre figure est pour moi la promesse d'une âme plus belle encore que vous n'êtes belle. Eh ! madame, les hommes qui ne voient que la femme dans une femme peuvent acheter tous les soirs des odalisques dignes du sérail et se rendre heureux à bas prix ! Mais j'étais ambitieux, je voulais vivre cœur à cœur avec vous, avec vous qui n'avez pas de cœur. Je le sais maintenant. Si vous deviez être à un homme, je l'assassinerais. Mais non, vous l'aimeriez, et sa mort vous ferait peut-être de la peine. Combien je souffre ! m'écriai-je. – Si cette promesse peut vous consoler, dit-elle en riant, je puis vous assurer que je n'appartiendrai à personne. – Eh bien, repris-je en l'interrompant, vous insultez à Dieu même, et vous en serez punie ! Un jour, couchée sur un divan, ne pouvant supporter ni le bruit ni la lumière, condamnée à vivre dans une sorte de tombe, vous souffrirez des maux inouïs. Quand vous chercherez la cause de ces lentes et vengeresses douleurs, souvenez-vous alors des malheurs que vous avez si largement jetés sur votre passage ! Ayant semé partout des imprécations, vous trouverez la haine au retour. Nous sommes les propres juges, les bourreaux d'une Justice qui règne ici-bas, et marche au-dessus de celle des hommes, au-dessous de celle de Dieu. – Ah ! dit-elle en riant, je suis sans doute bien criminelle de ne pas vous aimer ? Est-ce ma faute ? Non, je ne vous aime pas ; vous êtes un homme, cela suffit. Je me trouve heureuse d'être seule, pourquoi changerais-je ma vie, égoïste si vous voulez, contre les caprices d'un maître ? Le mariage est un sacrement en vertu duquel nous ne nous communiquons que des chagrins. D'ailleurs, les enfants m'ennuient. Ne vous ai-je pas loyalement prévenu de mon caractère ? Pourquoi ne vous êtes-vous pas contenté de mon amitié ? Je voudrais pouvoir consoler les peines que je vous ai causées en ne devinant pas le compte de vos petits écus, j'apprécie l'étendue de vos sacrifices ; mais l'amour peut seul payer votre dévouement, vos délicatesses, et je vous aime si peu, que cette scène m'affecte désagréablement. – Je sens combien je suis ridicule, pardonnez-moi, lui dis-je avec douceur sans pouvoir retenir mes larmes. Je vous aime assez, repris-je, pour écouter avec délices les cruelles paroles que vous prononcez. Oh ! je voudrais pouvoir signer mon amour de tout mon sang. – Tous les hommes nous disent plus ou moins bien ces phrases classiques, reprit-elle en riant. Mais il paraît qu'il est très difficile de mourir à nos pieds, car je rencontre de ces morts-là partout. Il est minuit, permettez-moi de me coucher. – Et dans deux heures vous vous écrierez : *Mon Dieu !* lui dis-je. – Avant-hier ! Oui, dit-elle en riant, je pensais à mon agent de change, j'avais oublié de lui faire convertir mes rentes de *cinq* en *trois*, et dans la journée le *trois* avait baissé[288]." Je la contemplais d'un œil étincelant de rage. Ah ! quelquefois un crime doit être tout un poème, je l'ai compris. Familiarisée sans doute avec les déclarations les plus passionnées, elle avait déjà oublié mes larmes et mes paroles. "Épouseriez-vous un pair de France ? lui demandai-je froidement. – Peut-être, s'il était duc." Je pris mon chapeau, je la saluai. "Permettez-moi de vous accompagner jusqu'à la porte de mon appartement, dit-elle en mettant une ironie perçante dans son geste, dans la pose de sa tête et dans son accent. – Madame. – Monsieur. – Je ne vous verrai plus. – Je l'espère, répondit-elle en inclinant la tête avec une impertinente expression. – Vous voulez être duchesse ? repris-je animé par une sorte de frénésie que son geste alluma dans mon cœur. Vous êtes folle de titres et d'honneurs ? Eh bien, laissez-vous seulement aimer par moi, dites à ma plume de ne parler, à ma voix de ne retentir que pour vous, soyez le principe secret de ma vie, soyez mon étoile ! Puis ne m'acceptez pour époux que ministre, pair de France, duc. Je me ferai tout ce que vous voudrez que je sois ! – Vous avez, dit-elle en souriant, assez bien employé votre temps chez l'avoué, vos plaidoyers ont de la chaleur. – Tu as le présent, m'écriai-je, et moi l'avenir. Je ne perds qu'une femme, et tu perds un nom, une famille.

---

288. Cf. *supra*, note 272. Depuis 1825, la rente française était diversifiée en 3 %, 4,5 % et 5 %.

Le temps est gros de ma vengeance, il t'apportera la laideur et une mort solitaire, à moi la gloire !

– Merci de la péroraison !" dit-elle en retenant un bâillement et témoignant par son attitude le désir de ne plus me voir. Ce mot m'imposa silence. Je lui jetai ma haine dans un regard et je m'enfuis. Il fallait oublier Fœdora, me guérir de ma folie, reprendre ma studieuse solitude ou mourir. Je m'imposai donc des travaux exorbitants, je voulus achever mes ouvrages. Pendant quinze jours, je ne sortis pas de ma mansarde, et consumai toutes mes nuits en de pâles études. Malgré mon courage et les inspirations de mon désespoir, je travaillais difficilement, par saccades. La muse avait fui. Je ne pouvais chasser le fantôme brillant et moqueur de Fœdora. Chacune de mes pensées couvait une autre pensée maladive, je ne sais quel désir, terrible comme un remords. J'imitai les anachorètes de la Thébaïde [289]. Sans prier comme eux, comme eux je vivais dans un désert, creusant mon âme au lieu de creuser des rochers. Je me serais au besoin serré les reins avec une ceinture armée de pointes, pour dompter la douleur morale par la douleur physique. Un soir, Pauline pénétra dans ma chambre. "Vous vous tuez, me dit-elle d'une voix suppliante ; vous devriez sortir, allez voir vos amis. – Ah ! Pauline ! votre prédiction était vraie. Fœdora me tue, je veux mourir. La vie m'est insupportable. – Il n'y a donc qu'une femme dans le monde ? dit-elle en souriant. Pourquoi mettez-vous des peines infinies dans une vie si courte ?" Je regardai Pauline avec stupeur. Elle me laissa seul. Je ne m'étais pas aperçu de sa retraite, j'avais entendu sa voix, sans comprendre le sens de ses paroles. Bientôt je fus obligé de porter le manuscrit de mes mémoires à mon entrepreneur de littérature. Préoccupé par ma passion, j'ignorais comment j'avais pu vivre sans

---

289. Cf. *supra*, note 202.

argent, je savais seulement que les quatre cent cinquante francs qui m'étaient dus suffiraient à payer mes dettes ; j'allai donc chercher mon salaire, et je rencontrai Rastignac, qui me trouva changé, maigri. "De quel hôpital sors-tu ? me dit-il. – Cette femme me tue, répondis-je. Je ne puis ni la mépriser ni l'oublier. – Il vaut mieux la tuer, tu n'y songeras peut-être plus, s'écria-t-il en riant. – J'y ai bien pensé, répondis-je. Mais si parfois je rafraîchis mon âme par l'idée d'un crime, viol ou assassinat, et les deux ensemble, je me trouve incapable de le commettre en réalité. La comtesse est un admirable monstre qui demanderait grâce, et n'est pas Othello [290] qui veut ! – Elle est comme toutes les femmes que nous ne pouvons pas avoir, dit Rastignac en m'interrompant. – Je suis fou, m'écriai-je. Je sens la folie rugir par moments dans mon cerveau. Mes idées sont comme des fantômes, elles dansent devant moi sans que je puisse les saisir. Je préfère la mort à cette vie. Aussi cherché-je avec conscience le meilleur moyen de terminer cette lutte. Il ne s'agit plus de la Fœdora vivante, de la Fœdora du faubourg Saint-Honoré, mais de ma Fœdora, de celle qui est là, dis-je en me frappant le front. Que penses-tu de l'opium ? – Bah ! des souffrances atroces, répondit Rastignac. – L'asphyxie ? – Canaille ! – La Seine ? – Les filets [291] et la Morgue sont bien sales. – Un coup de pistolet ? – Et si tu te manques, tu restes défiguré. Écoute, reprit-il, j'ai comme tous les jeunes gens médité sur les suicides. Qui de nous, à trente ans, ne s'est pas tué deux ou trois fois ? Je n'ai rien trouvé

---

290. Dans le drame de Shakespeare, Othello tue son épouse, la belle et vertueuse Desdémone, après que Iago, à qui elle s'est refusée, a fait croire à Othello qu'elle lui était infidèle. *Otello, ossia il Moro di Venezia*, opéra de Rossini, fut créé à Paris au Théâtre-Italien en 1821 (avec la fameuse Pasta) – et joué sans interruption jusqu'à l'apparition de l'opéra homonyme de Verdi.

291. Des filets jetés dans la Seine à Saint-Cloud, en aval de Paris, arrêtaient les corps des noyés.

de mieux que d'user l'existence par le plaisir. Plonge-toi dans une dissolution profonde, ta passion ou toi, vous y périrez. L'intempérance, mon cher ! est la reine de toutes les morts. Ne commande-t-elle pas à l'apoplexie foudroyante ? L'apoplexie est un coup de pistolet qui ne nous manque point. Les orgies nous prodiguent tous les plaisirs physiques, n'est-ce pas l'opium en petite monnaie ? En nous forçant de boire à outrance, la débauche porte de mortels défis au vin. Le tonneau de malvoisie du duc de Clarence[292] n'a-t-il pas meilleur goût que les bourbes de la Seine ? Quand nous tombons noblement sous la table, n'est-ce pas une petite asphyxie périodique ! Si la patrouille nous ramasse, en restant étendus sur les lits froids des corps de garde, ne jouissons-nous pas des plaisirs de la Morgue, moins les ventres enflés, turgides, bleus, verts, plus l'intelligence de la crise ? Ah ! reprit-il, ce long suicide n'est pas une mort d'épicier en faillite. Les négociants ont déshonoré la rivière, ils se jettent à l'eau pour attendrir leurs créanciers. À ta place, je tâcherais de mourir avec élégance. Si tu veux créer un nouveau genre de mort en te débattant ainsi contre la vie, je suis ton second. Je m'ennuie, je suis désappointé. L'Alsacienne qu'on m'a proposée pour femme a six doigts au pied gauche, je ne puis pas vivre avec une femme qui a six doigts ! cela se saurait, je deviendrais ridicule. Elle n'a que dix-huit mille francs de

---

292. L'exécution du duc de Clarence est un épisode de la guerre des Deux-Roses, guerre civile sanglante qui au XVe siècle opposa pendant trente ans la maison d'York à la maison de Lancastre et ruina la féodalité anglaise. Édouard IV, roi d'Angleterre, ne pardonna jamais à son frère George, duc de Clarence et lieutenant d'Irlande (1449-1478), de s'être rangé un temps du côté de Warwick, avec lequel il s'était brouillé et qui était parvenu à le chasser quelques années du trône. Bien que George lui ait ensuite apporté une aide décisive contre Warwick, Édouard finit par faire arrêter son frère et le fit condamner à mort pour haute trahison. La légende dit qu'il choisit d'être noyé dans un tonneau de vin de Malvoisie.

rente, sa fortune diminue et ses doigts augmentent. Au diable ! En menant une vie enragée, peut-être trouverons-nous le bonheur par hasard !" Rastignac m'entraîna. Ce projet faisait briller de trop fortes séductions, il rallumait trop d'espérances, enfin il avait une couleur trop poétique pour ne pas plaire à un poète. "Et de l'argent ? lui dis-je. – N'as-tu pas quatre cent cinquante francs ? – Oui, mais je dois à mon tailleur, à mon hôtesse. – Tu paies ton tailleur ? Tu ne seras jamais rien, pas même ministre. – Mais que pouvons-nous avec vingt louis ? – Aller au jeu." Je frissonnai. "Ah ! reprit-il en s'apercevant de ma pruderie, tu veux te lancer dans ce que je nomme le *système dissipationnel*, et tu as peur d'un tapis vert ! – Écoute, lui répondis-je, j'ai promis à mon père de ne jamais mettre le pied dans une maison de jeu. Non seulement cette promesse est sacrée, mais encore j'éprouve une horreur invincible en passant devant un tripot ; prends mes cent écus, et vas-y seul. Pendant que tu risqueras notre fortune, j'irai mettre mes affaires en ordre et reviendrai t'attendre chez toi." Voilà, mon cher, comment je me perdis. Il suffit à un jeune homme de rencontrer une femme qui ne l'aime pas, ou une femme qui l'aime trop, pour que toute sa vie soit dérangée. Le bonheur engloutit nos forces, comme le malheur éteint nos vertus. Revenu à mon hôtel Saint-Quentin, je contemplai longtemps la mansarde où j'avais mené la chaste vie d'un savant, une vie qui peut-être aurait été honorable, longue, et que je n'aurais pas dû quitter pour la vie passionnée qui m'entraînait dans un gouffre. Pauline me surprit dans une attitude mélancolique. "Eh bien, qu'avez-vous ?" dit-elle. Je me levai froidement et comptai l'argent que je devais à sa mère en y ajoutant le prix de mon loyer pour six mois. Elle m'examina avec une sorte de terreur. "Je vous quitte, ma chère Pauline. – Je l'ai deviné, s'écria-t-elle. – Écoutez, mon enfant, je ne renonce pas à revenir ici. Gardez-moi ma cellule pendant une demi-année. Si je ne suis pas de retour vers le 15 novembre, vous hériterez de moi. Ce manuscrit cacheté, dis-je en lui montrant un paquet de papiers, est la copie de mon grand ouvrage sur *la Volonté*, vous le déposerez à la Bibliothèque du roi. Quant à tout ce que je laisse ici, vous en ferez ce que vous voudrez." Elle me jetait des regards qui pesaient sur mon cœur. Pauline était là comme une conscience vivante. "Je n'aurai plus de leçons", dit-elle en me montrant le piano. Je ne répondis pas. "M'écrirez-vous ? – Adieu, Pauline." Je l'attirai doucement à moi, puis sur son front d'amour, vierge comme la neige qui n'a pas touché terre, je mis un baiser de frère, un baiser de vieillard. Elle se sauva. Je ne voulus pas voir Mme Gaudin. Je mis ma clef à sa place habituelle et partis. En quittant la rue de Cluny, j'entendis derrière moi le pas léger d'une femme. "Je vous avais brodé cette bourse, la refuserez-vous aussi ?" me dit Pauline. Je crus apercevoir à la lueur du réverbère une larme dans les yeux de Pauline, et je soupirai. Poussés tous deux par la même pensée peut-être, nous nous séparâmes avec l'empressement de gens qui auraient voulu fuir la peste. La vie de dissipation à laquelle je me vouais apparut devant moi bizarrement exprimée par la chambre où j'attendais avec une noble insouciance le retour de Rastignac. Au milieu de la cheminée, s'élevait une pendule surmontée d'une Vénus accroupie sur sa tortue [293], et qui tenait entre ses bras un cigare à demi consumé. Des meubles élégants, présents de l'amour, étaient épars. De vieilles chaussettes traînaient sur un voluptueux divan. Le confortable fauteuil à ressorts dans lequel j'étais plongé portait des cicatrices comme un vieux soldat, il offrait aux regards

---

293. Dans le *Traité de la vie élégante*, publié dans *La Mode* en octobre 1830, Balzac évoque une *Vénus à la tortue* qu'il aurait vue sur une cheminée chez Lautour-Mézeray, l'un des viveurs les plus brillants du Tout-Paris littéraire et mondain.

ses bras déchirés, et montrait incrustées sur son dossier la pommade et l'huile antique[294] apportées par toutes les têtes d'amis. L'opulence et la misère s'accouplaient naïvement dans le lit, sur les murs, partout. Vous eussiez dit les palais de Naples bordés de lazzaroni[295]. C'était une chambre de joueur ou de mauvais sujet dont le luxe est tout personnel, qui vit de sensations, et des incohérences ne se soucie guère. Ce tableau ne manquait pas d'ailleurs de poésie. La vie s'y dressait avec ses paillettes et ses haillons, soudaine, incomplète comme elle est réellement, mais vive, mais fantasque comme dans une halte où le maraudeur a pillé tout ce qui fait sa joie. Un Byron auquel manquaient des pages avait allumé la falourde[296] du jeune homme qui risque au jeu mille francs et n'a pas une bûche, qui court en tilbury sans posséder une chemise saine et valide. Le lendemain, une comtesse, une actrice ou l'écarté lui donnent un trousseau de roi. Ici la bougie était fichée dans le fourreau vert d'un briquet phosphorique[297] ; là gisait un portrait de femme dépouillé de sa monture d'or ciselé. Comment un jeune homme naturellement avide d'émotions renoncerait-il aux attraits d'une vie aussi riche d'oppositions et qui lui donne les plaisirs de la guerre en temps de paix ? J'étais presque assoupi quand, d'un coup de pied, Rastignac enfonça la porte de sa chambre, et s'écria : "Victoire ! nous pourrons mourir

---

294. On songe à l'annonce publicitaire pour l'huile Céphalique d'Anselme Popinot dans *César Birotteau* : « Les anciens peuples de l'Antiquité conservaient leurs chevelures par l'emploi de l'Huile céphalique » – inspirée des annonces des parfumeurs de l'époque, qui faisaient volontiers référence à l'Antiquité.

295. Mendiants de Naples.

296. Fagot de quatre ou cinq bûches de pin ou de bouleau écorcé et fendu, liées ensemble.

297. Petit récipient contenant du phosphore fondu dans lequel on trempait des bûchettes soufrées qu'on frottait ensuite sur un bouchon pour les enflammer.

à notre aise !" Il me montra son chapeau plein d'or, le mit sur la table, et nous dansâmes autour comme deux Cannibales ayant une proie à manger, hurlant, trépignant, sautant, nous donnant des coups de poing à tuer un rhinocéros, et chantant à l'aspect de tous les plaisirs du monde contenus pour nous dans ce chapeau. "Vingt-sept mille francs, répétait Rastignac en ajoutant quelques billets de banque au tas d'or. À d'autres cet argent suffirait pour vivre, mais nous suffira-t-il pour mourir ? Oh ! oui, nous expirerons dans un bain d'or. Hourra !" Et nous cabriolâmes derechef. Nous partageâmes en héritiers, pièce à pièce, commençant par les doubles napoléons, allant des grosses pièces aux petites, et distillant notre joie en disant longtemps : "À toi. À moi." "Nous ne dormirons pas, s'écria Rastignac. Joseph, du punch !" Il jeta de l'or à son fidèle domestique : "Voilà ta part, dit-il, enterre-toi si tu peux." Le lendemain, j'achetai des meubles chez Lesage[298], je louai l'appartement où tu m'as connu, rue Taitbout[299], et chargeai le meilleur tapissier de le décorer. J'eus des chevaux. Je me lançai dans un tourbillon de plaisirs creux et réels tout à la fois. Je jouais, gagnais et perdais tour à tour d'énormes sommes, mais au bal, chez nos amis ; jamais dans les maisons de jeu, pour lesquelles je conservai ma sainte et primitive horreur. Insensiblement je me fis des amis. Je dus leur attachement à des querelles ou à cette facilité confiante avec laquelle nous nous livrons nos secrets en nous avilissant de compagnie ; mais peut-être aussi, ne nous accrochons-nous bien que par nos vices ? Je hasardai quelques compositions littéraires qui me valurent des compliments. Les grands hommes

298. Marchand de meubles et d'objets d'arts bien réel, rue Grange-Batelière, à deux pas du boulevard des Italiens.
299. Cf. *supra*, note 261 ; Raphaël n'aurait pu trouver adresse plus chic, puisque cette rue débouchait sur le boulevard des Italiens, entre le Café de Paris et le Café Tortoni.

de la littérature marchande, ne voyant point en moi de rival à craindre, me vantèrent, moins sans doute pour mon mérite personnel que pour chagriner celui de leurs camarades. Je devins un *viveur*, pour me servir de l'expression pittoresque consacrée par votre langage d'orgie. Je mettais de l'amour-propre à me tuer promptement, à écraser les plus gais compagnons par ma verve et par ma puissance. J'étais toujours frais, élégant. Je passais pour spirituel. Rien ne trahissait en moi cette épouvantable existence qui fait d'un homme un entonnoir, un appareil à chyle [300], un cheval de luxe. Bientôt la Débauche m'apparut dans toute la majesté de son horreur, et je la compris ! Certes les hommes sages et rangés qui étiquettent des bouteilles pour leurs héritiers ne peuvent guère concevoir ni la théorie de cette large vie, ni son état normal ; en inculquerez-vous la poésie aux gens de province pour qui l'opium et le thé, si prodigues de délices, ne sont encore que deux médicaments ? À Paris même, dans cette capitale de la pensée, ne se rencontre-t-il pas des sybarites incomplets ? Inhabiles à supporter l'excès du plaisir, ne s'en vont-ils pas fatigués après une orgie, comme le sont ces bons bourgeois qui, après avoir entendu quelque nouvel opéra de Rossini, condamnent la musique ? Ne renoncent-ils pas à cette vie, comme un homme sobre ne veut plus manger de pâtés de Ruffec, parce que le premier lui a donné une indigestion ? La débauche est certainement un art comme la poésie, et veut des âmes fortes. Pour en saisir les mystères, pour en savourer les beautés, un homme doit en quelque sorte s'adonner à de consciencieuses études. Comme toutes les sciences, elle est d'abord repoussante, épineuse. D'immenses obstacles environnent les

---

300. « Terme de physiologie. Fluide qui, dans les intestins grêles, est séparé des aliments pendant la digestion, et que les vaisseaux dits chylifères pompent à la surface de l'intestin, et portent dans le sang pour servir à sa formation » (*Littré*).

grands plaisirs de l'homme, non ses jouissances de détail, mais les systèmes qui érigent en habitude ses sensations les plus rares, les résument, les lui fertilisent en lui créant une vie dramatique dans sa vie, en nécessitant une exorbitante, une prompte dissipation de ses forces. La Guerre, le Pouvoir, les Arts sont des corruptions mises aussi loin de la portée humaine, aussi profondes que l'est la débauche, et toutes sont de difficile accès. Mais quand une fois l'homme est monté à l'assaut de ces grands mystères, ne marche-t-il pas dans un monde nouveau ? Les généraux, les ministres, les artistes sont tous plus ou moins portés vers la dissolution par le besoin d'opposer de violentes distractions à leur existence si fort en dehors de la vie commune. Après tout, la guerre est la débauche du sang, comme la politique est celle des intérêts. Tous les excès sont frères. Ces monstruosités sociales possèdent la puissance des abîmes, elles nous attirent comme Sainte-Hélène appelait Napoléon ; elles donnent des vertiges, elles fascinent, et nous voulons en voir le fond sans savoir pourquoi. La pensée de l'infini existe peut-être dans ces précipices, peut-être renferment-ils quelque grande flatterie pour l'homme ; n'intéresse-t-il pas alors tout à lui-même ? Pour contraster avec le paradis de ses heures studieuses, avec les délices de la conception, l'artiste fatigué demande, soit comme Dieu le repos du dimanche, soit comme le diable les voluptés de l'enfer, afin d'opposer le travail des sens au travail de ses facultés. Le délassement de lord Byron ne pouvait pas être le boston [301] babillard qui charme un rentier ; poète, il voulait la Grèce à jouer contre Mahmoud [302]. En guerre,

---

301. Jeu de cartes de salon, du nom de la ville de Boston, aux États-Unis, où le jeu fut inventé durant le siège de 1775.

302. Byron s'était engagé aux côtés des Grecs dans leur lutte pour l'indépendance contre le sultan ottoman Mahmoud II (cf. *supra*, note 128) – et il était mort en 1824, à Missolonghi.

l'homme ne devient-il pas un ange exterminateur, une espèce de bourreau, mais gigantesque ? Ne faut-il pas des enchantements bien extraordinaires pour nous faire accepter ces atroces douleurs, ennemies de notre frêle enveloppe, qui entourent les passions comme d'une enceinte épineuse ? S'il se roule convulsivement et souffre une sorte d'agonie après avoir abusé du tabac, le fumeur n'a-t-il pas assisté je ne sais en quelles régions à de délicieuses fêtes ? Sans se donner le temps d'essuyer ses pieds qui trempent dans le sang jusqu'à la cheville, l'Europe n'a-t-elle pas sans cesse recommencé la guerre ? L'homme en masse a-t-il donc aussi son ivresse, comme la nature a ses accès d'amour ! Pour l'homme privé, pour le Mirabeau [303] qui végète sous un règne paisible et rêve des tempêtes, la débauche comprend tout ; elle est une perpétuelle étreinte de toute la vie, ou mieux, un duel avec une puissance inconnue, avec un monstre : d'abord le monstre épouvante, il faut l'attaquer par les cornes, c'est des fatigues inouïes ; la nature vous a donné je ne sais quel estomac étroit ou paresseux ? vous le domptez, vous l'élargissez, vous apprenez à porter le vin, vous apprivoisez l'ivresse, vous passez les nuits sans sommeil, vous vous faites enfin un tempérament de colonel de cuirassiers, en vous créant vous-même une seconde fois, comme pour fronder Dieu ! Quand l'homme s'est ainsi métamorphosé, quand, vieux soldat, le néophyte a façonné son âme à l'artillerie, ses jambes à la marche, sans encore appartenir au monstre, mais sans savoir entre eux quel est le maître, ils se roulent l'un sur l'autre, tantôt vainqueurs, tantôt vaincus, dans une sphère où tout est merveilleux, où s'endorment les douleurs de l'âme, où revivent seulement des fantômes d'idées. Déjà cette lutte atroce est

---

303. Mirabeau eut lui-même une jeunesse particulièrement orageuse et fut plusieurs fois emprisonné par lettres de cachet sur l'intervention de son père.

devenue nécessaire. Réalisant ces fabuleux personnages qui, selon les légendes, ont vendu leur âme au diable pour en obtenir la puissance de mal faire, le dissipateur a troqué sa mort contre toutes les jouissances de la vie, mais abondantes, mais fécondes ! Au lieu de couler longtemps entre deux rives monotones, au fond d'un Comptoir ou d'une Étude, l'existence bouillonne et fuit comme un torrent. Enfin la débauche est sans doute au corps ce que sont à l'âme les plaisirs mystiques. L'ivresse vous plonge en des rêves dont les fantasmagories sont aussi curieuses que peuvent l'être celles de l'extase. Vous avez des heures ravissantes comme les caprices d'une jeune fille, des causeries délicieuses avec des amis, des mots qui peignent toute une vie, des joies franches et sans arrière-pensée, des voyages sans fatigue, des poèmes déroulés en quelques phrases. La brutale satisfaction de la bête au fond de laquelle la science a été chercher une âme, est suivie de torpeurs enchanteresses après lesquelles soupirent les hommes ennuyés de leur intelligence. Ne sentent-ils pas tous la nécessité d'un repos complet, et la débauche n'est-elle pas une sorte d'impôt que le génie paie au mal ? Vois tous les grands hommes : s'ils ne sont pas voluptueux, la nature les crée chétifs. Moqueuse ou jalouse, une puissance leur vicie l'âme ou le corps pour neutraliser les efforts de leurs talents. Pendant ces heures avinées, les hommes et les choses comparaissent devant vous, vêtus de vos livrées. Roi de la création, vous la transformez à vos souhaits. À travers ce délire perpétuel, le jeu vous verse, à votre gré, son plomb fondu dans les veines. Un jour, vous appartenez au monstre, vous avez alors, comme je l'eus, un réveil enragé : l'impuissance est assise à votre chevet. Vieux guerrier, une phtisie vous dévore ; diplomate, un anévrisme suspend dans votre cœur la mort à un fil ; moi, peut-être une pulmonie [304]

---

304. Le mot désignait tantôt la pneumonie, tantôt la tuberculose.

va me dire : “Partons !” comme elle a dit jadis à Raphaël d’Urbin, tué par un excès d’amour [305]. Voilà comment j’ai vécu ! J’arrivais ou trop tôt ou trop tard dans la vie du monde ; sans doute ma force y eût été dangereuse si je ne l’avais amortie ainsi ; l’univers n’a-t-il pas été guéri d’Alexandre par la coupe d’Hercule [306], à la fin d’une orgie ! Enfin à certaines destinées trompées, il faut le ciel ou l’enfer, la débauche ou l’hospice du mont Saint-Bernard [307]. Tout à l’heure je n’avais pas le courage de moraliser ces deux créatures, dit-il en montrant Euphrasie et Aquilina. N’étaient-elles pas mon histoire personnifiée, une image de ma vie ! Je ne pouvais guère les accuser, elles m’apparaissaient comme des juges. Au milieu de ce poème vivant, au sein de cette étourdissante maladie, j’eus cependant deux crises bien fertiles en âcres douleurs. D’abord, quelques jours après m’être jeté comme Sardanapale [308] dans mon bûcher, je rencon-

305. C’est la tradition rapportée par Vasari dans ses *Vies des plus excellents peintres, sculpteurs et architectes.*

306. Selon une légende rapportée par Diodore de Sicile et contestée par Plutarque, Alexandre serait mort après avoir bu d’un trait le vin contenu dans une de ces immenses coupes que les Grecs appelaient « coupes d’Hercule » en souvenir de celle que le Soleil avait prêtée à Hercule lors de l’épisode des bœufs de Géryon. Comme Hercule devait traverser l’Océan pour se rendre en extrême Occident, dans l’île d’Erythie, pour ramener les précieux troupeaux, il emprunta au Soleil la coupe sur laquelle celui-ci s’embarquait chaque soir quand il avait atteint l’Océan, afin de regagner son palais dans l’Orient du monde. Le Soleil ne prêta pas volontiers sa coupe : pendant que le héros traversait le désert de Libye, la chaleur l’avait tellement accablé qu’il avait menacé le Soleil de lui décocher une flèche ; c’est en échange de sa grâce que le Soleil avait accepté de prêter son vaisseau.

307. Les hospices du Grand et du Petit Saint-Bernard, dans les Alpes, ont été fondés au Xe siècle par saint Bernard de Menthon.

308. Sardanapale, tyran légendaire et dernier descendant de Sémiramis, fut selon les Grecs le dernier roi d’Assyrie ; efféminé et voluptueux, il mena une vie dissolue, et lorsqu’à la suite d’une révolte il se vit assiégé dans sa capitale, Ninive, il se suicida en s’immolant par le feu sur un immense bûcher, avec ses femmes, ses eunuques et ses trésors. La légende dit qu’on éleva sur son tombeau sa statue en danseur ivre, avec cette inscription : « Passant, mange, bois, divertis-toi ; tout le reste n’est

trai Fœdora sous le péristyle des Bouffons. Nous attendions nos voitures. “Ah ! je vous retrouve encore en vie.” Ce mot était la traduction de son sourire, des malicieuses et sourdes paroles qu'elle dit à son sigisbée en lui racontant sans doute mon histoire, et jugeant mon amour comme un amour vulgaire. Elle applaudissait à sa fausse perspicacité. Oh ! mourir pour elle, l'adorer encore, la voir dans mes excès, dans mes ivresses, dans le lit des courtisanes, et me sentir victime de sa plaisanterie ! Ne pouvoir déchirer ma poitrine et y fouiller mon amour pour le jeter à ses pieds. Enfin, j'épuisai facilement mon trésor ; mais trois années de régime m'avaient constitué la plus robuste de toutes les santés, et le jour où je me trouvai sans argent, je me portais à merveille. Pour continuer de mourir, je signai des lettres de change à courte échéance, et le jour du paiement arriva. Cruelles émotions ! et comme elles font vivre de jeunes cœurs ! Je n'étais pas fait pour vieillir encore ; mon âme était toujours jeune, vivace et verte. Ma première dette ranima toutes mes vertus qui vinrent à pas lents et m'apparurent désolées. Je sus transiger avec elles comme avec ces vieilles tantes qui commencent par nous gronder et finissent en nous donnant des larmes et de l'argent. Plus sévère, mon imagination me montrait mon nom voyageant, de ville en ville, dans les places de l'Europe. *Notre nom, c'est nous-mêmes*, a dit Eusèbe Salverte [309]. Après des courses vagabondes, j'allais, comme le double d'un

---

rien. » La légende de Sardanapale inspira à Byron un drame (*Sardanapale*, 1821), qui inspira à Delacroix l'éclatante *Mort de Sardanapale*, d'ailleurs très mal accueillie au Salon de 1828. Pierre Citron précise que ce sujet fut aussi celui de la cantate pour le prix de Rome en 1830, et inspira Berlioz, qui obtint le Grand Prix.

309. Eusèbe Baconnière de Salverte, homme politique français (1771-1839), a publié en 1824, nous apprend Pierre Citron, un *Essai historique et philosophique sur les noms d'hommes, de peuples et de dieux*, qui débute en effet précisément sur ces lignes : « Notre nom propre, c'est nous-mêmes [...]. »

Allemand[310], revenir à mon logis d'où je n'étais pas sorti, pour me réveiller moi-même en sursaut. Ces hommes de la banque, ces remords commerciaux, vêtus de gris, portant la livrée de leur maître, une plaque d'argent, jadis je les voyais avec indifférence quand ils allaient par les rues de Paris ; mais, aujourd'hui, je les haïssais par avance. Un matin, l'un d'eux ne viendrait-il pas me demander raison des onze lettres de change que j'avais griffonnées ? Ma signature valait trois mille francs, je ne les valais pas moi-même ! Les huissiers, aux faces insouciantes à tous les désespoirs, même à la mort, se levaient devant moi, comme les bourreaux qui disent à un condamné : "Voici trois heures et demie qui sonnent[311]." Leurs clercs avaient le droit de s'emparer de moi, de griffonner mon nom, de le salir, de s'en moquer. JE DEVAIS ! Devoir, est-ce donc s'appartenir ? D'autres hommes ne pouvaient-ils pas me demander compte de ma vie ? pourquoi j'avais mangé des puddings à la *chipolata*[312], pourquoi je buvais à la glace ? pourquoi je dormais, marchais, pensais, m'amusais sans les payer ? Au milieu d'une poésie, au sein d'une idée, ou à déjeuner, entouré d'amis, de joie, de douces railleries, je pouvais voir entrer un monsieur en habit marron, tenant à la main un chapeau râpé. Ce monsieur sera ma dette, ce sera ma lettre de change, un spectre qui flétrira ma joie, me forcera de quitter la table pour lui parler ; il m'enlèvera ma gaieté, ma maîtresse, tout jusqu'à mon lit. Le

---

310. Allusion à l'acteur Giglio de *La Princesse Brambilla* d'Hoffmann (cf. *supra*, note 275).

311. Souvenir probable du *Dernier Jour d'un condamné* de Victor Hugo (1829) : « Trois heures sonnaient, on est venu m'avertir qu'il était temps » (chapitre XLVIII).

312. « À la chipolata » (de l'italien *cipolla*, oignon) indique un assaisonnement d'oignons et de ciboules, et de petites saucisses (qui à l'origine contenaient de la ciboule) ; il ne s'agit donc pas ici de puddings sucrés, mais bien d'un « suet pudding » de viande (viande entourée de pâte, roulée dans un torchon et bouillie).

remords est plus tolérable, il ne nous met ni dans la rue ni à Sainte-Pélagie [313], il ne nous plonge pas dans cette exécrable sentine du vice, il ne nous jette qu'à l'échafaud où le bourreau anoblit : au moment de notre supplice, tout le monde croit à notre innocence ; tandis que la société ne laisse pas une vertu au débauché sans argent. Puis ces dettes à deux pattes, habillées de drap vert, portant des lunettes bleues ou des parapluies multicolores ; ces dettes incarnées avec lesquelles nous nous trouvons face à face au coin d'une rue, au moment où nous sourions, ces gens allaient avoir l'horrible privilège de dire : "M. de Valentin me doit et ne me paie pas. Je le tiens. Ah ! qu'il n'ait pas l'air de me faire mauvaise mine !" Il faut saluer nos créanciers, les saluer avec grâce. "Quand me paierez-vous ?" disent-ils. Et nous sommes dans l'obligation de mentir, d'implorer un autre homme pour de l'argent, de nous courber devant un sot assis sur sa caisse, de recevoir son froid regard, son regard de sangsue plus odieux qu'un soufflet, de subir sa morale de Barême [314] et sa crasse ignorance. Une dette est une œuvre d'imagination qu'ils ne comprennent pas. Des élans de l'âme entraînent, subjuguent souvent un emprunteur, tandis que rien de grand ne subjugue, rien de généreux ne guide ceux qui vivent dans l'argent et ne connaissent que l'argent. J'avais horreur de l'argent. Enfin la lettre de change peut se métamorphoser en vieillard chargé de famille, flanqué de vertus. Je devrais peut-être à un vivant tableau de Greuze, à un paralytique environné d'enfants [315], à la veuve d'un soldat, qui tous me tendront des mains suppliantes.

---

313. Cf. *supra*, note 89.

314. C'est-à-dire, une morale qui ne tient compte que des chiffres : François Barrême (1640-1703), arithméticien, était expert à la Chambre des comptes.

315. Allusion au célèbre tableau de Greuze (1725-1805), *Paralytique soigné par ses enfants* (1763), qui se trouve au musée de l'Hermitage, à Saint-Pétersbourg.

Terribles créanciers avec lesquels il faut pleurer, et quand nous les avons payés, nous leur devons encore des secours. La veille de l'échéance, je m'étais couché dans ce calme faux des gens qui dorment avant leur exécution, avant un duel, ils se laissent toujours bercer par une menteuse espérance. Mais en me réveillant, quand je fus de sang-froid, quand je sentis mon âme emprisonnée dans le portefeuille d'un banquier, couchée sur des états, écrite à l'encre rouge, mes dettes jaillirent partout comme des sauterelles ; elles étaient dans ma pendule, sur mes fauteuils, ou incrustées dans les meubles desquels je me servais avec le plus de plaisir. Devenus la proie des harpies du Châtelet [316], ces doux esclaves matériels allaient donc être enlevés par des recors [317], et brutalement jetés sur la place. Ah ! ma dépouille était encore moi-même. La sonnette de mon appartement retentissait dans mon cœur, elle me frappait où l'on doit frapper les rois, à la tête. C'était un martyre, sans le ciel pour récompense. Oui, pour un homme généreux, une dette est l'enfer, mais l'enfer avec des huissiers et des agents d'affaires [318]. Une dette impayée est une bassesse, un commencement de friponnerie, et pis que tout cela, un mensonge ! elle ébauche des crimes, elle assemble les madriers de l'échafaud. Mes lettres de change furent protestées. Trois jours après je les payai ; voici comment. Un spéculateur vint me proposer de lui vendre l'île que je possédais dans la Loire et où était le tombeau de ma mère. J'acceptai. En signant le contrat chez le notaire de mon acquéreur, je sentis au fond de l'étude obscure

---

316. C'est-à-dire les gardes du commerce ou les huissiers qui procèdent aux saisies sur ordre du tribunal de première instance.

317. « Nom qu'on donne à des officiers subalternes de la justice, qui accompagnent les huissiers pour leur servir de témoins ou pour leur prêter main-forte » (*Littré*).

318. Cet enfer, Balzac l'a évidemment connu lui-même : la faillite de son imprimerie en 1828, qui l'avait obligé pour la première fois à fuir physiquement les créanciers, l'avait laissé chargé de dettes.

une fraîcheur semblable à celle d'une cave. Je frissonnai en reconnaissant le même froid humide qui m'avait saisi sur le bord de la fosse où gisait mon père. J'accueillis ce hasard comme un funeste présage. Il me semblait entendre la voix de ma mère et voir son ombre ; je ne sais quelle puissance faisait retentir vaguement mon propre nom dans mon oreille, au milieu d'un bruit de cloches ! Le prix de mon île me laissa, toutes dettes payées, deux mille francs. Certes, j'eusse pu revenir à la paisible existence du savant, retourner à ma mansarde après avoir expérimenté la vie, y revenir la tête pleine d'observations immenses et jouissant déjà d'une espèce de réputation. Mais Fœdora n'avait pas lâché sa proie. Nous nous étions souvent trouvés en présence. Je lui faisais corner mon nom aux oreilles par ses amants étonnés de mon esprit, de mes chevaux, de mes succès, de mes équipages. Elle restait froide et insensible à tout, même à cette horrible phrase : « Il se tue pour vous ! » dite par Rastignac. Je chargeais le monde entier de ma vengeance, mais je n'étais pas heureux ! En creusant ainsi la vie jusqu'à la fange, j'avais toujours senti davantage les délices d'un amour partagé, j'en poursuivais le fantôme à travers les hasards de mes dissipations, au sein des orgies. Pour mon malheur, j'étais trompé dans mes belles croyances, j'étais puni de mes bienfaits par l'ingratitude, récompensé de mes fautes par mille plaisirs. Sinistre philosophie, mais vraie pour le débauché ! Enfin Fœdora m'avait communiqué la lèpre de sa vanité. En sondant mon âme, je la trouvai gangrenée, pourrie. Le démon m'avait imprimé son ergot au front. Il m'était désormais impossible de me passer des tressaillements continuels d'une vie à tout moment risquée, et des exécrables raffinements de la richesse. Riche à millions, j'aurais toujours joué, mangé, couru. Je ne voulais plus rester seul avec moi-même. J'avais besoin de courtisanes, de faux amis, de vin, de bonne chère pour m'étourdir. Les liens qui attachent un homme à la famille étaient brisés en moi pour toujours. Galérien du plaisir, je devais accomplir ma destinée de suicide. Pendant les derniers jours de ma fortune, je fis chaque soir des excès incroyables ; mais, chaque matin, la mort me rejetait dans la vie. Semblable à un rentier viager, j'aurais pu passer tranquillement dans un incendie. Enfin je me trouvai seul avec une pièce de vingt francs, je me souvins alors du bonheur de Rastignac… "Hé ! hé !" s'écria-t-il en pensant tout à coup à son talisman qu'il tira de sa poche. Soit que, fatigué des luttes de cette longue journée, il n'eût plus la force de gouverner son intelligence dans les flots de vin et de punch ; soit qu'exaspéré par l'image de sa vie il se fût insensiblement enivré par le torrent de ses paroles, Raphaël s'anima, s'exalta comme un homme complètement privé de raison. "Au diable la mort ! s'écria-t-il en brandissant la Peau. Je veux vivre maintenant ! Je suis riche, j'ai toutes les vertus. Rien ne me résistera. Qui ne serait pas bon quand il peut tout ? Hé ! hé ! Ohé ! J'ai souhaité deux cent mille livres de rente, je les aurai. Saluez-moi, pourceaux qui vous vautrez sur ces tapis comme sur du fumier ! Vous m'appartenez, fameuse propriété ! Je suis riche, je peux vous acheter tous, même le député qui ronfle là. Allons, canaille de la haute société, bénissez-moi ! Je suis pape." »

En ce moment les exclamations de Raphaël, jusque-là couvertes par la basse continue des ronflements, furent entendues soudain. La plupart des dormeurs se réveillèrent en criant, ils virent l'interrupteur mal assuré sur ses jambes, et maudirent sa bruyante ivresse par un concert de jurements.

« Taisez-vous ! reprit Raphaël. Chiens, à vos niches ! Émile, j'ai des trésors, je te donnerai des cigares de La Havane.

– Je t'entends, répondit le poète, *Fœdora ou la mort !* Va ton train ! Cette sucrée de Fœdora t'a trompé.

Toutes les femmes sont filles d'Ève. Ton histoire n'est pas du tout dramatique.

– Ah ! tu dormais, sournois ?

– Non ! Fœdora ou la mort, j'y suis.

– Réveille-toi, s'écria Raphaël en frappant Émile avec la Peau de chagrin comme s'il voulait en tirer du fluide électrique.

– Tonnerre ! dit Émile en se levant et en saisissant Raphaël à bras-le-corps, mon ami, songe donc que tu es avec des femmes de mauvaise vie.

– Je suis millionnaire.

– Si tu n'es pas millionnaire, tu es bien certainement ivre.

– Ivre du pouvoir. Je peux te tuer ! Silence, je suis Néron ! je suis Nabuchodonosor !

– Mais, Raphaël, nous sommes en méchante compagnie, tu devrais rester silencieux, par dignité.

– Ma vie a été un trop long silence. Maintenant, je vais me venger du monde entier. Je ne m'amuserai pas à dissiper de vils écus, j'imiterai, je résumerai mon époque en consommant des vies humaines, et des intelligences, des âmes. Voilà un luxe qui n'est pas mesquin, n'est-ce pas l'opulence de la peste ! Je lutterai avec la fièvre jaune, bleue, verte, avec les armées, avec les échafauds. Je puis avoir Fœdora. Mais non, je ne veux pas de Fœdora, c'est ma maladie, je meurs de Fœdora ! Je veux oublier Fœdora.

– Si tu continues à crier, je t'emporte dans la salle à manger.

– Vois-tu cette Peau ? c'est le testament de Salomon. Il est à moi, Salomon, ce petit cuistre de roi ! J'ai l'Arabie, Pétrée [319] encore. L'univers à moi. Tu es à moi, si je veux. Ah ! si je veux, prends garde ! Je peux acheter toute ta boutique de journaliste, tu seras mon valet. Tu me feras des couplets, tu régleras mon papier.

---

319. L'adjectif « pétrée » signifie « couverte de pierres, de rochers » (*Littré*) : on appelait Arabie Pétrée la partie la plus désertique du pays.

Valet ! *valet*[320], cela veut dire : “Il se porte bien, parce qu’il ne pense à rien.” »

À ce mot, Émile emporta Raphaël dans la salle à manger.

« Eh bien, oui, mon ami, lui dit-il, je suis ton valet. Mais tu vas être rédacteur en chef d’un journal, tais-toi ! sois décent, par considération pour moi ! M’aimes-tu ?

– Si je t’aime ! Tu auras des cigares de La Havane, avec cette Peau. Toujours la Peau, mon ami, la Peau souveraine ! Excellent topique, je peux guérir les cors. As-tu des cors ? je te les ôte.

– Jamais je ne l’ai vu si stupide.

– Stupide, mon ami ? Non. Cette Peau se rétrécit quand j’ai un désir… c’est une antiphrase. Le brachmane[321], il se trouve un brachmane là-dessous ! le brachmane donc était un goguenard[322], parce que les désirs, vois-tu, doivent étendre…

– Eh bien, oui.

– Je te dis…

– Oui, cela est très vrai, je pense comme toi. Le désir étend…

– Je te dis, la Peau…

– Oui.

– Tu ne me crois pas. Je te connais, mon ami, tu es menteur comme un nouveau roi[323].

– Comment veux-tu que j’adopte les divagations de ton ivresse ?

– Je te parie, je peux te le prouver. Prenons la mesure.

---

320. En fait de cuistrerie, Raphaël en remontre à Salomon ! en jouant sur l’homographie entre le mot « valet » et le verbe latin *valeo, is, ere* : se bien porter, être en bonne santé, conjugué à la troisième personne du singulier.

321. Cf. *supra*, note 84.

322. Cf. *supra*, note 177 et texte correspondant.

323. Allusion évidente à Louis-Philippe. Cf. *supra*, note 91.

– Allons, il ne s'endormira pas », s'écria Émile en voyant Raphaël occupé à fureter dans la salle à manger.

Valentin, animé d'une adresse de singe, grâce à cette singulière lucidité dont les phénomènes contrastent parfois chez les ivrognes avec les obtuses visions de l'ivresse, sut trouver une écritoire et une serviette, en répétant toujours : « Prenons la mesure ! Prenons la mesure !

– Eh bien, oui, reprit Émile, prenons la mesure ! »

Les deux amis étendirent la serviette et y superposèrent la Peau de chagrin. Émile, dont la main semblait être plus assurée que celle de Raphaël, décrivit à la plume, par une ligne d'encre, les contours du talisman, pendant que son ami lui disait : « J'ai souhaité deux cent mille livres de rente, n'est-il pas vrai ? Eh bien, quand je les aurai, tu verras la diminution de tout mon chagrin [324].

– Oui, maintenant dors. Veux-tu que je t'arrange sur ce canapé ? Allons, es-tu bien ?

– Oui, mon nourrisson de la Presse. Tu m'amuseras, tu chasseras mes mouches. L'ami du malheur a droit d'être l'ami du pouvoir. Aussi, te donnerai-je des ci...ga...res... de La Hav...

– Allons, cuve ton or, millionnaire.

– Toi, cuve tes articles. Bonsoir. Dis donc bonsoir à Nabuchodonosor ! Amour ! À boire ! France... gloire et riche... Riche... »

Bientôt les deux amis unirent leurs ronflements à la musique qui retentissait dans les salons. Concert inutile ! Les bougies s'éteignirent une à une en faisant éclater leurs bobèches de cristal. La nuit enveloppa d'un crêpe cette longue orgie dans laquelle le récit de Raphaël avait été comme une orgie de paroles, de mots sans idées, et d'idées auxquelles les expressions avaient souvent manqué.

---

324. Raphaël joue évidemment sur les deux sens du mot « chagrin ».

Le lendemain, vers midi, la belle Aquilina se leva, bâillant, fatiguée, et les joues marbrées par les empreintes du tabouret en velours peint sur lequel sa tête avait reposé. Euphrasie, réveillée par le mouvement de sa compagne, se dressa tout à coup en jetant un cri rauque ; sa jolie figure si blanche, si fraîche la veille, était jaune et pâle comme celle d'une fille allant à l'hôpital. Insensiblement les convives se remuèrent en poussant des gémissements sinistres, ils se sentirent les bras et les jambes raidis, mille fatigues diverses les accablèrent à leur réveil. Un valet vint ouvrir les persiennes et les fenêtres des salons. L'assemblée se trouva sur pied, rappelée à la vie par les chauds rayons du soleil qui pétilla sur les têtes des dormeurs. Les mouvements du sommeil ayant brisé l'élégant édifice de leurs coiffures et fané leurs toilettes, les femmes frappées par l'éclat du jour présentèrent un hideux spectacle : leurs cheveux pendaient sans grâce, leurs physionomies avaient changé d'expression, leurs yeux si brillants étaient ternis par la lassitude. Les teints bilieux qui jettent tant d'éclat aux lumières faisaient horreur, les figures lymphatiques, si blanches, si molles, quand elles sont reposées, étaient devenues vertes ; les bouches naguère délicieuses et rouges, maintenant sèches et blanches, portaient les honteux stigmates de l'ivresse. Les hommes reniaient leurs maîtresses nocturnes à les voir ainsi décolorées, cadavéreuses comme des fleurs écrasées dans une rue après le passage des processions. Ces hommes dédaigneux étaient plus horribles encore. Vous eussiez frémi de voir ces faces humaines, aux yeux caves et cernés qui semblaient ne rien voir, engourdies par le vin, hébétées par un sommeil gêné, plus fatigant que réparateur. Ces visages hâves où paraissaient à nu les appétits physiques, sans la poésie dont les décore notre âme, avaient je ne sais quoi de féroce et de froidement bestial. Ce réveil du vice sans vêtement ni fard, ce squelette du mal déguenillé, froid, vide et privé des sophismes de l'esprit ou des enchantements du luxe, épouvanta ces intrépides athlètes, quelque habitués qu'ils fussent à lutter avec la débauche. Artistes et courtisanes gardèrent le silence en examinant d'un œil hagard le désordre de l'appartement où tout avait été dévasté, ravagé par le feu des passions. Un rire satanique s'éleva tout à coup lorsque Taillefer, entendant le râle sourd de ses hôtes, essaya de les saluer par une grimace ; son visage en sueur et sanguinolent fit planer sur cette scène infernale l'image du crime sans remords. (Voir *L'Auberge rouge*[325].) Le tableau fut complet. C'était la vie fangeuse au sein du luxe, un horrible mélange des pompes et des misères humaines, le réveil de la débauche, quand de ses mains fortes elle a pressé tous les fruits de la vie, pour ne laisser autour d'elle que d'ignobles débris ou des mensonges auxquels elle ne croit plus. Vous eussiez dit la Mort souriant au milieu d'une famille pestiférée : plus de parfums ni de lumières étourdissantes, plus de gaieté ni de désirs ; mais le dégoût avec ses odeurs nauséabondes et sa poignante philosophie, mais le soleil éclatant comme la vérité, mais un air pur comme la vertu, qui contrastaient avec une atmosphère chaude, chargée de miasmes, les miasmes d'une orgie ! Malgré leur habitude du vice, plusieurs de ces jeunes filles pensèrent à leur réveil d'autrefois, quand innocentes et pures elles entrevoyaient, par leurs croisées champêtres ornées de chèvrefeuilles et de roses, un frais paysage enchanté par les joyeuses roulades de l'alouette, vaporeusement illuminé par les lueurs de l'aurore et paré des fantaisies de la rosée. D'autres se peignirent le déjeuner de la famille, la table autour de laquelle riaient innocemment les enfants et le père, où tout respirait un charme indéfinissable, où les mets étaient simples comme les cœurs. Un artiste songeait à la paix de son atelier, à sa chaste statue, au gracieux modèle

325. Cf. *supra*, note 101.

qui l'attendait. Un jeune homme, se souvenant du procès d'où dépendait le sort d'une famille, pensait à la transaction importante qui réclamait sa présence. Le savant regrettait son cabinet où l'appelait un noble ouvrage. Presque tous se plaignaient d'eux-mêmes. En ce moment, Émile, frais et rose comme le plus joli des commis-marchands d'une boutique en vogue, apparut en riant.

« Vous êtes plus laids que des recors, s'écria-t-il. Vous ne pourrez rien faire aujourd'hui ; la journée est perdue, m'est avis de déjeuner. »

À ces mots, Taillefer sortit pour donner des ordres. Les femmes allèrent languissamment rétablir le désordre de leurs toilettes devant les glaces. Chacun se secoua. Les plus vicieux prêchèrent les plus sages. Les courtisanes se moquèrent de ceux qui paraissaient ne pas se trouver de force à continuer ce rude festin. En un moment, ces spectres s'animèrent, formèrent des groupes, s'interrogèrent et sourirent. Quelques valets habiles et lestes remirent promptement les meubles et chaque chose en sa place. Un déjeuner splendide fut servi. Les convives se ruèrent alors dans la salle à manger. Là, si tout porta l'empreinte ineffaçable des excès de la veille, au moins y eut-il trace d'existence et de pensée comme dans les dernières convulsions d'un mourant. Semblable au convoi du mardi gras, la saturnale était enterrée par des masques fatigués de leurs danses, ivres de l'ivresse, et voulant convaincre le plaisir d'impuissance pour ne pas s'avouer la leur. Au moment où cette intrépide assemblée borda la table du capitaliste, Cardot, qui, la veille, avait disparu prudemment après le dîner, pour finir son orgie dans le lit conjugal, montra sa figure officieuse sur laquelle errait un doux sourire. Il semblait avoir deviné quelque succession à déguster, à partager, à inventorier, à grossoyer, une succession pleine d'actes à faire, grosse d'honoraires, aussi juteuse que le filet tremblant dans lequel l'amphitryon plongeait alors son couteau.

« Oh ! oh ! nous allons déjeuner par-devant notaire, s'écria de Cursy.

– Vous arrivez à propos pour coter et parapher toutes ces pièces, lui dit le banquier en lui montrant le festin.

– Il n'y a pas de testament à faire, mais pour des contrats de mariage, peut-être ! dit le savant qui pour la première fois depuis un an s'était supérieurement marié.

– Oh ! oh !

– Ah ! ah !

– Un instant, répliqua Cardot assourdi par un chœur de mauvaises plaisanteries, je viens ici pour affaire sérieuse. J'apporte six millions à l'un de vous. (Silence profond.) Monsieur, dit-il en s'adressant à Raphaël, qui, dans ce moment, s'occupait sans cérémonie à s'essuyer les yeux avec un coin de sa serviette, madame votre mère n'était-elle pas une demoiselle O'Flaharty ?

– Oui, répondit Raphaël assez machinalement, *Barbe-Marie.*

– Avez-vous ici, reprit Cardot, votre acte de naissance et celui de Mme de Valentin ?

– Je le crois [326].

– Eh bien, monsieur, vous êtes le seul et unique héritier du major O'Flaharty [327], décédé en août 1828, à Calcutta.

– C'est une fortune *incalcuttable* [328] ! s'écria le jugeur.

---

326. Raphaël se serait-il muni de ses papiers en vue de son suicide ? Sa réponse ne laisse pas de surprendre.

327. Balzac avait d'abord donné les nom et prénom de son personnage, major Martin O'Flaharty ; il a supprimé le prénom à partir de l'édition Delloye et Lecou (1838) – de telle sorte qu'on se demande bien, un peu plus loin, comment l'un des convives, qui propose de porter un toast à la mémoire du major, se trouve connaître son prénom.

328. C'est dans la marge de son exemplaire de l'édition Furne (dit Furne corrigé) que Balzac, toujours friand de jeux de mots, a ajouté *in extremis* ce calembour, qu'il emprunte à Laurent-Jan (lettre à Laurent-Jan du 21 janvier 1849).

– Le major ayant disposé par son testament de plusieurs sommes en faveur de quelques établissements publics, sa succession a été réclamée à la Compagnie des Indes par le gouvernement français, reprit le notaire. Elle est en ce moment liquide et palpable. Depuis quinze jours je cherchais infructueusement les ayants cause de la demoiselle Barbe-Marie O'Flaharty, lorsque hier à table… »

En ce moment, Raphaël se leva soudain en laissant échapper le mouvement brusque d'un homme qui reçoit une blessure. Il se fit comme une acclamation silencieuse, le premier sentiment des convives fut dicté par une sourde envie, tous les yeux se tournèrent vers lui comme autant de flammes. Puis, un murmure, semblable à celui d'un parterre qui se courrouce, une rumeur d'émeute commença, grossit, et chacun dit un mot pour saluer cette fortune immense apportée par le notaire. Rendu à toute sa raison par la brusque obéissance du sort, Raphaël étendit promptement sur la table la serviette avec laquelle il avait mesuré, naguère, la Peau de chagrin. Sans rien écouter, il y superposa le talisman, et frissonna violemment en voyant une petite distance entre le contour tracé sur le linge et celui de la Peau.

« Eh bien ! qu'a-t-il donc ? s'écria Taillefer, il a sa fortune à bon compte.

– *Soutiens-le, Châtillon* [329], dit Bixiou à Émile, la joie va le tuer. »

Une horrible pâleur dessina tous les muscles de la figure flétrie de cet héritier, ses traits se contractèrent, les saillies de son visage blanchirent, les creux devin-

---

329. Parodie d'un vers de la scène 3 de l'acte II de *Zaïre*, tragédie de Voltaire (1732) : le vieux prince de Jérusalem, Lusignan, reconnaissant dans le chevalier Nérestan son fils et en Zaïre sa fille (sur le point d'épouser Orosmane, le prince musulman qui les tient captifs), défaille, et dit à son confident : « Soutiens-moi, Châtillon. » L'expression était devenue proverbiale.

rent sombres, le masque fut livide, et les yeux se fixèrent. Il voyait la MORT. Ce banquet[330] splendide entouré de courtisanes fanées, de visages rassasiés, cette agonie de la joie, était une vivante image de sa vie. Raphaël regarda trois fois le talisman qui jouait à l'aise dans les impitoyables lignes imprimées sur la serviette, il essayait de douter ; mais un clair pressentiment anéantissait son incrédulité. Le monde lui appartenait, il pouvait tout et ne voulait plus rien. Comme un voyageur au milieu du désert, il avait un peu d'eau pour la soif et devait mesurer sa vie au nombre des gorgées. Il voyait ce que chaque désir devait lui coûter de jours. Puis il croyait à la Peau de chagrin, il s'écoutait respirer, il se sentait déjà malade, il se demandait : « Ne suis-je pas pulmonique[331] ? Ma mère n'est-elle pas morte de la poitrine ? »

« Ah ! ah ! Raphaël, vous allez bien vous amuser ! Que me donnerez-vous ? disait Aquilina.

– Buvons à la mort de son oncle, le major Martin O'Flaharty ! Voilà un homme.

– Il sera pair de France.

– Bah ! qu'est-ce qu'un pair de France après Juillet[332] ? dit le jugeur.

– Auras-tu loge aux Bouffons ?

– J'espère que vous nous régalerez tous, dit Bixiou.

---

330. Bizarrement, toutes les éditions depuis 1833 (troisième édition Gosselin) donnent ici « banquier » – mais dans l'édition originale, Balzac a bien écrit « banquet », que nous prenons avec Pierre Citron le parti de restituer.

331. Cf. *supra*, note 304. Tout au début du roman, lorsque Raphaël entre dans le salon de la maison de jeu, Balzac avait déjà écrit : « Les médecins auraient sans doute attribué à des lésions au cœur ou à la poitrine le cercle jaune qui encadrait les paupières, et la rougeur qui marquait les joues [...]. »

332. Cette remarque fut ajoutée dans l'édition Werdet (1835) ; elle fait allusion à l'abolition de l'hérédité de la pairie par la loi du 29 décembre 1831 ; comme les pairs continuaient cependant d'être nommés par le roi, la Chambre des Pairs devint de fait trop dépendante de l'exécutif, et ce fut le début de son déclin.

– Un homme comme lui sait faire grandement les choses », dit Émile.

Le hourra de cette assemblée rieuse résonnait aux oreilles de Valentin sans qu'il pût saisir le sens d'un seul mot ; il pensait vaguement à l'existence mécanique et sans désirs d'un paysan de Bretagne, chargé d'enfants, labourant son champ, mangeant du sarrazin, buvant du cidre à même son *piché*, croyant à la Vierge et au roi, communiant à Pâques, dansant le dimanche sur une pelouse verte et ne comprenant pas le sermon de son *recteur* [333]. Le spectacle offert en ce moment à ses regards, ces lambris dorés, ces courtisanes, ce repas, ce luxe, le prenaient à la gorge et le faisaient tousser.

« Désirez-vous des asperges ? lui cria le banquier.

– *Je ne désire rien*, lui répondit Raphaël d'une voix tonnante.

– Bravo ! répliqua Taillefer. Vous comprenez la fortune, elle est un brevet d'impertinence. Vous êtes des nôtres ! Messieurs, buvons à la puissance de l'or. M. de Valentin devenu six fois millionnaire arrive au pouvoir. Il est roi, il peut tout, il est au-dessus de tout, comme sont tous les riches. Pour lui désormais, LES FRANÇAIS SONT ÉGAUX DEVANT LA LOI est un mensonge inscrit en tête de la Charte. Il n'obéira pas aux lois, les lois lui obéiront. Il n'y a pas d'échafaud, pas de bourreaux pour les millionnaires !

– Oui, répliqua Raphaël, ils sont eux-mêmes leurs bourreaux !

– Encore un préjugé ! cria le banquier.

– Buvons, dit Raphaël en mettant le talisman dans sa poche.

– Que fais-tu là ? dit Émile en lui arrêtant la main. Messieurs, ajouta-t-il en s'adressant à l'assemblée assez surprise des manières de Raphaël, apprenez que

---

333. C'est « l'immobilité d'une population vouée aux pratiques d'une immémoriale routine » décrite dans *Les Chouans* (1829).

notre ami de Valentin, que dis-je ? MONSIEUR LE MARQUIS DE VALENTIN, possède un secret pour faire fortune. Ses souhaits sont accomplis au moment même où il les forme. À moins de passer pour un laquais, pour un homme sans cœur, il va nous enrichir tous.

– Ah ! mon petit Raphaël, je veux une parure de perles, s'écria Euphrasie.

– S'il est reconnaissant, il me donnera deux voitures attelées de beaux chevaux et qui aillent vite ! dit Aquilina.

– Souhaitez cent mille livres de rente pour moi.

– Des cachemires !

– Payez mes dettes !

– Envoie une apoplexie à mon oncle, le grand sec !

– Raphaël, je te tiens quitte à dix mille livres de rente.

– Voilà bien des donations ! s'écria le notaire.

– Il devrait bien me guérir de la goutte.

– Faites baisser les rentes », s'écria le banquier.

Toutes ces phrases partirent comme les gerbes du bouquet qui termine un feu d'artifice. Ces furieux désirs étaient peut-être plus sérieux que plaisants.

« Mon cher ami, dit Émile d'un air grave, je me contenterai de deux cent mille livres de rente, exécute-toi de bonne grâce, allons !

– Émile, dit Raphaël, tu ne sais donc pas à quel prix ?

– Belle excuse ! s'écria le poète. Ne devons-nous pas nous sacrifier pour nos amis ?

– J'ai presque envie de souhaiter votre mort à tous, répondit Valentin en jetant un regard sombre et profond sur les convives.

– Les mourants sont furieusement cruels, dit Émile en riant. Te voilà riche, ajouta-t-il sérieusement, eh bien, je ne te donne pas deux mois pour devenir fangeusement égoïste. Tu es déjà stupide, tu ne comprends pas une plaisanterie. Il ne te manque plus que de croire à ta Peau de chagrin. »

Raphaël, qui craignit les moqueries de cette assemblée, garda le silence, but outre mesure et s'enivra pour oublier un moment sa funeste puissance.

L'AGONIE

Dans les premiers jours du mois de décembre, un vieillard septuagénaire allait, malgré la pluie, par la rue de Varenne en levant le nez à la porte de chaque hôtel, et cherchant l'adresse de M. le marquis Raphaël de Valentin, avec la naïveté d'un enfant et l'air absorbé des philosophes. L'empreinte d'un violent chagrin aux prises avec un caractère despotique éclatait sur cette figure accompagnée de longs cheveux gris en désordre, desséchés comme un vieux parchemin qui se tord dans le feu. Si quelque peintre eût rencontré ce singulier personnage, vêtu de noir, maigre et ossu, sans doute, il l'aurait, de retour à l'atelier, transfiguré sur son album, en inscrivant au-dessous du portrait : *Poète classique en quête d'une rime.* Après avoir vérifié le numéro qui lui avait été indiqué, cette vivante palingénésie de Rollin [334] frappa doucement à la porte d'un magnifique hôtel.

« M. Raphaël y est-il ? demanda le bonhomme à un suisse en livrée.

– M. le marquis ne reçoit personne, répondit le valet en avalant une énorme mouillette qu'il retirait d'un large bol de café.

---

334. C'est-à-dire la « forme ressuscitée » de Rollin. Balzac aime utiliser ce mot, remis à la mode par Ballanche (cf. *supra*, note 130), et lui donne les sens les plus divers : il écrit ainsi par exemple au baron Gérard, en octobre 1831, qu'il souhaite faire exécuter une « palingénésie » de son père – c'est-à-dire un portrait posthume.
– Charles Rollin (1661-1741), professeur de rhétorique, historien, et janséniste, auteur d'un *Traité des Études.*

– Sa voiture est là, répondit le vieil inconnu en montrant un brillant équipage arrêté sous le dais de bois qui représentait une tente de coutil et par lequel les marches du perron étaient abritées. Il va sortir, je l'attendrai.

– Ah ! mon ancien [335], vous pourriez bien rester ici jusqu'à demain matin, reprit le suisse. Il y a toujours une voiture prête pour monsieur. Mais sortez, je vous prie, je perdrais six cents francs de rente si je laissais une seule fois entrer sans ordre une personne étrangère à l'hôtel. »

En ce moment, un grand vieillard dont le costume ressemblait assez à celui d'un huissier ministériel sortit du vestibule et descendit précipitamment quelques marches en examinant le vieux solliciteur ébahi.

« Au surplus, voici M. Jonathas, dit le suisse. Parlez-lui. »

Les deux vieillards, attirés l'un vers l'autre par une sympathie ou par une curiosité mutuelle, se rencontrèrent au milieu de la vaste cour d'honneur, à un rond-point où croissaient quelques touffes d'herbe entre les pavés. Un silence effrayant régnait dans cet hôtel. En voyant Jonathas, vous eussiez voulu pénétrer le mystère qui planait sur sa figure, et dont parlaient les moindres choses dans cette maison morne. Le premier soin de Raphaël, en recueillant l'immense succession de son oncle, avait été de découvrir où vivait le vieux serviteur dévoué sur l'affection duquel il pouvait compter. Jonathas pleura de joie en revoyant son jeune maître auquel il croyait avoir dit un éternel adieu ; mais rien n'égala son bonheur quand le marquis le promut aux éminentes fonctions d'intendant. Le vieux Jonathas devint une puissance intermédiaire placée entre Raphaël et le monde entier. Ordonnateur suprême de la fortune de son maître, exécuteur aveugle

335. La formule est soit familière, soit d'un ancien soldat, ce qui est plus probable.

d'une pensée inconnue, il était comme un sixième sens à travers lequel les émotions de la vie arrivaient à Raphaël.

« Monsieur, je désirerais parler à M. Raphaël, dit le vieillard à Jonathas en montant quelques marches du perron pour se mettre à l'abri de la pluie.

– Parler à M. le marquis, s'écria l'intendant. À peine m'adresse-t-il la parole, à moi son père nourricier.

– Mais je suis aussi son père nourricier, s'écria le vieil homme. Si votre femme l'a jadis allaité, je lui ai fait sucer moi-même le sein des muses. Il est mon nourrisson, mon enfant, *carus alumnus*[336] ! J'ai façonné sa cervelle, cultivé son entendement, développé son génie, et j'ose le dire, à mon honneur et gloire. N'est-il pas un des hommes les plus remarquables de notre époque ? Je l'ai eu, sous moi, en sixième, en troisième et en rhétorique. Je suis son professeur.

– Ah ! monsieur est M. Porriquet[337].

– Précisément. Mais monsieur…

– Chut, chut ! fit Jonathas à deux marmitons dont les voix rompaient le silence claustral dans lequel la maison était ensevelie.

– Mais, monsieur, reprit le professeur, M. le marquis serait-il malade ?

– Mon cher monsieur, répondit Jonathas, Dieu seul sait ce qui tient mon maître. Voyez-vous, il n'existe pas à Paris deux maisons semblables à la nôtre. Entendez-vous ? deux maisons. Ma foi, non. M. le marquis a

---

336. *Alumnus* : en latin, « nourrisson, enfant » ou « disciple, élève ». L'expression est empruntée à Virgile, *Énéide*, livre XI, vers 33 – où elle désigne Pallas, le jeune compagnon d'Énée, tué par le Rutule Turnus.

337. Nom sans doute forgé sur celui du jésuite Jean-Nicolas Loriquet (1767-1845), professeur puis recteur du collège de Saint-Acheul (qui venait d'être fermé en 1828 par ordonnance de Charles X), et auteur notamment d'une *Histoire de France à l'usage de la jeunesse* (1814) qui provoqua d'âpres polémiques, parce qu'on prétendit, faussement, que Loriquet y appelait Napoléon « le marquis Bonaparte, lieutenant des armées de Louis XVIII ».

fait acheter cet hôtel qui appartenait précédemment à un duc et pair. Il a dépensé trois cent mille francs pour le meubler. Voyez-vous ? c'est une somme, trois cent mille francs. Mais chaque pièce de notre maison est un vrai miracle. Bon ! me suis-je dit en voyant cette magnificence, c'est comme chez défunt monsieur son père [338] ! Le jeune marquis va recevoir la ville et la cour ! Point. Monsieur n'a voulu voir personne. Il mène une drôle de vie, monsieur Porriquet, entendez-vous ? une vie inconciliable. Monsieur se lève tous les jours à la même heure. Il n'y a que moi, moi seul, voyez-vous ? qui puisse entrer dans sa chambre. J'ouvre à sept heures, été comme hiver. Cela est convenu singulièrement. Étant entré, je lui dis : “Monsieur le marquis, il faut vous réveiller et vous habiller.” Il se réveille et s'habille. Je dois lui donner sa robe de chambre, toujours faite de la même façon et de la même étoffe. Je suis obligé de la remplacer quand elle ne pourra plus servir, rien que pour lui éviter la peine d'en demander une neuve. C'te imagination ! Au fait, il a mille francs à manger par jour, il fait ce qu'il veut, ce cher enfant. D'ailleurs, je l'aime tant, qu'il me donnerait un soufflet sur la joue droite, je lui tendrais la gauche ! Il me dirait de faire des choses plus difficiles, je les ferais encore, entendez-vous ? Au reste, il m'a chargé de tant de vétilles, que j'ai de quoi m'occuper. Il lit les journaux, pas vrai ? Ordre de les mettre au même endroit, sur la même table. Je viens aussi, à la même heure, lui faire moi-même la barbe et je ne tremble pas. Le cuisinier perdrait mille écus de rente viagère qui l'attendent après la mort de monsieur, si le déjeuner ne se trouvait pas inconciliablement servi devant monsieur, à dix heures, tous les matins, et le

---

338. Le Furne corrigé seul porte « grand-père ». Or, comme Raphaël l'a expliqué à Émile, c'est son *père* qui est monté d'Auvergne à Paris et s'est fait une position. Toutes les éditions, de l'originale au Furne, portent « père » – que nous prenons la liberté de conserver.

dîner à cinq heures précises. Le menu est dressé pour l'année entière, jour par jour. M. le marquis n'a rien à souhaiter. Il a des fraises quand il y a des fraises, et le premier maquereau qui arrive à Paris, il le mange. Le programme est imprimé, il sait le matin son dîner par cœur. Pour lors, il s'habille à la même heure avec les mêmes habits, le même linge, posés toujours par moi, entendez-vous ? sur le même fauteuil. Je dois encore veiller à ce qu'il ait toujours le même drap ; en cas de besoin, si sa redingote s'abîme, une supposition, la remplacer par une autre, sans lui en dire un mot. S'il fait beau, j'entre et je dis à mon maître : "Vous devriez sortir, monsieur ?" Il me répond oui, ou non. S'il a idée de se promener, il n'attend pas ses chevaux, ils sont toujours attelés ; le cocher reste inconciliablement, fouet en main, comme vous le voyez là. Le soir, après le dîner, monsieur va un jour à l'Opéra et l'autre aux Ital... mais non, il n'est pas encore allé aux Italiens, je n'ai pu me procurer une loge qu'hier. Puis, il rentre à onze heures précises pour se coucher. Pendant les intervalles de la journée où il ne fait rien, il lit, il lit toujours, voyez-vous ? une idée qu'il a. J'ai ordre de lire avant lui le *Journal de la librairie*[339], afin d'acheter des livres nouveaux, afin qu'il les trouve le jour même de leur vente sur sa cheminée. J'ai la consigne d'entrer d'heure en heure chez lui, pour veiller au feu, à tout, pour voir à ce que rien ne lui manque ; il m'a donné, monsieur, un petit livre à apprendre par cœur, et où sont écrits tous mes devoirs, un vrai catéchisme. En été, je dois, avec des tas de

339. C'est-à-dire la *Bibliographie de la France*, « Journal général de l'imprimerie et de la librairie », fondé en 1811, hebdomadaire, dont la rubrique « Bibliographie » donne la liste des livres dont le dépôt légal a été effectué ; la rubrique « Chronique », les actes officiels, judiciaires, ou informations intéressant la librairie ; et enfin la rubrique « Feuilleton », les annonces des livres nouveaux. (Cette publication officielle existe toujours.)

glace, maintenir la température au même degré de fraîcheur, et mettre en tout temps des fleurs nouvelles partout. Il est riche ! il a mille francs à manger par jour, il peut faire ses fantaisies. Il a été privé assez longtemps du nécessaire, le pauvre enfant ! Il ne tourmente personne, il est bon comme le pain, jamais il ne dit mot, mais, par exemple, silence complet à l'hôtel et dans le jardin ! Enfin, mon maître n'a pas un seul désir à former, tout marche au doigt et à l'œil, et *recta* [340] ! Et il a raison, si l'on ne tient pas les domestiques, tout va à la débandade. Je lui dis tout ce qu'il doit faire, et il m'écoute. Vous ne sauriez croire à quel point il a poussé la chose. Ses appartements sont… en… en comment donc ? ah ! en enfilade. Eh bien ! il ouvre, une supposition, la porte de sa chambre ou de son cabinet, crac ! toutes les portes s'ouvrent d'elles-mêmes par un mécanisme. Pour lors, il peut aller d'un bout à l'autre de sa maison sans trouver une seule porte fermée. C'est gentil et commode et agréable pour nous autres ! ça nous a coûté gros, par exemple ! Enfin, finalement, monsieur Porriquet, il m'a dit : "Jonathas, tu auras soin de moi comme d'un enfant au maillot." Au maillot, oui, monsieur, au maillot qu'il a dit. "Tu penseras à mes besoins, pour moi." Je suis le maître, entendez-vous ? et il est quasiment le domestique. Le pourquoi ? Ah ! par exemple, voilà ce que personne au monde ne sait que lui et le bon Dieu. C'est inconciliable !

– Il fait un poème, s'écria le vieux professeur.

– Vous croyez, monsieur, qu'il fait un poème ? C'est donc bien assujettissant, ça ! Mais, voyez-vous, je ne crois pas. Il me répète souvent qu'il veut vivre comme une vergétation, en vergétant [341] ! Et pas plus tard

---

340. Exactement, ponctuellement.

341. Pour « végéter », évidemment. Jonathas confond avec un mot du vocabulaire de son office : les « vergettes » sont une sorte de plumeau pour faire la poussière, et « vergeter » signifie « épousseter ».

qu'hier, monsieur Porriquet, il regardait une tulipe, et il disait en s'habillant : "Voilà ma vie. Je vergète, mon pauvre Jonathas." À cette heure, d'autres prétendent qu'il est *monomane* [342]. C'est inconciliable !

– Tout me prouve, Jonathas, reprit le professeur avec une gravité magistrale qui imprima un profond respect au vieux valet de chambre, que votre maître s'occupe d'un grand ouvrage. Il est plongé dans de vastes méditations, et ne veut pas en être distrait par les préoccupations de la vie vulgaire. Au milieu de ses travaux intellectuels, un homme de génie oublie tout. Un jour le célèbre Newton…

– Ah ! Newton, bien, dit Jonathas. Je ne le connais pas.

– Newton, un grand géomètre, reprit Porriquet, passa vingt-quatre heures, le coude appuyé sur une table ; quand il sortit de sa rêverie, il croyait le lendemain être encore à la veille, comme s'il eût dormi [343]. Je vais aller le voir, ce cher enfant, je peux lui être utile.

– Minute, s'écria Jonathas. Vous seriez le roi de France, l'ancien, s'entend [344] ! que vous n'entreriez pas à moins de forcer les portes et de me marcher sur le corps. Mais, monsieur Porriquet, je cours lui dire que vous êtes là, et je lui demanderai comme ça : "Faut-il le faire monter ?" Il répondra *oui* ou *non*. Jamais je ne lui dis : *Souhaitez-vous ? voulez-vous ? désirez-vous ?* Ces mots-là sont rayés de la conversation. Une fois il m'en est échappé un. "Veux-tu me faire mourir ?" m'a-t-il dit, tout en colère. »

Jonathas laissa le vieux professeur dans le vestibule, en lui faisant signe de ne pas avancer ; mais il revint

---

342. Terme de médecine : fou obsédé par une idée fixe. Ce sera aussi le diagnostic de Brisset – cf. *infra*, note 419 et texte correspondant.

343. Balzac affectionne cette anecdote, qu'il a déjà racontée dans son article « Des artistes » (IIe partie, parue dans *La Silhouette*, le 11 mars 1830).

344. Louis-Philippe, roi-citoyen, a été élu « roi des Français », ce qui ne fait pas de lui un « vrai » roi de France aux yeux de Jonathas.

promptement avec une réponse favorable, et conduisit le vieil émérite[345] à travers de somptueux appartements dont toutes les portes étaient ouvertes. Porriquet aperçut de loin son élève au coin d'une cheminée. Enveloppé d'une robe de chambre à grands dessins, et plongé dans un fauteuil à ressorts, Raphaël lisait le journal. L'extrême mélancolie à laquelle il paraissait être en proie était exprimée par l'attitude maladive de son corps affaissé ; elle était peinte sur son front, sur son visage pâle comme une fleur étiolée. Une sorte de grâce efféminée et les bizarreries particulières aux malades riches distinguaient sa personne. Ses mains, semblables à celles d'une jolie femme, avaient une blancheur molle et délicate. Ses cheveux blonds, devenus rares, se bouclaient autour de ses tempes par une coquetterie recherchée. Une calotte grecque, entraînée par un gland trop lourd pour le léger cachemire dont elle était faite, pendait sur un côté de sa tête. Il avait laissé tomber à ses pieds le couteau de malachite[346] enrichi d'or dont il s'était servi pour couper les feuillets d'un livre. Sur ses genoux était le bec d'ambre d'un magnifique houka[347] de l'Inde dont les spirales émaillées gisaient comme un serpent dans sa chambre, et il oubliait d'en sucer les frais parfums. Cependant, la faiblesse générale de son jeune corps était démentie par des yeux bleus où toute la vie semblait s'être reti-

---

345. « Qui, ayant exercé un emploi, a pris sa retraite et jouit des honneurs de son titre. Professeur émérite. / Il ne se disait guère que des professeurs de l'ancienne université ; aujourd'hui on dit professeur en retraite. » (*Littré*, qui cite un emploi de l'adjectif comme substantif chez Voltaire.)

346. Pierre précieuse d'un beau vert diapré, utilisée à partir du XVIIe siècle dans la fabrication de petits objets d'art.

347. Cf. *supra*, note 33. Dans son *Traité des excitants modernes* (1838), Balzac évoquera à plaisir le houka : cet « appareil très élégant [...] offre aux yeux des formes inquiétantes et bizarres qui donnent une sorte de supériorité aristocratique à celui qui s'en sert aux yeux d'un bourgeois étonné ». C'est George Sand qui initia Balzac aux délices du houka, et il en réclama un aussitôt à Mme Hanska (lettre du 2 mars 1838).

rée, où brillait un sentiment extraordinaire qui saisissait tout d'abord. Ce regard faisait mal à voir. Les uns pouvaient y lire du désespoir ; d'autres, y deviner un combat intérieur, aussi terrible qu'un remords. C'était le coup d'œil profond de l'impuissant qui refoule ses désirs au fond de son cœur, ou celui de l'avare jouissant par la pensée de tous les plaisirs que son argent pourrait lui procurer, et s'y refusant pour ne pas amoindrir son trésor ; ou le regard du Prométhée enchaîné [348], de Napoléon déchu qui apprend à l'Élysée, en 1815, la faute stratégique commise par ses ennemis, qui demande le commandement pour vingt-quatre heures et ne l'obtient pas [349]. Véritable regard de conquérant et de damné ! et, mieux encore, le regard que, plusieurs mois auparavant, Raphaël avait jeté sur la Seine ou sur sa dernière pièce d'or mise au jeu. Il soumettait sa volonté, son intelligence, au grossier bon sens d'un vieux paysan à peine civilisé par une domesticité de cinquante années. Presque joyeux de devenir une sorte d'automate, il abdiquait la vie pour vivre, et dépouillait son âme de toutes les poésies du désir. Pour mieux lutter avec la cruelle puissance dont il avait accepté le défi, il s'était fait chaste à la manière d'Origène [350], en châtrant son imagination.

---

348. Prométhée, pour avoir dérobé le feu divin et l'avoir donné aux hommes, fut enchaîné par Zeus sur un rocher et condamné à avoir le foie dévoré par un vautour. Son supplice fut souvent représenté. – Balzac se comparera lui-même souvent à Prométhée, Prométhée littéraire dont l'éditeur est le vautour (lettre à Mme Hanska du 19 juillet 1837), « Prométhée debout, agissant, dont le vautour ne se voit pas et est enfermé dans le cœur même » (lettre à Mme Hanska du 30 septembre 1841).

349. De retour à Paris le 21 juin 1815, Napoléon se réfugia à l'Élysée : le peuple l'acclamait, et Lucien Bonaparte, Davout et La Bédoyère l'encourageaient à ajourner la Chambre, à proclamer la patrie en danger et à résister devant Paris, mieux fortifié qu'en 1814. Mais Fouché pressa les députés d'exiger l'abdication – et Napoléon céda le 22.

350. Prêtre, exégète et théologien orthodoxe d'Égypte, Origène (v. 185 - v. 254) s'était fait volontairement émasculer pour ne pas céder à la tentation.

Le lendemain du jour où, soudainement enrichi par un testament, il avait vu décroître la Peau de chagrin, il s'était trouvé chez son notaire. Là, un médecin assez en vogue avait raconté sérieusement, au dessert, la manière dont un Suisse attaqué de pulmonie s'en était guéri. Cet homme n'avait pas dit un mot pendant dix ans, et s'était soumis à ne respirer que six fois par minute dans l'air épais d'une vacherie, en suivant un régime alimentaire extrêmement doux. « Je serai cet homme ! » se dit en lui-même Raphaël, qui voulait vivre à tout prix. Au sein du luxe, il mena la vie d'une machine à vapeur. Quand le vieux professeur envisagea ce jeune cadavre, il tressaillit ; tout lui semblait artificiel dans ce corps fluet et débile. En apercevant le marquis à l'œil dévorant, au front chargé de pensées, il ne put reconnaître l'élève au teint frais et rose, aux membres juvéniles, dont il avait gardé le souvenir. Si le classique bonhomme, critique sagace et conservateur du bon goût, avait lu lord Byron, il aurait cru voir Manfred, là où il eût voulu voir Childe-Harold [351].

« Bonjour, père Porriquet, dit Raphaël à son professeur en pressant les doigts glacés du vieillard dans une main brûlante et moite. Comment vous portez-vous ?

– Mais moi je vais bien, répondit le vieillard effrayé par le contact de cette main fiévreuse. Et vous ?

– Oh ! j'espère me maintenir en bonne santé.

---

351. Raphaël a plus d'un point commun avec le sombre héros du drame de Byron, *Manfred* (1817). Manfred cherche en vain à apaiser dans les montagnes le désespoir d'avoir causé le suicide de sa sœur Astarté, qu'il a aimée d'un amour incestueux ; sur le point de se précipiter du haut d'une roche, il est arrêté dans son geste par un chasseur ; il appelle alors l'esprit d'Astarté, qui lui apparaît et lui annonce sa mort pour le lendemain ; dès lors il veille orgueilleusement dans une tour solitaire, attendant la mort en défiant le Ciel.

– Childe Harold, héros du *Childe Harold's Pilgrimage* de Byron, est au contraire, surtout dans les deux premiers chants de ce poème (1812), qui rendirent Byron célèbre, un jeune voyageur plein de vie, de révolte et d'emportement.

– Vous travaillez sans doute à quelque bel ouvrage ?

– Non, répondit Raphaël. *Exegi monumentum* [352], père Porriquet, j'ai achevé une grande page, et j'ai dit adieu pour toujours à la Science. À peine sais-je où se trouve mon manuscrit.

– Le style en est pur, sans doute ? demanda le professeur. Vous n'aurez pas, j'espère, adopté le langage barbare de cette nouvelle école qui croit faire merveille en inventant Ronsard [353].

– Mon ouvrage est une œuvre purement physiologique.

– Oh ! tout est dit, reprit le professeur. Dans les sciences, la grammaire doit se prêter aux exigences des découvertes. Néanmoins, mon enfant, un style clair, harmonieux, la langue de Massillon [354], de M. de Buffon, du grand Racine, un style classique, enfin, ne gâte jamais rien. Mais, mon ami, reprit le professeur en s'interrompant, j'oubliais l'objet de ma visite. C'est une visite intéressée. »

Se rappelant trop tard la verbeuse élégance et les éloquentes périphrases auxquelles un long professorat avait habitué son maître, Raphaël se repentit presque de l'avoir reçu ; mais au moment où il allait souhaiter de le voir dehors, il comprima promptement son secret désir en jetant un furtif coup d'œil à la Peau de chagrin, suspendue devant lui et appliquée sur une étoffe blanche où ses contours fatidiques étaient soigneusement dessinés par une ligne rouge qui l'encadrait exactement. Depuis la fatale orgie, Raphaël étouffait le

---

352. *Exegi monumentum aere perennius* : « J'ai achevé un monument plus durable que l'airain » (Horace, *Odes*, III, 30, 1).

353. Ronsard fut célèbre et admiré de son temps, mais son œuvre, décriée par les Classiques, tomba ensuite pendant deux siècles dans un grand oubli. Les Romantiques l'en tirèrent heureusement au début du XIXe siècle, et Sainte-Beuve venait de célébrer Ronsard dans son *Tableau de la poésie française au XVIe siècle* (1828), au grand dam des vieilles barbes classiques comme Porriquet.

354. Prédicateur français (1663-1742), qui prononça, entre autres oraisons et sermons, l'oraison funèbre de Louis XIV.

plus léger de ses caprices et vivait de manière à ne pas causer le moindre tressaillement à ce terrible talisman. La Peau de chagrin était comme un tigre avec lequel il lui fallait vivre, sans en réveiller la férocité. Il écouta donc patiemment les amplifications du vieux professeur, le père Porriquet mit une heure à lui raconter les persécutions dont il était devenu l'objet depuis la révolution de Juillet. Le bonhomme, voulant un gouvernement fort, avait émis le vœu patriotique de laisser les épiciers à leurs comptoirs, les hommes d'État au maniement des affaires publiques, les avocats au Palais, les pairs de France au Luxembourg ; mais un des ministres populaires du roi-citoyen l'avait banni de sa chaire en l'accusant de carlisme [355]. Le vieillard se trouvait sans place, sans retraite et sans pain. Étant la providence d'un pauvre neveu dont il payait la pension au séminaire de Saint-Sulpice, il venait, moins pour lui-même que pour son enfant adoptif, prier son ancien élève de réclamer auprès du nouveau ministre, non sa réintégration, mais l'emploi de proviseur dans quelque collège de province. Raphaël était en proie à une somnolence invincible, lorsque la voix monotone du bonhomme cessa de retentir à ses oreilles. Obligé par politesse de regarder les yeux blancs et presque immobiles de ce vieillard au débit lent et lourd, il avait été stupéfié, magnétisé par une inexplicable force d'inertie.

« Eh bien, mon bon père Porriquet, répliqua-t-il sans savoir précisément à quelle interrogation il répondait, je n'y puis rien, rien du tout. *Je souhaite bien vivement* que vous réussissiez… »

En ce moment, sans apercevoir l'effet que produisirent sur le front jaune et ridé du vieillard ces banales paroles, pleines d'égoïsme et d'insouciance, Raphaël se dressa comme un jeune chevreuil effrayé. Il vit une légère ligne blanche entre le bord de la peau noire et le

---

355. Cf. *supra*, note 146.

dessin rouge ; il poussa un cri si terrible que le pauvre professeur en fut épouvanté.

« Allez, vieille bête ! s'écria-t-il, vous serez nommé proviseur ! Ne pouviez-vous pas me demander une rente viagère de mille écus plutôt qu'un souhait homicide ? Votre visite ne m'aurait rien coûté. Il y a cent mille emplois en France, et je n'ai qu'une vie ! Une vie d'homme vaut plus que tous les emplois du monde. Jonathas ! »

Jonathas parut.

« Voilà de tes œuvres, triple sot, pourquoi m'as-tu proposé de recevoir monsieur ? dit-il en lui montrant le vieillard pétrifié. T'ai-je remis mon âme entre les mains pour la déchirer ? Tu m'arraches en ce moment dix années d'existence ! Encore une faute comme celle-ci et tu me conduiras à la demeure où j'ai conduit mon père. N'aurais-je pas mieux aimé posséder la belle Fœdora que d'obliger cette vieille carcasse, espèce de haillon humain ? J'ai de l'or pour lui. D'ailleurs, quand tous les Porriquet du monde mourraient de faim, qu'est-ce que cela me ferait ? »

La colère avait blanchi le visage de Raphaël ; une légère écume sillonnait ses lèvres tremblantes, et l'expression de ses yeux était sanguinaire. À cet aspect, les deux vieillards furent saisis d'un tressaillement convulsif, comme deux enfants en présence d'un serpent. Le jeune homme tomba sur son fauteuil ; il se fit une sorte de réaction dans son âme, des larmes coulèrent abondamment de ses yeux flamboyants.

« Oh ! ma vie ! ma belle vie ! dit-il. Plus de bienfaisantes pensées ! plus d'amour ! plus rien ! » Il se tourna vers le professeur. « Le mal est fait, mon vieil ami, reprit-il d'une voix douce. Je vous aurai largement récompensé de vos soins. Et mon malheur aura, du moins, produit le bien d'un bon et digne homme. »

Il y avait tant d'âme dans l'accent qui nuança ces paroles presque inintelligibles, que les deux vieillards pleurèrent comme on pleure en entendant un air attendrissant chanté dans une langue étrangère.

« Il est épileptique, dit Porriquet à voix basse.

– Je reconnais votre bonté, mon ami, reprit doucement Raphaël, vous voulez m'excuser. La maladie est un accident, l'inhumanité serait un vice. Laissez-moi maintenant, ajouta-t-il. Vous recevrez demain ou après-demain, peut-être même ce soir, votre nomination, car la *résistance* a triomphé du *mouvement*[356]. Adieu. »

Le vieillard se retira, pénétré d'horreur et en proie à de vives inquiétudes sur la santé morale de Valentin. Cette scène avait eu pour lui quelque chose de surnaturel. Il doutait de lui-même et s'interrogeait comme s'il se fût réveillé après un songe pénible.

« Écoute, Jonathas, reprit le jeune homme en s'adressant à son vieux serviteur. Tâche de comprendre la mission que je t'ai confiée !

– Oui, monsieur le marquis.

– Je suis comme un homme mis hors la loi commune.

– Oui, monsieur le marquis.

– Toutes les jouissances de la vie se jouent autour de mon lit de mort et dansent comme de belles femmes devant moi ; si je les appelle, je meurs. Toujours la mort ! Tu dois être une barrière entre le monde et moi.

– Oui, monsieur le marquis, dit le vieux valet en essuyant les gouttes de sueur qui chargeaient son front ridé. Mais, si vous ne voulez pas voir de belles femmes, comment ferez-vous ce soir aux Italiens ? Une famille anglaise qui repart pour Londres m'a cédé le reste de son abonnement, et vous avez une belle loge. Oh ! une loge superbe, aux premières. »

---

356. Cf. *supra*, note 91. Ce membre de phrase a été ajouté dans l'édition Delloye et Lecou (1838) : le triomphe du parti de la Résistance sur celui du Mouvement était alors encore plus clair qu'en décembre 1830.

Tombé dans une profonde rêverie, Raphaël n'écoutait plus.

Voyez-vous cette fastueuse voiture, ce coupé simple en dehors, de couleur brune, mais sur les panneaux duquel brille l'écusson d'une antique et noble famille ? Quand ce coupé passe rapidement, les grisettes l'admirent, en convoitent le satin jaune, le tapis de la Savonnerie [357], la passementerie fraîche comme une paille de riz, les moelleux coussins, et les glaces muettes. Deux laquais en livrée se tiennent derrière cette voiture aristocratique ; mais au fond, sur la soie, gît une tête brûlante aux yeux cernés, la tête de Raphaël, triste et pensif. Fatale image de la richesse ! Il court à travers Paris comme une fusée, arrive au péristyle du théâtre Favart [358], le marchepied se déploie, ses deux valets le soutiennent, une foule envieuse le regarde. « Qu'a-t-il fait celui-là pour être si riche ? » dit un pauvre étudiant en droit, qui, faute d'un écu, ne pouvait entendre les magiques accords de Rossini. Raphaël marchait lentement dans les corridors de la salle, il ne se promettait aucune jouissance de ces plaisirs si fort enviés jadis. En attendant le second acte de la *Semiramide* [359], il se promenait au foyer, errait à travers les galeries, insouciant de sa loge dans laquelle il n'était pas encore entré. Le sentiment de la propriété n'existait déjà plus au fond de son cœur. Semblable à tous les malades, il ne songeait qu'à

---

357. La manufacture royale de tapis fut ainsi nommée parce qu'elle occupa à partir de 1631 une ancienne maison de savonnerie sur la colline de Chaillot ; elle venait d'être réunie à la manufacture des Gobelins en 1826.

358. Cf. *supra*, note 87.

359. *Semiramide* (en français *Sémiramis*) est un opéra en deux actes de Rossini, d'après la tragédie de Voltaire (1748), qui fut créé à Venise en 1823, joué à Paris pour la première fois au Théâtre-Italien en 1825 (notamment avec la Pasta) ; les Italiens le donnèrent à l'Opéra de Paris en 1828 avec la Malibran. Dernier opéra de Rossini écrit pour l'Italie, l'œuvre est d'une grande virtuosité, et l'enchaînement des scènes et le final tragique étaient particulièrement audacieux.

son mal. Appuyé sur le manteau de la cheminée, autour de laquelle abondaient, au milieu du foyer, les jeunes et vieux élégants, d'anciens et de nouveaux ministres, des pairs sans pairie, et des pairies sans pair, telles que les a faites la révolution de Juillet [360], enfin tout un monde de spéculateurs et de journalistes, Raphaël vit à quelques pas de lui, parmi toutes les têtes, une figure étrange et surnaturelle. Il s'avança en clignant les yeux fort insolemment vers cet être bizarre, afin de le contempler de plus près. « Quelle admirable peinture ! » se dit-il. Les sourcils, les cheveux, la virgule à la Mazarin que montrait vaniteusement l'inconnu, étaient teints en noir ; mais, appliqué sur une chevelure sans doute trop blanche, le cosmétique avait produit une couleur violâtre et fausse dont les teintes changeaient suivant les reflets plus ou moins vifs des lumières. Son visage étroit et plat, dont les rides étaient comblées par d'épaisses couches de rouge et de blanc, exprimait à la fois la ruse et l'inquiétude. Cette enluminure manquait à quelques endroits de la face et faisait singulièrement ressortir sa décrépitude et son teint plombé ; aussi était-il impossible de ne pas rire en voyant cette tête au menton pointu, au front proéminent, assez semblable à ces grotesques figures de bois sculptées en Allemagne par les bergers pendant leurs loisirs. En examinant tour à tour ce vieil Adonis et Raphaël, un observateur aurait cru reconnaître dans le marquis les yeux d'un jeune homme sous le masque d'un vieillard, et dans l'inconnu les yeux ternes d'un vieillard sous le masque d'un jeune homme. Valentin cherchait à se rappeler en quelle circonstance il avait vu ce petit vieux sec, bien cravaté, botté en adulte [361], qui faisait sonner ses éperons et se

---

360. Cf. *supra*, note 332.

361. L'expression n'est pas courante. La suite de la phrase invite à comprendre : botté non comme un vieillard, mais comme un homme dans la force de l'âge, avec des éperons.

croisait les bras comme s'il avait toutes les forces d'une pétulante jeunesse à dépenser. Sa démarche n'accusait rien de gêné, ni d'artificiel. Son élégant habit, soigneusement boutonné, déguisait une antique et forte charpente, en lui donnant la tournure d'un vieux fat qui suit encore les modes. Cette espèce de poupée pleine de vie avait pour Raphaël tous les charmes d'une apparition, et il le contemplait comme un vieux Rembrandt enfumé, récemment restauré, verni, mis dans un cadre neuf. Cette comparaison lui fit retrouver la trace de la vérité dans ses confus souvenirs : il reconnut le marchand de curiosités, l'homme auquel il devait son malheur. En ce moment, un rire muet échappait à ce fantastique personnage, et se dessinait sur ses lèvres froides, tendues par un faux râtelier. À ce rire, la vive imagination de Raphaël lui montra dans cet homme de frappantes ressemblances avec la tête idéale que les peintres ont donnée au Méphistophélès de Goethe [362]. Mille superstitions s'emparèrent de l'âme forte de Raphaël, il crut alors à la puissance du démon, à tous les sortilèges rapportés dans les légendes du Moyen Âge et mises en œuvre par les poètes. Se refusant avec horreur au sort de Faust, il invoqua soudain le Ciel, ayant, comme les mourants, une foi fervente en Dieu, en la Vierge Marie. Une radieuse et fraîche lumière lui permit d'apercevoir le ciel de Michel-Ange et de Sanzio d'Urbin [363] : des nuages, un vieillard à barbe blanche, des têtes ailées,

---

362. Balzac songe surtout ici au tableau de Delacroix, *Le Docteur Faust dans son cabinet*, exposé au Salon de 1827 ; Méphisto y a déjà la figure en pointe, allongée par une barbiche diabolique, que lui donna aussi Delacroix dans les lithographies qu'il exécuta pour illustrer la traduction de Stapfer, publiée en 1828. Dans *Ursule Mirouët* (1842), Balzac attribuera ce tableau à Joseph Bridau, personnage largement inspiré de Delacroix.

363. Il est très inhabituel de désigner ainsi le peintre Raphaël (né Raffaele Sanzio, à Urbino) : Balzac semble vouloir éviter, par cette bizarrerie, la confusion avec le nom de son héros.

une belle femme assise dans une auréole. Maintenant il comprenait, il adoptait ces admirables créations dont les fantaisies presque humaines lui expliquaient son aventure et lui permettaient encore un espoir. Mais quand ses yeux retombèrent sur le foyer des Italiens, au lieu de la Vierge, il vit une ravissante fille, la détestable Euphrasie, cette danseuse au corps souple et léger, qui, vêtue d'une robe éclatante, couverte de perles orientales, arrivait impatiente de son vieillard impatient, et venait se montrer, insolente, le front hardi, les yeux pétillants, à ce monde envieux et spéculateur pour témoigner de la richesse sans bornes du marchand dont elle dissipait les trésors. Raphaël se souvint du souhait goguenard par lequel il avait accueilli le fatal présent du vieil homme, et savoura tous les plaisirs de la vengeance en contemplant l'humiliation profonde de cette sagesse sublime, dont naguère la chute semblait impossible. Le funèbre sourire du centenaire [364] s'adressait à Euphrasie qui répondit par un mot d'amour ; il lui offrit son bras desséché, fit deux ou trois fois le tour du foyer, recueillit avec délices les regards de passion et les compliments jetés par la foule à sa maîtresse, sans voir les rires dédaigneux, sans entendre les railleries mordantes dont il était l'objet.

« Dans quel cimetière cette jeune goule a-t-elle déterré ce cadavre ? » s'écria le plus élégant de tous les romantiques.

Euphrasie se prit à sourire. Le railleur était un jeune homme aux cheveux blonds, aux yeux bleus et brillants, svelte, portant moustache, ayant un frac écourté, le chapeau sur l'oreille, la repartie vive, tout le langage du genre.

« Combien de vieillards, se dit Raphaël en lui-même, couronnent une vie de probité, de travail, de vertu, par une folie. Celui-ci a les pieds froids et fait l'amour. »

---

364. Cf. *supra*, note 79 et la présentation.

« Eh bien, monsieur, s'écria Valentin en arrêtant le marchand et lançant une œillade à Euphrasie, ne vous souvenez-vous plus des sévères maximes de votre philosophie ?

– Ah ! répondit le marchand d'une voix déjà cassée, je suis maintenant heureux comme un jeune homme. J'avais pris l'existence au rebours. Il y a toute une vie dans une heure d'amour. »

En ce moment, les spectateurs entendirent la sonnette de rappel et quittèrent le foyer pour se rendre à leurs places. Le vieillard et Raphaël se séparèrent. En entrant dans sa loge, le marquis aperçut Fœdora, placée à l'autre côté de la salle précisément en face de lui. Sans doute arrivée depuis peu, la comtesse rejetait son écharpe en arrière, se découvrait le cou, faisait les petits mouvements indescriptibles d'une coquette occupée à se poser : tous les regards étaient concentrés sur elle. Un jeune pair de France l'accompagnait, elle lui demanda la lorgnette qu'elle lui avait donnée à porter. À son geste, à la manière dont elle regarda ce nouveau partenaire, Raphaël devina la tyrannie à laquelle son successeur était soumis. Fasciné sans doute comme il l'avait été jadis, dupé comme lui, comme lui luttant avec toute la puissance d'un amour vrai contre les froids calculs de cette femme, ce jeune homme devait souffrir les tourments auxquels Valentin avait heureusement renoncé. Une joie inexprimable anima la figure de Fœdora quand, après avoir braqué sa lorgnette sur toutes les loges, et rapidement examiné les toilettes, elle eut la conscience d'écraser par sa parure et par sa beauté les plus jolies, les plus élégantes femmes de Paris ; elle se mit à rire pour montrer ses dents blanches, agita sa tête ornée de fleurs pour se faire admirer, son regard alla de loge en loge, se moquant d'un béret gauchement posé sur le front d'une princesse russe, ou d'un chapeau manqué qui coiffait horriblement mal la fille d'un banquier. Tout à coup, elle pâlit en rencontrant les yeux fixes de

Raphaël, son amant dédaigné la foudroya par un intolérable coup d'œil de mépris. Quand aucun de ses amants bannis ne méconnaissait sa puissance, Valentin, seul dans le monde, était à l'abri de ses séductions. Un pouvoir impunément bravé touche à sa ruine. Cette maxime est gravée plus profondément au cœur d'une femme qu'à la tête des rois. Aussi Fœdora voyait-elle en Raphaël la mort de ses prestiges et de sa coquetterie. Un mot, dit par lui la veille à l'Opéra, était déjà devenu célèbre dans les salons de Paris. Le tranchant de cette terrible épigramme avait fait à la comtesse une blessure incurable. En France, nous savons cautériser une plaie, mais nous n'y connaissons pas encore de remède au mal que produit une phrase. Au moment où toutes les femmes regardèrent alternativement le marquis et la comtesse, Fœdora aurait voulu l'abîmer [365] dans les oubliettes de quelque Bastille, car malgré son talent pour la dissimulation, ses rivales devinèrent sa souffrance. Enfin sa dernière consolation lui échappa. Ces mots délicieux : « Je suis la plus belle ! » cette phrase éternelle qui calmait tous les chagrins de sa vanité devint un mensonge. À l'ouverture du second acte, une femme vint se placer près de Raphaël, dans une loge qui jusqu'alors était restée vide. Le parterre entier laissa échapper un murmure d'admiration. Cette mer de faces humaines agita ses lames [366] intelligentes et tous les yeux regardèrent l'inconnue. Jeunes et vieux firent un tumulte si prolongé que, pendant le lever du rideau, les musiciens de l'orchestre se tournèrent d'abord pour réclamer le silence ; mais ils s'unirent aux applaudissements et en accrurent les confuses rumeurs. Des conversations animées s'établirent dans chaque loge. Les femmes s'étaient toutes armées de leurs jumelles, les vieillards rajeunis nettoyaient avec la peau de leurs gants le verre

---

365. Précipiter dans un abîme.

366. Vagues.

de leurs lorgnettes. L'enthousiasme se calma par degrés, les chants retentirent sur la scène, tout rentra dans l'ordre. La bonne compagnie, honteuse d'avoir cédé à un mouvement naturel, reprit la froideur aristocratique de ses manières polies. Les riches veulent ne s'étonner de rien, ils doivent reconnaître au premier aspect d'une belle œuvre le défaut qui les dispensera de l'admiration, sentiment vulgaire. Cependant quelques hommes restèrent immobiles sans écouter la musique, perdus dans un ravissement naïf, occupés à contempler la voisine de Raphaël. Valentin aperçut dans une baignoire, et près d'Aquilina, l'ignoble et sanglante [367] figure de Taillefer, qui lui adressait une grimace approbative. Puis il vit Émile, qui, debout à l'orchestre, semblait lui dire : « Mais regarde donc la belle créature qui est près de toi ! » Enfin Rastignac assis près de Mme de Nucingen et de sa fille tortillait ses gants comme un homme au désespoir d'être enchaîné là, sans pouvoir aller près de la divine inconnue. La vie de Raphaël dépendait d'un pacte encore inviolé qu'il avait fait avec lui-même, il s'était promis de ne jamais regarder attentivement aucune femme, et pour se mettre à l'abri d'une tentation, il portait un lorgnon dont le verre microscopique artistement disposé détruisait l'harmonie des plus beaux traits, en leur donnant un hideux aspect. Encore en proie à la terreur qui l'avait saisi le matin, quand, pour un simple vœu de politesse, le talisman s'était si promptement resserré, Raphaël résolut fermement de ne pas se retourner vers sa voisine. Assis comme une duchesse, il présentait le dos au coin de sa loge, et dérobait avec impertinence la moitié de la scène à l'inconnue, ayant l'air de la mépriser, d'ignorer même qu'une jolie femme se trouvât derrière lui. La voisine copiait avec exactitude la posture de Valentin. Elle avait appuyé son coude sur le bord de la loge, et se mettait la tête

367. Cf. *supra*, note 101.

de trois quarts, en regardant les chanteurs, comme si elle se fût posée devant un peintre. Ces deux personnes ressemblaient à deux amants brouillés qui se boudent, se tournent le dos et vont s'embrasser au premier mot d'amour. Par moments, les légers marabouts [368] ou les cheveux de l'inconnue effleuraient la tête de Raphaël et lui causaient une sensation voluptueuse contre laquelle il luttait courageusement ; bientôt il sentit le doux contact des ruches de blonde [369] qui garnissaient le tour de la robe, la robe elle-même fit entendre le murmure efféminé de ses plis, frissonnement plein de molles sorcelleries ; enfin le mouvement imperceptible imprimé par la respiration à la poitrine, au dos, aux vêtements de cette jolie femme, toute sa vie suave se communiqua soudain à Raphaël comme une étincelle électrique ; le tulle et la dentelle transmirent fidèlement à son épaule chatouillée la délicieuse chaleur de ce dos blanc et nu. Par un caprice de la nature, ces deux êtres désunis par le bon ton, séparés par les abîmes de la mort, respirèrent ensemble et pensèrent peut-être l'un à l'autre. Les pénétrants parfums de l'aloès [370] achevèrent d'enivrer Raphaël. Son imagination irritée par un obstacle, et que les entraves rendaient encore plus fantasque, lui dessina rapidement une femme en traits de feu. Il se retourna brusquement. Choquée sans doute de se trouver en contact avec un étranger, l'inconnue fit un mouvement semblable ; leurs visages, animés par la même pensée, restèrent en présence.

« Pauline !

– Monsieur Raphaël ! »

---

368. Plumes de marabout, très légères, dont on fait par exemple les boas.

369. Bandes de dentelle de soie plissée, « ainsi dite par comparaison avec la gaufre des ruches » (*Littré*).

370. C'est-à-dire des bois dits « d'aloès », bois odorants originaires d'Asie orientale, qui n'ont aucun rapport avec l'aloès.

Pétrifiés l'un et l'autre, ils se regardèrent un instant en silence. Raphaël voyait Pauline dans une toilette simple et de bon goût. À travers la gaze qui couvrait chastement son corsage, des yeux habiles pouvaient apercevoir une blancheur de lis et deviner des formes qu'une femme eût admirées. Puis c'était toujours sa modestie virginale, sa céleste candeur, sa gracieuse attitude. L'étoffe de sa manche accusait le tremblement qui faisait palpiter le corps comme palpitait le cœur.

« Oh ! venez demain, dit-elle, venez à l'hôtel Saint-Quentin, y reprendre vos papiers. J'y serai à midi. Soyez exact. »

Elle se leva précipitamment et disparut. Raphaël voulut suivre Pauline, il craignit de la compromettre, resta, regarda Fœdora, la trouva laide ; mais ne pouvant comprendre une seule phrase de musique, étouffant dans cette salle, le cœur plein, il sortit et revint chez lui.

« Jonathas, dit-il à son vieux domestique au moment où il fut dans son lit, donne-moi une demi-goutte de laudanum sur un morceau de sucre, et demain ne me réveille qu'à midi moins vingt minutes. »

« Je veux être aimé de Pauline », s'écria-t-il le lendemain en regardant le talisman avec une indéfinissable angoisse.

La Peau ne fit aucun mouvement, elle semblait avoir perdu sa force contractile, elle ne pouvait sans doute pas réaliser un désir accompli déjà.

« Ah ! s'écria Raphaël en se sentant délivré comme d'un manteau de plomb qu'il aurait porté depuis le jour où le talisman lui avait été donné, tu mens, tu ne m'obéis pas, le pacte est rompu ! Je suis libre, je vivrai. C'était donc une mauvaise plaisanterie. »

En disant ces paroles, il n'osait pas croire à sa propre pensée. Il se mit aussi simplement qu'il l'était jadis, et voulut aller à pied à son ancienne demeure, en essayant de se reporter en idée à ces jours heureux où il se livrait sans danger à la furie de ses désirs, où il n'avait point encore jugé toutes les jouissances humaines. Il marchait, voyant, non plus la Pauline de l'hôtel Saint-Quentin, mais la Pauline de la veille, cette maîtresse accomplie, si souvent rêvée, jeune fille spirituelle, aimante, artiste, comprenant les poètes, comprenant la poésie et vivant au sein du luxe ; en un mot Fœdora douée d'une belle âme, ou Pauline comtesse et deux fois millionnaire comme l'était Fœdora. Quand il se trouva sur le seuil usé, sur la dalle cassée de cette porte où, tant de fois, il avait eu des pensées de désespoir, une vieille femme sortit de la salle et lui dit : « N'êtes-vous pas M. Raphaël de Valentin ?

– Oui, ma bonne mère, répondit-il.

– Vous connaissez votre ancien logement, reprit-elle, vous y êtes attendu.

– Cet hôtel est-il toujours tenu par Mme Gaudin ? demanda-t-il.

– Oh ! non, monsieur. Maintenant Mme Gaudin est baronne. Elle est dans une belle maison à elle, de l'autre côté de l'eau. Son mari est revenu. Dame ! il a rapporté des mille et des cents. L'on dit qu'elle pourrait acheter tout le quartier Saint-Jacques, si elle le voulait. Elle m'a donné *gratis* son fonds et son restant de bail. Ah ! c'est une bonne femme tout de même ! Elle n'est pas plus fière aujourd'hui qu'elle ne l'était hier. »

Raphaël monta lestement à sa mansarde, et quand il atteignit les dernières marches de l'escalier, il entendit les sons du piano. Pauline était là modestement vêtue d'une robe de percaline ; mais la façon de la robe, les gants, le chapeau, le châle, négligemment jetés sur le lit, révélaient toute une fortune.

« Ah ! vous voilà donc ! » s'écria Pauline en tournant la tête et se levant par un naïf mouvement de joie.

Raphaël vint s'asseoir près d'elle, rougissant, honteux, heureux ; il la regarda sans rien dire.

« Pourquoi nous avez-vous donc quittées ? reprit-elle en baissant les yeux au moment où son visage s'empourpra. Qu'êtes-vous devenu ?

– Ah ! Pauline, j'ai été, je suis bien malheureux encore !

– Là ! s'écria-t-elle tout attendrie. J'ai deviné votre sort hier en vous voyant bien mis, riche en apparence, mais en réalité, hein ! monsieur Raphaël, est-ce toujours comme autrefois ? »

Valentin ne put retenir quelques larmes, elles roulèrent dans ses yeux, il s'écria : « Pauline !... je... » Il n'acheva pas, ses yeux étincelèrent d'amour, et son cœur déborda dans son regard.

« Oh ! il m'aime, il m'aime », s'écria Pauline.

Raphaël fit un signe de tête, car il se sentit hors d'état de prononcer une seule parole. À ce geste, la jeune fille lui prit la main, la serra, et lui dit tantôt riant, tantôt sanglotant : « Riches, riches, heureux, riches, ta Pauline est riche. Mais moi, je devrais être bien pauvre aujourd'hui. J'ai mille fois dit que je paierais ce mot : *il m'aime*, de tous les trésors de la terre. Ô mon Raphaël ! j'ai des millions. Tu aimes le luxe, tu seras content ; mais tu dois aimer mon cœur aussi, il y a tant d'amour pour toi dans ce cœur ! Tu ne sais pas ? mon père est revenu. Je suis une riche héritière. Ma mère et lui me laissent entièrement maîtresse de mon sort ; je suis libre, comprends-tu ? »

En proie à une sorte de délire, Raphaël tenait les mains de Pauline, et les baisait si ardemment, si avidement, que son baiser semblait être une sorte de convulsion. Pauline se dégagea les mains, les jeta sur les épaules de Raphaël et le saisit ; ils se comprirent, se serrèrent et s'embrassèrent avec cette sainte et délicieuse ferveur, dégagée de toute arrière-pensée, dont se trouve empreint un seul baiser, le premier baiser par lequel deux âmes prennent possession d'elles-mêmes.

« Ah ! s'écria Pauline en retombant sur la chaise, je ne veux plus te quitter. Je ne sais d'où me vient tant de hardiesse ! reprit-elle en rougissant.

– De la hardiesse, ma Pauline ? Oh ! ne crains rien, c'est de l'amour vrai, profond, éternel comme le mien, n'est-ce pas ?

– Oh ! parle, parle, parle, dit-elle. Ta bouche a été si longtemps muette pour moi !

– Tu m'aimais donc ?

– Oh ! Dieu, si je t'aimais ! combien de fois j'ai pleuré, là, tiens, en faisant ta chambre, déplorant ta misère et la mienne. Je me serais vendue au démon pour t'éviter un chagrin ! Aujourd'hui, *mon* Raphaël, car tu es bien à moi : à moi cette belle tête, à moi ton cœur ! Oh ! oui, ton cœur, surtout, éternelle richesse ! Eh bien, où en suis-je ? reprit-elle après une pause. Ah ! m'y voici : nous avons trois, quatre, cinq millions, je crois. Si j'étais pauvre, je tiendrais peut-être à porter ton nom, à être nommée ta femme ; mais, en ce moment, je voudrais te sacrifier le monde entier, je voudrais être encore et toujours ta servante. Va, Raphaël, en t'offrant mon cœur, ma personne, ma fortune, je ne te donnerais rien de plus aujourd'hui que le jour où j'ai mis là, dit-elle en montrant le tiroir de la table, certaine pièce de cent sous. Oh ! comme alors ta joie m'a fait mal.

– Pourquoi es-tu riche, s'écria Raphaël, pourquoi n'as-tu pas de vanité ? je ne puis rien pour toi. »

Il se tordit les mains de bonheur, de désespoir, d'amour.

« Quand tu seras Mme la marquise de Valentin, je te connais, âme céleste, ce titre et ma fortune ne vaudront pas…

– Un seul de tes cheveux, s'écria-t-elle.

– Moi aussi, j'ai des millions ; mais que sont maintenant les richesses pour nous ? Ah ! j'ai ma vie, je puis te l'offrir, prends-la.

– Oh ! ton amour, Raphaël, ton amour vaut le monde. Comment, ta pensée est à moi ? mais je suis la plus heureuse des heureuses.

– L'on va nous entendre, dit Raphaël.

– Hé ! il n'y a personne, répondit-elle en laissant échapper un geste mutin.

– Eh bien, viens », s'écria Valentin en lui tendant les bras.

Elle sauta sur ses genoux et joignit ses mains autour du cou de Raphaël : « Embrassez-moi, dit-elle, pour tous les chagrins que vous m'avez donnés, pour effacer la peine que vos joies m'ont faite, pour toutes les nuits que j'ai passées à peindre mes écrans.

– Tes écrans !

– Puisque nous sommes riches, mon trésor, je puis te dire tout. Pauvre enfant ! combien il est facile de tromper les hommes d'esprit ! Est-ce que tu pouvais avoir des gilets blancs et des chemises propres deux fois par semaine, pour trois francs de blanchissage par mois ? Mais tu buvais deux fois plus de lait qu'il ne t'en revenait pour ton argent. Je t'attrapais sur tout : le feu, l'huile, et l'argent donc ? Oh ! mon Raphaël, ne me prends pas pour femme, dit-elle en riant, je suis une personne trop astucieuse.

– Mais comment faisais-tu donc ?

– Je travaillais jusqu'à deux heures du matin, répondit-elle, et je donnais à ma mère une moitié du prix de mes écrans, à toi l'autre. »

Ils se regardèrent pendant un moment, tous deux hébétés de joie et d'amour.

« Oh ! s'écria Raphaël, nous paierons sans doute, un jour, ce bonheur par quelque effroyable chagrin.

– Serais-tu marié ? cria Pauline. Ah ! je ne veux te céder à aucune femme.

– Je suis libre, ma chérie.

– Libre, répéta-t-elle. Libre, et à moi ! »

Elle se laissa glisser sur ses genoux, joignit les mains, et regarda Raphaël avec une dévotieuse ardeur.

« J'ai peur de devenir folle. Combien tu es gentil ! reprit-elle en passant une main dans la blonde chevelure de son amant. Est-elle bête, ta comtesse Fœdora ! Quel plaisir j'ai ressenti hier en me voyant saluée par tous ces hommes. Elle n'a jamais été applaudie, elle ! Dis, cher, quand mon dos a touché ton bras, j'ai entendu en moi je ne sais quelle voix qui m'a crié : "Il est là." Je me suis retournée, et je t'ai vu. Oh ! je me suis sauvée, je me sentais l'envie de te sauter au cou devant tout le monde.

– Tu es bien heureuse de pouvoir parler, s'écria Raphaël. Moi, j'ai le cœur serré. Je voudrais pleurer, je ne puis. Ne me retire pas ta main. Il me semble que je resterais, pendant toute ma vie, à te regarder ainsi, heureux, content.

– Oh ! répète-moi cela, mon amour !

– Et que sont les paroles, reprit Valentin en laissant tomber une larme chaude sur les mains de Pauline. Plus tard, j'essaierai de te dire mon amour, en ce moment je ne puis que le sentir…

– Oh ! s'écria-t-elle, cette belle âme, ce beau génie, ce cœur que je connais si bien, tout est à moi, comme je suis à toi.

– Pour toujours, ma douce créature, dit Raphaël d'une voix émue. Tu seras ma femme, mon bon génie. Ta présence a toujours dissipé mes chagrins et rafraîchi mon âme ; en ce moment, ton sourire angélique m'a pour ainsi dire purifié. Je crois commencer une nouvelle vie. Le passé cruel et mes tristes folies me semblent n'être plus que de mauvais songes. Je suis pur, près de toi. Je sens l'air du bonheur. Oh ! sois là toujours, ajouta-t-il en la pressant saintement sur son cœur palpitant.

– Vienne la mort quand elle voudra, s'écria Pauline en extase, j'ai vécu. »

Heureux qui devinera leurs joies, il les aura connues !

« Oh ! mon Raphaël, dit Pauline après quelques heures de silence, je voudrais qu'à l'avenir personne n'entrât dans cette chère mansarde.

– Il faut murer la porte, mettre une grille à la lucarne et acheter la maison, répondit le marquis.

– C'est cela », dit-elle. Puis, après un moment de silence : « Nous avons un peu oublié de chercher tes manuscrits ? »

Ils se prirent à rire avec une douce innocence.

« Bah ! je me moque de toutes les sciences, s'écria Raphaël.

– Ah ! monsieur, et la gloire ?

– Tu es ma seule gloire.

– Tu étais bien malheureux en faisant ces petits pieds de mouche, dit-elle en feuilletant les papiers.

– Ma Pauline…

– Oh ! oui, je suis ta Pauline. Eh bien ?

– Où demeures-tu donc ?

– Rue Saint-Lazare. Et toi ?

– Rue de Varenne.

– Comme nous serons loin l'un de l'autre, jusqu'à ce que… » Elle s'arrêta en regardant son ami d'un air coquet et malicieux.

« Mais, répondit Raphaël, nous avons tout au plus une quinzaine de jours à rester séparés.

– Vrai ! dans quinze jours nous serons mariés ! » Elle sauta comme un enfant. « Oh ! je suis une fille dénaturée, reprit-elle, je ne pense plus ni à père, ni à mère, ni à rien dans le monde ! Tu ne sais pas, pauvre chéri ? mon père est bien malade. Il est revenu des Indes, bien souffrant. Il a manqué mourir au Havre, où nous sommes allées le chercher. Ah ! Dieu, s'écria-t-elle en regardant l'heure à sa montre, déjà trois heures. Je dois me trouver à son réveil, à quatre heures. Je suis la maîtresse au logis : ma mère fait toutes mes volontés, mon père m'adore, mais je ne veux pas abuser de leur bonté, ce serait mal ! Le pauvre père, c'est lui qui m'a envoyée aux Italiens hier, tu viendras le voir demain, n'est-ce pas ?

– Madame la marquise de Valentin veut-elle me faire l'honneur d'accepter mon bras ?

– Ah ! je vais emporter la clef de cette chambre, reprit-elle. N'est-ce pas un palais, notre trésor ?

– Pauline, encore un baiser ?

– Mille ! Mon Dieu, dit-elle en regardant Raphaël, ce sera toujours ainsi, je crois rêver. »

Ils descendirent lentement l'escalier ; puis, bien unis, marchant du même pas [371], tressaillant ensemble sous le poids du même bonheur, se serrant comme deux colombes, ils arrivèrent sur la place de la Sorbonne, où la voiture de Pauline attendait.

« Je veux aller chez toi, s'écria-t-elle. Je veux voir ta chambre, ton cabinet, et m'asseoir à la table sur laquelle tu travailles. Ce sera comme autrefois », ajouta-t-elle en rougissant. « Joseph, dit-elle à un valet, je vais rue de Varenne avant de retourner à la maison. Il est trois heures et quart, et je dois être revenue à quatre. Georges pressera les chevaux. »

Et les deux amants furent en peu d'instants menés à l'hôtel de Valentin.

« Oh ! que je suis contente d'avoir examiné tout cela, s'écria Pauline en chiffonnant la soie des rideaux qui drapaient le lit de Raphaël. Quand je m'endormirai, je serai là, en pensée. Je me figurerai ta chère tête sur cet oreiller. Dis-moi, Raphaël, tu n'as pris conseil de personne pour meubler ton hôtel ?

– De personne.

– Bien vrai ? Ce n'est pas une femme qui...

– Pauline !

– Oh ! je me sens une affreuse jalousie. Tu as bon goût. Je veux avoir demain un lit pareil au tien. »

---

371. Pierre Citron fait justement remarquer que, lors de la promenade dans les jardins du Luxembourg, il était au contraire impossible à Raphaël et à Fœdora à son bras de marcher d'un même pas.

Raphaël, ivre de bonheur, saisit Pauline.

« Oh ! mon père, mon père ! dit-elle.

– Je vais donc te reconduire, car je veux te quitter le moins possible, s'écria Valentin.

– Combien tu es aimant ! je n'osais pas te le proposer…

– N'es-tu donc pas ma vie ? »

Il serait fastidieux de consigner fidèlement ces adorables bavardages de l'amour auxquels l'accent, le regard, un geste intraduisible, donnent seuls du prix. Valentin reconduisit Pauline jusque chez elle, et revint ayant au cœur autant de plaisir que l'homme peut en ressentir et en porter ici-bas. Quand il fut assis dans son fauteuil, près de son feu, pensant à la soudaine et complète réalisation de toutes ses espérances, une idée froide lui traversa l'âme comme l'acier d'un poignard perce une poitrine, il regarda la Peau de chagrin, elle s'était légèrement rétrécie. Il prononça le grand juron français, sans y mettre les jésuitiques réticences de l'abbesse des Andouillettes [372], pencha la tête sur son fauteuil et resta sans mouvement les yeux arrêtés sur une patère, sans la voir.

« Grand Dieu ! s'écria-t-il. Quoi ! tous mes désirs, tous ! Pauvre Pauline ! »

Il prit un compas, mesura ce que la matinée lui avait coûté d'existence : « Je n'en ai pas pour deux mois », dit-il.

Une sueur glacée sortit de ses pores, tout à coup il obéit à un inexprimable mouvement de rage, et saisit la Peau de chagrin en s'écriant : « Je suis bien bête ! »

---

372. Allusion à un passage célèbre de *Tristram Shandy* de Sterne (livre VII). Désespérant de faire avancer des mules récalcitrantes, l'abbesse des Andouillettes et la novice Marguerite ne voient plus qu'une solution : leur adresser les jurons dont use habituellement le cocher. Mais comment faire pour ne pas s'exposer à la damnation ? Elles décident tout simplement de ne proférer chacune que la moitié de chaque juron : l'Abbesse répète donc bou-bou-bou et Marguerite -gre -gre -gre, l'Abbesse fou-fou-fou et Marguerite -tre -tre -tre !

Il sortit, courut, traversa les jardins et jeta le talisman au fond d'un puits : « Vogue la galère, dit-il. Au diable toutes ces sottises ! »

Raphaël se laissa donc aller au bonheur d'aimer, et vécut cœur à cœur avec Pauline. Leur mariage, retardé par des difficultés peu intéressantes à raconter, devait se célébrer dans les premiers jours de mars. Ils s'étaient éprouvés, ne doutaient point d'eux-mêmes, et le bonheur leur ayant révélé toute la puissance de leur affection, jamais deux âmes, deux caractères ne s'étaient aussi parfaitement unis qu'ils le furent par la passion ; en s'étudiant ils s'aimèrent davantage : de part et d'autre même délicatesse, même pudeur, même volupté, la plus douce de toutes les voluptés, celle des anges ; point de nuages dans leur ciel ; tour à tour les désirs de l'un faisaient la loi de l'autre. Riches tous deux, ils ne connaissaient point de caprices qu'ils ne pussent satisfaire, et partant n'avaient point de caprices. Un goût exquis, le sentiment du beau, une vraie poésie animaient l'âme de l'épouse ; dédaignant les colifichets de la finance, un sourire de son ami lui semblait plus beau que toutes les perles d'Ormuz [373], la mousseline ou les fleurs formaient ses plus riches parures. Pauline et Raphaël fuyaient d'ailleurs le monde, la solitude leur était si belle, si féconde ! Les oisifs voyaient exactement tous les soirs ce joli ménage de contrebande aux Italiens ou à l'Opéra. Si d'abord quelques médisances égayèrent les salons, bientôt le torrent d'événements qui passa sur Paris [374] fit oublier

---

373. Cette île persane donne son nom au détroit qui sépare le golfe Persique de la mer d'Oman.

374. La visite de Porriquet a lieu dans les premiers jours du mois de décembre ; le soir même Raphaël et Pauline se retrouvent aux Italiens ; ils prévoient de se marier quinze jours plus tard, mais le mariage est retardé jusqu'en mars. Balzac songe donc aux événements qui se sont déroulés entre fin décembre 1830 et fin février 1831. Le 21 décembre, la Cour des pairs, appelée à juger les anciens ministres de Charles X, ne les condamne qu'à des peines d'emprisonnement – ce qui provoque un (bref) soulèvement dans les rues de Paris. Le 24 décembre,

deux amants inoffensifs ; enfin, espèce d'excuse auprès des prudes, leur mariage était annoncé, et par hasard leurs gens se trouvaient discrets ; donc, aucune méchanceté trop vive ne les punit de leur bonheur.

Vers la fin du mois de février, époque à laquelle d'assez beaux jours firent croire aux joies du printemps, un matin, Pauline et Raphaël déjeunaient ensemble dans une petite serre, espèce de salon rempli de fleurs, et de plain-pied avec le jardin. Le doux et pâle soleil de l'hiver, dont les rayons se brisaient à travers des arbustes rares, tiédissait alors la température. Les yeux étaient égayés par les vigoureux contrastes des divers feuillages, par les couleurs des touffes fleuries et par toutes les fantaisies de la lumière et de l'ombre. Quand tout Paris se chauffait encore devant les tristes foyers, les deux jeunes époux riaient sous un berceau de camélias, de lilas, de bruyères. Leurs têtes joyeuses s'élevaient au-dessus des narcisses, des muguets et des roses du Bengale. Dans cette serre voluptueuse et riche, les pieds foulaient une natte africaine colorée comme un tapis. Les parois tendues en coutil vert n'offraient pas la moindre trace d'humidité. L'ameublement était de bois en apparence grossier, mais dont l'écorce polie brillait de propreté. Un jeune chat accroupi sur la table où l'avait attiré l'odeur du lait se laissait barbouiller de café par Pauline ; elle folâtrait avec lui, défendait la crème qu'elle lui permettait à peine de flairer afin d'exercer sa patience et

---

La Fayette démissionne du commandement de la garde nationale, et Dupont de l'Eure, autre grande figure du Mouvement, se retire du gouvernement Laffitte. Alors que l'agitation anticléricale fait rage en province, à Paris, le 14 février 1831, une maladresse du clergé – un service funèbre à la mémoire du duc de Berry célébré en l'église de Saint-Germain-l'Auxerrois – déclenche une émeute, qui dégénère en mise à sac de l'église et de l'archevêché. Thiers, sous-secrétaire d'État à l'Intérieur, laisse faire. Odilon Barrot, autre grande figure du Mouvement, est remplacé à la préfecture de police, mais la politique du Mouvement est déconsidérée, et Laffitte sera contraint de démissionner le 12 mars.

d'entretenir le combat ; elle éclatait de rire à chacune de ses grimaces, et débitait mille plaisanteries pour empêcher Raphaël de lire le journal, qui, dix fois déjà, lui était tombé des mains. Il abondait dans cette scène matinale un bonheur inexprimable comme tout ce qui est naturel et vrai. Raphaël feignait toujours de lire sa feuille, et contemplait à la dérobée Pauline aux prises avec le chat, sa Pauline enveloppée d'un long peignoir qui la lui voilait imparfaitement, sa Pauline les cheveux en désordre et montrant un petit pied blanc veiné de bleu dans une pantoufle de velours noir. Charmante à voir en déshabillé, délicieuse comme les fantastiques figures de Westall [375], elle semblait être tout à la fois jeune fille et femme ; peut-être plus jeune fille que femme, elle jouissait d'une félicité sans mélange, et ne connaissait de l'amour que ses premières joies. Au moment où, tout à fait absorbé par sa douce rêverie, Raphaël avait oublié son journal, Pauline le saisit, le chiffonna, en fit une boule, le lança dans le jardin, et le chat courut après la politique qui tournait comme toujours sur elle-même. Quand Raphaël, distrait par cette scène enfantine, voulut continuer à lire et fit le geste de lever la feuille qu'il n'avait plus, éclatèrent des rires francs, joyeux, renaissant d'eux-mêmes comme les chants d'un oiseau.

« Je suis jalouse du journal, dit-elle en essuyant les larmes que son rire d'enfant avait fait couler. N'est-ce pas une félonie, reprit-elle redevenant femme tout à coup, que de lire des proclamations russes en ma présence, et de préférer la prose de l'empereur Nicolas [376] à des paroles, à des regards d'amour ?

---

375. Richard Westall (1765-1836), aquarelliste, dessinateur et graveur anglais, qui illustra notamment Milton et Shakespeare.

376. Allusion aux événements de Pologne. Nicolas Ier, tsar de Russie, et roi de Pologne depuis 1829, s'adressa à deux reprises aux Polonais en décembre, à la suite de l'insurrection de Varsovie du 29 novembre 1830 – insurrection qui fut, après une année de résistance, écrasée dans le sang en septembre 1831. On connaît le mot malheureux qu'eut alors le ministre des Affaires étrangères Sebastiani (« L'ordre règne à Varsovie »), et dont Grandville tira une célèbre planche.

– Je ne lisais pas, mon ange aimé, je te regardais. »

En ce moment le pas lourd du jardinier dont les souliers ferrés faisaient crier le sable des allées retentit près de la serre.

« Excusez, monsieur le marquis, si je vous interromps ainsi que madame, mais je vous apporte une curiosité comme je n'en ai jamais vu. En tirant tout à l'heure, sous votre respect, un seau d'eau, j'ai amené cette singulière plante marine ! La voilà ! Faut, tout de même, que ce soit bien accoutumé à l'eau, car ce n'était point mouillé, ni humide. C'était sec comme du bois, et point gras du tout. Comme monsieur le marquis est plus savant que moi certainement, j'ai pensé qu'il fallait la lui apporter, et que ça l'intéresserait. »

Et le jardinier montrait à Raphaël l'inexorable Peau de chagrin qui n'avait pas six pouces carrés[377] de superficie.

« Merci, Vanière, dit Raphaël. Cette chose est très curieuse.

– Qu'as-tu, mon ange ? tu pâlis ! s'écria Pauline.

– Laissez-nous, Vanière.

– Ta voix m'effraie, reprit la jeune fille, elle est singulièrement altérée. Qu'as-tu ? Que te sens-tu ? Où astu mal ? Tu as mal ! Un médecin ! cria-t-elle. Jonathas, au secours !

– Ma Pauline, tais-toi, répondit Raphaël qui recouvra son sang-froid. Sortons. Il y a près de moi une fleur dont le parfum m'incommode. Peut-être est-ce cette verveine ? »

Pauline s'élança sur l'innocent arbuste, le saisit par la tige, et le jeta dans le jardin.

« Oh ! ange, s'écria-t-elle en serrant Raphaël par une étreinte aussi forte que leur amour et en lui apportant avec une langoureuse coquetterie ses lèvres vermeilles à baiser, en te voyant pâlir, j'ai compris que je ne te survivrais pas : ta vie est ma vie. Mon Raphaël,

377. C'est-à-dire environ 4 cm × 4 cm (le pouce valant 2,54 cm).

passe-moi ta main sur le dos ? J'y sens encore *la petite mort*, j'y ai froid. Tes lèvres sont brûlantes. Et ta main ? … elle est glacée, ajouta-t-elle.

– Folle ! s'écria Raphaël.

– Pourquoi cette larme ? dit-elle. Laisse-la-moi boire.

– Oh ! Pauline, Pauline, tu m'aimes trop.

– Il se passe en toi quelque chose d'extraordinaire, Raphaël ? Sois vrai, je saurai bientôt ton secret. Donne-moi cela, dit-elle en prenant la Peau de chagrin.

– Tu es mon bourreau, cria le jeune homme en jetant un regard d'horreur sur le talisman.

– Quel changement de voix ! répondit Pauline qui laissa tomber le fatal symbole du destin.

– M'aimes-tu ? reprit-il.

– Si je t'aime, est-ce une question ?

– Eh bien, laisse-moi, va-t'en ! »

La pauvre petite sortit.

« Quoi ! s'écria Raphaël quand il fut seul, dans un siècle de lumières où nous avons appris que les diamants sont les cristaux du carbone [378], à une époque où tout s'explique, où la police traduirait un nouveau Messie devant les tribunaux et soumettrait ses miracles à l'Académie des sciences, dans un temps où nous ne croyons plus qu'aux paraphes des notaires, je croirais, moi ! à une espèce de *Mané, Thekel,*

378. Lavoisier le premier, en 1772, montra que le diamant contenait du carbone – découverte confirmée par les expériences sur la combustion du diamant de Guyton de Morveau (1812) et Humphry Davy (1814). Dès lors évidemment plusieurs chimistes s'essayèrent à fabriquer du diamant – et Balzac attribuera certains de leurs travaux à Balthazar Claës dans *La Recherche de l'absolu* (1834). Fort du vernis d'érudition chimique acquis pour écrire ce roman, Balzac (qui avait d'abord écrit que « les diamants n'étaient que du carbone solide ») écrivit plus précisément, à partir de l'édition Delloye et Lecou (1838) : « les diamants sont les cristaux du carbone ».

Pharès[379] ? Non, de par Dieu ! je ne penserai pas que l'Être Suprême puisse trouver du plaisir à tourmenter une honnête créature. Allons voir les savants. »

Il arriva bientôt, entre la Halle aux vins[380], immense recueil de tonneaux, et la Salpêtrière, immense séminaire d'ivrognerie, devant une petite mare où s'ébaudissaient des canards remarquables par la rareté des espèces et dont les ondoyantes couleurs, semblables aux vitraux d'une cathédrale, pétillaient sous les rayons du soleil. Tous les canards du monde étaient là, criant, barbotant, grouillant, et formant une espèce de chambre canarde rassemblée contre son gré, mais heureusement sans charte ni principes politiques, et vivant sans rencontrer de chasseurs, sous l'œil des naturalistes qui les regardaient par hasard.

« Voilà M. Lavrille[381] », dit un porte-clefs à Raphaël qui avait demandé ce grand pontife de la zoologie.

Le marquis vit un petit homme profondément enfoncé dans quelques sages méditations à l'aspect de deux canards. Ce savant, entre deux âges, avait une physionomie douce, encore adoucie par un air obligeant ; mais il régnait dans toute sa personne une

---

379. Ce sont les mots qu'une main écrit en lettres de feu sur la muraille lors du festin sacrilège du roi Balthazar, alors qu'il s'enivre avec sa cour en buvant dans les vases d'or et d'argent que son père Nabuchodonosor a rapportés de Jérusalem. Daniel interprète ainsi pour lui le message : « MANÉ, Dieu a *compté* les jours de votre règne, et il en a marqué l'accomplissement. / THEKEL, vous avez été *pesé* dans la balance, et on vous a trouvé trop léger. / PHARÈS, votre royaume a été *divisé*, et il a été donné aux Mèdes et aux Perses » (*Daniel*, chapitre V). Balthazar mourut la nuit même, et un Mède lui succéda.

380. Qui se trouvait à l'emplacement qu'occupe aujourd'hui l'université de Jussieu.

381. Balzac avait d'abord nommé « Lacrampe » ce personnage, qui ne prit qu'à partir de l'édition Delloye et Lecou (1838) le nom de « Lavrille », très probablement inspiré de celui de Pierre-André Latreille (1762-1833), naturaliste renommé pour ses travaux sur les insectes, membre de l'Académie des sciences et qui venait de succéder à Lamarck en 1829 comme professeur au Muséum.

préoccupation scientifique : sa perruque incessamment grattée et fantasquement retroussée laissait voir une ligne de cheveux blancs et accusait la fureur des découvertes qui, semblable à toutes les passions, nous arrache si puissamment aux choses de ce monde que nous perdons la conscience du *moi*. Raphaël, homme de science et d'étude, admira ce naturaliste dont les veilles étaient consacrées à l'agrandissement des connaissances humaines, dont les erreurs servaient encore la gloire de la France ; mais une petite-maîtresse [382] aurait ri sans doute de la solution de continuité qui se trouvait entre la culotte et le gilet rayé du savant, interstice d'ailleurs chastement rempli par une chemise qu'il avait copieusement froncée en se baissant et se levant tour à tour au gré de ses observations zoogénésiques [383].

Après quelques premières phrases de politesse, Raphaël crut nécessaire d'adresser à M. Lavrille un compliment banal sur ses canards.

« Oh ! nous sommes riches en canards, répondit le naturaliste. Ce genre est d'ailleurs, comme vous le savez sans doute, le plus fécond de l'ordre des palmipèdes. Il commence au *cygne*, et finit au *canard zinzin*, en comprenant cent trente-sept variétés d'individus bien distincts, ayant leurs noms, leurs mœurs, leur patrie, leur physionomie, et qui ne se ressemblent pas plus entre eux qu'un blanc ne ressemble à un nègre. En vérité, monsieur, quand nous mangeons un canard, la plupart du temps nous ne nous doutons guère de l'étendue… » Il s'interrompit à l'aspect d'un joli petit canard qui remontait le talus de la mare. « Vous voyez là le cygne à cravate, pauvre enfant du Canada, venu de bien loin pour nous montrer son plumage brun et

---

382. Cf. *supra*, note 199.

383. La « zoogénie » est la « génération des animaux » (*Littré*) et l'adjectif « génésique » est attesté par le *Littré*, mais pas l'adjectif « zoogénésique », qui semble du cru de Balzac.

gris, sa petite cravate noire ! Tenez, il se gratte. Voici la fameuse oie à duvet ou canard *Eider*, sous l'édredon de laquelle dorment nos petites-maîtresses ; est-elle jolie ! qui n'admirerait ce petit ventre d'un blanc rougeâtre, ce bec vert ? Je viens, monsieur, reprit-il, d'être témoin d'un accouplement dont j'avais jusqu'alors désespéré. Le mariage s'est fait assez heureusement, et j'en attendrai fort impatiemment le résultat. Je me flatte d'obtenir une cent trente-huitième espèce à laquelle peut-être mon nom sera donné ! Voici les nouveaux époux, dit-il en montrant deux canards. C'est d'une part une oie rieuse (*anas albifrons*), de l'autre le grand canard siffleur (*anas ruffina* de Buffon). J'avais longtemps hésité entre le canard siffleur, le canard à sourcils blancs et le canard souchet (*anas clypeata*) : tenez, voici le souchet, ce gros scélérat brun-noir dont le col est verdâtre et si coquettement irisé. Mais, monsieur, le canard siffleur était huppé, vous comprenez alors que je n'ai plus balancé. Il ne nous manque ici que le canard varié à calotte noire. Ces messieurs prétendent unanimement que ce canard fait double emploi avec le canard sarcelle à bec recourbé, quant à moi… » Il fit un geste admirable qui peignit à la fois la modestie et l'orgueil des savants, orgueil plein d'entêtement, modestie pleine de suffisance. « Je ne le pense pas, ajouta-t-il. Vous voyez, mon cher monsieur, que nous ne nous amusons pas ici. Je m'occupe en ce moment de la monographie du genre canard [384]. Mais je suis à vos ordres. »

En se dirigeant vers une assez jolie maison de la rue de Buffon, Raphaël soumit la Peau de chagrin aux investigations de M. Lavrille.

« Je connais ce produit, répondit le savant après avoir braqué sa loupe sur le talisman ; il a servi à

384. Balzac, lui, vient de déverser pêle-mêle dans la tirade de Lavrille l'article « Canard » du *Dictionnaire classique d'histoire naturelle* de Rey et Gravier (1822-1830) ! comme l'a montré Moïse Le Yaouanc.

quelque dessus de boîte. Le chagrin est fort ancien ! Aujourd'hui les gainiers préfèrent se servir de galuchat. Le galuchat est, comme vous le savez sans doute, la dépouille du *raja sephen*, un poisson de la mer Rouge [385]…

– Mais ceci, monsieur, puisque vous avez l'extrême bonté…

– Ceci, reprit le savant en interrompant, est autre chose : entre le galuchat et le chagrin, il y a, monsieur, toute la différence de l'océan à la terre, du poisson à un quadrupède. Cependant la peau du poisson est plus dure que la peau de l'animal terrestre. Ceci, dit-il en montrant le talisman, est, comme vous le savez sans doute, un des produits les plus curieux de la zoologie.

– Voyons ! s'écria Raphaël.

– Monsieur, répondit le savant en s'enfonçant dans son fauteuil, ceci est une peau d'âne.

– Je le sais, dit le jeune homme.

– Il existe en Perse, reprit le naturaliste, un âne extrêmement rare, l'onagre des anciens, *equus asinus*, le *koulan* des Tatars, Pallas [386] est allé l'observer, et l'a rendu à la science. En effet, cet animal avait longtemps passé pour fantastique. Il est, comme vous le savez, célèbre dans l'Écriture sainte ; Moïse avait défendu de l'accoupler avec ses congénères [387]. Mais l'onagre est encore plus fameux par les prostitutions dont il a été l'objet, et dont parlent souvent les prophètes bibliques. Pallas, comme vous le savez sans doute, déclare, dans

---

385. C'est au même dictionnaire que Balzac emprunte son érudition sur le galuchat.

386. Et c'est encore à l'article « Cheval » du même dictionnaire que Balzac emprunte son érudition sur l'onagre. Pierre-Simon Pallas (1741-1811), naturaliste et ethnographe allemand, explora, de 1771 à 1776, la Sibérie, l'Oural, la mer Caspienne, l'Altaï et la Chine.

387. Balzac écrit apparemment le contraire de ce qu'il veut dire : Pierre Citron précise que c'est dans le Talmud (et non dans la Bible) que figure l'interdiction d'accoupler les onagres avec des ânes domestiques (et non pas avec leurs « congénères »).

ses *Act. Petrop*[388], tome II, que ces excès bizarres sont encore religieusement accrédités chez les Persans et les Nogaïs[389] comme un remède souverain contre les maux de reins et la goutte sciatique. Nous ne nous doutons guère de cela, nous autres pauvres Parisiens. Le Muséum ne possède pas d'onagre. Quel superbe animal ! reprit le savant. Il est plein de mystères : son œil est muni d'une espèce de tapis réflecteur auquel les Orientaux attribuent le pouvoir de la fascination, sa robe est plus élégante et plus polie que ne l'est celle de nos plus beaux chevaux ; elle est sillonnée de bandes plus ou moins fauves, et ressemble beaucoup à la peau du zèbre. Son lainage a quelque chose de moelleux, d'ondoyant, de gras au toucher ; sa vue égale en justesse et en précision la vue de l'homme ; un peu plus grand que nos plus beaux ânes domestiques, il est doué d'un courage extraordinaire. Si, par hasard, il est surpris, il se défend avec une supériorité remarquable contre les bêtes les plus féroces ; quant à la rapidité de sa marche, elle ne peut se comparer qu'au vol des oiseaux ; un onagre, monsieur, tuerait à la course les meilleurs chevaux arabes ou persans. D'après le père du consciencieux docteur Niebuhr[390], de qui, vous le savez sans doute, nous déplorons la perte récente, le terme moyen du pas ordinaire de ces admirables créatures est de sept mille pas géométriques par heure. Nos

---

388. C'est-à-dire *Acta Academiæ scientiarum imperialis Petropolitanæ*, « Actes de l'Académie impériale des sciences de Saint-Pétersbourg » : le tome II (année 1777, paru en 1780) contient effectivement un article détaillé de Pallas, en français, sur l'onagre.

389. Peuple tatar, qui prit au XIIIe siècle le nom de son premier khan, Nogaï (descendant de Gengis khan), et qui vivait dans le nord du Caucase et dans les steppes de Crimée.

390. Le « consciencieux » docteur Niebuhr, c'est Berthold-Georg Niebuhr (1776-1831), historien et diplomate allemand, professeur à Berlin et spécialiste de l'histoire romaine, qui fut parmi les premiers à dégager la réalité de la légende, ne retenant que les faits scientifiquement établis. – Son père, Carsten Niebuhr (1733-1815), rapporta de ses voyages d'étude en Arabie (1761-1766) de nombreux documents, et publia de nombreux récits de voyages.

ânes dégénérés ne sauraient donner une idée de cet âne indépendant et fier. Il a le port leste, animé, l'air spirituel, fin, une physionomie gracieuse, des mouvements pleins de coquetterie ! c'est le roi zoologique de l'Orient. Les superstitions turques et persanes lui donnent même une mystérieuse origine, et le nom de Salomon se mêle aux récits que les conteurs du Tibet et de la Tartarie font sur les prouesses attribuées à ces nobles animaux. Enfin un onagre apprivoisé vaut des sommes immenses ; il est presque impossible de le saisir dans les montagnes, où il bondit comme un chevreuil, et semble voler comme un oiseau. La fable des chevaux ailés, notre Pégase, a sans doute pris naissance dans ces pays, où les bergers ont pu voir souvent un onagre sautant d'un rocher à un autre. Les ânes de selle, obtenus en Perse par l'accouplement d'une ânesse avec un onagre apprivoisé, sont peints en rouge, suivant une immémoriale tradition. Cet usage a donné lieu peut-être à notre proverbe : "Méchant comme un âne rouge." À une époque où l'histoire naturelle était très négligée en France, un voyageur aura, je pense, amené un de ces animaux curieux qui supportent fort impatiemment l'esclavage. De là, le dicton ! La Peau que vous me présentez, reprit le savant, est la peau d'un onagre. Nous varions sur l'origine du nom[391]. Les uns prétendent que *Chagri* est un mot turc, d'autres veulent que *Chagri* soit la ville où cette dépouille zoologique subit une préparation chimique assez bien décrite par Pallas, et qui lui donne le grain particulier que nous admirons ; M. Martellens m'a écrit que *Châagri* est un ruisseau.

---

391. Le mot « chagrin » vient bel et bien du turc *sagri*. Et si Balzac ne s'aventure pas à nous dire ce qu'il signifie en turc, c'est tout simplement que le *Dictionnaire technologique ou Nouveau Dictionnaire des arts et métiers* (1822-1825), auquel Balzac emprunte ses informations sur le chagrin, ne le traduit pas. (Le mot signifie « croupe ».)
– Aucun commentateur ne sait qui est Martellens, que Balzac a peut-être tout simplement inventé.

– Monsieur, je vous remercie de m'avoir donné des renseignements qui fourniraient une admirable note à quelque Dom Calmet [392], si les bénédictins existaient encore ; mais j'ai eu l'honneur de vous faire observer que ce fragment était primitivement d'un volume égal... à cette carte géographique, dit Raphaël en montrant à Lavrille un atlas ouvert : or depuis trois mois elle s'est sensiblement contractée...

– Bien, reprit le savant, je comprends. Monsieur, toutes les dépouilles d'êtres primitivement organisés sont sujettes à un dépérissement naturel, facile à concevoir, et dont les progrès sont soumis aux influences atmosphériques. Les métaux eux-mêmes se dilatent ou se resserrent d'une manière sensible, car les ingénieurs ont observé des espaces assez considérables entre de grandes pierres primitivement maintenues par des barres de fer. La science est vaste, la vie humaine est bien courte. Aussi n'avons-nous pas la prétention de connaître tous les phénomènes de la nature.

– Monsieur, reprit Raphaël presque confus, excusez la demande que je vais vous faire. Êtes-vous bien sûr que cette Peau soit soumise aux lois ordinaires de la zoologie, qu'elle puisse s'étendre ?

– Oh ! certes. Ah ! peste, dit M. Lavrille en essayant de tirer le talisman. Mais, monsieur, reprit-il, si vous voulez aller voir Planchette, le célèbre professeur de mécanique, il trouvera certainement un moyen d'agir sur cette Peau, de l'amollir, de la distendre.

– Oh ! monsieur, vous me sauvez la vie. »

Raphaël salua le savant naturaliste, et courut chez Planchette, en laissant le bon Lavrille au milieu de son cabinet rempli de bocaux et de plantes séchées. Il remportait de cette visite, sans le savoir, toute la science

---

392. Dom Augustin Calmet (1672-1757), l'un des plus illustres bénédictins de la congrégation de Saint-Vanne, auteur de minutieux commentaires sur la Bible, d'un *Dictionnaire de la Bible*, et d'une grande *Histoire ecclésiastique et civile de la Lorraine*, son œuvre capitale.

humaine : une nomenclature ! Ce bonhomme ressemblait à Sancho Pança racontant à Don Quichotte l'histoire des chèvres [393], il s'amusait à compter des animaux et à les numéroter. Arrivé sur le bord de la tombe, il connaissait à peine une petite fraction des incommensurables nombres du grand troupeau jeté par Dieu à travers l'océan des mondes, dans un but ignoré. Raphaël était content. « Je vais tenir mon âne en bride », s'écriait-il. Sterne avait dit avant lui : « Ménageons notre âne, si nous voulons vivre vieux [394]. » Mais la bête est si fantasque !

Planchette était un grand homme sec, véritable poète perdu dans une perpétuelle contemplation, occupé à regarder toujours un abîme sans fond, LE MOUVEMENT. Le vulgaire taxe de folie ces esprits sublimes, gens incompris qui vivent dans une admirable insouciance du luxe et du monde, restant des journées entières à fumer un cigare éteint, ou venant dans un salon sans avoir toujours bien exactement marié les boutons de leurs vêtements avec les boutonnières. Un jour, après avoir longtemps mesuré le vide, ou entassé des X sous des Aa – gG, ils ont analysé quelque loi naturelle et décomposé le plus simple des principes ; tout à coup la foule admire une nouvelle machine ou quelque haquet [395] dont la facile structure

---

393. Au chapitre XX de la première partie de *Don Quichotte*, Sancho entreprend de raconter par le menu à son maître comment un berger fit traverser en barque la rivière Guadiana à ses trois cents chèvres, une par une ! Mais Don Quichotte s'impatiente, Sancho perd le compte des chèvres dont il a déjà raconté le passage, et l'histoire se termine là.

394. Dans le chapitre intitulé « L'Âne mort » du *Voyage sentimental*, le maître de l'âne se reproche la mort de l'animal : « À présent qu'il est mort, je crains que la fatigue de me porter ne l'ait accablé, et que je ne sois responsable d'avoir abrégé sa vie. » Le souvenir approximatif de Sterne se mélange avec le proverbe « Qui veut voyager loin ménage sa monture » (Racine, *Les Plaideurs*, acte I, scène 1).

395. Le haquet, ingénieuse « invention de Pascal », est une « charrette longue, étroite et sans ridelles, qui sert à voiturer du vin, des ballots, etc. » (*Littré*). L'arrière de cette charrette, utilisée surtout pour transporter les tonneaux, s'abaissait jusqu'à terre, et une corde passée autour du tonneau et enroulée autour d'un treuil à main (fixé à l'autre bout

nous étonne et nous confond ! Le savant modeste sourit en disant à ses admirateurs : « Qu'ai-je donc créé ? Rien. L'homme n'invente pas une force, il la dirige, et la science consiste à imiter la nature. »

Raphaël surprit le mécanicien planté sur ses deux jambes, comme un pendu tombé droit sous sa potence. Planchette examinait une bille d'agate qui roulait sur un cadran solaire, en attendant qu'elle s'y arrêtât. Le pauvre homme n'était ni décoré, ni pensionné, car il ne savait pas enluminer ses calculs. Heureux de vivre à l'affût d'une découverte, il ne pensait ni à la gloire, ni au monde, ni à lui-même, et vivait dans la science pour la science.

« Cela est indéfinissable », s'écria-t-il. « Ah ! monsieur, reprit-il en apercevant Raphaël, je suis votre serviteur. Comment va la maman ? Allez voir ma femme. »

« J'aurais cependant pu vivre ainsi ! » pensa Raphaël qui tira le savant de sa rêverie en lui demandant le moyen d'agir sur le talisman qu'il lui présenta.

« Dussiez-vous rire de ma crédulité, monsieur, dit le marquis en terminant, je ne vous cacherai rien. Cette Peau me semble posséder une force de résistance contre laquelle rien ne peut prévaloir.

– Monsieur, dit-il, les gens du monde traitent toujours la science assez cavalièrement, tous nous disent à peu près ce qu'un incroyable disait à Lalande [396] en lui amenant des dames après l'éclipse : “Ayez la bonté de recommencer.” Quel effet voulez-vous produire ? La Mécanique a pour but d'appliquer les lois du mouvement ou de les neutraliser. Quant au mouvement en

de la charrette, sur les brancards) permettait de le hisser aisément sur la charrette.

396. Joseph-Jérôme Le François de Lalande, astronome français (1732-1807), membre de l'Académie des sciences, professeur au Collège de France, directeur de l'Observatoire de Paris. La source de l'anecdote reste mystérieuse pour les commentateurs.

lui-même, je vous le déclare avec humilité, nous sommes impuissants à le définir. Cela posé, nous avons remarqué quelques phénomènes constants qui régissent l'action des solides et des fluides. En reproduisant les causes génératrices de ces phénomènes, nous pouvons transporter les corps, leur transmettre une force locomotive [397] dans des rapports de vitesse déterminée, les lancer, les diviser simplement ou à l'infini, soit que nous les cassions ou les pulvérisions ; puis les tordre, leur imprimer une rotation, les modifier, les comprimer, les dilater, les étendre. Cette science, monsieur, repose sur un seul fait. Vous voyez cette bille, reprit-il. Elle est ici sur cette pierre. La voici maintenant là. De quel nom appellerons-nous cet acte si physiquement naturel et si moralement extraordinaire ? Mouvement, locomotion, changement de lieu ? Quelle immense vanité cachée sous les mots ! Un nom, est-ce donc une solution ? Voilà pourtant toute la science. Nos machines emploient ou décomposent cet acte, ce fait. Ce léger phénomène adapté à des masses va faire sauter Paris. Nous pouvons augmenter la vitesse aux dépens de la force, et la force aux dépens de la vitesse. Qu'est-ce que la force et la vitesse ? Notre science est inhabile à le dire, comme elle l'est à créer un mouvement. Un mouvement, quel qu'il soit, est un immense pouvoir, et l'homme n'invente pas de pouvoirs. Le pouvoir est un, comme le mouvement, l'essence même du pouvoir. Tout est mouvement. La pensée est un mouvement. La nature est établie sur le mouvement. La mort est un mouvement dont les fins nous sont peu connues. Si Dieu est éternel, croyez qu'il est toujours en mouvement ? Dieu est le mouvement, peut-être. Voilà pourquoi le mouvement est inexplicable comme lui ; comme lui profond, sans bornes, incompréhensible, intangible. Qui jamais a touché, compris, mesuré le mouvement ? Nous en sentons les

397. Motrice.

effets sans les voir. Nous pouvons même le nier comme nous nions Dieu. Où est-il ? où n'est-il pas ? D'où part-il ? Où en est le principe ? Où en est la fin ? Il nous enveloppe, nous presse et nous échappe. Il est évident comme un fait, obscur comme une abstraction, tout à la fois effet et cause. Il lui faut comme à nous l'espace, et qu'est-ce que l'espace ? Le mouvement seul nous le révèle ; sans le mouvement, il n'est plus qu'un mot vide de sens. Problème insoluble, semblable au vide, semblable à la création, à l'infini, le mouvement confond la pensée humaine, et tout ce qu'il est permis à l'homme de concevoir, c'est qu'il ne le concevra jamais [398]. Entre chacun des points successivement occupés par cette bille dans l'espace, reprit le savant, il se rencontre un abîme pour la raison humaine, un abîme où est tombé Pascal. Pour agir sur la substance inconnue, que vous voulez soumettre à une force inconnue, nous devons d'abord étudier cette substance ; d'après sa nature, ou elle se brisera sous un choc, ou elle y résistera ; si elle se divise et que votre intention ne soit pas de la partager, nous n'atteindrons pas le but proposé. Voulez-vous la comprimer ? il faut transmettre un mouvement égal à toutes les parties de la substance de manière à diminuer uniformément l'intervalle qui les sépare. Désirez-vous l'étendre ? nous devrons tâcher d'imprimer à chaque molécule une force excentrique égale ; car, sans l'observation exacte de cette loi, nous y produirions des solutions de continuité. Il existe, monsieur, des modes infinis, des combinaisons sans bornes dans le mouvement. À quel effet vous arrêtez-vous ?

– Monsieur, dit Raphaël impatienté, je désire une pression quelconque assez forte pour étendre indéfiniment cette Peau…

---

398. Le mouvement est un thème récurrent dans les romans philosophiques de Balzac, notamment dans *Louis Lambert* et dans *La Recherche de l'absolu*.

– La substance étant finie, répondit le mathématicien, ne saurait être indéfiniment distendue, mais la compression multipliera nécessairement l'étendue de sa surface aux dépens de l'épaisseur ; elle s'amincira jusqu'à ce que la matière manque…

– Obtenez ce résultat, monsieur, s'écria Raphaël, et vous aurez gagné des millions.

– Je vous volerais votre argent, répondit le professeur avec le flegme d'un Hollandais. Je vais vous démontrer en deux mots l'existence d'une machine sous laquelle Dieu lui-même serait écrasé comme une mouche. Elle réduirait un homme à l'état de papier brouillard, un homme botté, éperonné, cravaté, chapeau, or, bijoux, tout…

– Quelle horrible machine !

– Au lieu de jeter leurs enfants à l'eau, les Chinois devraient les utiliser ainsi », reprit le savant sans penser au respect de l'homme pour sa progéniture.

Tout entier à son idée, Planchette prit un pot de fleurs vide, troué dans le fond et l'apporta sur la dalle du gnomon [399] ; puis il alla chercher un peu de terre glaise dans un coin du jardin. Raphaël resta charmé comme un enfant auquel sa nourrice conte une histoire merveilleuse. Après avoir posé sa terre glaise sur la dalle, Planchette tira de sa poche une serpette, coupa deux branches de sureau, et se mit à les vider en sifflant comme si Raphaël n'eût pas été là.

« Voilà les éléments de la machine », dit-il.

Il attacha par un coude en terre glaise l'un de ses tuyaux de bois au fond du pot, de manière à ce que le trou du sureau correspondît à celui du vase. Vous eussiez dit d'une énorme pipe. Il étala sur la dalle un lit de glaise en lui donnant la forme d'une pelle, assit le pot de fleurs dans la partie la plus large, et fixa la branche de sureau sur la portion qui représentait le

---

399. Le cadran solaire sur lequel le savant regardait rouler une bille lorsque Raphaël est entré.

manche. Enfin il mit un pâté de terre glaise à l'extrémité du tube en sureau, il y planta l'autre branche creuse, tout droit, en pratiquant un autre coude pour la joindre à la branche horizontale, en sorte que l'air, ou tel fluide ambiant donné, pût circuler dans cette machine improvisée, et courir depuis l'embouchure du tube vertical, à travers le canal intermédiaire, jusque dans le grand pot de fleurs vide.

« Monsieur, cet appareil, dit-il à Raphaël avec le sérieux d'un académicien prononçant son discours de réception, est un des plus beaux titres du grand Pascal à notre admiration.

– Je ne comprends pas. »

Le savant sourit. Il alla détacher d'un arbre fruitier une petite bouteille dans laquelle son pharmacien lui avait envoyé une liqueur où se prenaient les fourmis ; il en cassa le fond, se fit un entonnoir, l'adapta soigneusement au trou de la branche creuse qu'il avait fixée verticalement dans l'argile, en opposition au grand réservoir figuré par le pot de fleurs ; puis, au moyen d'un arrosoir, il y versa la quantité d'eau nécessaire pour qu'elle se trouvât également bord à bord et dans le grand vase et dans la petite embouchure circulaire du sureau. Raphaël pensait à sa Peau de chagrin.

« Monsieur, dit le mécanicien, l'eau passe encore aujourd'hui pour un corps incompressible, n'oubliez pas ce principe fondamental, néanmoins elle se comprime ; mais si légèrement, que nous devons compter sa faculté contractile comme zéro. Vous voyez la surface que présente l'eau arrivée à la superficie du pot de fleurs.

– Oui, monsieur.

– Eh bien, supposez cette surface mille fois plus étendue que ne l'est l'orifice du bâton de sureau par lequel j'ai versé le liquide. Tenez, j'ôte l'entonnoir.

– D'accord.

– Eh bien, monsieur, si par un moyen quelconque j'augmente le volume de cette masse en introduisant encore de l'eau par l'orifice du petit tuyau, le fluide, contraint d'y descendre, montera dans le réservoir figuré par le pot de fleurs jusqu'à ce que le liquide arrive à un même niveau dans l'un et dans l'autre...

– Cela est évident, s'écria Raphaël.

– Mais il y a cette différence, reprit le savant, que si la mince colonne d'eau ajoutée dans le petit tube vertical y présente une force égale au poids d'une livre par exemple, comme son action se transmettra fidèlement à la masse liquide et viendra réagir sur tous les points de la surface qu'elle présente dans le pot de fleurs, il s'y trouvera mille colonnes d'eau qui, tendant toutes à s'élever comme si elles étaient poussées par une force égale à celle qui fait descendre le liquide dans le bâton de sureau vertical, produiront nécessairement ici, dit Planchette en montrant à Raphaël l'ouverture du pot de fleurs, une puissance mille fois plus considérable que la puissance introduite là. »

Et le savant indiquait du doigt au marquis le tuyau de bois planté droit dans la glaise.

« Cela est tout simple », dit Raphaël.

Planchette sourit.

« En d'autres termes, reprit-il avec cette ténacité de logique naturelle aux mathématiciens, il faudrait, pour repousser l'irruption de l'eau, déployer, sur chaque partie de la grande surface, une force égale à la force agissant dans le conduit vertical ; mais, à cette différence près, que si la colonne liquide y est haute d'un pied, les mille petites colonnes de la grande surface n'y auront qu'une très faible élévation. Maintenant, dit Planchette en donnant une chiquenaude à ses bâtons, remplaçons ce petit appareil grotesque par des tubes métalliques d'une force et d'une dimension convenables, si vous couvrez d'une forte platine mobile la surface fluide du grand réservoir, et qu'à cette platine vous en opposiez une autre dont la résistance et la solidité soient à toute épreuve, si de plus vous m'accordez la puissance d'ajouter sans cesse de l'eau par le petit tube vertical à la masse liquide, l'objet, pris entre les deux plans solides, doit nécessairement céder à l'immense action qui le comprime indéfiniment. Le moyen d'introduire constamment de l'eau par le petit tube est une niaiserie en mécanique, ainsi que le mode de transmettre la puissance de la masse liquide à une platine. Deux pistons et quelques soupapes suffisent. Concevez-vous alors, mon cher monsieur, dit-il en prenant le bras de Valentin, qu'il n'existe guère de substance qui, mise entre ces deux résistances indéfinies, ne soit contrainte à s'étaler.

– Quoi ! l'auteur des *Lettres provinciales* a inventé..., s'écria Raphaël.

– Lui seul, monsieur[400]. La Mécanique ne connaît rien de plus simple ni de plus beau. Le principe contraire, l'expansibilité de l'eau, a créé la machine à vapeur. Mais l'eau n'est expansible qu'à un certain degré, tandis que son incompressibilité, étant une force en quelque sorte négative, se trouve nécessairement infinie.

– Si cette Peau s'étend, dit Raphaël, je vous promets d'élever une statue colossale à Blaise Pascal, de fonder un prix de cent mille francs pour le plus beau problème de mécanique résolu dans chaque période de dix ans, de doter vos cousines, arrière-cousines, enfin de bâtir un hôpital destiné aux mathématiciens devenus fous ou pauvres.

– Ce serait fort utile, dit Planchette. Monsieur, reprit-il avec le calme d'un homme vivant dans une sphère tout intellectuelle, nous irons demain chez Spieghalter. Ce mécanicien distingué vient de fabriquer, d'après mes plans, une machine perfectionnée

---

400. C'est en effet Pascal qui imagina la presse hydraulique, dont le fonctionnement repose, comme l'explique parfaitement Planchette, sur l'incompressibilité des liquides et la transmission intégrale et dans tous les sens des pressions (*Principe de Pascal*). Le premier appareil fut construit par l'Anglais Bramah en 1796.

avec laquelle un enfant pourrait faire tenir mille bottes de foin dans son chapeau.

– À demain, monsieur.

– À demain. »

« Parlez-moi de la Mécanique ! s'écria Raphaël. N'est-ce pas la plus belle de toutes les sciences ? L'autre avec ses onagres, ses classements, ses canards, ses genres et ses bocaux pleins de monstres, est tout au plus bon à marquer les points dans un billard public. »

Le lendemain, Raphaël tout joyeux vint chercher Planchette, et ils allèrent ensemble dans la rue de la Santé, nom de favorable augure. Chez Spieghalter, le jeune homme se trouva dans un établissement immense, ses regards tombèrent sur une multitude de forges rouges et rugissantes. C'était une pluie de feu, un déluge de clous, un océan de pistons, de vis, de leviers, de traverses, de limes, d'écrous, une mer de fontes, de bois, de soupapes et d'aciers en barres. La limaille prenait à la gorge. Il y avait du fer dans la température, les hommes étaient couverts de fer, tout puait le fer, le fer avait une vie, il était organisé, il se fluidifiait, marchait, pensait en prenant toutes les formes, en obéissant à tous les caprices. À travers les hurlements des soufflets, les *crescendo* des marteaux, les sifflements des tours qui faisaient grogner le fer, Raphaël arriva dans une grande pièce, propre et bien aérée, où il put contempler à son aise la presse immense dont lui avait parlé Planchette. Il admira des espèces de madriers en fonte, et des jumelles en fer unies par un indestructible noyau.

« Si vous tourniez sept fois cette manivelle avec promptitude, lui dit Spieghalter en lui montrant un balancier de fer poli, vous feriez jaillir une planche d'acier en des milliers de jets qui vous entreraient dans les jambes comme des aiguilles.

– Peste ! » s'écria Raphaël.

Planchette glissa lui-même la Peau de chagrin entre les deux platines de la presse souveraine, et, plein de cette sécurité que donnent les convictions scientifiques, il manœuvra vivement le balancier.

« Couchez-vous tous, nous sommes morts », cria Spieghalter d'une voix tonnante en se laissant tomber lui-même à terre.

Un sifflement horrible retentit dans les ateliers. L'eau contenue dans la machine brisa la fonte, produisit un jet d'une puissance incommensurable, et se dirigea heureusement sur une vieille forge qu'elle renversa, bouleversa, tordit comme une trombe entortille une maison et l'emporte avec elle.

« Oh ! dit tranquillement Planchette, le Chagrin est sain comme mon œil ! Maître Spieghalter, il y avait une paille dans votre fonte, ou quelque interstice dans le grand tube.

– Non, non, je connais ma fonte. Monsieur peut remporter son outil, le diable est logé dedans. »

L'Allemand saisit un marteau de forgeron, jeta la Peau sur une enclume, et, de toute la force que donne la colère, déchargea sur le talisman le plus terrible coup qui jamais eût mugi dans ses ateliers.

« Il n'y paraît seulement pas », s'écria Planchette en caressant le Chagrin rebelle.

Les ouvriers accoururent. Le contremaître prit la Peau et la plongea dans le charbon de terre d'une forge. Tous, rangés en demi-cercle autour du feu, attendirent avec impatience le jeu d'un énorme soufflet. Raphaël, Spieghalter, le professeur Planchette occupaient le centre de cette foule noire et attentive. En voyant tous ces yeux blancs, ces têtes poudrées de fer, ces vêtements noirs et luisants, ces poitrines poilues, Raphaël se crut transporté dans le monde nocturne et fantastique des ballades allemandes. Le contremaître saisit la Peau avec des pinces après l'avoir laissée dans le foyer pendant dix minutes.

« Rendez-la-moi », dit Raphaël.

Le contremaître la présenta par plaisanterie à Raphaël. Le marquis mania facilement la Peau froide et souple sous ses doigts. Un cri d'horreur s'éleva, les ouvriers s'enfuirent, Valentin resta seul avec Planchette dans l'atelier désert.

« Il y a décidément quelque chose de diabolique là-dedans, s'écria Raphaël au désespoir. Aucune puissance humaine ne saurait donc me donner un jour de plus !

– Monsieur, j'ai tort, répondit le mathématicien d'un air contrit, nous devions soumettre cette Peau singulière à l'action d'un laminoir. Où avais-je les yeux en vous proposant une pression.

– C'est moi qui l'ai demandée », répliqua Raphaël.

Le savant respira comme un coupable acquitté par douze jurés. Cependant intéressé par le problème étrange que lui offrait cette Peau, il réfléchit un moment et dit : « Il faut traiter cette substance inconnue par des réactifs. Allons voir Japhet, la Chimie sera peut-être plus heureuse que la Mécanique. »

Valentin mit son cheval au grand trot, dans l'espoir de rencontrer le fameux chimiste Japhet[401] à son laboratoire.

« Eh bien, mon vieil ami, dit Planchette en apercevant Japhet assis dans un fauteuil et contemplant un précipité, comment va la Chimie ?

– Elle s'endort. Rien de neuf. L'Académie a cependant reconnu l'existence de la salicine. Mais la salicine, l'asparagine, la vauqueline, la digitaline ne sont pas des découvertes[402].

---

401. Personnage peut-être inspiré de Louis-Jacques Thénard (1777-1857), chimiste célèbre, élève de Vauquelin, fait baron par Charles X en 1821. Son *Traité élémentaire de chimie* (1813) y régna seul dans les écoles pendant plus de vingt-cinq ans.

402. Madeleine Fargeaud précise que l'Académie des sciences venait en effet tout juste de reconnaître, lors de sa séance du 10 mai 1830, l'existence de la salicine, substance tirée de l'écorce du saule et découverte par Leroux. L'asparagine, extraite du suc de l'asperge, a été découverte par Vauquelin en 1805. La vauqueline n'est autre que la strychnine, qui fut d'abord baptisée ainsi en 1818 en l'honneur de l'illustre chimiste. Et la digitaline est une substance extraite de la digitale pourprée, découverte en 1827.

– Faute de pouvoir inventer des choses, dit Raphaël, il paraît que vous en êtes réduits à inventer des noms.

– Cela est pardieu vrai, jeune homme[403] !

– Tiens, dit le professeur Planchette au chimiste, essaie de nous décomposer cette substance, si tu en extrais un principe quelconque, je le nomme d'avance *la diaboline*, car en voulant la comprimer, nous venons de briser une presse hydraulique.

– Voyons, voyons cela, s'écria joyeusement le chimiste, ce sera peut-être un nouveau corps simple[404].

– Monsieur, dit Raphaël, c'est tout simplement un morceau de peau d'âne.

– Monsieur ? reprit gravement le célèbre chimiste.

– Je ne plaisante pas », répliqua le marquis en lui présentant la Peau de chagrin.

Le baron Japhet appliqua sur la Peau les houppes nerveuses de sa langue si habile à déguster les sels, les acides, les alcalis, les gaz, et dit après quelques essais : « Point de goût ! Voyons, nous allons lui faire boire un peu d'acide phthorique[405]. »

Soumise à l'action de ce principe, si prompt à désorganiser les tissus animaux, la Peau ne subit aucune altération.

---

403. Il est tout à fait exact que la chimie de l'époque est essentiellement analytique ; dans le droit fil du programme lavoisien selon lequel « la chimie marche vers son but et vers sa perfection en divisant, en subdivisant et resubdivisant encore » (*Traité élémentaire de Chimie*, 1789), elle se contente en effet encore principalement de décomposer, identifier, nommer et classer.

404. Rappelons qu'autour de 1810, l'invention de la pile de Volta (cf. *infra*, note 408) entraîna la mise au point d'un nouveau procédé d'analyse, l'électrolyse, qui permit de décomposer des substances jusqu'alors rétives à la chaleur et à l'action chimique, et relança vivement les espoirs de découvrir de nouveaux corps simples. Et en effet, le nombre des corps simples passa de 33 dans la nomenclature de Lavoisier (1787) à 54 dans celle de Thénard en 1834 (avant d'atteindre 70 dans la fameuse table de Mendeleev en 1869).

405. *Phtore* (en grec « qui a la force de détruire ») est le « nom qu'on donne quelquefois au fluor, parce qu'il détruit tous les vases dans lesquels on cherche à le retenir » (*Littré*) ; il s'agit donc d'acide fluorhydrique.

« Ce n'est pas du chagrin, s'écria le chimiste. Nous allons traiter ce mystérieux inconnu comme un minéral et lui donner sur le nez en le mettant dans un creuset infusible où j'ai précisément de la potasse rouge[406]. »

Japhet sortit et revint bientôt.

« Monsieur, dit-il à Raphaël, laissez-moi prendre un morceau de cette singulière substance, elle est si extraordinaire…

– Un morceau ! s'écria Raphaël, pas seulement la valeur d'un cheveu. D'ailleurs essayez », dit-il d'un air tout à la fois triste et goguenard.

Le savant cassa un rasoir en voulant entamer la Peau[407], il tenta de la briser par une forte décharge d'électricité, puis il la soumit à l'action de la pile voltaïque[408], enfin les foudres de sa science échouèrent sur le terrible talisman. Il était sept heures du soir. Planchette, Japhet et Raphaël, ne s'apercevant pas de la fuite du temps, attendaient le résultat d'une dernière expérience. Le chagrin sortit victorieux d'un épouvantable choc auquel il avait été soumis, grâce à une quantité raisonnable de chlorure d'azote[409].

---

406. Caustique très puissant.

407. Dans la première partie du roman, chez l'antiquaire, Raphaël avait pourtant réussi à ôter une mince pellicule de cuir avec un simple stylet.

408. Alessandro Volta (1745-1827), entre bien d'autres découvertes, comprit le premier que les métaux développaient des potentiels différents lorsqu'on les mettait en contact ; observant que certains liquides se comportaient comme des conducteurs, il en arriva à l'idée de combiner conducteurs métalliques et conducteurs liquides de sorte que les différences de potentiel générées à chaque contact s'ajoutent : ainsi naquit la *pile*, qui consistait en un « empilement » de disques de zinc, de cuivre, et de tissus imbibés d'acides. Invité à Paris en 1801, Volta fit la démonstration de ses découvertes à l'Académie des sciences devant Bonaparte, qui devint son protecteur. En 1831, Arago décrivait la pile de Volta comme « le plus merveilleux instrument que les hommes aient jamais inventé ».

409. Dans *La Recherche de l'absolu*, Balzac attribuera à Balthazar Claës l'expérience au cours de laquelle le chimiste Pierre-Louis Dulong (1785-1838) découvrit le chlorure d'azote, produit dangereux à manier

« Je suis perdu ! s'écria Raphaël. Dieu est là. Je vais mourir. »

Il laissa les deux savants stupéfaits.

« Gardons-nous bien de raconter cette aventure à l'Académie, nos collègues s'y moqueraient de nous », dit Planchette au chimiste après une longue pause pendant laquelle ils se regardèrent sans oser se communiquer leurs pensées.

Les deux savants étaient comme des chrétiens sortant de leurs tombes sans trouver un Dieu dans le ciel[410]. La science ? impuissante ! Les acides ? eau claire ! La potasse rouge ? déshonorée ! La pile voltaïque et la foudre ? deux bilboquets !

« Une presse hydraulique fendue comme une mouillette ! ajouta Planchette.

– Je crois au diable, dit le baron Japhet après un moment de silence.

– Et moi à Dieu », répondit Planchette.

Tous deux étaient dans leur rôle. Pour un mécanicien, l'univers est une machine qui veut un ouvrier ; pour la chimie, cette œuvre d'un démon qui va décomposant tout, le monde est un gaz doué de mouvement[411].

« Nous ne pouvons pas nier le fait, reprit le chimiste.

---

car la moindre impureté le fait détoner violemment ; l'expérience coûta d'ailleurs à Dulong un œil et deux doigts.

410. Tous les commentateurs ont relevé l'allusion au passage du célèbre *Songe* de Jean-Paul Richter, où les morts sortent de leur tombe et s'écrient : « Ô Christ, n'est-il point de Dieu ? » Et le Christ répond : « Il n'en est point. » Mme de Staël avait traduit ce passage dans *De l'Allemagne* (livre II, chapitre XXVIII).

411. Dans les éditions antérieures à l'édition Werdet des *Études philosophiques* (1835), Balzac avait écrit plus simplement : « L'univers est une machine ; et la chimie, l'œuvre d'un démon qui va décomposant tout ! ... » Le dernier membre de phrase a donc été ajouté après la rédaction de *La Recherche de l'absolu*, dont le héros se laisse emporter par l'hypothèse d'une « matière éthérée », « substance commune à toutes les créations, modifiée par une force unique » (cf. *supra*, note 58).

– Bah ! pour nous consoler, messieurs les doctrinaires ont créé ce nébuleux axiome : “Bête comme un fait.”

– Ton axiome, répliqua le chimiste, me semble, à moi, fait comme une bête. »

Ils se prirent à rire, et dînèrent en gens qui ne voyaient plus qu'un phénomène dans un miracle.

En rentrant chez lui, Valentin était en proie à une rage froide ; il ne croyait plus à rien, ses idées se brouillaient dans sa cervelle, tournoyaient et vacillaient comme celles de tout homme en présence d'un fait impossible. Il avait cru volontiers à quelque défaut secret dans la machine de Spieghalter, l'impuissance de la science et du feu ne l'étonnait pas ; mais la souplesse de la Peau quand il la maniait, mais sa dureté lorsque les moyens de destruction mis à la disposition de l'homme étaient dirigés sur elle, l'épouvantaient. Ce fait incontestable lui donnait le vertige.

« Je suis fou, se dit-il. Quoique depuis ce matin je sois à jeun, je n'ai ni faim ni soif, et je sens dans ma poitrine un foyer qui me brûle. »

Il remit la Peau de chagrin dans le cadre où elle avait été naguère enfermée, et après avoir décrit par une ligne d'encre rouge le contour actuel du talisman, il s'assit dans son fauteuil.

« Déjà huit heures, s'écria-t-il. Cette journée a passé comme un songe. »

Il s'accouda sur le bras du fauteuil, s'appuya la tête dans sa main gauche, et resta perdu dans une de ces méditations funèbres, dans ces pensées dévorantes dont le secret est emporté par les condamnés à mort.

« Ah ! Pauline, s'écria-t-il, pauvre enfant ! il y a des abîmes que l'amour ne saurait franchir, malgré la force de ses ailes. » En ce moment il entendit très distinctement un soupir étouffé, et reconnut par un des plus touchants privilèges de la passion le souffle de sa Pauline. « Oh ! se dit-il, voilà mon arrêt. Si elle était là, je voudrais mourir dans ses bras. »

Un éclat de rire bien franc, bien joyeux, lui fit tourner la tête vers son lit, il vit à travers les rideaux diaphanes la figure de Pauline souriant comme un enfant heureux d'une malice qui réussit ; ses beaux cheveux formaient des milliers de boucles sur ses épaules ; elle était là semblable à une rose du Bengale sur un monceau de roses blanches.

« J'ai séduit Jonathas, dit-elle. Ce lit ne m'appartient-il pas, à moi qui suis ta femme ? Ne me gronde pas, chéri, je ne voulais que dormir près de toi, te surprendre. Pardonne-moi cette folie. » Elle sauta hors du lit par un mouvement de chatte, se montra radieuse dans ses mousselines, et s'assit sur les genoux de Raphaël : « De quel abîme parlais-tu donc, mon amour ? dit-elle en laissant voir sur son front une expression soucieuse.

– De la mort.

– Tu me fais mal, répondit-elle. Il y a certaines idées auxquelles nous autres, pauvres femmes, nous ne pouvons nous arrêter, elles nous tuent. Est-ce force d'amour ou manque de courage ? je ne sais. La mort ne m'effraie pas, reprit-elle en riant. Mourir avec toi, demain matin, ensemble, dans un dernier baiser, ce serait un bonheur. Il me semble que j'aurais encore vécu plus de cent ans. Qu'importe le nombre de jours, si, dans une nuit, dans une heure, nous avons épuisé toute une vie de paix et d'amour ?

– Tu as raison, le Ciel parle par ta jolie bouche. Donne que je la baise, et mourons, dit Raphaël.

– Mourons donc », répondit-elle en riant.

Vers les neuf heures du matin, le jour passait à travers les fentes des persiennes ; amoindri par la mousseline des rideaux, il permettait encore de voir les riches couleurs du tapis et les meubles soyeux de la chambre où reposaient les deux amants. Quelques dorures étincelaient. Un rayon de soleil venait mourir sur le mol édredon que les jeux de l'amour avaient jeté par terre. Suspendue à une grande psyché, la robe de

Pauline se dessinait comme une vaporeuse apparition. Les souliers mignons avaient été laissés loin du lit. Un rossignol vint se reposer sur l'appui de la fenêtre, ses gazouillements répétés, le bruit de ses ailes soudainement déployées quand il s'envola, réveillèrent Raphaël.

« Pour mourir, dit-il en achevant une pensée commencée dans son rêve, il faut que mon organisation, ce mécanisme de chair et d'os animé par ma volonté, et qui fait de moi un individu *homme*, présente une lésion sensible. Les médecins doivent connaître les symptômes de la vitalité attaquée, et pouvoir me dire si je suis en santé ou malade. »

Il contempla sa femme endormie qui lui tenait la tête, exprimant ainsi pendant le sommeil les tendres sollicitudes de l'amour. Gracieusement étendue comme un jeune enfant et le visage tourné vers lui, Pauline semblait le regarder encore en lui tendant une jolie bouche entrouverte par un souffle égal et pur. Ses petites dents de porcelaine relevaient la rougeur de ses lèvres fraîches sur lesquelles errait un sourire ; l'incarnat de son teint était plus vif, et la blancheur en était pour ainsi dire plus blanche en ce moment qu'aux heures les plus amoureuses de la journée. Son gracieux abandon si plein de confiance mêlait au charme de l'amour les adorables attraits de l'enfance endormie. Les femmes, même les plus naturelles, obéissent encore pendant le jour à certaines conventions sociales qui enchaînent les naïves expansions de leur âme ; mais le sommeil semble les rendre à la soudaineté de vie qui décore le premier âge : Pauline ne rougissait de rien, comme une de ces chères et célestes créatures chez qui la raison n'a encore jeté ni pensées dans les gestes, ni secrets dans le regard. Son profil se détachait vivement sur la fine batiste des oreillers, de grosses ruches de dentelle mêlées à ses cheveux en désordre lui donnaient un petit air mutin ; mais elle s'était endormie dans le plaisir, ses longs cils étaient appliqués sur sa joue comme pour garantir sa vue d'une lueur trop forte ou pour aider à ce recueillement de l'âme quand elle essaie de retenir une volupté parfaite, mais fugitive ; son oreille mignonne, blanche et rouge, encadrée par une touffe de cheveux et dessinée dans une coque de malines[412], eût rendu fou d'amour un artiste, un peintre, un vieillard, eût peut-être restitué la raison à quelque insensé. Voir sa maîtresse endormie, rieuse dans un songe, paisible sous votre protection, vous aimant même en rêve, au moment où la créature semble cesser d'être, et vous offrant encore une bouche muette qui dans le sommeil vous parle du dernier baiser ! voir une femme confiante, demi-nue, mais enveloppée dans son amour comme dans un manteau, et chaste au sein du désordre ; admirer ses vêtements épars, un bas de soie rapidement quitté la veille pour vous plaire, une ceinture dénouée qui vous accuse une foi infinie, n'est-ce pas une joie sans nom ? Cette ceinture est un poème entier : la femme qu'elle protégeait n'existe plus, elle vous appartient, elle est devenue *vous* ; désormais la trahir, c'est se blesser soi-même. Raphaël attendri contempla cette chambre chargée d'amour, pleine de souvenirs, où le jour prenait des teintes voluptueuses, et revint à cette femme aux formes pures, jeunes, aimante encore, dont surtout les sentiments étaient à lui sans partage. Il désira vivre toujours. Quand son regard tomba sur Pauline, elle ouvrit aussitôt les yeux comme si un rayon de soleil l'eût frappée.

« Bonjour, ami ! dit-elle en souriant. Es-tu beau, méchant ! »

Ces deux têtes empreintes d'une grâce due à l'amour, à la jeunesse, au demi-jour et au silence formaient une de ces divines scènes dont la magie passagère n'appartient qu'aux premiers jours de la passion,

---

412. « Dentelle très fine qui s'est fabriquée originairement dans la ville de Malines, en Flandre » (*Littré*).

comme la naïveté, la candeur sont les attributs de l'enfance. Hélas ! ces joies printanières de l'amour, de même que les rires de notre jeune âge, doivent s'enfuir et ne plus vivre que dans notre souvenir pour nous désespérer ou nous jeter quelque parfum consolateur, selon les caprices de nos méditations secrètes.

« Pourquoi t'es-tu réveillée ? dit Raphaël. J'avais tant de plaisir à te voir endormie, j'en pleurais.

– Et moi aussi, répondit-elle, j'ai pleuré cette nuit en te contemplant dans ton repos, mais non pas de joie. Écoute, mon Raphaël, écoute-moi ? Lorsque tu dors, ta respiration n'est pas franche, il y a dans ta poitrine quelque chose qui résonne, et qui m'a fait peur. Tu as pendant ton sommeil une petite toux sèche, absolument semblable à celle de mon père qui meurt d'une phtisie. J'ai reconnu dans le bruit de tes poumons quelques-uns des effets bizarres de cette maladie. Puis tu avais la fièvre, j'en suis sûre, ta main était moite et brûlante. Chéri ! tu es jeune, dit-elle en frissonnant, tu pourrais te guérir encore si, par malheur… Mais non, s'écria-t-elle joyeusement, il n'y a pas de malheur, la maladie se gagne, disent les médecins. » De ses deux bras, elle enlaça Raphaël, saisit sa respiration par un de ces baisers dans lesquels l'âme arrive : « Je ne désire pas vivre vieille, dit-elle. Mourons jeunes tous deux, et allons dans le ciel les mains pleines de fleurs.

– Ces projets-là se font toujours quand nous sommes en bonne santé », répondit Raphaël en plongeant ses mains dans la chevelure de Pauline ; mais il eut alors un horrible accès de toux, de ces toux graves et sonores qui semblent sortir d'un cercueil, qui font pâlir le front des malades et les laissent tremblants, tout en sueur, après avoir remué leurs nerfs, ébranlé leurs côtes, fatigué leur moelle épinière, et imprimé je ne sais quelle lourdeur à leurs veines. Raphaël abattu, pâle, se coucha lentement, affaissé comme un homme dont toute la force s'est dissipée dans un dernier effort.

Pauline le regarda d'un œil fixe, agrandi par la peur, et resta immobile, blanche, silencieuse.

« Ne faisons plus de folies, mon ange », dit-elle en voulant cacher à Raphaël les horribles pressentiments qui l'agitaient.

Elle se voila la figure de ses mains, car elle apercevait le hideux squelette de la MORT. La tête de Raphaël était devenue livide et creuse comme un crâne arraché aux profondeurs d'un cimetière pour servir aux études de quelque savant. Pauline se souvenait de l'exclamation échappée la veille à Valentin, et se dit à elle-même : « Oui, il y a des abîmes que l'amour ne peut pas traverser, mais il doit s'y ensevelir. »

Quelques jours après cette scène de désolation, Raphaël se trouva par une matinée du mois de mars assis dans un fauteuil, entouré de quatre médecins qui l'avaient fait placer au jour devant la fenêtre de sa chambre, et tour à tour lui tâtaient le pouls, le palpaient, l'interrogeaient avec une apparence d'intérêt. Le malade épiait leurs pensées en interprétant et leurs gestes et les moindres plis qui se formaient sur leurs fronts. Cette consultation était sa dernière espérance. Ces juges suprêmes allaient lui prononcer un arrêt de vie ou de mort. Aussi, pour arracher à la science humaine son dernier mot, Valentin avait-il convoqué les oracles de la médecine moderne. Grâce à sa fortune et à son nom, les trois systèmes entre lesquels flottent les connaissances humaines étaient là devant lui. Trois de ces docteurs portaient avec eux toute la philosophie médicale, en représentant le combat que se livrent la Spiritualité, l'Analyse et je ne sais quel Éclectisme railleur. Le quatrième médecin était Horace Bianchon, homme plein d'avenir et de science, le plus distingué peut-être des nouveaux médecins, sage et modeste député de la studieuse jeunesse qui s'apprête à recueillir l'héritage des trésors amassés depuis cinquante ans par l'École de Paris, et qui bâtira peut-être le monument pour lequel les siècles précédents ont apporté tant de matériaux divers. Ami du marquis et de Rastignac, il lui avait donné ses soins depuis quelques jours, et l'aidait à répondre aux interrogations des trois professeurs auxquels il expliquait parfois, avec une sorte d'insistance, les diagnostics qui lui semblaient révéler une phtisie pulmonaire.

« Vous avez sans doute fait beaucoup d'excès, mené une vie dissipée, vous vous êtes livré à de grands travaux d'intelligence ? dit à Raphaël celui des trois célèbres docteurs dont la tête carrée, la figure large, l'énergique organisation, paraissaient annoncer un génie supérieur à celui de ses deux antagonistes.

– J'ai voulu me tuer par la débauche après avoir travaillé pendant trois ans à un vaste ouvrage dont vous vous occuperez peut-être un jour », lui répondit Raphaël.

Le grand docteur hocha la tête en signe de contentement, et comme s'il se fût dit en lui-même : « J'en étais sûr ! »

Ce docteur était l'illustre Brisset, le chef des Organistes, le successeur des Cabanis et des Bichat, le médecin des esprits positifs et matérialistes, qui voient en l'homme un être fini, uniquement sujet aux lois de sa propre organisation, et dont l'état normal ou les anomalies délétères s'expliquent par des causes évidentes[413].

---

413. Tous les commentateurs s'accordent à reconnaître en Brisset le docteur Casimir Broussais (1772-1838), professeur à la Faculté de médecine de Paris. Selon lui, c'était l'inflammation qui, selon son degré d'intensité et les organes qu'elle occupait, produisait toute la diversité des maladies – d'où la prescription systématique de débilitants, sangsues et saignées pour rétablir l'état « physiologique » de non-irritation et d'équilibre (cf. *Physiologie du mariage*, XII).
– Pierre Jean Georges Cabanis (1757-1808), médecin, professeur d'hygiène et de médecine clinique, était aussi philosophe, disciple de Condillac ; il affirma dans son traité des *Rapports du physique et du moral* (1802) la nécessité de rattacher l'étude des faits psychiques à la physiologie.
– Sur Bichat, cf. *supra*, note 157.

À cette réponse, Brisset regarda silencieusement un homme de moyenne taille dont le visage empourpré, l'œil ardent, semblaient appartenir à quelque satyre antique, et qui, le dos appuyé sur le coin de l'embrasure, contemplait attentivement Raphaël sans mot dire. Homme d'exaltation et de croyance, le docteur Caméristus[414], chef des vitalistes, le poétique défenseur des doctrines abstraites de Van Helmont[415], voyait dans la vie humaine un principe élevé, secret, un phénomène inexplicable qui se joue des bistouris, trompe la chirurgie, échappe aux médicaments de la pharmaceutique, aux *x* de l'algèbre, aux démonstrations de l'anatomie, et se rit de nos efforts ; une espèce de flamme intangible, invisible, soumise à quelque loi divine, et qui reste souvent au milieu d'un corps condamné par nos arrêts, comme elle déserte aussi les organisations les plus viables.

Un sourire sardonique errait sur les lèvres du troisième, le docteur Maugredie[416], esprit distingué, mais

---

414. Les commentateurs s'accordent à reconnaître en Caméristus le docteur Récamier (1774-1852), dont les conceptions médicales, empreintes de spiritualisme, postulaient l'existence d'une énergie vitale distincte à la fois de l'âme et de la matière. – Sur ce point, voir Maurice Bardèche, « Autour des *Études philosophiques* », *Année balzacienne* 1960.

415. Jean-Baptiste Van Helmont, médecin et chimiste belge (1577-1644), n'était pas un charlatan et on lui doit des découvertes intéressantes, mais ses conceptions philosophiques mélangeaient étrangement empirisme et mysticisme, et selon sa bizarre conception de la physiologie, les fonctions de l'organisme étaient réglées par des principes vitaux immatériels, ou *archées*, dont la bonne harmonie entrenait la santé, et dont le désordre causait la maladie.

416. Le nom de Maugredie évoque celui du physiologiste François Magendie (1786-1855) qui, considéré comme un sceptique en tant que médecin, n'en fonda pas moins l'école de physiologie expérimentale, d'où naîtra la médecine expérimentale moderne. Mais certains commentateurs proposent de voir plutôt en Maugredie une caricature du chirurgien Jules Guérin (1801-1886), directeur de la *Gazette médicale de Paris*, et lauréat du grand prix de chirurgie de l'Académie des sciences en 1837.

pyrrhonien et moqueur, qui ne croyait qu'au scalpel, concédait à Brisset la mort d'un homme qui se portait à merveille, et reconnaissait avec Caméristus qu'un homme pouvait vivre encore après sa mort. Il trouvait du bon dans toutes les théories, n'en adoptait aucune, prétendait que le meilleur système médical était de n'en point avoir, et de s'en tenir aux faits. Panurge de l'école, roi de l'observation, ce grand explorateur, ce grand railleur, l'homme des tentatives désespérées, examinait la Peau de chagrin.

« Je voudrais bien être témoin de la coïncidence qui existe entre vos désirs et son rétrécissement, dit-il au marquis.

– À quoi bon ? s'écria Brisset.

– À quoi bon ? répéta Caméristus.

– Ah ! vous êtes d'accord, répondit Maugredie.

– Cette contraction est toute simple, ajouta Brisset.

– Elle est surnaturelle, dit Caméristus.

– En effet, répliqua Maugredie en affectant un air grave et rendant à Raphaël sa Peau de chagrin, le racornissement du cuir est un fait inexplicable et cependant naturel, qui, depuis l'origine du monde, fait le désespoir de la médecine et des jolies femmes. »

À force d'examiner les trois docteurs, Valentin ne découvrit en eux aucune sympathie pour ses maux. Tous trois, silencieux à chaque réponse, le toisaient avec indifférence et le questionnaient sans le plaindre. La nonchalance perçait à travers leur politesse. Soit certitude, soit réflexion, leurs paroles étaient si rares, si indolentes, que par moments Raphaël les crut distraits. De temps à autre, Brisset seul répondait : « Bon ! bien ! » à tous les symptômes désespérants dont l'existence était démontrée par Bianchon. Caméristus demeurait plongé dans une profonde rêverie, Maugredie ressemblait à un auteur comique étudiant deux originaux pour les transporter fidèlement sur la scène. La figure d'Horace[417] trahissait une peine profonde, un attendrissement plein de tristesse. Il était médecin depuis trop peu de temps pour être insensible devant la douleur et impassible près d'un lit funèbre ; il ne savait pas éteindre dans ses yeux les larmes amies qui empêchent un homme de voir clair et de saisir, comme un général d'armée, le moment propice à la victoire, sans écouter les cris des moribonds. Après être resté pendant une demi-heure environ à prendre en quelque sorte la mesure de la maladie et du malade, comme un tailleur prend la mesure d'un habit à un jeune homme qui lui commande ses vêtements de noces, ils dirent quelques lieux communs, parlèrent même des affaires publiques ; puis ils voulurent passer dans le cabinet de Raphaël pour se communiquer leurs idées et rédiger la sentence.

« Messieurs, leur dit Valentin, ne puis-je donc assister au débat ? »

À ce mot, Brisset et Maugredie se récrièrent vivement, et, malgré les instances de leur malade, ils se refusèrent à délibérer en sa présence. Raphaël se soumit à l'usage, en pensant qu'il pouvait se glisser dans un couloir d'où il entendrait facilement les discussions médicales auxquelles les trois professeurs allaient se livrer.

« Messieurs, dit Brisset en entrant, permettez-moi de vous donner promptement mon avis. Je ne veux ni vous l'imposer, ni le voir controversé : d'abord il est net, précis, et résulte d'une similitude complète entre un de mes malades et le sujet que nous avons été appelés à examiner ; puis, je suis attendu à mon hospice.

---

417. Balzac avait d'abord prénommé Prosper ce personnage, qui ne fut remplacé par Horace Bianchon qu'à partir de l'édition Delloye et Lecou (1838) – ce qui semble indiquer que le personnage devait à l'origine quelques traits au docteur Prosper Ménière (1801-1862), ami de Balzac et interne de Dupuytren à l'Hôtel-Dieu en 1830. Horace Bianchon, qui apparaît pour la première fois dans *Le Père Goriot*, est *le* grand médecin de *La Comédie humaine*.

L'importance du fait qui y réclame ma présence m'excusera de prendre le premier la parole. Le *sujet* qui nous occupe est également fatigué par des travaux intellectuels… Qu'a-t-il donc fait, Horace ? dit-il en s'adressant au jeune médecin.

– Une théorie de la volonté.

– Ah ! diable, mais c'est un vaste sujet. Il est fatigué, dis-je, par des excès de pensée, par des écarts de régime, par l'emploi répété de stimulants trop énergiques. L'action violente du corps et du cerveau a donc vicié le jeu de tout l'organisme. Il est facile, messieurs, de reconnaître, dans les symptômes de la face et du corps, une irritation prodigieuse à l'estomac, la névrose du grand sympathique, la vive sensibilité de l'épigastre, et le resserrement des hypocondres [418]. Vous avez remarqué la grosseur et la saillie du foie. Enfin M. Bianchon a constamment observé les digestions de son malade, et nous a dit qu'elles étaient difficiles, laborieuses. À proprement parler, il n'existe plus d'estomac ; l'homme a disparu. L'intellect est atrophié parce que l'homme ne digère plus. L'altération progressive de l'épigastre, centre de la vie, a vicié tout le système. De là partent des irradiations constantes et flagrantes, le désordre a gagné le cerveau par le plexus nerveux, d'où l'irritation excessive de cet organe. Il y a monomanie [419]. Le malade est sous le poids d'une idée fixe. Pour lui cette Peau de chagrin se rétrécit réellement, peut-être a-t-elle toujours été comme nous l'avons vue ; mais, qu'il se contracte ou non, ce *chagrin* est pour lui la mouche que certain grand vizir avait sur le nez. Mettez promptement des sangsues à l'épigastre,

418. *Hypochondre* : « chacune des parties latérales de l'abdomen situées sous les fausses côtes » (*Littré*). Broussais ne reconnaissait à la matière vivante qu'une seule propriété : la « contractilité ».

419. Jonathas avait déjà indiqué à Porriquet que certaines personnes croyaient Raphaël monomane – cf. *supra*, note 342 et texte correspondant.

calmez l'irritation de cet organe où l'homme tout entier réside, tenez le malade au régime, la monomanie cessera. Je n'en dirai pas davantage au docteur Bianchon ; il doit saisir l'ensemble et les détails du traitement. Peut-être y a-t-il complication de maladie, peut-être les voies respiratoires sont-elles également irritées ; mais je crois le traitement de l'appareil intestinal beaucoup plus important, plus nécessaire, plus urgent que ne l'est celui des poumons. L'étude tenace de matières abstraites et quelques passions violentes ont produit de graves perturbations dans ce mécanisme vital ; cependant il est temps encore d'en redresser les ressorts, rien n'y est trop fortement adultéré. Vous pouvez donc facilement sauver votre ami, dit-il à Bianchon.

– Notre savant collègue prend l'effet pour la cause, répondit Caméristus. Oui, les altérations si bien observées par lui existent chez le malade, mais l'estomac n'a pas graduellement établi des irradiations dans l'organisme et vers le cerveau, comme une fêlure étend autour d'elle des rayons dans une vitre. Il a fallu un coup pour trouer le vitrail ; ce coup, qui l'a porté ? le savons-nous ? avons-nous suffisamment observé le malade ? connaissons-nous tous les accidents de sa vie ? Messieurs, le principe vital, l'*archée* de Van Helmont[420], est atteint en lui, la vitalité même est attaquée dans son essence, l'étincelle divine, l'intelligence transitoire qui sert comme de lien à la machine et qui produit la volonté, la science de la vie, a cessé de régulariser les phénomènes journaliers du mécanisme et les fonctions de chaque organe ; de là proviennent les désordres si bien appréciés par mon docte confrère. Le mouvement n'est pas venu de l'épigastre au cerveau, mais du cerveau vers l'épigastre. Non, dit-il en se frappant avec force la poitrine, non, je ne suis pas un estomac fait homme ! Non, tout n'est pas là. Je ne me sens

420. Cf. *supra*, note 415.

pas le courage de dire que si j'ai un bon épigastre ; le reste est de forme. Nous ne pouvons pas, reprit-il plus doucement, soumettre à une même cause physique et à un traitement uniforme les troubles graves qui surviennent chez les différents sujets plus ou moins sérieusement atteints. Aucun homme ne se ressemble. Nous avons tous des organes particuliers, diversement affectés, diversement nourris, propres à remplir des missions différentes, et à développer des thèmes nécessaires à l'accomplissement d'un ordre de choses qui nous est inconnu. La portion du grand tout, qui par une haute volonté vient opérer, entretenir en nous le phénomène de l'animation, se formule d'une manière distincte dans chaque homme, et fait de lui un être en apparence fini, mais qui par un point coexiste à une cause infinie. Aussi, devons-nous étudier chaque sujet séparément, le pénétrer, reconnaître en quoi consiste sa vie, quelle en est la puissance. Depuis la mollesse d'une éponge mouillée jusqu'à la dureté d'une pierre ponce, il y a des nuances infinies. Voilà l'homme. Entre les organisations spongieuses des lymphatiques et la vigueur métallique des muscles de quelques hommes destinés à une longue vie, que d'erreurs ne commettra pas le système unique, implacable, de la guérison par l'abattement, par la prostration des forces humaines que vous supposez toujours irritées ! Ici donc, je voudrais un traitement tout moral, un examen approfondi de l'être intime. Allons chercher la cause du mal dans les entrailles de l'âme et non dans les entrailles du corps ! Un médecin est un être inspiré, doué d'un génie particulier, à qui Dieu concède le pouvoir de lire dans la vitalité, comme il donne aux prophètes des yeux pour contempler l'avenir, au poète la faculté d'évoquer la nature, au musicien celle d'arranger les sons dans un ordre harmonieux dont le type est en haut, peut-être !…

– Toujours sa médecine absolutiste, monarchique et religieuse, dit Brisset en murmurant.

– Messieurs, reprit promptement Maugredie en couvrant avec promptitude l'exclamation de Brisset, ne perdons pas de vue le malade… »

« Voilà donc où en est la science ! s'écria tristement Raphaël. Ma guérison flotte entre un rosaire et un chapelet de sangsues, entre le bistouri de Dupuytren [421] et la prière du prince de Hohenlohe [422] ! Sur la ligne qui sépare le fait de la parole, la matière de l'esprit, Maugredie est là, doutant. Le *oui* et *non* humain me poursuit partout ! Toujours le *Carymary, Carymara* de Rabelais [423] : je suis spirituellement malade, carymary ! ou matériellement malade, carymara ! Dois-je vivre ? ils l'ignorent. Au moins Planchette était-il plus franc, en me disant : "Je ne sais pas." »

En ce moment, Valentin entendit la voix du docteur Maugredie.

« Le malade est monomane, eh bien, d'accord, s'écria-t-il, mais il a deux cent mille livres de rente, ces monomanes-là sont fort rares, et nous leur devons au moins un avis. Quant à savoir si son épigastre a réagi sur le cerveau, ou le cerveau sur son épigastre, nous pourrons peut-être vérifier le fait, quand il sera mort. Résumons-nous donc. Il est malade, le fait est incontestable. Il lui faut un traitement quelconque. Laissons les doctrines. Mettons-lui des sangsues pour calmer

---

421. Guillaume Dupuytren (1777-1835) fut l'un des grands chirurgiens de son temps, et le chirurgien de Louis XVIII et de Charles X. Balzac s'inspira de Dupuytren pour le personnage de Desplein, « le plus grand chirurgien des temps anciens et modernes », héros de *La Messe de l'Athée* (1836).

422. Le prince Alexandre de Hohenlohe, thaumaturge allemand (1794-1850), prêtre et jésuite, avait écrit une prière que les malades devaient réciter pour leur guérison et passait pour avoir le don de faire des miracles ; mais le pape refusa d'accorder à ses œuvres la sanction de l'Église, et après l'intervention de la police, le prince de Hohenlohe se retira en Hongrie.

423. Cf. *supra*, note 178.

l'irritation intestinale et la névrose sur l'existence desquelles nous sommes d'accord, puis envoyons-le aux eaux : nous agirons à la fois d'après les deux systèmes. S'il est pulmonique, nous ne pouvons guère le sauver, ainsi… »

Raphaël quitta promptement le couloir et vint se remettre dans son fauteuil. Bientôt les quatre médecins sortirent du cabinet. Horace porta la parole et lui dit : « Ces messieurs ont unanimement reconnu la nécessité d'une application immédiate de sangsues à l'estomac, et l'urgence d'un traitement à la fois physique et moral. D'abord un régime diététique, afin de calmer l'irritation de votre organisme. »

Ici Brisset fit un signe d'approbation.

« Puis, un régime hygiénique pour régir votre moral. Ainsi nous vous conseillons unanimement d'aller aux eaux d'Aix en Savoie, ou à celles du Mont-Dore en Auvergne, si vous les préférez ; l'air et les sites de la Savoie sont plus agréables que ceux du Cantal[424], mais vous suivrez votre goût. »

Là, le docteur Caméristus laissa échapper un geste d'assentiment.

« Ces messieurs, reprit Bianchon, ayant reconnu de légères altérations dans l'appareil respiratoire, sont tombés d'accord sur l'utilité de mes prescriptions antérieures. Ils pensent que votre guérison est facile et dépendra de l'emploi sagement alternatif de ces divers moyens… Et…

– Et voilà pourquoi votre fille est muette[425], dit Raphaël en souriant et en attirant Horace dans son

---

424. Le Mont-Dore est évidemment dans le Puy-de-Dôme, et non pas dans le Cantal.

425. Allusion à la célèbre réplique de Sganarelle dans *Le Médecin malgré lui* de Molière (acte II, scène 6) : « Voilà justement ce qui fait que votre fille est muette. » Et confirmation explicite que Balzac n'a cessé de penser à Molière en écrivant le passage de la consultation, qui rappelle la consultation des médecins au début de l'acte II d'une autre comédie de Molière, *L'Amour médecin*.

cabinet pour lui remettre le prix de cette inutile consultation.

– Ils sont logiques, lui répondit le jeune médecin. Caméristus sent, Brisset examine, Maugredie doute. L'homme n'a-t-il pas une âme, un corps et une raison ? L'une de ces trois causes premières agit en nous d'une manière plus ou moins forte, et il y aura toujours de l'homme dans la science humaine. Crois-moi, Raphaël, nous ne guérissons pas, nous aidons à guérir. Entre la médecine de Brisset et celle de Caméristus, se trouve encore la médecine expectante[426] ; mais pour pratiquer celle-ci avec succès, il faudrait connaître son malade depuis dix ans. Il y a au fond de la médecine négation comme dans toutes les sciences. Tâche donc de vivre sagement, essaie d'un voyage en Savoie ; le mieux est et sera toujours de se confier à la nature. »

Un mois après, au retour de la promenade et par une belle soirée d'été[427], quelques-unes des personnes venues aux eaux d'Aix se trouvèrent réunies dans les salons du Cercle. Assis près d'une fenêtre et tournant le dos à l'assemblée, Raphaël resta longtemps seul, plongé dans une de ces rêveries machinales durant lesquelles nos pensées naissent, s'enchaînent, s'évanouissent sans revêtir de formes, et passent en nous comme de légers nuages à peine colorés. La tristesse est alors douce, la joie est vaporeuse, et l'âme est presque endormie. Se laissant aller à cette vie sensuelle, Valentin se baignait dans la tiède atmosphère du soir en savourant l'air pur et parfumé des montagnes, heureux de ne sentir aucune douleur et d'avoir

---

426. « Médecine expectante, celle qui, attendant que la nature agisse par elle-même, emploie des moyens peu actifs » (*Littré*).

427. Balzac a modifié son texte pour l'édition Delloye et Lecou (1838), il avait d'abord écrit « soirée de printemps », ce qui était bien plus satisfaisant : Raphaël est allé demander conseil aux savants vers la fin du mois de février, les médecins sont venus en consultation « quelques jours après », « un mois plus tard » nous devrions donc être au début d'avril.

enfin réduit au silence sa menaçante Peau de chagrin. Au moment où les teintes rouges du couchant s'éteignirent sur les cimes, la température fraîchit, il quitta sa place en poussant la fenêtre.

« Monsieur, lui dit une vieille dame, auriez-vous la complaisance de ne pas fermer la croisée ? Nous étouffons. »

Cette phrase déchira le tympan de Raphaël par des dissonances d'une aigreur singulière ; elle fut comme le mot que lâche imprudemment un homme à l'amitié duquel nous voulions croire, et qui détruit quelque douce illusion de sentiment en trahissant un abîme d'égoïsme. Le marquis jeta sur la vieille femme le froid regard d'un diplomate impassible, il appela un valet, et lui dit sèchement quand il arriva : « Ouvrez cette fenêtre ! »

À ces mots, une surprise insolite éclata sur tous les visages. L'assemblée se mit à chuchoter, en regardant le malade d'un air plus ou moins expressif, comme s'il eût commis quelque grave impertinence. Raphaël, qui n'avait pas entièrement dépouillé sa primitive timidité de jeune homme, eut un mouvement de honte ; mais il secoua sa torpeur, reprit son énergie et se demanda compte à lui-même de cette scène étrange. Soudain un rapide mouvement anima son cerveau, le passé lui apparut dans une vision distincte où les causes du sentiment qu'il inspirait saillirent en relief comme les veines d'un cadavre chez lequel, par quelque savante injection, les naturalistes colorent les moindres ramifications ; il se reconnut lui-même dans ce tableau fugitif, y suivit son existence, jour par jour, pensée à pensée ; il s'y vit, non sans surprise, sombre et distrait au sein de ce monde rieur, toujours songeant à sa destinée, préoccupé de son mal, paraissant dédaigner la causerie la plus insignifiante, fuyant ces intimités éphémères qui s'établissent promptement entre les voyageurs parce qu'ils comptent sans doute ne plus se rencontrer ; peu soucieux des autres, et semblable enfin à ces rochers insensibles aux caresses comme à la furie des vagues. Puis, par un rare privilège d'intuition, il lut dans toutes les âmes : en découvrant sous la lueur d'un flambeau le crâne jaune, le profil sardonique d'un vieillard, il se rappela de lui avoir gagné son argent sans lui avoir proposé de prendre sa revanche ; plus loin il aperçut une jolie femme dont les agaceries l'avaient trouvé froid ; chaque visage lui reprochait un de ces torts inexplicables en apparence, mais dont le crime gît toujours dans une invisible blessure faite à l'amour-propre. Il avait involontairement froissé toutes les petites vanités qui gravitaient autour de lui. Les convives de ses fêtes ou ceux auxquels il avait offert ses chevaux s'étaient irrités de son axe ; surpris de leur ingratitude, il leur avait épargné ces espèces d'humiliations : dès lors ils s'étaient crus méprisés et l'accusaient d'aristocratie. En sondant ainsi les cœurs, il put en déchiffrer les pensées les plus secrètes : il eut horreur de la société, de sa politesse, de son vernis. Riche et d'un esprit supérieur, il était envié, haï ; son silence trompait la curiosité, sa modestie semblait de la hauteur à ces gens mesquins et superficiels. Il devina le crime latent, irrémissible, dont il était coupable envers eux : il échappait à la juridiction de leur médiocrité. Rebelle à leur despotisme inquisiteur, il savait se passer d'eux ; pour se venger de cette royauté clandestine, tous s'étaient instinctivement ligués pour lui faire sentir leur pouvoir, le soumettre à quelque ostracisme, et lui apprendre qu'eux aussi pouvaient se passer de lui. Pris de pitié d'abord à cette vue du monde, il frémit bientôt en pensant à la souple puissance qui lui soulevait ainsi le voile de chair sous lequel est ensevelie la nature morale, et ferma les yeux comme pour ne plus rien voir. Tout à coup un rideau noir fut tiré sur cette sinistre fantasmagorie de vérité, mais il se trouva dans l'horrible isolement qui attend les puissances et les dominations. En ce moment, il eut un violent accès de toux. Loin de recueillir une seule de ces paroles indifférentes en apparence, mais qui du moins simulent une espèce de compassion polie chez les personnes de bonne compagnie rassemblées par hasard, il entendit des interjections hostiles et des plaintes murmurées à voix basse. La Société ne daignait même plus se grimer pour lui, parce qu'il la devinait peut-être. « Sa maladie est contagieuse. – Le président du Cercle devrait lui interdire l'entrée du salon. – En bonne police, il est vraiment défendu de tousser ainsi. – Quand un homme est aussi malade, il ne doit pas venir aux eaux. – Il me chassera d'ici. » Raphaël se leva pour se dérober à la malédiction générale, et se promena dans l'appartement. Il voulut trouver une protection, et revint près d'une jeune femme inoccupée à laquelle il médita d'adresser quelques flatteries ; mais, à son approche, elle lui tourna le dos, et feignit de regarder les danseurs. Raphaël craignit d'avoir déjà pendant cette soirée usé de son talisman ; il ne se sentit ni la volonté, ni le courage d'entamer la conversation, quitta le salon et se réfugia dans la salle de billard. Là, personne ne lui parla, ne le salua, ne lui jeta le plus léger regard de bienveillance. Son esprit naturellement méditatif lui révéla, par une intussusception[428], la cause générale et rationnelle de l'aversion qu'il avait excitée. Ce petit monde obéissait, sans le savoir peut-être, à la grande loi qui régit la haute société, dont la morale implacable se développa tout entière aux yeux de Raphaël. Un regard rétrograde lui en montra le type complet en Fœdora. Il ne devait pas rencontrer plus de sympathie pour ses maux chez celle-ci, que, pour ses misères de cœur, chez celle-là. Le beau monde bannit de son sein les malheureux, comme un homme de santé

---

428. Au sens propre, en physiologie, « acte par lequel les matières nutritives sont introduites dans l'intérieur des corps organisés, pour y être absorbées » (*Littré*). Mais plusieurs fois dans *La Comédie humaine* Balzac utilise ce mot comme synonyme d'« intuition ».

vigoureuse expulse de son corps un principe morbifique. Le monde abhorre les douleurs et les infortunes, il les redoute à l'égal des contagions, il n'hésite jamais entre elles et les vices : le vice est un luxe. Quelque majestueux que soit un malheur, la société sait l'amoindrir, le ridiculiser par une épigramme ; elle dessine des caricatures pour jeter à la tête des rois déchus les affronts qu'elle croit avoir reçus d'eux ; semblable aux jeunes Romaines du Cirque, elle ne fait jamais grâce au gladiateur qui tombe ; elle vit d'or et de moquerie ; *Mort aux faibles !* est le vœu de cette espèce d'ordre équestre institué chez toutes les nations de la terre, car il s'élève partout des riches, et cette sentence est écrite au fond des cœurs pétris par l'opulence ou nourris par l'aristocratie. Rassemblez-vous des enfants dans un collège ? Cette image en raccourci de la société, mais image d'autant plus vraie qu'elle est plus naïve et plus franche, vous offre toujours de pauvres ilotes [429], créatures de souffrance et de douleur, incessamment placées entre le mépris et la pitié : l'Évangile leur promet le ciel. Descendez-vous plus bas sur l'échelle des êtres organisés ? Si quelque volatile est endolori parmi ceux d'une basse-cour, les autres le poursuivent à coups de bec, le plument et l'assassinent. Fidèle à cette charte de l'égoïsme, le monde prodigue ses rigueurs aux misères assez hardies pour venir affronter ses fêtes, pour chagriner ses plaisirs. Quiconque souffre de corps ou d'âme, manque d'argent ou de pouvoir, est un Paria. Qu'il reste dans son désert ; s'il en franchit les limites, il trouve partout l'hiver : froideur de regards, froideur de manières, de paroles, de cœur ; heureux, s'il ne récolte pas l'insulte

429. « Nom que les Spartiates donnaient à leurs esclaves ; au sens figuré, celui qui est réduit dans une société au dernier état d'abjection ou d'ignorance » (*Littré*). Balzac développera ce thème des brimades subies au collège au début de *Louis Lambert*, et y reviendra encore dans les premières pages du *Lys dans la vallée*.

là où pour lui devait éclore une consolation. Mourants, restez sur vos lits désertés. Vieillards, soyez seuls à vos froids foyers. Pauvres filles sans dot, gelez et brûlez dans vos greniers solitaires. Si le monde tolère un malheur, n'est-ce pas pour le façonner à son usage, en tirer profit, le bâter, lui mettre un mors, une housse, le monter, en faire une joie ? Quinteuses demoiselles de compagnie, composez-vous de gais visages ! endurez les vapeurs de votre prétendue bienfaitrice ; portez ses chiens ; rivales de ses griffons anglais, amusez-la, devinez-la, puis taisez-vous ! Et toi, roi des valets sans livrée, parasite effronté, laisse ton caractère à la maison ; digère comme digère ton amphitryon, pleure de ses pleurs, ris de son rire, tiens ses épigrammes pour agréables ; si tu veux en médire, attends sa chute. Ainsi le monde honore-t-il le malheur : il le tue ou le chasse, l'avilit ou le châtre.

Ces réflexions sourdirent au cœur de Raphaël avec la promptitude d'une inspiration poétique ; il regarda autour de lui, et sentit ce froid sinistre que la société distille pour éloigner les misères, et qui saisit l'âme encore plus vivement que la bise de décembre ne glace le corps. Il se croisa les bras sur la poitrine, s'appuya le dos à la muraille, et tomba dans une mélancolie profonde. Il songeait au peu de bonheur que cette épouvantable police procure au monde. Qu'était-ce ? des amusements sans plaisir, de la gaieté sans joie, des fêtes sans jouissance, du délire sans volupté, enfin le bois ou les cendres d'un foyer, mais sans une étincelle de flamme. Quand il releva la tête, il se vit seul, les joueurs avaient fui. « Pour leur faire adorer ma toux, il me suffirait de leur révéler mon pouvoir ! » se dit-il. À cette pensée, il jeta le mépris comme un manteau entre le monde et lui.

Le lendemain, le médecin des eaux vint le voir d'un air affectueux et s'inquiéta de sa santé. Raphaël éprouva un mouvement de joie en entendant les paroles amies qui lui furent adressées. Il trouva la physionomie du docteur empreinte de douceur et de bonté, les boucles de sa perruque blonde respiraient la philanthropie, la coupe de son habit carré, les plis de son pantalon, ses souliers larges comme ceux d'un *quaker*[430], tout, jusqu'à la poudre circulairement semée par sa petite queue sur son dos légèrement voûté, trahissait un caractère apostolique, exprimait la charité chrétienne et le dévouement d'un homme qui, par zèle pour ses malades, s'était astreint à jouer le whist et le trictrac assez bien pour toujours gagner leur argent[431].

« Monsieur le marquis, dit-il après avoir causé longtemps avec Raphaël, je vais sans doute dissiper votre tristesse. Maintenant, je connais assez votre constitution pour affirmer que les médecins de Paris, dont les grands talents me sont connus, se sont trompés sur la nature de votre maladie. À moins d'accident, monsieur le marquis, vous pouvez vivre la vie de Mathusalem[432]. Vos poumons sont aussi forts que des soufflets de forge, et votre estomac ferait honte à celui d'une autruche ; mais si vous restez dans une température élevée, vous risquez d'être très proprement et promptement mis en terre sainte. Monsieur le marquis va me comprendre en deux mots. La chimie a démontré que la respiration constitue chez l'homme une véritable combustion dont le plus ou moins d'intensité dépend de l'affluence ou de la rareté des principes

---

430. Membre d'une secte protestante née en Angleterre vers 1650, qui prêchait le pacifisme, la philanthropie et la simplicité des mœurs.

431. Pierre Citron fait remarquer qu'on trouve déjà dans *Les Eaux de Saint-Ronan* de Walter Scott un personnage de médecin qui gagne au jeu l'argent de ses clients. La suite du texte prouve que Balzac, qui admirait ce roman, l'avait bel et bien à l'esprit en écrivant l'épisode du séjour aux eaux (cf. *infra*, note 436).

432. Comme chacun sait, ce patriarche antédiluvien, mentionné dans la Genèse, est fameux pour sa longévité : neuf cent soixante-neuf ans selon l'Ancien Testament, seulement sept cent vingt ans selon la Torah…

phlogistiques[433] amassés par l'organisme particulier à chaque individu. Chez vous, le phlogistique abonde ; vous êtes, s'il m'est permis de m'exprimer ainsi, suroxygéné par la complexion ardente des hommes destinés aux grandes passions. En respirant l'air vif et pur qui accélère la vie chez les hommes à fibre molle, vous aidez encore à une combustion déjà trop rapide. Une des conditions de votre existence est donc l'atmosphère épaisse des étables, des vallées. Oui, l'air vital de l'homme dévoré par le génie se trouve dans les gras pâturages de l'Allemagne, à Baden-Baden, à Tocplitz. Si vous n'avez pas d'horreur de l'Angleterre, sa sphère brumeuse calmera votre incandescence ; mais nos eaux situées à mille pieds au-dessus du niveau de la Méditerranée vous sont funestes. Tel est mon avis, dit-il en laissant échapper un geste de modestie ; je le donne contre nos intérêts, puisque, si vous le suivez, nous aurons le malheur de vous perdre. »

Sans ces derniers mots, Raphaël eût été séduit par la fausse bonhomie du mielleux médecin, mais il était trop profond observateur pour ne pas deviner à l'accent, au geste et au regard qui accompagnèrent cette phrase doucement railleuse, la mission dont le petit homme avait sans doute été chargé par l'assemblée de ses joyeux malades. Ces oisifs au teint fleuri, ces vieilles femmes ennuyées, ces Anglais nomades, ces petites-maîtresses échappées à leurs maris et conduites

---

433. Avant Lavoisier, on considérait que tout corps combustible contenait un principe, le « phlogistique », et que la combustion était l'échappement de ce phlogistique. C'est Lavoisier qui a montré que le phlogistique n'existait pas et que la combustion n'était pas le dégagement d'un principe, mais la combinaison d'un corps avec l'oxygène, qu'il s'agisse d'une combustion vive avec dégagement de chaleur et de lumière, ou de combustion lente, c'est-à-dire d'oxydation. C'est Lavoisier aussi qui le premier compara la respiration à une combustion ; Fourcroy et son élève Vauquelin le confirmèrent en 1790 en montrant que dans la respiration il y avait absorption d'oxygène et rejet de gaz carbonique.

aux eaux par leurs amants, entreprenaient donc d'en chasser un pauvre moribond débile, chétif, en apparence incapable de résister à une persécution journalière. Raphaël accepta le combat en voyant un amusement dans cette intrigue.

« Puisque vous seriez désolé de mon départ, répondit-il au docteur, je vais essayer de mettre à profit votre bon conseil tout en restant ici. Dès demain, j'y ferai construire une maison où nous modifierons l'air suivant votre ordonnance. »

Interprétant le sourire amèrement goguenard qui vint errer sur les lèvres de Raphaël, le médecin se contenta de le saluer, sans trouver un mot à lui dire.

Le lac du Bourget est une vaste coupe de montagnes tout ébréchée où brille, à sept ou huit cents pieds au-dessus de la Méditerranée, une goutte d'eau bleue comme ne l'est aucune eau dans le monde. Vu du haut de la Dent-du-Chat, ce lac est là comme une turquoise égarée. Cette jolie goutte d'eau a neuf lieues de contour, et dans certains endroits près de cinq cents pieds de profondeur. Être là dans une barque au milieu de cette nappe par un beau ciel, n'entendre que le bruit des rames, ne voir à l'horizon que des montagnes nuageuses, admirer les neiges étincelantes de la Maurienne française, passer tour à tour des blocs de granit vêtus de velours par des fougères ou par des arbustes nains, à de riantes collines ; d'un côté le désert, de l'autre une riche nature ; un pauvre assistant au dîner d'un riche ; ces harmonies et ces discordances composent un spectacle où tout est grand, où tout est petit. L'aspect des montagnes change les conditions de l'optique et de la perspective : un sapin de cent pieds vous semble un roseau, de larges vallées vous apparaissent étroites autant que des sentiers. Ce lac est le seul où l'on puisse faire une confidence de cœur à cœur. On y pense et on y aime. En aucun endroit vous ne rencontreriez une plus belle entente entre l'eau, le ciel, les montagnes et la terre. Il s'y trouve des baumes pour toutes les crises de la vie. Ce lieu garde le secret des douleurs, il les console, les amoindrit, et jette dans l'amour je ne sais quoi de grave, de recueilli, qui rend la passion plus profonde, plus pure. Un baiser s'y agrandit. Mais c'est surtout le lac des souvenirs ; il les favorise en leur donnant la teinte de ses ondes, miroir où tout vient se réfléchir. Raphaël ne supportait son fardeau qu'au milieu de ce beau paysage, il y pouvait rester indolent, songeur, et sans désirs. Après la visite du docteur, il alla se promener et se fit débarquer à la pointe déserte d'une jolie colline sur laquelle est situé le village de Saint-Innocent [434]. De cette espèce de promontoire, la vue embrasse les monts de Bugey, au pied desquels coule le Rhône, et le fond du lac ; mais de là Raphaël aimait à contempler, sur la rive opposée, l'abbaye mélancolique de Hautecombe, sépulture des rois de Sardaigne prosternés devant les montagnes comme des pèlerins arrivés au terme de leur voyage. Un frissonnement égal et cadencé de rames troubla le silence de ce paysage et lui prêta une voix monotone, semblable aux psalmodies des moines. Étonné de rencontrer des promeneurs dans cette partie du lac ordinairement solitaire, le marquis examina, sans sortir de sa rêverie, les personnes assises dans la barque, et reconnut à l'arrière la vieille dame qui l'avait si durement interpellé la veille. Quand le bateau passa devant Raphaël, il ne fut salué que par la demoiselle de compagnie de cette dame, pauvre fille noble qu'il lui semblait voir pour la première fois. Déjà, depuis quelques

---

434. Avant l'édition Gosselin de 1833, cette évocation du lac du Bourget (où Balzac semble se souvenir du *Lac* de Lamartine) n'existait pas, le chapitre XLIX de l'édition originale commençait simplement ainsi : « Le lendemain, après avoir côtoyé le lac du Bourget, en faisant sa promenade habituelle, Valentin s'était assis au pied d'un arbre d'où il pouvait contempler son point de vue favori, l'abbaye mélancolique de Haute-Combe [...]. » C'est que Balzac ne connaissait pas le lac du Bourget avant de séjourner à Aix-les-Bains en septembre 1832 auprès de la duchesse de Castries, dont il rechercha en vain les faveurs.

instants, il avait oublié les promeneurs, promptement disparus derrière le promontoire, lorsqu'il entendit près de lui le frôlement d'une robe et le bruit de pas légers. En se retournant, il aperçut la demoiselle de compagnie ; à son air contraint, il devina qu'elle voulait lui parler, et s'avança vers elle. Âgée d'environ trente-six ans, grande et mince, sèche et froide, elle était, comme toutes les vieilles filles, assez embarrassée de son regard, qui ne s'accordait plus avec une démarche indécise, gênée, sans élasticité. Tout à la fois vieille et jeune, elle exprimait par une certaine dignité de maintien le haut prix qu'elle attachait à ses trésors et à ses perfections. Elle avait d'ailleurs les gestes discrets et monastiques des femmes habituées à se chérir elles-mêmes, sans doute pour ne pas faillir à leur destinée d'amour.

« Monsieur, votre vie est en danger, ne venez plus au Cercle, dit-elle à Raphaël en faisant quelques pas en arrière, comme si déjà sa vertu se trouvait compromise.

– Mais, mademoiselle, répondit Valentin en souriant, de grâce expliquez-vous plus clairement, puisque vous avez daigné venir jusqu'ici…

– Ah ! reprit-elle, sans le puissant motif qui m'amène, je n'aurais pas risqué d'encourir la disgrâce de Mme la comtesse, car si elle savait jamais que je vous ai prévenu…

– Et qui le lui dirait, mademoiselle ? s'écria Raphaël.

– C'est vrai, répondit la vieille fille en lui jetant le regard tremblotant d'une chouette mise au soleil. Mais pensez à vous, reprit-elle ; plusieurs jeunes gens qui veulent vous chasser des eaux se sont promis de vous provoquer, de vous forcer à vous battre en duel. »

La voix de la vieille dame retentit dans le lointain.

« Mademoiselle, dit le marquis, ma reconnaissance… »

Sa protectrice s'était déjà sauvée en entendant la voix de sa maîtresse qui, derechef, glapissait dans les rochers.

« Pauvre fille ! les misères s'entendent et se secourent toujours », pensa Raphaël en s'asseyant au pied de son arbre.

La clef de toutes les sciences est sans contredit le point d'interrogation, nous devons la plupart des grandes découvertes au : « Comment ? » et la sagesse dans la vie consiste peut-être à se demander à tout propos : « Pourquoi ? » Mais aussi cette factice prescience détruit-elle nos illusions. Ainsi, Valentin ayant pris, sans préméditation de philosophie, la bonne action de la vieille fille pour texte de ses pensées vagabondes, la trouva pleine de fiel.

« Que je sois aimé d'une demoiselle de compagnie, se dit-il, il n'y a rien là d'extraordinaire : j'ai vingt-sept ans, un titre et deux cent mille livres de rente ! Mais que sa maîtresse, qui dispute aux chattes la palme de l'hydrophobie, l'ait menée en bateau, près de moi, n'est-ce pas chose étrange et merveilleuse ? Ces deux femmes, venues en Savoie pour y dormir comme des marmottes, et qui demandent à midi s'il est jour, se seraient levées avant huit heures aujourd'hui pour faire du hasard en se mettant à ma poursuite ? »

Bientôt cette vieille fille et son ingénuité quadragénaire fut à ses yeux une nouvelle transformation de ce monde artificieux et taquin, une ruse mesquine, un complot maladroit, une pointillerie[435] de prêtre ou de femme. Le duel était-il une fable, ou voulait-on seulement lui faire peur ? Insolentes et tracassières comme des mouches, ces âmes étroites avaient réussi à piquer sa vanité, à réveiller son orgueil, à exciter sa curiosité. Ne voulant ni devenir leur dupe, ni passer pour un lâche, et amusé peut-être par ce petit drame, il vint au Cercle le soir même. Il se tint debout, accoudé sur le

---

435. « Picoterie, contestation sur des bagatelles » (*Littré*).

marbre de la cheminée, et resta tranquille au milieu du salon principal, en s'étudiant à ne donner aucune prise sur lui ; mais il examinait les visages, et défiait en quelque sorte l'assemblée par sa circonspection. Comme un dogue sûr de sa force, il attendait le combat chez lui, sans aboyer inutilement. Vers la fin de la soirée, il se promena dans le salon de jeu, en allant de la porte d'entrée à celle du billard, où il jetait de temps à autre un coup d'œil aux jeunes gens qui y faisaient une partie. Après quelques tours, il s'entendit nommer par eux. Quoiqu'ils parlassent à voix basse, Raphaël devina facilement qu'il était devenu l'objet d'un débat, et finit par saisir quelques phrases dites à haute voix. « Toi ? – Oui, moi ! – Je t'en défie ! – Parions ? – Oh ! il ira. » Au moment où Valentin, curieux de connaître le sujet du pari, s'arrêta pour écouter attentivement la conversation, un jeune homme grand et fort, de bonne mine, mais ayant le regard fixe et impertinent des gens appuyés sur quelque pouvoir matériel, sortit du billard.

« Monsieur, dit-il d'un ton calme, en s'adressant à Raphaël, je me suis chargé de vous apprendre une chose que vous semblez ignorer : votre figure et votre personne déplaisent ici à tout le monde, et à moi en particulier ; vous êtes trop poli pour ne pas vous sacrifier au bien général, et je vous prie de ne plus vous présenter au Cercle.

– Monsieur, cette plaisanterie, déjà faite sous l'Empire dans plusieurs garnisons, est devenue aujourd'hui de fort mauvais ton, répondit froidement Raphaël.

– Je ne plaisante pas, reprit le jeune homme, je vous le répète : votre santé souffrirait beaucoup de votre séjour ici ; la chaleur, les lumières, l'air du salon, la compagnie nuisent à votre maladie.

– Où avez-vous étudié la médecine ? demanda Raphaël.

– Monsieur, j'ai été reçu bachelier au tir de Lepage à Paris, et docteur chez Cérisier, le roi du fleuret[436].

– Il vous reste un dernier grade à prendre, répliqua Valentin, étudiez le Code de la politesse, vous serez un parfait gentilhomme. »

En ce moment les jeunes gens, souriant ou silencieux, sortirent du billard. Les autres joueurs, devenus attentifs, quittèrent leurs cartes pour écouter une querelle qui réjouissait leurs passions. Seul au milieu de ce monde ennemi, Raphaël tâcha de conserver son sang-froid et de ne pas se donner le moindre tort ; mais son antagoniste s'étant permis un sarcasme où l'outrage s'enveloppait dans une forme éminemment incisive et spirituelle, il lui répondit gravement : « Monsieur, il n'est plus permis aujourd'hui de donner un soufflet à un homme, mais je ne sais de quel mot flétrir une conduite aussi lâche que l'est la vôtre.

– Assez ! assez ! vous vous expliquerez demain », dirent plusieurs jeunes gens qui se jetèrent entre les deux champions.

Raphaël sortit du salon, passant pour l'offenseur, ayant accepté un rendez-vous près du château de Bordeau, dans une petite prairie en pente, non loin d'une route nouvellement percée par où le vainqueur pouvait gagner Lyon. Raphaël devait nécessairement ou garder le lit ou quitter les eaux d'Aix. La société triomphait. Le lendemain, sur les huit heures du matin, l'adversaire de Raphaël, suivi de deux témoins et d'un chirurgien, arriva le premier sur le terrain.

« Nous serons très bien ici, il fait un temps superbe pour se battre, s'écria-t-il gaiement en regardant la voûte bleue du ciel, les eaux du lac et les rochers sans

---

436. Lepage, armurier rue de Richelieu, avait son stand de tir rue Marbeuf, près des Champs-Élysées ; le nom de Cerisier évoque celui de Grisier, célèbre maître d'armes du faubourg Montmartre. Notons que Tyrrel, le héros des *Eaux de Saint-Ronan* de Walter Scott, se voyait lui aussi provoqué en duel (cf. *supra*, note 431).

la moindre arrière-pensée de doute ni de deuil. Si je le touche à l'épaule, dit-il en continuant, le mettrai-je bien au lit pour un mois, hein ! docteur ?

– Au moins, répondit le chirurgien. Mais laissez ce petit saule tranquille ; autrement vous vous fatigueriez la main, et ne seriez plus maître de votre coup. Vous pourriez tuer votre homme au lieu de le blesser. »

Le bruit d'une voiture se fit entendre.

« Le voici », dirent les témoins qui bientôt aperçurent dans la route une calèche de voyage attelée de quatre chevaux et menée par deux postillons.

« Quel singulier genre ! s'écria l'adversaire de Valentin, il vient se faire tuer en poste. »

À un duel comme au jeu, les plus légers incidents influent sur l'imagination des acteurs fortement intéressés au succès d'un coup ; aussi le jeune homme attendit-il avec une sorte d'inquiétude l'arrivée de cette voiture qui resta sur la route. Le vieux Jonathas en descendit lourdement le premier pour aider Raphaël à sortir ; il le soutint de ses bras débiles, en déployant pour lui les soins minutieux qu'un amant prodigue à sa maîtresse. Tous deux se perdirent dans les sentiers qui séparaient la grande route de l'endroit désigné pour le combat, et ne reparurent que longtemps après : ils allaient lentement. Les quatre spectateurs de cette scène singulière éprouvèrent une émotion profonde à l'aspect de Valentin appuyé sur le bras de son serviteur : pâle et défait, il marchait en goutteux, baissait la tête et ne disait mot. Vous eussiez dit de deux vieillards également détruits, l'un par le temps, l'autre par la pensée ; le premier avait son âge écrit sur ses cheveux blancs, le jeune n'avait plus d'âge.

« Monsieur, je n'ai pas dormi », dit Raphaël à son adversaire.

Cette parole glaciale et le regard terrible qui l'accompagna firent tressaillir le véritable provocateur, il eut la conscience de son tort et une honte secrète de sa conduite. Il y avait dans l'attitude, dans le son de voix et le geste de Raphaël quelque chose d'étrange. Le marquis fit une pause, et chacun imita son silence. L'inquiétude et l'attention étaient au comble.

« Il est encore temps, reprit-il, de me donner une légère satisfaction ; mais donnez-la-moi, monsieur, sinon vous allez mourir. Vous comptez en ce moment sur votre habileté, sans reculer à l'idée d'un combat où vous croyez avoir tout l'avantage. Eh bien, monsieur, je suis généreux, je vous préviens de ma supériorité. Je possède une terrible puissance. Pour anéantir votre adresse, pour voiler vos regards, faire trembler vos mains et palpiter votre cœur, pour vous tuer même, il me suffit de le désirer. Je ne veux pas être obligé d'exercer mon pouvoir, il me coûte trop cher d'en user. Vous ne serez pas le seul à mourir. Si donc vous vous refusez à me présenter des excuses, votre balle ira dans l'eau de cette cascade malgré votre habitude de l'assassinat, et la mienne droit à votre cœur sans que je le vise[437]. »

En ce moment des voix confuses interrompirent Raphaël. En prononçant ces paroles, le marquis avait constamment dirigé sur son adversaire l'insupportable clarté de son regard fixe, il s'était redressé en montrant un visage impassible, semblable à celui d'un fou méchant.

« Fais-le taire, avait dit le jeune homme à son témoin, sa voix me tord les entrailles !

– Monsieur, cessez. Vos discours sont inutiles, crièrent à Raphaël le chirurgien et les témoins.

---

437. Là encore, Balzac se souvient de *Melmoth* de Maturin, comme l'a montré Moïse Le Yaouanc (cf. *supra*, note 65) : en fait, il transpose ni plus ni moins le récit du combat à l'épée qui oppose don Fernand, frère d'Isadora, à Melmoth. Comme l'Espagnol attaque l'Anglais, celui-ci veut l'épargner et le met en garde : « Jeune homme ! dit-il d'une voix terrible, si je tourne ce fer contre vous, votre mort est inévitable. Soyez donc plus sage, et laissez-nous passer. » Don Fernand ignore l'avertissement, l'assaille, et sans le moindre effort Melmoth le transperce.

– Messieurs, je remplis un devoir. Ce jeune homme a-t-il des dispositions à prendre ?

– Assez, assez ! »

Le marquis resta debout, immobile, sans perdre un instant de vue son adversaire qui, dominé par une puissance presque magique, était comme un oiseau devant un serpent : contraint de subir ce regard homicide, il le fuyait, il revenait sans cesse.

« Donne-moi de l'eau, j'ai soif, dit-il à son témoin.

– As-tu peur ?

– Oui, répondit-il. L'œil de cet homme est brûlant et me fascine.

– Veux-tu lui faire des excuses ?

– Il n'est plus temps. »

Les deux adversaires furent placés à quinze pas l'un de l'autre. Ils avaient chacun près d'eux une paire de pistolets, et, suivant le programme de cette cérémonie, ils devaient tirer deux coups à volonté, mais après le signal donné par les témoins.

« Que fais-tu, Charles ? cria le jeune homme qui servait de second à l'adversaire de Raphaël, tu prends la balle avant la poudre.

– Je suis mort, répondit-il en murmurant, vous m'avez mis en face du soleil.

– Il est derrière vous », lui dit Valentin d'une voix grave et solennelle en chargeant son pistolet lentement sans s'inquiéter ni du signal donné, ni du soin avec lequel l'ajustait son adversaire.

Cette sécurité surnaturelle avait quelque chose de terrible qui saisit même les deux postillons amenés là par une curiosité cruelle. Jouant avec son pouvoir, ou voulant l'éprouver, Raphaël parlait à Jonathas et le regardait au moment où il essuya le feu de son ennemi. La balle de Charles alla briser une branche de saule, et ricocha sur l'eau. En tirant au hasard, Raphaël atteignit son adversaire au cœur, et, sans faire attention à la chute de ce jeune homme, il chercha promptement la Peau de chagrin pour voir ce que lui coûtait une vie humaine. Le talisman n'était plus grand que comme une petite feuille de chêne.

« Eh bien, que regardez-vous donc là, postillons ? en route », dit le marquis.

Arrivé le soir même en France [438], il prit aussitôt la route d'Auvergne, et se rendit aux eaux du Mont-Dore. Pendant ce voyage, il lui surgit au cœur une de ces pensées soudaines qui tombent dans notre âme comme un rayon de soleil à travers d'épais nuages sur quelque obscure vallée. Tristes lueurs, sagesses implacables ! elles illuminent les événements accomplis, nous dévoilent nos fautes et nous laissent sans pardon devant nous-mêmes. Il pensa tout à coup que la possession du pouvoir, quelque immense qu'il pût être, ne donnait pas la science de s'en servir. Le sceptre est un jouet pour un enfant, une hache pour Richelieu [439], et pour Napoléon un levier à faire pencher le monde. Le pouvoir nous laisse tels que nous sommes et ne grandit que les grands. Raphaël avait pu tout faire, il n'avait rien fait.

Aux eaux du Mont-Dore, il retrouva ce monde qui toujours s'éloignait de lui avec l'empressement que les animaux mettent à fuir l'un des leurs, étendu mort, après l'avoir flairé de loin. Cette haine était réciproque. Sa dernière aventure lui avait donné une aversion profonde pour la société. Aussi son premier soin fut-il de chercher un asile écarté aux environs des eaux. Il sentait instinctivement le besoin de se rapprocher de la nature, des émotions vraies et de cette vie végétative à laquelle nous nous laissons si complaisamment aller au milieu des champs. Le lendemain de son arrivée, il gravit, non sans peine, le pic de Sancy,

---

438. La Savoie était rattachée au royaume de Sardaigne (cf. *supra*, note 24).

439. Richelieu n'hésita pas à faire décapiter ceux qui avaient conspiré contre lui : Montmorency, Cinq-Mars, de Thou, Chalais.

et visita les vallées supérieures, les sites aériens, les lacs ignorés, les rustiques chaumières des Monts-Dore, dont les âpres et sauvages attraits commencent à tenter les pinceaux de nos artistes [440]. Parfois, il se rencontre là d'admirables paysages pleins de grâce et de fraîcheur qui contrastent vigoureusement avec l'aspect sinistre de ces montagnes désolées. À peu près à une demi-lieue du village, Raphaël se trouva dans un endroit où, coquette et joyeuse comme un enfant, la nature semblait avoir pris plaisir à cacher des trésors ; en voyant cette retraite pittoresque et naïve, il résolut d'y vivre. La vie devait y être tranquille, spontanée, frugiforme [441] comme celle d'une plante.

Figurez-vous un cône renversé, mais un cône de granit largement évasé, espèce de cuvette dont les bords étaient morcelés par des anfractuosités bizarres : ici des tables droites sans végétation, unies, bleuâtres, et sur lesquelles les rayons solaires glissaient comme sur un miroir ; là des rochers entamés par des cassures, ridés par des ravins, d'où pendaient des quartiers de lave dont la chute était lentement préparée par les eaux pluviales, et souvent couronnés de quelques arbres rabougris que torturaient les vents ; puis, çà et là, des redans obscurs et frais d'où s'élevait un bouquet de châtaigniers hauts comme des cèdres ou des grottes jaunâtres qui ouvraient une bouche noire et profonde, palissée de ronces [442], de fleurs, et garnie

---

440. Balzac ne connaissait pas l'Auvergne, et l'on ne connaît pas sa documentation ; mais il semble probable qu'il a eu connaissance du premier des deux volumes des *Voyages pittoresques et romantiques dans l'ancienne France* de Charles Nodier et du baron Taylor consacrés à l'Auvergne (Firmin Didot imprimeur, 1829), et s'est inspiré du chapitre et des planches consacrés au Mont-Dore pour la description qui va suivre. Par ailleurs, plusieurs paysages d'Auvergne ont été exposés au Salon entre 1827 et 1831, Pierre Citron en a relevé la présence dans les catalogues.

441. Littéralement, « en forme de fruit ». Les dictionnaires ne connaissent que « frugifère », qui serait plus approprié ici.

442. Dont les parois sont tapissées de ronces.

d'une langue de verdure. Au fond de cette coupe, peut-être l'ancien cratère d'un volcan, se trouvait un étang dont l'eau pure avait l'éclat du diamant. Autour de ce bassin profond, bordé de granit, de saules, de glaïeuls, de frênes, et de mille plantes aromatiques alors en fleurs, régnait une prairie verte comme un boulingrin anglais ; son herbe fine et jolie était arrosée par les infiltrations qui ruisselaient entre les fentes des rochers, et engraissée par les dépouilles végétales que les orages entraînaient sans cesse des hautes cimes vers le fond. Irrégulièrement taillé en dents de loup comme le bas d'une roche, l'étang pouvait avoir trois arpents[443] d'étendue ; selon les rapprochements des rochers et de l'eau, la prairie avait un arpent ou deux de largeur ; en quelques endroits, à peine restait-il assez de place pour le passage des vaches. À une certaine hauteur, la végétation cessait. Le granit affectait dans les airs les formes les plus bizarres, et contractait ces teintes vaporeuses qui donnent aux montagnes élevées de vagues ressemblances avec les nuages du ciel. Au doux aspect du vallon, ces rochers nus et pelés opposaient les sauvages et stériles images de la désolation, des éboulements à craindre, des formes si capricieuses que l'une de ces roches est nommée *le Capucin*, tant elle ressemble à un moine. Parfois ces aiguilles pointues, ces piles audacieuses, ces cavernes aériennes s'illuminaient tour à tour, suivant le cours du soleil ou les fantaisies de l'atmosphère, et prenaient les nuances de l'or, se teignaient de pourpre, devenaient d'un rose vif, ou ternes ou grises. Ces hauteurs offraient un spectacle continuel et changeant comme les reflets irisés de la gorge des pigeons. Souvent, entre deux lames de lave que vous eussiez dit séparées par un coup de hache, un beau rayon de lumière pénétrait, à l'aurore

---

443. Cette ancienne mesure agraire était très variable : l'arpent de Paris valait environ un tiers d'hectare, celui des Eaux et Forêts environ un demi-hectare. Gageons que cet étang fait environ un hectare.

ou au coucher du soleil, jusqu'au fond de cette riante corbeille où il se jouait dans les eaux du bassin, semblable à la raie d'or qui perce la fente d'un volet et traverse une chambre espagnole, soigneusement close pour la sieste. Quand le soleil planait au-dessus du vieux cratère, rempli d'eau par quelque révolution antédiluvienne, les flancs rocailleux s'échauffaient, l'ancien volcan s'allumait, et sa rapide chaleur réveillait les germes, fécondait la végétation, colorait les fleurs, et mûrissait les fruits de ce petit coin de terre ignoré. Lorsque Raphaël y parvint, il aperçut quelques vaches paissant dans la prairie ; après avoir fait quelques pas vers l'étang, il vit, à l'endroit où le terrain avait le plus de largeur, une modeste maison bâtie en granit et couverte en bois. Le toit de cette espèce de chaumière, en harmonie avec le site, était orné de mousses, de lierres et de fleurs qui trahissaient une haute antiquité. Une fumée grêle, dont les oiseaux ne s'effrayaient plus, s'échappait de la cheminée en ruine. À la porte, un grand banc était placé entre deux chèvrefeuilles énormes, rouges de fleurs et qui embaumaient. À peine voyait-on les murs sous les pampres de la vigne et sous les guirlandes de roses et de jasmin qui croissaient à l'aventure et sans gêne. Insouciants de cette parure champêtre, les habitants n'en avaient nul soin, et laissaient à la nature sa grâce vierge et lutine. Des langes accrochés à un groseillier séchaient au soleil. Il y avait un chat accroupi sur une machine à teiller[444] le chanvre, et dessous, un chaudron jaune, récemment récuré, gisait au milieu de quelques pelures de pommes de terre. De l'autre côté de la maison, Raphaël aperçut une clôture d'épines sèches, destinée sans doute à empêcher les poules de dévaster les fruits

---

444. « Tiller », ou « teiller », c'est détacher avec la main le filament du chanvre, en brisant la « chènevotte », le brin de chanvre dépouillé de son écorce (*Littré*).

et le potager. Le monde paraissait finir là. Cette habitation ressemblait à ces nids d'oiseaux ingénieusement fixés au creux d'un rocher, pleins d'art et de négligence tout ensemble. C'était une nature naïve et bonne, une rusticité vraie, mais poétique, parce qu'elle florissait à mille lieues de nos poésies peignées, n'avait d'analogie avec aucune idée, ne procédait que d'elle-même, vrai triomphe du hasard. Au moment où Raphaël arriva, le soleil jetait ses rayons de droite à gauche, et faisait resplendir les couleurs de la végétation, mettait en relief ou décorait des prestiges de la lumière, des oppositions de l'ombre, les fonds jaunes et grisâtres des rochers, les différents verts des feuillages, les masses bleues, rouges ou blanches des fleurs, les plantes grimpantes et leurs cloches, le velours chatoyant des mousses, les grappes purpurines de la bruyère, mais surtout la nappe d'eau claire où se réfléchissaient fidèlement les cimes granitiques, les arbres, la maison et le ciel. Dans ce tableau délicieux, tout avait son lustre, depuis le mica brillant jusqu'à la touffe d'herbes blondes cachée dans un doux clair-obscur ; tout y était harmonieux à voir : et la vache tachetée au poil luisant, et les fragiles fleurs aquatiques étendues comme des franges qui pendaient au-dessus de l'eau dans un enfoncement où bourdonnaient les insectes vêtus d'azur ou d'émeraude, et les racines d'arbres, espèces de chevelures sablonneuses qui couronnaient une informe figure en cailloux. Les tièdes senteurs des eaux, des fleurs et des grottes qui parfumaient ce réduit solitaire causèrent à Raphaël une sensation presque voluptueuse. Le silence majestueux qui régnait dans ce bocage, oublié peut-être sur les rôles du percepteur, fut interrompu tout à coup par les aboiements de deux chiens. Les vaches tournèrent la tête vers l'entrée du vallon, montrèrent à Raphaël leurs mufles humides, et se mirent à brouter après l'avoir stupidement contemplé. Suspendus dans les rochers comme par magie, une chèvre et son chevreau cabriolèrent et vinrent se poser sur une table de granit près de Raphaël, en paraissant l'interroger. Les jappements des chiens attirèrent au-dehors un gros enfant qui resta béant, puis vint un vieillard en cheveux blancs et de moyenne taille. Ces deux êtres étaient en rapport avec le paysage, avec l'air, les fleurs et la maison. La santé débordait dans cette nature plantureuse, la vieillesse et l'enfance y étaient belles ; enfin il y avait dans tous ces types d'existence un laisser-aller primordial, une routine de bonheur qui donnait un démenti à nos capucinades[445] philosophiques, et guérissait le cœur de ses passions boursouflées. Le vieillard appartenait aux modèles affectionnés par les mâles pinceaux de Schnetz[446] ; c'était un visage brun dont les rides nombreuses paraissaient rudes au toucher, un nez droit, des pommettes saillantes et veinées de rouge comme une vieille feuille de vigne, des contours anguleux, tous les caractères de la force, même là où la force avait disparu ; ses mains calleuses, quoiqu'elles ne travaillassent plus, conservaient un poil blanc et rare ; son attitude d'homme vraiment libre faisait pressentir qu'en Italie il serait peut-être devenu brigand par amour pour sa précieuse liberté. L'enfant, véritable montagnard, avait des yeux noirs qui pouvaient envisager le soleil sans cligner, un teint de bistre, des cheveux bruns en désordre. Il était leste et décidé, naturel dans ses mouvements comme un oiseau ; mal vêtu, il laissait voir une peau blanche et fraîche à travers les déchirures de ses habits. Tous deux restèrent debout et en silence, l'un près de l'autre, mus par le même sentiment, offrant sur leur physionomie la preuve d'une identité parfaite dans leur vie également oisive. Le vieillard avait épousé les jeux de

---

445. « Plate tirade de morale ou de dévotion » (*Littré*).
446. Balzac a probablement rencontré son ami le peintre Victor Schnetz (1787-1870), élève de David, Gros et Gérard, dans le salon de ce dernier ; il l'avait déjà cité dans *La Vendetta* comme peintre de genre.

l'enfant, et l'enfant l'humeur du vieillard par une espèce de pacte entre deux faiblesses, entre une force près de finir et une force près de se déployer. Bientôt une femme âgée d'environ trente ans apparut sur le seuil de la porte. Elle filait en marchant. C'était une Auvergnate, haute en couleur, l'air réjoui, franche, à dents blanches, figure de l'Auvergne, taille d'Auvergne, coiffure, robe d'Auvergne, seins rebondis de l'Auvergne, et son parler ; une idéalisation complète du pays, mœurs laborieuses, ignorance, économie, cordialité, tout y était.

Elle salua Raphaël, ils entrèrent en conversation ; les chiens s'apaisèrent, le vieillard s'assit sur un banc au soleil, et l'enfant suivit sa mère partout où elle alla, silencieux, mais écoutant, examinant l'étranger.

« Vous n'avez pas peur ici, ma bonne femme ?

– Et d'où que nous aurions peur, monsieur ? Quand nous barrons l'entrée, qui donc pourrait venir ici ? Oh ! nous n'avons point peur ! D'ailleurs, dit-elle en faisant entrer le marquis dans la grande chambre de la maison, qu'est-ce que les voleurs viendraient donc prendre chez nous ? »

Elle montrait des murs noircis par la fumée, sur lesquels étaient pour tout ornement ces images enluminées de bleu, de rouge et de vert [447], qui représentent la *Mort de Crédit*, la *Passion de Jésus-Christ* et les *Grenadiers de la Garde impériale* ; puis, çà et là, dans la chambre, un vieux lit de noyer à colonnes, une table à pieds tordus, des escabeaux, la huche au pain, du lard pendu au plancher, du sel dans un pot, une poêle ; et sur la cheminée, des plâtres jaunis et colorés [448]. En

---

447. C'est-à-dire des images d'Épinal.

448. Pierre Citron a montré dans un article de la *Revue d'histoire littéraire de la France* (1959) que Balzac utilise ici des souvenirs… tourangeaux ! Dans un texte intitulé *Scène de village*, qu'il n'a jamais publié, Balzac décrivait une vieille chaumière qu'il avait vue au cours d'une promenade faite de Tours à Sache le 25 juillet 1830, et dont l'intérieur est celui-là même qui est décrit ici. Il réutilisera certains éléments de cette description pour la masure de Vergniaud dans *Le Colonel Chabert*, et pour la chaumière de la femme Martin dans *Le Médecin de campagne*.

sortant de la maison, Raphaël aperçut, au milieu des rochers, un homme qui tenait une houe à la main, et qui penché, curieux, regardait la maison.

« Monsieur, c'est l'homme, dit l'Auvergnate en laissant échapper ce sourire familier aux paysannes ; il laboure là-haut.

– Et ce vieillard est votre père ?

– Faites excuse, monsieur, c'est le grand-père de notre homme. Tel que vous le voyez, il a cent deux ans [449]. Eh ben ! dernièrement il a mené, à pied, notre petit gars à Clermont ! Ç'a été un homme fort ; maintenant, il ne fait plus que dormir, boire et manger. Il s'amuse toujours avec le petit gars. Quelquefois, le petit l'emmène dans les hauts, il y va tout de même. »

Aussitôt Valentin se résolut à vivre entre ce vieillard et cet enfant, à respirer dans leur atmosphère, à manger de leur pain, à boire de leur eau, à dormir de leur sommeil, à se faire de leur sang dans les veines. Caprice de mourant ! Devenir une des huîtres de ce rocher, sauver son écaille pour quelques jours de plus en engourdissant la mort, fut pour lui l'archétype de la morale individuelle, la véritable formule de l'existence humaine, le beau idéal de la vie, la seule vie, la vraie vie. Il lui vint au cœur une profonde pensée d'égoïsme où s'engloutit l'univers. À ses yeux, il n'y eut plus d'univers, l'univers passa tout en lui. Pour les malades, le monde commence au chevet et finit au pied de leur lit. Ce paysage fut le lit de Raphaël.

Qui n'a pas, une fois dans sa vie, espionné les pas et démarches d'une fourmi, glissé des pailles dans l'unique orifice par lequel respire une limace blonde, étudié les fantaisies d'une demoiselle [450] fluette, admiré les mille veines, colorées comme une rose de cathédrale gothique, qui se détachent sur le fond rougeâtre des

---

449. L'âge emblématique de la longévité dans le roman (cf. *supra*, note 79) – et le support de l'une de ses nombreuses symétries.
450. Libellule.

feuilles d'un jeune chêne ? Qui n'a délicieusement regardé pendant longtemps l'effet de la pluie et du soleil sur un toit de tuiles brunes, ou contemplé les gouttes de rosée, les pétales des fleurs, les découpures variées de leurs calices ? Qui ne s'est plongé dans ces rêveries matérielles, indolentes et occupées, sans but et conduisant néanmoins à quelque pensée ? Qui n'a pas enfin mené la vie de l'enfance, la vie paresseuse, la vie du sauvage, moins ses travaux ? Ainsi vécut Raphaël pendant plusieurs jours, sans soins[451], sans désirs, éprouvant un mieux sensible, un bien-être extraordinaire, qui calma ses inquiétudes, apaisa ses souffrances. Il gravissait les rochers, et allait s'asseoir sur un pic d'où ses yeux embrassaient quelque paysage d'immense étendue. Là, il restait des journées entières comme une plante au soleil, comme un lièvre au gîte. Ou bien, se familiarisant avec les phénomènes de la végétation, avec les vicissitudes du ciel, il épiait le progrès de toutes les œuvres, sur la terre, dans les eaux ou dans l'air. Il tenta de s'associer au mouvement intime de cette nature, et de s'identifier assez complètement à sa passive obéissance, pour tomber sous la loi despotique et conservatrice qui régit les existences instinctives. Il ne voulait plus être chargé de lui-même. Semblable à ces criminels d'autrefois, qui, poursuivis par la justice, étaient sauvés s'ils atteignaient l'ombre d'un autel, il essayait de se glisser dans le sanctuaire de la vie. Il réussit à devenir partie intégrante de cette large et puissante fructification : il avait épousé les intempéries de l'air, habité tous les creux de rochers, appris les mœurs et les habitudes de toutes les plantes, étudié le régime des eaux, leurs gisements, et fait connaissance avec les animaux ; enfin, il s'était si parfaitement uni à cette terre animée, qu'il en avait en quelque sorte saisi l'âme et pénétré les secrets. Pour lui, les formes infinies de tous les règnes étaient les

451. Sans soucis.

développements d'une même substance, les combinaisons d'un même mouvement [452], vaste respiration d'un être immense qui agissait, pensait, marchait, grandissait, et avec lequel il voulait grandir, marcher, penser, agir. Il avait fantastiquement mêlé sa vie à la vie de ce rocher, il s'y était implanté. Grâce à ce mystérieux illuminisme [453], convalescence factice, semblable à ces bienfaisants délires accordés par la nature comme autant de haltes dans la douleur, Valentin goûta les plaisirs d'une seconde enfance durant les premiers moments de son séjour au milieu de ce riant paysage. Il y allait dénichant des riens, entreprenant mille choses sans en achever aucune, oubliant le lendemain les projets de la veille, insouciant ; il fut heureux, il se crut sauvé. Un matin, il était resté par hasard au lit jusqu'à midi, plongé dans cette rêverie mêlée de veille et de sommeil, qui prête aux réalités les apparences de la fantaisie et donne aux chimères le relief de l'existence, quand tout à coup, sans savoir d'abord s'il ne continuait pas un rêve, il entendit, pour la première fois, le bulletin de sa santé donné par son hôtesse à Jonathas, venu, comme chaque jour, le lui demander. L'Auvergnate croyait sans doute Valentin encore endormi, et n'avait pas baissé le diapason de sa voix montagnarde.

« Ça ne va pas mieux, ça ne va pas pis, disait-elle. Il a encore toussé pendant toute cette nuit à rendre l'âme. Il tousse, il crache, ce cher monsieur, que c'est une pitié. Je me demandons, moi et mon homme, où il prend la force de tousser comme ça. Ça fend le cœur. Quelle damnée maladie qu'il a ! C'est qu'il n'est point bien du tout ! J'avons toujours peur de le trouver crevé dans son lit, un matin. Il est vraiment pâle comme un Jésus de cire ! Dame, je le vois quand il se lève, eh ben, son pauvre corps est maigre comme un cent de clous.

---

452. Cf. *supra*, note 411 et texte correspondant.

453. Au sens général d'« opinions chimériques des illuminés » (*Littré*).

Et il ne sent déjà pas bon tout de même ! ça lui est égal, il se consume à courir comme s'il avait de la santé à vendre. Il a bien du courage tout de même de ne pas se plaindre. Mais, vraiment, il serait mieux en terre qu'en pré, car il souffre la passion de Dieu ! Je ne le désirons pas, monsieur, ce n'est point notre intérêt. Mais il ne nous donnerait pas ce qu'il nous donne que je l'aimerions tout de même : ce n'est point l'intérêt qui nous pousse. Ah ! mon Dieu ! reprit-elle, il n'y a que les Parisiens pour avoir de ces chiennes de maladies-là ! Où qui prennent ça, donc ? Pauvre jeune homme, il est sûr qu'il ne peut guère ben finir. C'te fièvre, voyez-vous, ça vous le mine, ça le creuse, ça le ruine ! Il ne s'en doute point. Il ne le sait point, monsieur. Il ne s'aperçoit de rien. Faut pas pleurer pour ça, monsieur Jonathas ! il faut se dire qu'il sera heureux de ne plus souffrir. Vous devriez faire une neuvaine pour lui. J'avons vu de belles guérisons par les neuvaines, et je paierions bien un cierge pour sauver une si douce créature, si bonne, un agneau pascal. »

La voix de Raphaël était devenue trop faible pour qu'il pût se faire entendre, il fut donc obligé de subir cet épouvantable bavardage. Cependant l'impatience le chassa de son lit, il se montra sur le seuil de la porte : « Vieux scélérat, cria-t-il à Jonathas, tu veux donc être mon bourreau ? » La paysanne crut voir un spectre et s'enfuit.

« Je te défends, dit Raphaël en continuant, d'avoir la moindre inquiétude sur ma santé.

– Oui, monsieur le marquis, répondit le vieux serviteur en essuyant ses larmes.

– Et tu feras même fort bien, dorénavant, de ne pas venir ici sans mon ordre. »

Jonathas voulut obéir ; mais, avant de se retirer, il jeta sur le marquis un regard fidèle et compatissant où Raphaël lut son arrêt de mort. Découragé, rendu tout à coup au sentiment vrai de sa situation, Valentin s'assit sur le seuil de la porte, se croisa les bras sur la poitrine et baissa la tête. Jonathas, effrayé, s'approcha de son maître.

« Monsieur ?

– Va-t'en ! va-t'en ! » lui cria le malade.

Pendant la matinée du lendemain, Raphaël, ayant gravi les rochers, s'était assis dans une crevasse pleine de mousse d'où il pouvait voir le chemin étroit par lequel on venait des eaux à son habitation. Au bas du pic, il aperçut Jonathas conversant derechef avec l'Auvergnate. Une malicieuse puissance lui interpréta les hochements de tête, les gestes désespérants, la sinistre naïveté de cette femme, et lui en jeta même les fatales paroles dans le vent et dans le silence. Pénétré d'horreur, il se réfugia sur les plus hautes cimes des montagnes et y resta jusqu'au soir, sans avoir pu chasser les sinistres pensées, si malheureusement réveillées dans son cœur par le cruel intérêt dont il était devenu l'objet. Tout à coup l'Auvergnate elle-même se dressa soudain devant lui comme une ombre dans l'ombre du soir ; par une bizarrerie de poète, il voulut trouver, dans son jupon rayé de noir et de blanc, une vague ressemblance avec les côtes desséchées d'un spectre.

« Voilà le serein[454] qui tombe, mon cher monsieur, lui dit-elle. Si vous restiez là, vous vous avanceriez ni plus ni moins qu'un fruit patrouillé[455]. Faut rentrer. Ça n'est pas sain de humer la rosée, avec ça que vous n'avez rien pris depuis ce matin.

– Par le tonnerre de Dieu, s'écria-t-il, vieille sorcière, je vous ordonne de me laisser vivre à ma guise, ou je décampe d'ici. C'est bien assez de me creuser ma fosse tous les matins, au moins ne la fouillez pas le soir.

– Votre fosse ! monsieur ! Creuser votre fosse ! Où qu'elle est donc, votre fosse ? Je voudrions vous voir

454. « Humidité fine, pénétrante, généralement peu abondante, qui tombe après le coucher du soleil, ordinairement pendant la saison chaude et sans qu'il y ait de nuages au ciel » (*Littré*).

455. *Patrouiller*, c'est « manier malproprement » des fruits. Il faut donc comprendre : se gâter comme un fruit talé.

bastant[456] comme notre père, et point dans la fosse ! La fosse ! nous y sommes toujours assez tôt, dans la fosse.

– Assez, dit Raphaël.

– Prenez mon bras, monsieur.

– Non. »

Le sentiment que l'homme supporte le plus difficilement est la pitié, surtout quand il la mérite. La haine est un tonique, elle fait vivre, elle inspire la vengeance ; mais la pitié tue, elle affaiblit encore notre faiblesse. C'est le mal devenu patelin, c'est le mépris dans la tendresse, ou la tendresse dans l'offense. Raphaël trouva chez le centenaire une pitié triomphante, chez l'enfant une pitié curieuse, chez la femme une pitié tracassière, chez le mari une pitié intéressée ; mais, sous quelque forme que ce sentiment se montrât, il était toujours gros de mort. Un poète fait de tout un poème, terrible ou joyeux, suivant les images qui le frappent ; son âme exaltée rejette les nuances douces, et choisit toujours les couleurs vives et tranchées. Cette pitié produisit au cœur de Raphaël un horrible poème de deuil et de mélancolie. Il n'avait pas songé sans doute à la franchise des sentiments naturels, quand il désira se rapprocher de la nature. Lorsqu'il se croyait seul sous un arbre, aux prises avec une quinte opiniâtre dont il ne triomphait jamais sans sortir abattu par cette terrible lutte, il voyait les yeux brillants et fluides du petit garçon, placé en vedette[457] sous une touffe d'herbes, comme un sauvage, et qui l'examinait avec cette enfantine curiosité dans laquelle il y a autant de raillerie que de plaisir, et je ne sais quel intérêt mêlé d'insensibilité. Le terrible : *Frère, il faut mourir*, des trappistes, semblait constamment écrit dans les yeux des paysans avec lesquels vivait

456. Vieux mot : avoir les forces « assez bastantes », c'était être « assez solide ».

457. En sentinelle, en observation.

Raphaël ; il ne savait ce qu'il craignait le plus de leurs paroles naïves ou de leur silence ; tout en eux le gênait. Un matin, il vit deux hommes vêtus de noir qui rôdèrent autour de lui, le flairèrent, et l'étudièrent à la dérobée ; puis, feignant d'être venus là pour se promener, ils lui adressèrent des questions banales auxquelles il répondit brièvement. Il reconnut en eux le médecin et le curé des eaux, sans doute envoyés par Jonathas, consultés par ses hôtes ou attirés par l'odeur d'une mort prochaine. Il entrevit alors son propre convoi, il entendit le chant des prêtres, il compta les cierges, et ne vit plus qu'à travers un crêpe les beautés de cette riche nature, au sein de laquelle il croyait avoir rencontré la vie. Tout ce qui naguère lui annonçait une longue existence lui prophétisait maintenant une fin prochaine. Le lendemain, il partit pour Paris, après avoir été abreuvé des souhaits mélancoliques et cordialement plaintifs que ses hôtes lui adressèrent.

Après avoir voyagé durant toute la nuit, il s'éveilla dans l'une des plus riantes vallées du Bourbonnais, dont les sites et les points de vue tourbillonnaient devant lui, rapidement emportés comme les images vaporeuses d'un songe. La nature s'étalait à ses yeux avec une cruelle coquetterie. Tantôt l'Allier déroulait sur une riche perspective son ruban liquide et brillant, puis des hameaux modestement cachés au fond d'une gorge de rochers jaunâtres montraient la pointe de leurs clochers ; tantôt les moulins d'un petit vallon se découvraient soudain après des vignobles monotones, et toujours apparaissaient de riants châteaux, des villages suspendus, ou quelques routes bordées de peupliers majestueux ; enfin la Loire et ses longues nappes diamantées reluisirent au milieu de ses sables dorés. Séductions sans fin ! La nature agitée, vivace comme un enfant, contenant à peine l'amour et la sève du mois de juin, attirait fatalement les regards éteints du malade. Il leva les persiennes de sa voiture, et se remit à dormir. Vers le soir, après avoir passé Cosne, il fut réveillé par une joyeuse musique et se trouva devant une fête de village. La poste était située près de la place. Pendant le temps que les postillons mirent à relayer[458] sa voiture, il vit les danses de cette population joyeuse, les filles parées de fleurs, jolies, agaçantes, les jeunes gens animés, puis les trognes des vieux paysans gaillardement rougies par le vin. Les petits enfants se rigolaient[459], les vieilles femmes parlaient en riant, tout avait une voix, et le plaisir enjolivait même les habits et les tables dressées. La place et l'église offraient une physionomie de bonheur ; les toits, les fenêtres, les portes mêmes du village semblaient s'être endimanchés aussi. Semblable aux moribonds impatients du moindre bruit, Raphaël ne put réprimer une sinistre interjection, ni le désir d'imposer silence à ces violons, d'anéantir ce mouvement, d'assourdir ces clameurs, de dissiper cette fête insolente. Il monta tout chagrin dans sa voiture. Quand il regarda sur la place, il vit la joie effarouchée, les paysannes en fuite et les bancs déserts. Sur l'échafaud de l'orchestre, un ménétrier aveugle continuait à jouer sur sa clarinette une ronde criarde. Cette musique sans danseurs, ce vieillard solitaire au profil grimaud[460], en haillons, les cheveux épars, et caché dans l'ombre d'un tilleul, était comme une image fantastique du souhait de Raphaël. Il tombait à torrents une de ces fortes pluies que les nuages électriques du mois de juin versent brusquement et qui finissent de même. C'était chose si naturelle, que Raphaël, après avoir regardé dans le ciel quelques nuages blanchâtres emportés par un grain de vent, ne songea pas à regarder sa Peau de

---

458. « Prendre des relais de chevaux frais » (*Littré*).
459. S'amusaient. On rencontre souvent cette forme pronominale chez Rabelais ; le *Littré* en donne encore un exemple chez Rousseau (avec une connotation libertine), mais c'était un franc archaïsme en 1830, de ces archaïsmes auxquels Balzac se plaira dans les *Contes drolatiques*.
460. « Faire la grime », c'était faire la moue.

chagrin. Il se remit dans le coin de sa voiture, qui bientôt roula sur la route.

Le lendemain il se trouva chez lui, dans sa chambre, au coin de sa cheminée. Il s'était fait allumer un grand feu, il avait froid ; Jonathas lui apporta des lettres, elles étaient toutes de Pauline. Il ouvrit la première sans empressement, et la déplia comme si c'eût été le papier grisâtre d'une sommation sans frais envoyée par le percepteur. Il lut la première phrase : « Parti, mais c'est une fuite, mon Raphaël. Comment ! personne ne peut me dire où tu es ? Et si je ne le sais pas, qui donc le saurait ? » Sans vouloir en apprendre davantage, il prit froidement les lettres et les jeta dans le foyer, en regardant d'un œil terne et sans chaleur les jeux de la flamme qui tordait le papier parfumé, le racornissait, le retournait, le morcelait.

Des fragments roulèrent sur les cendres en lui laissant voir des commencements de phrase, des mots, des pensées à demi brûlées, et qu'il se plut à saisir dans la flamme par un divertissement machinal.

« ... Assise à ta porte... attendu... Caprice... j'obéis... Des rivales... moi, non ! ... ta Pauline... aime... plus de Pauline donc ? ... Si tu avais voulu me quitter, tu ne m'aurais pas abandonnée... Amour éternel... Mourir... »

Ces mots lui donnèrent une sorte de remords : il saisit les pincettes et sauva des flammes un dernier lambeau de lettre.

« ... J'ai murmuré, disait Pauline, mais je ne me suis pas plainte, Raphaël ? En me laissant loin de toi, tu as sans doute voulu me dérober le poids de quelques chagrins. Un jour, tu me tueras peut-être, mais tu es trop bon pour me faire souffrir. Eh bien, ne pars plus ainsi. Va, je puis affronter les plus grands supplices, mais près de toi. Le chagrin que tu m'imposerais ne serait plus un chagrin : j'ai dans le cœur encore bien plus d'amour que je ne t'en ai montré. Je puis tout supporter, hors de pleurer loin de toi, et de ne pas savoir ce que tu… »

Raphaël posa sur la cheminée ce débris de lettre noirci par le feu, puis il le rejeta tout à coup dans le foyer[461]. Ce papier était une image trop vive de son amour et de sa fatale vie.

« Va chercher M. Bianchon », dit-il à Jonathas.

Horace vint et trouva Raphaël au lit.

« Mon ami, peux-tu me composer une boisson légèrement opiacée qui m'entretienne dans une somnolence continuelle, sans que l'emploi constant de ce breuvage me fasse mal ?

– Rien n'est plus aisé, répondit le jeune docteur ; mais il faudra cependant rester debout quelques heures de la journée, pour manger.

– Quelques heures, dit Raphaël en l'interrompant, non, non, je ne veux être levé que durant une heure au plus.

– Quel est donc ton dessein ? demanda Bianchon.

– Dormir, c'est encore vivre », répondit le malade.

« Ne laisse entrer personne, fût-ce même Mlle Pauline de Witschnau », dit Valentin à Jonathas pendant que le médecin écrivait son ordonnance.

« Eh bien, monsieur Horace, y a-t-il de la ressource ? demanda le vieux domestique au jeune docteur qu'il avait reconduit jusqu'au perron.

– Il peut aller encore longtemps, ou mourir ce soir. Chez lui, les chances de vie et de mort sont égales. Je n'y comprends rien, répondit le médecin en laissant échapper un geste de doute. Il faut le distraire.

– Le distraire ! monsieur, vous ne le connaissez pas. Il a tué l'autre jour un homme sans dire ouf ! Rien ne le distrait. »

---

461. Nous prenons, avec P. Citron et J. A. Ducowneau, la liberté de rétablir l'adverbe *puis*, qui disparut malencontreusement du texte lors de l'édition Dellay et Lecar (1838).

Raphaël demeura pendant quelques jours plongé dans le néant de son sommeil factice. Grâce à la puissance matérielle exercée par l'opium sur notre âme immatérielle, cet homme d'imagination si puissamment active s'abaissa jusqu'à la hauteur de ces animaux paresseux qui croupissent au sein des forêts, sous la forme d'une dépouille végétale, sans faire un pas pour saisir une proie facile. Il avait même éteint la lumière du ciel, le jour n'entrait plus chez lui. Vers les huit heures du soir, il sortait de son lit : sans avoir une conscience lucide de son existence, il satisfaisait sa faim, puis se recouchait aussitôt. Ses heures froides et ridées ne lui apportaient que de confuses images, des apparences, des clairs-obscurs sur un fond noir. Il s'était enseveli dans un profond silence, dans une négation de mouvement et d'intelligence. Un soir, il se réveilla beaucoup plus tard que de coutume, et ne trouva pas son dîner servi. Il sonna Jonathas.

« Tu peux partir, lui dit-il. Je t'ai fait riche, tu seras heureux dans tes vieux jours ; mais je ne veux plus te laisser jouer ma vie. Comment ! misérable, je sens la faim. Où est mon dîner ? réponds. »

Jonathas laissa échapper un sourire de contentement, prit une bougie dont la lumière tremblotait dans l'obscurité profonde des immenses appartements de l'hôtel ; il conduisit son maître redevenu machine à une vaste galerie et en ouvrit brusquement la porte. Aussitôt Raphaël, inondé de lumière, fut ébloui, surpris par un spectacle inouï. C'était ses lustres chargés de bougies, les fleurs les plus rares de sa serre artistement disposées, une table étincelante d'argenterie, d'or, de nacre, de porcelaines ; un repas royal, fumant, et dont les mets appétissants irritaient les houppes nerveuses du palais. Il vit ses amis convoqués, mêlés à des femmes parées et ravissantes, la gorge nue, les épaules découvertes, les chevelures pleines de fleurs, les yeux brillants, toutes de beautés diverses, agaçantes sous de voluptueux travestissements : l'une avait dessiné ses formes attrayantes par une jaquette irlandaise, l'autre portait la basquina[462] lascive des Andalouses ; celle-ci, demi-nue en Diane chasseresse, celle-là, modeste et amoureuse sous le costume de Mlle de La Vallière[463], étaient également vouées à l'ivresse. Dans les regards de tous les convives brillaient la joie, l'amour, le plaisir. Au moment où la morte figure de Raphaël se montra dans l'ouverture de la porte, une acclamation soudaine éclata, rapide, rutilante comme les rayons de cette fête improvisée. Les voix, les parfums, la lumière, ces femmes d'une pénétrante beauté frappèrent tous ses sens, réveillèrent son appétit. Une délicieuse musique, cachée dans un salon voisin, couvrit par un torrent d'harmonie ce tumulte enivrant, et compléta cette étrange vision. Raphaël se sentit la main pressée par une main chatouilleuse, une main de femme dont les bras frais et blancs se levaient pour le serrer, la main d'Aquilina. Il comprit que ce tableau n'était pas vague et fantastique comme les fugitives images de ses rêves décolorés, il poussa un cri sinistre, ferma brusquement la porte, et flétrit son vieux serviteur en le frappant au visage.

« Monstre, tu as donc juré de me faire mourir ? » s'écria-t-il. Puis, tout palpitant du danger qu'il venait de courir, il trouva des forces pour regagner sa chambre, but une forte dose de sommeil et se coucha.

« Que diable ! dit Jonathas en se relevant, M. Bianchon m'avait cependant bien ordonné de le distraire. »

Il était environ minuit. À cette heure, Raphaël, par un de ces caprices physiologiques, l'étonnement et le désespoir des sciences médicales, resplendissait de beauté pendant son sommeil. Un rose vif colorait ses joues blanches. Son front gracieux comme celui d'une

---

462. La basquine (en espagnol, *basquina*) est une « sorte de jupe riche et élégante que portent les femmes basques et espagnoles » (*Littré*).

463. La maîtresse de Louis XIV (1644-1710), qui aima sincèrement le roi et continua de l'aimer même après qu'elle eut perdu ses faveurs.

jeune fille exprimait le génie. La vie était en fleurs sur ce visage tranquille et reposé. Vous eussiez dit d'un jeune enfant endormi sous la protection de sa mère. Son sommeil était un bon sommeil, sa bouche vermeille laissait passer un souffle égal et pur ; il souriait transporté sans doute par un rêve dans une belle vie. Peut-être était-il centenaire, peut-être ses petits-enfants lui souhaitaient-ils de longs jours ; peut-être de son banc rustique, sous le soleil, assis sous le feuillage, apercevait-il, comme le prophète, en haut de la montagne, la terre promise, dans un bienfaisant lointain !

« Te voilà donc ! »

Ces mots, prononcés d'une voix argentine, dissipèrent les figures nuageuses de son sommeil. À la lueur de la lampe, il vit assise sur son lit sa Pauline, mais Pauline embellie par l'absence et par la douleur. Raphaël resta stupéfait à l'aspect de cette figure blanche comme les pétales d'une fleur des eaux, et qui, accompagnée de longs cheveux noirs, semblait encore plus blanche dans l'ombre. Des larmes avaient tracé leur route brillante sur ses joues, et y restaient suspendues, prêtes à tomber au moindre effort. Vêtue de blanc, la tête penchée et foulant à peine le lit, elle était là comme un ange descendu des cieux, comme une apparition qu'un souffle pouvait faire disparaître.

« Ah ! j'ai tout oublié, s'écria-t-elle au moment où Raphaël ouvrit les yeux. Je n'ai de voix que pour te dire : “Je suis à toi !” Oui, mon cœur est tout amour. Ah ! jamais, ange de ma vie, tu n'as été si beau. Tes yeux foudroient. Mais je devine tout, va ! Tu as été chercher la santé sans moi, tu me craignais… Eh bien.

– Fuis, fuis, laisse-moi, répondit enfin Raphaël d'une voix sourde. Mais va-t'en donc. Si tu restes là, je meurs. Veux-tu me voir mourir ?

– Mourir ! répéta-t-elle. Est-ce que tu peux mourir sans moi. Mourir, mais tu es jeune ! Mourir, mais je t'aime ! Mourir ! » ajouta-t-elle d'une voix profonde et gutturale en lui prenant les mains par un mouvement de folie.

« Froides, dit-elle. Est-ce une illusion ? »

Raphaël tira de dessous son chevet le lambeau de la Peau de chagrin, fragile et petit comme la feuille d'une pervenche, et le lui montrant : « Pauline, belle image de ma vie, disons-nous adieu, dit-il.

– Adieu ? répéta-t-elle d'un air surpris.

– Oui. Ceci est un talisman qui accomplit mes désirs, et représente ma vie. Vois ce qu'il m'en reste. Si tu me regardes encore, je vais mourir... »

La jeune fille crut Valentin devenu fou, elle prit le talisman, et alla chercher la lampe. Éclairée par la lueur vacillante qui se projetait également sur Raphaël et sur le talisman, elle examina très attentivement et le visage de son amant et la dernière parcelle de la Peau magique. En la voyant belle de terreur et d'amour, il ne fut plus maître de sa pensée : les souvenirs des scènes caressantes et des joies délirantes de sa passion triomphèrent dans son âme depuis longtemps endormie, et s'y réveillèrent comme un foyer mal éteint.

« Pauline, viens ! Pauline ! »

Un cri terrible sortit du gosier de la jeune fille, ses yeux se dilatèrent, ses sourcils, violemment tirés par une douleur inouïe, s'écartèrent avec horreur, elle lisait dans les yeux de Raphaël un de ces désirs furieux, jadis sa gloire à elle ; mais à mesure que grandissait ce désir, la Peau, en se contractant, lui chatouillait la main. Sans réfléchir, elle s'enfuit dans le salon voisin dont elle ferma la porte.

« Pauline ! Pauline ! cria le moribond en courant après elle, je t'aime, je t'adore, je te veux ! Je te maudis, si tu ne m'ouvres ! Je veux mourir à toi ! »

Par une force singulière, dernier éclat de vie, il jeta la porte à terre, et vit sa maîtresse à demi nue se roulant sur un canapé. Pauline avait tenté vainement de se déchirer le sein[464], et pour se donner une prompte mort, elle cherchait à s'étrangler avec son châle. « Si je meurs, il vivra ! » disait-elle en tâchant vainement de serrer le nœud. Ses cheveux étaient épars, ses épaules nues, ses vêtements en désordre, et dans cette lutte avec la mort, les yeux en pleurs, le visage enflammé, se tordant sous un horrible désespoir, elle présentait à Raphaël, ivre d'amour, mille beautés qui augmentèrent son délire ; il se jeta sur elle avec la légèreté d'un oiseau de proie, brisa le châle, et voulut la prendre dans ses bras.

Le moribond chercha des paroles pour exprimer le désir qui dévorait toutes ses forces ; mais il ne trouva que les sons étranglés du râle dans sa poitrine, dont chaque respiration creusée plus avant semblait partir de ses entrailles. Enfin, ne pouvant bientôt plus former de sons, il mordit Pauline au sein. Jonathas se présenta tout épouvanté des cris qu'il entendait, et tenta d'arracher à la jeune fille le cadavre sur lequel elle s'était accroupie dans un coin.

« Que demandez-vous ? dit-elle. Il est à moi, je l'ai tué, ne l'avais-je pas prédit[465] ? »

---

464. C'est-à-dire en style tragique, se poignarder, se percer la poitrine. Pierre Citron suggère (*Dans Balzac*, Seuil, 1986, p. 126) de voir dans ce bizarre accès de style noble un souvenir de la traduction du *Manfred* de Byron par Amédée Pichot (Balzac ne connaissait pas l'anglais et lisait Byron en traduction). Pichot fait dire à Manfred, évoquant la mort de sa sœur : « Son sang a coulé cependant ; j'ai vu son sein déchiré et je n'ai pu guérir ses blessures. » À propos de Manfred, cf. *supra*, note 351.

465. Pauline, on s'en souvient, avait en effet prédit à Raphaël que la femme qu'il aimerait le tuerait.

Épilogue

« Et que devint Pauline ?

– Ah ! Pauline, bien. Êtes-vous quelquefois resté par une douce soirée d'hiver devant votre foyer domestique, voluptueusement livré à des souvenirs d'amour ou de jeunesse en contemplant les rayures produites par le feu sur un morceau de chêne ? Ici la combustion dessine les cases rouges d'un damier, là elle miroite des velours ; de petites flammes bleues courent, bondissent et jouent sur le fond ardent du brasier. Vient un peintre inconnu qui se sert de cette flamme ; par un artifice unique, il trace au sein de ces flamboyantes teintes violettes ou empourprées une figure supernaturelle et d'une délicatesse inouïe, phénomène fugitif que le hasard ne recommencera jamais : c'est une femme aux cheveux emportés par le vent, et dont le profil respire une passion délicieuse : du feu dans le feu ! elle sourit, elle expire, vous ne la reverrez plus. Adieu fleur de la flamme, adieu principe incomplet, inattendu, venu trop tôt ou trop tard pour être quelque beau diamant.

– Mais Pauline ?

– Vous n'y êtes pas ? je recommence. Place ! place ! Elle arrive, la voici la reine des illusions, la femme qui passe comme un baiser, la femme vive comme un éclair, comme lui jaillie brûlante du ciel, l'être incréé, tout esprit, tout amour. Elle a revêtu je ne sais quel corps de flamme, ou pour elle la flamme s'est un moment animée ! Les lignes de ses formes sont d'une pureté qui vous dit qu'elle vient du ciel. Ne resplendit-elle pas comme un ange ? n'entendez-vous pas le frémissement aérien de ses ailes ? Plus légère que l'oiseau, elle s'abat près de vous et ses terribles yeux fascinent ; sa douce, mais puissante haleine attire vos lèvres par une force magique ; elle fuit et vous entraîne, vous ne sentez plus la terre. Vous voulez passer une seule fois votre main chatouillée, votre main fanatisée sur ce corps de neige, froisser ses cheveux d'or, baiser ses yeux étincelants. Une vapeur vous enivre, une musique enchanteresse vous charme. Vous tressaillez de tous vos nerfs, vous êtes tout désir, tout souffrance. Ô bonheur sans nom ! vous avez touché les lèvres de cette femme ; mais tout à coup une atroce douleur vous réveille. Ha ! ha ! votre tête a porté sur l'angle de votre lit, vous en avez embrassé l'acajou brun, les dorures froides, quelque bronze, un amour en cuivre.

– Mais, monsieur, Pauline !

– Encore ! Écoutez. Par une belle matinée, en partant de Tours, un jeune homme embarqué sur *La Ville d'Angers* tenait dans sa main la main d'une jolie femme [466]. Unis ainsi, tous deux admirèrent longtemps, au-dessus des larges eaux de la Loire, une blanche figure, artificiellement éclose au sein du brouillard comme un fruit des eaux et du soleil, ou comme un caprice des nuées et de l'air. Tour à tour ondine ou sylphide, cette fluide créature voltigeait dans les airs comme un mot vainement cherché qui court dans la mémoire sans se laisser saisir ; elle se promenait entre les îles, elle agitait sa tête à travers les hauts peupliers ; puis devenue gigantesque elle faisait ou resplendir les mille plis de sa robe, ou briller l'auréole décrite par le soleil autour de son visage ; elle planait sur les hameaux, sur les collines, et semblait défendre au bateau à vapeur de passer devant le château d'Ussé [467]. Vous eussiez dit le fantôme de la Dame des

---

466. Balzac lui-même avait, en 1830, descendu la Loire en bateau, de Tours à Nantes, en compagnie de Mme de Berny, pour se rendre ensuite au Croisic (voir la présentation).

467. Ce château, situé non loin du château de M. de Margonne à Saché, est « fameux par le roman du *Petit Jehan de Saintré* » (lettre à Mme Hanska, 29 mai 1833). Et la Dame des Belles Cousines n'est autre que la noble dame dont s'est épris le héros de ce roman d'Antoine de la Sale (vers 1386-vers 1462), roman d'observation – et histoire d'un « dés-

Belles Cousines qui voulait protéger son pays contre les invasions modernes.

– Bien, je comprends, ainsi de Pauline. Mais Fœdora ?

– Oh ! Fœdora, vous la rencontrerez. Elle était hier aux Bouffons, elle ira ce soir à l'Opéra, elle est partout, c'est, si vous voulez, la Société[468]. »

Paris, 1830-1831.

---

enchantement » : pour devenir un parfait chevalier et mériter l'amour de sa dame, le jeune et chimérique page est en effet parti guerroyer au loin, mais à son retour une cruelle désillusion l'attend : la belle a accepté les hommages d'un clerc assez grossier. L'amour courtois n'est plus ce qu'il était… Au début du XIXe siècle, plusieurs vaudevilles furent tirés de ce roman : *Le Petit Jehan de Saintré et la Dame des Belles Cousines* de Dumersan et Brazier (1817), *La Dame des Belles Cousines* d'Achille Danois (1823), et le roman venait d'être réédité en 1827.

468. Cette dernière phrase du roman définitif est le fruit de plusieurs ajouts successifs : elle s'achevait dans l'édition originale sur « elle ira ce soir à l'Opéra !… » Suivait alors une « moralité » (qui fut supprimée dès 1833, pour la troisième édition Gosselin) : « François Rabelais, docte et prude homme, bon Tourangeau, Chinonnais de plus, a dit : *les Thélémites estre grazdns mesnagiers de leur peau et sobres de chagrins.*
Admirable maxime ! – Insouciante ! – Égoïste ! – Morale éternelle !…
Le Pantagruel fut fait pour elle ; ou, elle, pour le Pantagruel.
L'auteur mérite d'être grandement vitupéré pour avoir osé mener un corbillard sans saulce, ni jambons, ni vin, ni paillardise, par les joyeux chemins de maître Alcofribas, le plus terrible des dériseurs, lui, dont l'immortelle satyre avait déjà pris, comme dans une serre, l'avenir et le passé de l'homme.
Mais cet ouvrage est la plus humble de toutes les pierres apportées pour le piédestal de sa statue par un pauvre Lanternois du doux pays de Touraine. »
Balzac a ensuite ajouté dans l'édition Werdet (1835) « elle est partout » – ainsi que l'indication de date : « À la Bouleaunière, avril 1831. »
Enfin, Balzac a ajouté le dernier membre de phrase « c'est, si vous voulez, la Société » dans le Furne corrigé (son exemplaire de l'édition Furne). Ce dernier ajout reprend la réflexion que Raphaël s'était déjà faite aux eaux, en se voyant rejeté par la bonne société : « Ce petit monde obéissait, sans le savoir peut-être, à la grande loi qui régit la haute société, dont la morale implacable se développa tout entière aux yeux de Raphaël. *Un regard rétrograde lui en montra le type complet chez Fœdora.* » Dans le Furne corrigé, Balzac modifiait aussi l'indication de date, qui devenait « Paris, 1830-1831 ».

ANNEXES

I

Le Dernier Napoléon, première version du début du roman, publié dans *La Caricature*, le 16 décembre 1830, sous la signature « Henri B… ».

Le Dernier Napoléon

Vers trois heures du soir, un jeune homme descendit, par le perron, dans le jardin du Palais-Royal à Paris. Il marcha lentement sous les tilleuls jaunes et chétifs de l'allée septentrionale, en levant la tête de temps en temps pour interroger par un regard les croisées des maisons de jeu. Mais l'heure à laquelle les fatales portes des antres silencieux doivent s'ouvrir n'avait sans doute pas encore sonné car il n'aperçut, à travers les vitres, que les employés oisifs et immobiles, dont les figures, toutes stéréotypées d'après un modèle ignoble et sinistre, ressemblaient à des larves attendant leur proie. Alors, le jeune homme ramena ses yeux vers la terre par un mouvement de mélancolie.

Sa marche indolente l'ayant conduit au jet d'eau, dont le soleil illuminait en ce moment les gerbes gracieuses, il en fit le tour, sans admirer les jeux colorés de la lumière, sans même contempler les mille facettes de l'eau qui frissonnait dans le bassin. Toute sa personne accusait une insouciance profonde des choses dont il était entouré. Un sourire amer et dédaigneux dessinait de légers plis dans les coins de sa bouche. Son extrême jeunesse donnait un intérêt pénible à l'expression de froide ironie fortement empreinte dans ses traits, et c'était un étrange contresens dans un visage animé de brillantes couleurs, dans un visage resplendissant de vie, étincelant de blancheur, un visage de vingt-cinq ans. Cette tête captivait l'attention. Il y avait sur ce front pâle quelque secret génie. Les formes étaient grêles et fines, les cheveux rares et blonds. Un éclat inusité scintillait dans ces yeux, tout endormis qu'ils étaient par la maladie ou par le chagrin…

À voir ce jeune homme, les poètes auraient cru à de longues études, à des nuits passées sous la lueur d'une lampe studieuse ; les médecins auraient soupçonné quelque maladie de cœur ou de poitrine en remarquant la rougeur des joues, le cercle jaune qui cernait les yeux, la rapidité de la respiration ; les observateurs l'eussent admiré ; les indifférents lui auraient marché sur le pied…

L'inconnu n'était ni bien ni mal mis. Ses vêtements n'annonçaient pas un homme favorisé de la fortune ; mais, pour surprendre les secrets d'une profonde misère, il fallait un physiologiste sagace qui sût deviner pourquoi l'habit avait été fermé avec tant de soin !

Le jeune homme alla s'appuyer sur un des treillages en fer qui entourent les massifs ; et, se croisant les bras sur la poitrine, il regarda les bâtiments, le jet d'eau et les passants d'un air triste mais résigné. Il y avait dans ce regard, dans cet abandon, bien des efforts trahis, bien des espérances trompées ; et dans la contraction des bras, un bien puissant courage. L'impassibilité du suicide siégeait sur ce visage. Aucune des curiosités de la vie ne tentait plus cette âme, tout à la fois turbulente et calme.

Le jeune homme tressaillit soudain ! Il avait, par une sorte de privilège infernal, entendu sonner l'heure, ouvrir les portes, retentir les escaliers… Il regarda les fenêtres de la maison de jeu. Des têtes d'homme allaient et venaient dans des salons… Il se redressa et marcha sans empressement ; il entra dans l'allée, sans fausse pudeur monta les escaliers, franchit la porte, et se trouva devant le tapis vert, plus tôt qu'il ne l'aurait voulu, tant les âmes fortes aiment une plaidailleuse incertitude !…

L'assemblée n'était pas nombreuse. Il y avait quelques vieillards à tête chenue, à cheveux blancs, assis autour de la table ; mais bien des chaises restaient vides… Un ou deux étrangers, dont les figures méridionales brûlaient de désespoir et d'avidité, tranchaient auprès de ces vieux visages experts des douleurs du jeu et semblables à d'anciens forçats, qui ne s'effraient plus des galères…

Les tailleurs et les banquiers immobiles jetaient sur les joueurs ce regard blême et assuré qui les tue... Les employés se promenaient nonchalamment. Sept ou huit spectateurs, rangés autour de la table, attendaient les scènes que les coups du sort, les figures des joueurs et le mouvement de l'or allaient leur donner. Ces désœuvrés étaient là, silencieux, attentifs... Ils venaient dans cette salle comme le peuple va à la Grève. Ils se regardèrent des yeux les uns les autres au moment où le jeune homme prit place devant une chaise, sans s'y asseoir.

« Faites le jeu !... » dit une voix grêle.

Chaque joueur ponta.

Le jeune homme jeta sur le tapis une pièce d'or qu'il tenait dans sa main, et ses yeux ardents allèrent alternativement des cartes à la pièce, de la pièce aux cartes. Les spectateurs n'aperçurent aucun symptôme d'émotion sur cette figure froide et résignée pendant le moment rapide que dura le plus violent combat par les angoisses duquel un cœur d'homme ait été torturé. Seulement l'inconnu ferma les yeux quand il eut perdu, et ses lèvres blanchirent ; mais il releva bientôt ses paupières, ses lèvres reprirent leur rougeur de corail, il regarda le râteau saisir sa dernière pièce d'or, affecta un air d'insouciance et disparut sans avoir cherché la moindre consolation sur les figures glacées des assistants.

Il descendit les escaliers en sifflant le *Di tanti palpiti*, si bas, si faiblement, que lui seul, peut-être, en entendait les notes ; puis il s'achemina vers les Tuileries d'un pas lent, irrésolu, ne voyant ni les maisons ni les passants, marchant comme au milieu du désert, n'écoutant qu'une voix – la voix de la mort – et perdu dans une méditation confuse où il n'y avait qu'une pensée...

Il traversa le jardin des Tuileries, en suivant le plus court chemin pour se rendre au Palais-Royal ; et, s'y arrêtant au point culminant des voûtes, son regard plongea jusqu'au fond de la Seine.

II

PRÉFACE DE BALZAC POUR LA PREMIÈRE ÉDITION, AOÛT 1831

Il y a sans doute beaucoup d'auteurs dont le caractère personnel est vivement reproduit par la nature de leurs compositions, et chez lesquels l'œuvre et l'homme sont une seule et même chose ; mais il est d'autres écrivains dont l'âme et les mœurs contrastent puissamment avec la forme et le fond de leurs ouvrages ; en sorte qu'il n'existe aucune règle positive pour reconnaître les divers degrés d'affinité qui se trouvent entre les pensées favorites d'un artiste et les fantaisies de ses compositions.

Cet accord ou ces disparates sont dus à une nature morale aussi bizarre, aussi secrète dans ses jeux que la nature est fantasque dans les caprices de la génération. La production des êtres organisés et des idées sont deux mystères incompris, et les ressemblances ou les différences complètes que ces deux sortes de créations peuvent offrir avec leurs auteurs prouvent peu de chose pour ou contre la légitimité paternelle.

Pétrarque, lord Byron, Hoffmann et Voltaire étaient les hommes de leur génie ; tandis que Rabelais, homme sobre, démentait les goinfreries de son style et les figures de son ouvrage… Il buvait de l'eau en vantant la *purée septembrale* [1], comme Brillat-Savarin mangeait fort peu tout en célébrant la bonne chère.

Il en fut ainsi de l'auteur moderne le plus original dont la Grande-Bretagne puisse se glorifier. Maturin, le prêtre auquel

1. C'est ainsi que Rabelais appelle le vin.

nous devons *Eva*, *Melmoth's*, *Bertram*[2], était coquet, galant, fêtait les femmes, et l'homme aux conceptions terribles devenait, le soir, un dameret, un *dandy.* Ainsi de Boileau, dont la conversation douce et polie ne répondait point à l'esprit satirique de son vers insolent. La plupart des poètes gracieux ont été des hommes fort insouciants de la grâce, pour eux-mêmes ; semblables aux sculpteurs, qui, sans cesse occupés à idéaliser les plus belles formes humaines, à traduire la volupté des lignes, à combiner les traits épars de la beauté, vont presque tous assez mal vêtus, dédaigneux de parure, gardant les types du beau dans leur âme, sans que rien transpire au-dehors.

Il est très facile de multiplier les exemples de ces désunions et de ces cohésions caractéristiques entre l'homme et sa pensée ; mais ce double fait est si constant qu'il serait puéril d'insister.

Y aurait-il donc une littérature possible, si le noble cœur de Schiller devait être soupçonné de quelque complicité avec François Moor[3], la plus exécrable conception, la plus profonde scélératesse que jamais dramatiste ait jetée sur la scène ?... Les auteurs tragiques les plus sombres n'ont-ils pas été généralement des gens fort doux et de mœurs patriarcales ? témoin le vénérable Ducis[4]. Aujourd'hui même, en voyant celui de nos Favart[5] qui traduit avec le plus de finesse, de grâce et d'esprit les nuances insaisissables de nos petites mœurs bourgeoises, vous diriez d'un bon paysan de la Beauce enrichi par une spéculation sur les bœufs.

Malgré l'incertitude des lois qui régissent la physiognomonie[6] littéraire, les lecteurs ne peuvent jamais rester impartiaux entre un livre et le poète. Involontairement, ils dessinent, dans leur pensée, une figure, bâtissent un homme, le supposent jeune

---

2. *Bertram ou le Château de Saint Aldobrand* (1816), première pièce de Maturin, fut soutenue par Walter Scott et Byron ; *Eva ou Amour et Religion* est un roman de 1818 ; *Melmoth, l'Homme errant*, roman de 1820, marque l'apogée du genre gothique.
3. Personnage odieux du drame de Schiller *Les Brigands* (1781).
4. Jean-François Ducis (1733-1816) écrivit des adaptations de Shakespeare et des tragédies aujourd'hui oubliées.
5. Charles Simon Favart, auteur dramatique (1710-1792). Selon Pierre Citron, c'est Eugène Scribe qui semble ici désigné.
6. Cf. note 157 du roman.

ou vieux, grand ou petit, aimable ou méchant. L'auteur une fois peint, tout est dit. *Leur siège est fait*[7] !

Et alors, vous êtes bossu à Orléans, blond à Bordeaux, fluet à Brest, gros et gras à Cambrai. Tel salon vous hait, tandis que dans tel autre, vous êtes porté aux nues. Ainsi, pendant que les Parisiens bafouaient Mercier[8], il était l'oracle des Russes à Saint-Pétersbourg. Vous devenez enfin un être multiple, espèce de créature imaginaire, habillée par un lecteur à sa fantaisie, et qu'il dépouille presque toujours de quelques mérites pour la revêtir de ses vices à lui. Aussi avez-vous quelquefois l'inappréciable avantage d'entendre dire :

« Je ne me le figurais pas *comme ça !…* »

Si l'auteur de ce livre avait à se louer des jugements erronés ainsi portés par le public, il se garderait bien de discuter ce singulier problème de physiologie scripturale. Il se serait très facilement résigné à passer pour un gentilhomme littéraire, de bonnes mœurs, vertueux, sage, bien vu en bon lieu. Par malheur, il est réputé vieux, à moitié roué, cynique, et, toutes les laideurs des sept péchés capitaux, quelques personnes les lui ont gravées sur la face sans même lui en reconnaître les mérites, car tout n'est pas vicieux dans le vice. Il a donc pleinement raison de dégauchir l'opinion publique faussée en son endroit.

Mais, tout bien pesé, il accepterait plus volontiers peut-être une mauvaise réputation méritée, qu'une mensongère renommée de vertu. Par le temps présent, qu'est-ce donc qu'une réputation littéraire ?… Une affiche rouge ou bleue collée à chaque coin de rue. Encore, quel poème sublime aura jamais la chance d'arriver à la popularité du Paraguay-Roux[9] et de je ne sais quelle Mixture[10] ?…

Le mal est venu d'un livre auquel il n'a point attaché son nom, mais qu'il avoue maintenant, puisqu'il y a péril à le signer.

---

7. Adaptation du mot célèbre de l'abbé de Vertot qui, alors qu'il rédigeait son *Histoire de l'ordre de Malte*, refusa des documents concernant le siège de Rhodes, en disant : « Mon siège est fait ! »

8. Sébastien Mercier (1740-1814), théoricien du théâtre, auteur de mélodrames, et observateur des mœurs obtint un succès européen avec son *Tableau de Paris* (1790), description de la société française à la veille de la Révolution.

9. Remède contre le mal de dents.

10. Allusion à la mixture brésilienne antiblennoragique du pharmacien Lepère, place Maubert à Paris, dont Balzac avait lui-même imprimé les prospectus publicitaires.

Cette œuvre est la *Physiologie du mariage*, attribuée par les uns à quelque vieux médecin, par d'autres, à un débauché courtisan de la Pompadour, ou à quelque misanthrope n'ayant plus aucune illusion, et qui, dans toute sa vie, n'avait pas rencontré une seule femme à respecter.

L'auteur s'est souvent amusé de ces erreurs et les agréait même comme autant d'éloges ; mais il croit aujourd'hui que si un écrivain doit se soumettre, sans mot dire, aux hasards des réputations purement littéraires, il ne lui est pas permis d'accepter avec la même résignation une calomnie qui entache son caractère d'homme. Une accusation fausse attaque nos amis encore plus que nous-mêmes ; et lorsque l'auteur de ce livre s'est aperçu qu'il ne se défendrait pas seul en cherchant à détruire des opinions qui peuvent lui devenir nuisibles, il a surmonté la répugnance assez naturelle qu'on éprouve à parler de soi. Il s'est promis d'en finir avec un nombreux public qui ne le connaît pas, pour satisfaire le petit public qui le connaît : heureux, en cela, de justifier certaines amitiés, dont il est honoré, et quelques suffrages dont il est fier.

Sera-t-il maintenant taxé de fatuité, en revendiquant ici les tristes privilèges de Sanchez, ce bon jésuite qui écrivit, assis sur une chaise de marbre, son célèbre bouquin *De matrimonio*[11], dans lequel tous les caprices de la volupté sont jugés au tribunal ecclésiastique et traduits au jugement confessionnaire, avec une admirable entente des lois qui gouvernent l'union conjugale ? La philosophie serait-elle donc plus coupable que la prêtrise ?...

Y aura-t-il de l'impertinence à s'accuser d'une vie toute laborieuse ? Encourra-t-il encore des reproches en exhibant un acte de naissance qui lui donne trente ans ? N'est-il pas dans son droit en demandant à ceux dont il n'est pas connu de ne point mettre en question sa moralité, son profond respect pour la femme, et de ne pas faire, d'un esprit chaste, le prototype du cynisme ?

Si les personnes qui ont gratuitement médit de l'auteur de la *Physiologie*, malgré les prudentes précautions de la préface,

---

11. Tomas Sanchez, jésuite espagnol (1550-1610), professeur de théologie morale et de droit canonique, fut un casuiste réputé. Le titre exact de son traité sur le mariage, destiné aux confesseurs, est *Disputationes de sancto matrimonii sacramento* (1602).

veulent, en lisant ce nouvel ouvrage, être conséquentes, elles devraient croire l'écrivain aussi délicatement amoureux qu'il était naguère perverti. Mais l'éloge ne le flatterait pas plus que le blâme ne l'a froissé. S'il est vivement touché des suffrages que ses compositions peuvent obtenir, il se refuse à livrer sa personne aux caprices populaires. Il est cependant bien difficile de persuader au public qu'un auteur peut concevoir le crime sans être criminel !... Aussi, l'auteur, après avoir été jadis accusé de cynisme, ne serait pas étonné de passer maintenant pour un joueur, pour un *viveur*, lui, dont les nombreux travaux décèlent une vie solitaire, accusent une sobriété sans laquelle la fécondité de l'esprit n'existe point.

Il pourrait certes se plaire à composer ici quelque autobiographie qui exciterait de puissantes sympathies en sa faveur ; mais il se sent aujourd'hui trop bien accueilli pour écrire des impertinences à la manière de tant de *préfaciers* ; trop consciencieux dans ses travaux pour être humble ; puis, n'étant pas valétudinaire, il ferait décidément un triste héros de préface.

Si vous mettez la personne et les mœurs en dehors des livres, l'auteur vous reconnaîtra une pleine autorité sur ses écrits : vous pourrez les accuser d'effronterie, vitupérer la plume assez mal apprise pour peindre des tableaux inconvenants, colliger des observations problématiques, accuser à faux la société, et lui prêter des vices ou des malheurs dont elle serait exempte. Le succès est un arrêt souverain en ces matières ardues ; alors, la *Physiologie du mariage* serait peut-être complètement absoute. Plus tard, elle sera peut-être mieux comprise, et l'auteur aura sans doute un jour la joie d'être estimé homme chaste et grave.

Mais beaucoup de lectrices ne seront pas satisfaites en apprenant que l'auteur de la *Physiologie* est jeune, rangé comme un vieux sous-chef, sobre comme un malade au régime, buveur d'eau et travailleur, car elles ne comprendront pas comment un jeune homme de mœurs pures a pu pénétrer si avant dans les mystères de la conjugalité. L'accusation se reproduirait ainsi sous de nouvelles formes. Mais pour terminer ce léger procès, en faveur de son innocence, il lui suffira sans doute d'amener aux sources de la pensée les personnes peu familiarisées avec les opérations de l'intelligence humaine.

Quoique [12] restreint dans les bornes d'une préface, cet essai psychologique aidera peut-être à expliquer les bizarres disparates qui existent entre le talent d'un écrivain et sa physionomie. Certes, cette question intéresse les femmes-poètes encore plus que l'auteur lui-même.

L'art littéraire, ayant pour objet de reproduire la nature par la pensée, est le plus compliqué de tous les arts.

Peindre un sentiment, faire revivre les couleurs, les jours, les demi-teintes, les nuances, accuser avec justesse une scène étroite, mer ou paysage, hommes ou monuments, voilà toute la peinture.

La sculpture est plus restreinte encore dans ses ressources. Elle ne possède guère qu'une pierre et une couleur pour exprimer la plus riche des natures, le sentiment dans les formes humaines : aussi le sculpteur cache-t-il sous le marbre d'immenses travaux d'idéalisation dont peu de personnes lui tiennent compte.

Mais, plus vastes, les idées comprennent tout : l'écrivain doit être familiarisé avec tous les effets, toutes les natures. Il est obligé d'avoir en lui je ne sais quel miroir concentrique où, suivant sa fantaisie, l'univers vient se réfléchir [13] ; sinon, le poète et même l'observateur n'existent pas ; car il ne s'agit pas seulement de voir, il faut encore se souvenir et empreindre ses impressions dans un certain choix de mots, et les parer de toute la grâce des images ou leur communiquer le vif des sensations primordiales…

Or, sans entrer dans les méticuleux *aristotélismes* créés par chaque auteur pour son œuvre, par chaque pédant dans sa théorie, l'auteur pense être d'accord avec toute intelligence, haute ou basse, en composant *l'art littéraire* de deux parties bien distinctes : *l'observation – l'expression.*

Beaucoup d'hommes distingués sont doués du talent d'observer, sans posséder celui de donner une forme vivante à leurs pensées ; comme d'autres écrivains ont été doués d'un style merveilleux, sans être guidés par ce génie sagace et curieux qui

---

12. Début du passage que Philarète Chasles citera dans son introduction aux *Romans et contes philosophiques* avec certaines modifications (les variantes principales sont indiquées en note, précédées de la mention « var. C. »).

13. « Il est obligé… réfléchir » / Var. C. : « Leibniz a résumé cette idée par un mot sublime : *L'âme du poète est le miroir du monde.* Dans ce miroir concentrique, sa fantaisie réfléchit l'univers. »

voit et enregistre toute chose. De ces deux dispositions intellectuelles résultent, en quelque sorte, une vue et un toucher littéraires. À tel homme, *le faire* ; à tel autre, *la conception* ; celui-ci joue avec une lyre sans produire une seule de ces harmonies sublimes qui font pleurer ou penser ; celui-là compose des poèmes pour lui seul, faute d'instrument.

La réunion des deux puissances fait l'homme complet ; mais cette rare et heureuse concordance n'est pas encore le génie, ou, plus simplement, ne constitue pas la volonté qui engendre une œuvre d'art.

Outre ces deux conditions essentielles au talent, il se passe, chez les poètes ou chez les écrivains réellement philosophes, un phénomène moral, inexplicable, inouï, dont la science peut difficilement rendre compte. C'est une sorte de seconde vue qui leur permet de deviner la vérité dans toutes les situations possibles ; ou, mieux encore, je ne sais quelle puissance qui les transporte là où ils doivent, où ils veulent être. Ils inventent le vrai, par analogie, ou voient l'objet à décrire, soit que l'objet vienne à eux, soit qu'ils aillent eux-mêmes vers l'objet.

L'auteur se contente de poser les termes de ce problème, sans en chercher la solution ; car il s'agit pour lui d'une justification et non d'une théorie philosophique à déduire [14].

Donc, l'écrivain doit avoir analysé les caractères, épousé toutes les mœurs, parcouru le globe entier, ressenti toutes les passions, avant d'écrire un livre ; ou les passions, les pays, les mœurs, les caractères, accidents de nature, accidents de morale, tout arrive dans sa pensée. Il est avare, ou il conçoit momentanément l'avarice, en traçant le portrait du *Laird de Dumbiedikes* [15]. Il est criminel, conçoit le crime, ou l'appelle et le contemple, en écrivant *Lara* [16].

---

14. « car il s'agit … déduire » / passage supprimé dans Chasles.
15. « Personnage de *La Prison d'Édimbourg* de Walter Scott » (note de Balzac).
16. « Poème de lord Byron » (note de Balzac).
« Donc … *Lara* » / Var. C. : « Donc, selon M. de Balzac, l'écrivain doit avoir l'intuition analytique de tous les caractères : toutes les mœurs il les épouse ; toutes les passions il les ressent ; les idées, les pays, les mœurs, les caractères, accidents de nature, accidents de morale, tout se meut dans sa pensée ; en traçant le portrait du *Laird de Dumbiedikes*, il se fait avare ; il conçoit l'avarice, il en perce les mystères. S'il écrit *Lara ou le Giaour*, il assassine, il comprend le meurtre, la tache de sang est sur son front. Le voilà criminel, il conçoit le crime ; il l'appelle et le contemple. »

Nous ne trouvons pas de terme moyen à cette proposition cervico-littéraire [17].

Mais, à ceux qui étudient la nature humaine, il est démontré clairement que l'homme de génie possède les deux puissances.

Il va, en esprit, à travers les espaces, aussi facilement que les choses, jadis observées, renaissent fidèlement en lui, belles de la grâce ou terribles de l'horreur primitive qui l'avaient saisi. Il a réellement vu le monde, ou son âme le lui a révélé intuitivement [18]. Ainsi, le peintre le plus chaud, le plus exact de Florence, n'a jamais été à Florence [19] ; ainsi, tel écrivain a pu merveilleusement dépeindre le désert [20], ses sables, ses mirages, ses palmiers, sans aller de Dan à Sahara [21].

Les hommes ont-ils le pouvoir de faire venir l'univers dans leur cerveau, ou leur cerveau est-il un talisman avec lequel ils abolissent les lois du temps et de l'espace ? … La science hésitera longtemps à choisir entre ces deux mystères également inexplicables. Toujours est-il constant que l'inspiration déroule au poète [22] des transfigurations sans nombre et semblables aux magiques fantasmagories de nos rêves. Un rêve est peut-être le jeu naturel de cette singulière puissance, quand elle reste inoccupée ! …

Ces admirables facultés que le monde admire justement, un auteur les possède plus ou moins larges, en raison du plus ou du moins de perfection ou d'imperfection, peut-être, de ses organes. Peut-être encore, le don de création est-il une faible étincelle tombée d'en haut sur l'homme, et les adorations dues

---

17. « Nous ne trouvons … cervico-littéraire » / passage supprimé dans Chasles.

18. « Il a réellement… intuitivement » / Var. C. : « Il a pressenti le monde, et ce pressentiment équivaut à la réalité. »

19. Balzac lui-même, peintre de Florence dans *Les Proscrits* (publié pour la première fois dans la *Revue de Paris* le 1er mai 1831, et repris en volume dans les *Romans et contes philosophiques*), où Dante rêve de sa ville natale.

20. Balzac lui-même dans *Une passion dans le désert*, publié pour la première fois le 24 décembre 1830 dans la *Revue de Paris*, et repris en volume au tome XVI des *Études philosophiques* en juillet 1837.

21. Dan est une ville du nord de la Palestine. On disait « de Dan à Bersabée » (ville du sud) pour signifier l'ensemble de la Palestine – et c'est peut-être par contagion que Balzac écrit « de Dan à Sahara » comme si le Sahara était une ville.

22. « déroule au poète » / Var. C. : « jette le poète dans ».

aux grands génies seraient-elles une noble et haute prière ! S'il n'en était pas ainsi, pourquoi notre estime se mesurerait-elle à la force, à l'intensité du rayon céleste qui brille en eux ? Ou faut-il évaluer l'enthousiasme dont nous sommes saisis pour les grands hommes au degré de plaisir qu'ils nous donnent, au plus ou moins d'utilité de leurs œuvres ? ... Que chacun choisisse entre le matérialisme et le spiritualisme !...

Cette métaphysique littéraire a entraîné l'auteur assez loin de la question personnelle. Mais quoique dans la production la plus simple, dans *Riquet à la Houppe*[23] même, il y ait un travail d'artiste, et qu'une œuvre de naïveté soit souvent empreinte du *mens divinior* autant qu'il en brille[24] dans un vaste poème, il n'a pas la prétention d'écrire pour lui cette ambitieuse théorie, à l'instar de quelques auteurs contemporains dont les préfaces étaient les *petits pèlerinages* de *petits Childe-Harold*[25]. Il a seulement voulu réclamer pour les auteurs les anciens privilèges de la *clergie*, qui se jugeait elle-même[26].

La *Physiologie du mariage* était une tentative faite pour retourner à la littérature fine, vive, railleuse et gaie du dix-huitième siècle, où les auteurs ne se tenaient pas toujours droits et raides, où, sans discuter à tout propos la poésie, la morale et le drame, il s'y faisait du drame, de la poésie et des ouvrages de vigoureuse morale. L'auteur de ce livre cherche à favoriser la réaction littéraire que préparent certains bons esprits ennuyés de notre vandalisme actuel, et fatigués de voir amonceler tant de pierres sans qu'aucun monument surgisse. Il ne comprend pas la pruderie, l'hypocrisie de nos mœurs, et refuse du reste aux gens blasés le droit d'être difficiles.

De tous côtés s'élèvent des doléances sur la couleur sanguinolente des écrits modernes. Les cruautés, les supplices, les gens jetés à la mer, les pendus, les gibets, les condamnés, les atrocités chaudes et froides, les bourreaux, tout est devenu bouffon[27] !

---

23. Conte de Perrault.

24. « Soit souvent... en brille » / Var. C. : « porte souvent le signe du *Mens divinior* plus profondément empreint qu'il ne l'est ». – *Mens divinior* : « esprit plus divin » (Horace, *Satires*, I, 4, v. 43).

25. Cf. note 351 du roman.

26. Pierre Citron se demande s'il ne faut pas voir là une pointe contre la longue préface de *Cromwell* de Victor Hugo.

27. Allusion à la satire du roman noir, notamment avec *L'Âne mort et la femme guillotinée* de Jules Janin (1829) – cf. note 115 et 171 du roman.

Naguère, le public ne voulait plus sympathiser avec les *jeunes malades*, les *convalescents* et les doux trésors de mélancolie contenus dans l'infirmerie littéraire. Il a dit adieu aux *tristes*, aux *lépreux*, aux langoureuses élégies. Il était las des *bardes* nuageux et des Sylphes, comme il est aujourd'hui rassasié de l'Espagne, de l'Orient, des supplices, des pirates et de l'histoire de France *walterscottée*[28]. Que nous reste-t-il donc ? ...

Si le public condamnait les efforts des écrivains qui essaient de remettre en honneur la littérature franche de nos ancêtres, il faudrait souhaiter un déluge de barbares, la combustion des bibliothèques, et un nouveau Moyen Âge ; alors, les auteurs recommenceraient plus facilement le cercle éternel dans lequel l'esprit humain tourne comme un cheval de manège.

Si *Polyeucte* n'existait pas, plus d'un poète moderne est capable de refaire Corneille, et vous verriez éclore cette tragédie sur trois théâtres à la fois, sans compter les vaudevilles où Polyeucte chanterait sa profession de foi chrétienne sur quelque motif de *La Muette*[29]. Enfin, les auteurs ont souvent raison dans leurs impertinences contre le temps présent. Le monde nous demande de belles peintures ? où en seraient les types ? Vos habits mesquins, vos révolutions manquées, vos bourgeois discoureurs, votre religion morte, vos pouvoirs éteints, vos rois en demi-solde, sont-ils donc si poétiques qu'il faille vous les transfigurer[30] ? ...

Nous ne pouvons aujourd'hui que nous moquer. La raillerie est toute la littérature des sociétés expirantes... Aussi l'auteur de ce livre, soumis à toutes les chances de son entreprise littéraire, s'attend-il à de nouvelles accusations[31].

---

28. Var. C. : « walterscottisée ».

29. *La Muette de Portici*, opéra à grand spectacle d'Auber, sur un livret de Scribe et de Casimir Delavigne, créé à l'Opéra de Paris le 29 février 1828. (Certains airs étaient célèbres à l'époque, notamment la romance du pêcheur « Du pauvre seul ami fidèle », et le duo « Amour sacré de la patrie » qui servit de signe de ralliement lors de l'insurrection belge le 25 août 1830 à Bruxelles.)

30. « qu'il faille vous les transfigurer » / membre de phrase supprimé dans Chasles.

31. « accusations » / Var. C. : « clameurs ». Ici s'achève le passage cité par Philarète Chasles dans son introduction aux *Romans et contes philosophiques.*

Quelques auteurs contemporains sont nommés dans son ouvrage ; il espère que son estime profonde pour leurs caractères ou leurs écrits ne sera pas mise en doute [32] ; et proteste aussi d'avance contre les allusions auxquelles pourraient donner lieu les personnages mis en scène dans son livre. Il a tâché moins de tracer des portraits que de présenter des types.

Enfin, le temps présent marche si vite, la vie intellectuelle déborde partout avec tant de force, que plusieurs idées ont vieilli, ont été saisies, exprimées, pendant que l'auteur imprimait son livre : il en a sacrifié quelques-unes ; celles qu'il a maintenues, sans s'apercevoir de leur mise en œuvre, étaient sans doute nécessaires à l'harmonie de son ouvrage.

---

32. Allusion à Lamartine et à Hugo, dont Balzac avait cité les noms dans la première édition du roman, avant de les remplacer par ceux de Canalis et de Nathan, personnages de *La Comédie humaine* (voir note 142 du roman et texte correspondant).

III

Introduction par Philarète Chasles aux « Romans et contes philosophiques », septembre 1831 (texte de l'édition de 1833)

Qu'est-ce que le talent du conteur, sinon tout le talent ? Il renferme en lui la déduction logique dans sa rigueur, le drame avec sa mobilité, l'essence même du génie lyrique avec son extase intérieure. Le narrateur est tout. Il est historien ; il a son théâtre ; sa dialectique profonde qui meut ses personnages ; sa palette de peintre et sa loupe d'observateur. Non seulement il peut réunir les talents spéciaux que je viens d'indiquer, mais, pour exceller dans son art, il le doit. Imaginez un conte sans intérêt de drame, sans émotion lyrique, sans couleurs nuancées, sans logique exacte ; il sera pâle, extravagant et faux ; il n'existera pas.

La narration est toute l'épopée ; elle est toute l'histoire ; elle enveloppe le drame et le sous-entend. Le conte est la littérature primitive. De quelle joie, dites-moi, durent être saisis ceux qui, les premiers, découvrirent et ressentirent cette jouissance ! Ils inventèrent de pittoresques symboles en témoignage de leur ivresse nouvelle. Ce fut l'Hercule Gaulois, dont la bouche laissait tomber les chaînes d'or qui retenaient les auditeurs ; ce fut la baguette de Mercure, forçant à s'unir les hommes plus acharnés que les serpents ; c'est le chant de la sirène, entraînant le navigateur dans l'onde d'où ses accents émanaient. Le premier conteur fut un Dieu. Mais les époques primitives une fois passées, conter devint difficile.

Où est le merveilleux ? Qu'est devenue la foi ? L'analyse ronge la société en l'expliquant : plus le monde vieillit, plus la narration est une œuvre pénible. Rendez-moi compte de cet incident ? Apportez-moi le *comment* de cet acte et le *pourquoi* de ce caractère ? Disséquez ce cadavre et sachez me plaire ! Soyez commentateur et *amuseur* !

Voici un conteur, qui arrive à l'époque la plus analytique de l'ère moderne, toute fondée sur l'analyse : sociétés, gouvernements, sciences reposent sur elle ; elle s'empare de tout, pour tout flétrir. Il naît dans le pays le plus rationnel de l'Europe ; point d'oreilles faciles à duper comme en Italie, où la musique est dans le langage et l'ode dans le son ; point de croyance surnaturelle et populaire ; le scepticisme est partout ; la faculté raisonneuse a pénétré jusqu'aux classes inférieures. De l'ironie, mais peu caustique ; de l'indifférence, excepté pour les intérêts matériels ; par-dessus tout, de l'ennui et de la lassitude.

Quel conte allez-vous faire à de telles gens ? Ils vous répondront qu'ils ont vu Bonaparte, bivouaqué au Kremlin et couché à l'Alhambra. Ils mettront vos sylphides en fuite, et vos magiciens n'auront pas le moindre intérêt pour eux. Ils vous demanderont par quel procédé chimique l'huile brûlait dans la lampe d'Aladin. Ils ont demandé à M. de Balzac ce qui serait advenu, si Raphaël eût souhaité que la Peau de chagrin s'étendit !

Osez donc leur réciter de beaux contes ; enlevez-les, comme il faut qu'un bon narrateur le fasse, dans ce char d'Élie, dans cette narration aux ailes de feu et aux roues brûlantes, qui plonge dans le ciel et fait disparaître les villes, les maisons, les bois, les collines de l'horizon terrestre !

L'analyse, dernier développement de la pensée, a donc tué les jouissances de la pensée. C'est ce que M. de Balzac a vu dans son temps ; c'est le dernier résultat de cet axiome de Jean-Jacques : *L'homme qui pense est un animal dépravé* [33].

Assurément il n'est pas de donnée plus tragique ; car, à mesure que l'homme se civilise, il se suicide ; et cette agonie éclatante des sociétés offre un intérêt profond.

Le désordre et le ravage portés par l'intelligence dans l'homme, considéré comme individu et comme être social : telle est l'idée primitive que M. de Balzac a jetée dans ses contes. Il a vu de quels éclatants dehors cette société valétudinaire s'enor-

33. Rousseau a écrit « l'homme qui médite » (*Discours sur l'origine et les fondements de l'inégalité parmi les hommes*, in *Œuvres complètes*, Gallimard, « Bibliothèque de la Pléiade », t. III, p. 138).

gueillit, de quelles parures ce moribond se couvre, de quelle vie galvanique ce cadavre s'émeut et s'agite par intervalles, de quelle lueur phosphorique il scintille encore. Opposant au néant intérieur et profond du corps social cette agitation factice et cette splendeur funèbre, il a cru que la mission du conteur n'était pas finie et perdue ; qu'il y avait encore une magie dans ce contraste ; une féerie dans cette industrie créatrice de merveilles ; un intérêt dans le jeu cupide des ressorts sociaux, cachés sous de si beaux dehors, dans ce spectacle d'une société rendant le dernier soupir sous des rideaux de pourpre, d'argent et de soie.

Un conteur, un amuseur de gens, qui prend pour base la criminalité secrète, le marasme et l'ennui de son époque, un homme de pensée et de philosophie, qui s'attache à peindre la désorganisation produite par la pensée ; tel est M. de Balzac.

Voilà sur quelles bases sont appuyés ces contes de nuances diverses, de formes variées, que M. de Balzac a osé lancer dans le dix-neuvième siècle, blasé, indifférent et peu amusable. Ce fonds misanthropique, qu'une verve de gaieté et une fécondité d'invention incontestables raniment et font étinceler, vous le trouvez dans *L'Auberge rouge*[34], dans *L'Élixir de longue vie*, dans *La Comédie du Diable*, farce terrible dont le fantastique Introït lui a été généreusement donné par une des plus mordantes plumes de notre époque[35]. Mais cette pensée première s'élève jusqu'aux proportions de la tragédie dans *El Verdugo*, où le parricide est sublime, parricide ordonné par une famille et au nom d'une chimère sociale ; le parricide pour sauver un titre ! Ainsi, partout l'égoïsme : égoïsme de la famille, égoïsme physique, personnalités féroces qui naissent d'une civilisation sensuelle et raffinée. Tel est spécialement le fonds et la pensée créatrice de *La Peau de chagrin*, livre où, pour faire un péristyle à son édifice, l'auteur a poétiquement formulé l'arrêt éternel porté sur l'homme, considéré comme organisation.

Rabelais, dans un autre temps, avait vu l'étrange effet de la pensée religieuse, qui, à force de pénétrer la société, achevait de la dissoudre. L'âme, divinisée par le christianisme, avait tout

---

34. *L'Auberge rouge*, publiée en août 1831 par la *Revue de Paris*, fut reprise en volume dans les *Nouveaux Contes philosophiques* de 1832, et ne figura donc jamais dans le recueil en tête duquel fut publiée la préface de Chasles. (Voir note 101 du roman et passage p. 326.)
35. Frédéric Soulié, qui jamais ne revendiqua la paternité de ce texte.

envahi. Le spiritualisme effaçait la matière. Le symbole, l'idéalisation régnaient sans partage ; pour un symbole, l'Occident s'était rué sur l'Orient. Il dominait la poésie, qu'il réduisait à l'état de fantôme, en multipliant les personnifications allégoriques, en bannissant de son domaine les êtres vivants, la chair et le sang humains. Rabelais s'arma d'un symbole pour faire la guerre au symbole.

Holà ! Messer Gaster, voici votre règne ! Tonnes pleines d'hypocras, bons saucissons chargés d'épices, bombance gigantesque, culte de la Dive bouteille, douce abbaye de Thélème, dont le *rien faire* est la liturgie ; venez ! … Et dans une épopée immense, donnez-nous l'apothéose de ce corps humain que l'on foule aux pieds, et que le curé de Meudon ne se contente pas de mettre à sa place. Il l'installe sur un trône. Or, voici l'ère de Gargantua. On boit plus sec, on mange sans perdre jamais l'appétit : l'élément physique de l'homme se trouve déifié par cette ironie matérialiste, qui semble une prédiction du dix-huitième siècle, et un oracle des destinées futures auxquelles le monde est réservé.

Passe joyeusement la vie et ris-toi du reste ! Trinque ! comme l'a dit M. de Balzac dans *La Peau de chagrin*, voilà le sens des amères dérisions du *Pantagruel*, et peut-être l'arrêt définitif de ce livre.

Certes, Rabelais, s'il n'eût pas vécu au commencement du seizième siècle, tout à la fin de ce qu'on appelle Moyen Âge, n'eût rien écrit de pareil. Dans *Pantagruel* et *Gargantua*, il résuma le passé, railla le présent et s'empara de l'avenir, qu'une civilisation matérielle allait isoler de l'ancienne société chrétienne et spiritualiste, de l'avenir qu'une philosophie sensualiste allait dominer et mouler à son plaisir.

L'ère de Rabelais a expiré. Celle qu'il annonçait parcourt son cycle et l'accomplit. Ce ne sont plus les ravages de la pensée idéaliste, mais tous ceux du sensualisme analytique, que le conteur philosophe peut retracer aujourd'hui.

Aussi, voyez, à part le sens intime du livre, tous ces types d'égoïsme civilisé qui se donnent rendez-vous dans *La Peau de chagrin* : *Fœdora*, femme sans cœur, type d'une société sans cœur ; *Raphaël*, symbole de la misère éclatante, le dandy sans un écu ; le malheur même que donne l'étude solitaire, avec la gloire en perspective, le grenier pour théâtre, et la souffrance pour escorte.

Le vaste plan, caché sous ces fantaisies, a dû échapper à plusieurs yeux. Des critiques n'ont pas vu que *La Peau de chagrin* est l'expression de la vie humaine, abstraction faite des individualités sociales ; la vie avec ses ondulations bizarres, avec sa course vagabonde et son allure *serpentine*, avec son égoïsme toujours présent sous mille métamorphoses. La même signification se trouve cachée sous les plus légers incidents de cette fiction. Outre son intérêt dramatique, le livre renferme un intérêt de philosophie allégorique qui s'attache aux plus minces détails et poursuit sans pitié cette science d'égoïsme que la civilisation fait naître. Voyez Raphaël ? Comme le sentiment de sa conservation étouffe en lui toute autre idée ! Comme, dans la scène du duel, chez les paysans, dans son hôtel de Paris, le même sentiment l'absorbe ! Soumis à ce talisman terrible, il vit et meurt dans une convulsion d'égoïsme. N'est-ce pas la vie toute pure ?

C'est cette personnalité qui ronge le cœur et dévore les entrailles de la société où nous sommes. À mesure qu'elle augmente, les individualités s'isolent ; plus de liens, plus de vie commune. La personnalité règne ; c'est son triomphe et sa fureur que *La Peau de chagrin* a reproduits. Dans ce livre, il y a encore toute une époque.

Là, comme on l'a dit dans un journal [36], « vous pouvez, si cela vous duit [37], voir apparaître, sous forme vivante, notre civilisation d'hier et d'aujourd'hui : toute parée, toute folle d'ennui et de luxe, avec son dégoût, son désespoir, ses bons mots, ses velléités de science et de religion, ses créations qui avortent, ses vertus qui ne sont pas écloses, son éclat semblable à la lueur émanée des endroits infects ; ses prétentions de grandeur, de sévérité, de patriotisme, d'énergie, de rénovation, de génie, d'organisation, de conservation, de durée ; et son néant réel, son mal intime, son manque de foi, sa faiblesse de volonté, son inanité, sa décrépitude, sa force factice, comme celle de l'ivresse passagère, comme celle que la pile de Volta [38] communique à un corps mort.

« Il serait curieux de contempler le critique de l'ancienne école, l'homme de bon goût et de bonnes mœurs, en face de cette œuvre. Oh ! le pauvre homme ! que fera-t-il de sa toise ?

---

36. *Le Messager.* (Note de l'auteur de l'*Introduction.*) Chasles cite ici son propre article du *Messager des Chambres* (6 août 1831).
37. Si cela vous convient (archaïsme).
38. Cf. note 408 du roman.

lui qui veut de la raison ; lui le jugeur, le peseur des mots ; lui, le compas en main, la loupe appliquée sur l'œil, heureux de découvrir une irrégularité dans un livre, une verrue dans un beau visage ? Assurément il ne comprendra pas un mot de ce conte. Il aime la littérature de plain-pied ; ici tout est abîmes, précipices, saillies, excroissances, hautes montagnes, profondeurs sans fond.

« Je jure que le plus habile critique de 1800 à 1820 ne se ferait pas une idée nette sur un pareil ouvrage. Il briserait sa toise, il jetterait son compas. Autant vaudrait demander à M. d'Aguesseau [39] l'explication satisfaisante d'un journal de 1831. En vain diriez-vous à notre Aristarque dans l'embarras que l'auteur de *La Peau de chagrin* a voulu, comme feu Rabelais, formuler la vie humaine et résumer son époque dans un livre de fantaisie, épopée, satire, roman, conte, histoire, drame, folie aux mille couleurs. Le critique vous dira que *Pantagruel* est une allégorie, que Panurge est évidemment Rabelais et Pantagruel François Ier ; mais que, dans l'œuvre de M. de Balzac, rien de pareil ne frappe ses yeux. Et si vous répliquez en disant que la prétendue allégorie, découverte dans Rabelais par la lubie des savants, n'a jamais eu d'existence ; que le monstre comique, créé par le médecin chinonais, est une immense arabesque, fille du caprice accouplé avec l'observation : notre homme vous tournera le dos, non sans prier Dieu qu'il vous rende votre raison perdue et vous fasse cadeau d'une bonne édition de Laharpe [40].

« Il y a dans l'œuvre de M. de Balzac le cri éclatant, le cri de désespoir d'une littérature expirante. Œuvre puissante… Je ne parle pas de la souplesse d'un style qui insulte à tout moment la critique, et d'une vivacité extrême de teintes chatoyantes et contrastantes, mais de la portée générale d'un livre où le siècle et le pays les plus confus qui aient jamais existé se concentrent sous des formes poétiques, réelles, colorées, qui éblouissent le regard. Avoir trouvé le fantastique de notre époque, ce n'est ni un petit mérite ni un mince travail. L'avoir vivifié sans tomber dans la froideur de l'allégorie, c'est chose méritoire, c'est le témoignage d'un rare talent. Il fallait, pour obtenir ce résultat,

---

39. Le chancelier d'Aguesseau (1668-1751) avait exercé ses fonctions de 1717 à 1750. Balzac le cite ici comme exemple d'un homme du XVIIIe siècle.

40. Laharpe (1739-1803) voyait en effet dans l'œuvre de Rabelais une « satire allégorique ».

n'oublier aucune des brillantes nuances dont elle se pare, nous donner les fêtes, l'esprit, le dévergondage, les riches étoffes, les jouissances effrénées, le jeu, l'amour, la poésie de costume, qui se pressent dans les grandes villes ; il fallait n'oublier non plus aucune des misères sociales ; ces cœurs desséchés, ces existences perdues, ces arts qui augmentent la richesse sans ajouter rien au bonheur ; il fallait faire voir, au sein de la civilisation, fleur éclatante et factice, le ver qui la ronge, le poison qui la tue.

« Ce livre a tout l'intérêt d'un conte arabe, où la féerie et le scepticisme se donnent la main, où des observations réelles et pleines de finesse sont enfermées dans un cercle de magie. Vous y trouverez de grands salons et de grandes orgies, la mansarde du jeune savant et le boudoir de la femme à la mode, la table de jeu et le laboratoire du chimiste : tout ce qui influe sur notre société, depuis le sourire de la jeune fille jusqu'aux malices du feuilleton.

« Et n'attendez pas que je vous donne une idée plus exacte de cet étrange livre ; il est de ceux où chacun trouve pâture à son goût : à tel la satire, à tel autre le fantastique, à celui-là des tableaux brillamment colorés. Si la société telle qu'elle est vous ennuie tant soit peu, et qu'il vous agrée de la voir pincée, fouettée, marquée, en grande pompe, sur un bel échafaud, au milieu de tout le fracas d'un orchestre rossinien, d'un tintamarre et d'un charivari incroyable, et de la décoration la plus étourdissante, lisez *La Peau de chagrin*, vous en avez pour trois nuits d'images éclatantes et terribles qui soulèveront les rideaux de votre alcôve pour peu que la nature vous ait doué d'imagination ; et pour un an de réflexion, si vous êtes né contemplateur, observateur et penseur. »

Le public, qui a si rapidement enlevé trois éditions, a justifié le critique. Mais l'auteur, docile aux observations qui lui ont été adressées par amis et ennemis, n'a épargné ni ratures, ni veilles, ni suppressions, ni corrections, pour rendre plus parfaite la quatrième édition de son œuvre. Il avait déjà fait le sacrifice de sa préface presque entière, préface consacrée à une justification inutile. Il avait tort de croire que la *Physiologie du mariage*, œuvre d'ironie et d'analyse, eût marqué son front d'un sceau de cynisme et d'impudence : on ne confond plus les fantaisies de l'art avec le caractère de l'artiste ; on sait que le plus doux des hommes peut devenir, dans sa tragédie, sanguinaire, criminel et implacable. On sait que le poète le plus ardemment érotique peut ne demander à l'amour que la jouissance des beaux vers. Cependant cette préface, dont le scrupule de l'auteur avait tracé les pages, et dont il a fait le sacrifice, contenait des observations générales et philosophiques, que nous croyons devoir reproduire ici.

L'auteur explique, avec autant de sagacité que de finesse, le procédé physiologique qui préside à la création d'une œuvre d'art et fait naître dans l'esprit de l'artiste mille fantômes, dont la moralité ne lui est pas imputable. [...] [41].

M. de Balzac, dont les Contes ont vaincu la formaliste apathie de son temps, et qui, dans *La Peau de chagrin*, a donné preuve de cette énergie, de cette fécondité, de cette verve hardie et poignante, que l'on réclame aujourd'hui, comme un palais blasé veut de l'orpiment et de l'alcool, ne s'en tiendra pas à cet essai. Il a frappé notre époque, en lui empruntant ses propres armes ; en employant cette frénésie d'invention, cette ironie envenimée, ces couleurs ardentes, sombres et tranchées, dont l'abus serait la perte de l'art. Quand il voudra être simple, il saura l'être, comme il l'a prouvé dans *Le Réquisitionnaire*, dans *L'Enfant maudit*, *Maître Cornélius* et *Louis Lambert*. On le verra changer les couleurs de sa palette, et de nuance en nuance, d'existence en existence, de mode en mode, parcourir tous les degrés de l'échelle sociale et montrer tour à tour le paysan, le mendiant, le pâtre, le bourgeois, le ministre, attaqués de la même maladie destructive. Il ne reculera pas même devant le roi et le prêtre, ces deux derniers échelons de notre hiérarchie croulante ; le roi, que notre progrès de civilisation a tellement ébranlé sur son trône qu'il n'a plus de confiance à sa couronne ; le prêtre dont la pensée renferme le dernier, le plus large développement de l'intelligence humaine, et qui n'est plus qu'un spectre lorsqu'il cesse d'avoir foi en lui.

La foi et l'amour, s'éloignant des hommes livrés à la culture intellectuelle ; la foi et l'amour, s'exilant pour laisser dans un désert d'égoïsme profond tous ces hauts esprits, tous ces êtres parqués dans leur personnalité ; telle est une des pensées de M. de Balzac. Dans celui que l'auteur a intitulé *Jésus-Christ en Flandre*, un rayon d'amour et de foi tombe du ciel. Les Parias

---

41. Ici commence une citation de la Préface de Balzac à *La Peau de chagrin* (voir *supra* le texte de cette préface), avec un certain nombre de modifications que Chasles seul ne se serait pas permises : preuve que Balzac a revu ce texte. Nous indiquons en notes les variantes les plus significatives.

de la société, ceux qu'elle bannit de ses universités et de ses collèges, restent fidèles à leur croyance, et conservent, avec leur pureté morale, la force de cette foi qui les sauve, tandis que les gens supérieurs, fiers de leur haute capacité, voient s'accroître leurs maux avec leur orgueil, et leurs douleurs avec leurs lumières. Cette moralité suprême qui couronne la peinture de tous les types d'individualisme est d'un bel effet.

C'est non seulement la société dans ses masses, que frappe de mort l'égoïsme, fils de l'analyse et de cette raison approfondissante qui nous ramène sans cesse à notre personnalité, c'est aussi la société dans ses éléments partiels ; c'est encore le gouvernement et la théorie politique. De degrés en degrés, l'auteur s'élèvera jusqu'à cette dernière ironie, la plus haute et la plus en harmonie avec notre temps. Dans l'*Histoire de la succession du marquis de Carabas*[42], dernière œuvre qui complétera la donnée de ce recueil, il montre la société politique en proie à la même impuissance, au même néant qui dévorent Raphaël dans *La Peau de chagrin*. Même intensité de désirs, même éclat extérieur, même misère réelle ; même formule inévitable, éternelle, où la nationalité se trouve renfermée, pressée en son cycle comme l'individualisme dans le sien. Ici un ton de bonhomie plus naïve, une satire moins amère s'accorderont avec une ironie qui s'attaque non aux hommes, mais aux doctrines, non aux individualités, mais aux systèmes.

Ces récits, mêlés de merveilleux, en apparence dictés par la fantaisie, ont conquis un succès populaire dans une époque si contraire à la libre et capricieuse fiction : mais on les a plutôt acceptés comme des inventions brillantes que comme des œuvres de raison. Nous avons pris plaisir à en développer le sens philosophique, la portée morale, inaperçus de la foule. Ce n'est pas là ce qui fait le succès du jour, mais ce qui le propage et le continue dans l'avenir.

P. CH.

---

42. Balzac songea pendant plusieurs années, de 1831 à 1834 au moins, à cette œuvre qu'il n'écrivit jamais.

CHRONOLOGIE

1799 : 20 mai : naissance à Tours d'Honoré de Balzac, fils de Bernard-François Balzac, cinquante-trois ans, et de Laure Sallambier, vingt et un ans. Il est aussitôt mis en nourrice.

1800 : 29 septembre : naissance de Laure, sœur d'Honoré, mise en nourrice avec lui à Saint-Cyr-sur-Loire jusqu'en 1803.

1802 : 18 avril : naissance de Laurence.
(Naissance de Victor Hugo ; Chateaubriand, *René* et *Le Génie du Christianisme*.)

1804 : Honoré externe à la pension Leguay de Tours.

1807 : Honoré pensionnaire au collège des Oratoriens sécularisés de Vendôme (aujourd'hui lycée Ronsard).
21 décembre : naissance d'Henri, dernier enfant des époux Balzac, et probablement le fils naturel de Jean de Margonne.

1813 : Avril : plongé dans un état somnambulique inquiétant, Honoré est retiré en hâte du collège de Vendôme, où il avait commencé à écrire un *Traité de la Volonté*.
Été : Honoré pensionnaire de l'institution Ganser à Paris.
(1810 : Mme de Staël, *De l'Allemagne* ; 1811 : naissance de Théophile Gautier ; 1812 : Byron, début du *Childe-Harold* ; 1813 : Byron, *Le Giaour*.)

1814 : Honoré externe au collège de Tours.
Novembre : la famille Balzac s'installe à Paris dans le Marais.
(Byron, *Lara* ; Walter Scott, *Waverley Novels* ; Hoffmann, *Kreisleriana*.)

1815 : Honoré réintègre la pension Ganser et fait sa rhétorique au lycée Charlemagne.

1816-1819 : Fin d'études secondaires. Faculté de droit. Honoré est clerc chez l'avoué Guillonnet-Merville puis (1818) chez le notaire Victor Passez.

Novembre 1818 : premier travail littéraire, notes philosophiques *Sur l'immortalité de l'âme.*
4 janvier 1819 : baccalauréat de droit.
Août : Honoré refuse d'être notaire et obtient de ses parents de s'installer dans une mansarde rue Lesdiguières pour y faire ses preuves d'écrivain.
(1817 : Benjamin Constant, *Adolphe* ; Hoffmann, *Les Élixirs du Diable* ; Byron, *Manfred* ; mort de Mme de Staël.)

1820 : Honoré achève sa tragédie en vers *Cromwell.*
Mai : Laure épouse à Paris l'ingénieur Eugène Surville.
Été : Honoré travaille à *Falthurne.* La lecture de *Cromwell* n'a pas convaincu ses parents, qui donnent congé rue de Lesdiguières.
Septembre : Honoré est dispensé du service militaire. Il commence à rédiger un roman par lettres, *Sténie ou les erreurs philosophiques.*
(Lamartine, *Méditations poétiques* ; Maturin, *Melmoth.*)

1821 : Honoré retourne habiter chez ses parents, installés à Villeparisis depuis deux ans. Il commence à écrire en collaboration et sous divers pseudonymes des romans pour « cabinets de lecture ».
Septembre : mariage (vite malheureux) de Laurence, sa sœur.
(Charles Nodier, *Smarra.*)

1822 : Début de la liaison avec Mme de Berny, de vingt-deux ans son aînée.
Janvier : *L'Héritière de Birague* « par A. de Viellerglé et Lord R'hoone ».
Mars : *Jean-Louis* « par Lord R'hoone ».
Juillet : *Clotilde de Lusignan* (premier roman rédigé par Honoré seul) « par Lord R'hoone ».
Novembre : *Le Centenaire* et *Le Vicaire des Ardennes* « par Horace de Saint-Aubin ».

1823 : Mai : *La Dernière Fée* « par Horace de Saint-Aubin ».
Été : rédaction d'un poème, *Fœdora.*
(Lamartine, *Nouvelles Méditations poétiques* ; Hugo, *Han d'Islande* ; Stendhal, *Racine et Shakespeare.*)

1824 : Janvier-mai : Honoré collabore à de petits journaux. Brochures anonymes : *Du droit d'aînesse* et *Histoire impartiale des Jésuites.*

Mai : *Annette et le criminel* « par Horace de Saint-Aubin ».
Juin : Balzac s'installe rue de Tournon.

1825 : Honoré emprunte et s'associe avec Urbain Canel pour la publication d'*Œuvres complètes* illustrées de Molière et de La Fontaine.
Mars : *Code des gens honnêtes* (sans nom d'auteur).
Été : début de la liaison avec la duchesse d'Abrantès, de quinze ans son aînée.
11 août : mort de Laurence.
Septembre : *Wann-Chlore* (sans nom d'auteur).

1826 : Avril : Balzac emprunte de nouveau pour acheter une imprimerie.
Mai : faillite de l'entreprise des *Œuvres complètes.*
Juin : Balzac obtient son brevet d'imprimeur et s'installe rue des Marais-Saint-Germain (actuelle rue Visconti). Les affaires marchent mal.
(Vigny, *Cinq-Mars* ; Hugo, *Odes et Ballades* ; Fenimore Cooper, *Le Dernier des Mohicans.*)

1827 : Juillet : Balzac emprunte de nouveau pour se mettre en société avec un fondeur de caractères.
Projets de romans historiques, compilations diverses. Rencontre de Hugo et de Vigny.

1828 : Avril : poursuivi par les créanciers, Honoré s'installe, sous le nom de son beau-frère, rue Cassini, près de l'Observatoire. Liquidation de la fonderie.
Août : liquidation de l'imprimerie. Honoré est ruiné et couvert de dettes.
Automne : retour à la littérature. Honoré prépare un roman sur la chouannerie.

1829 : Honoré est introduit dans les salons à la mode par la duchesse d'Abrantès.
Avril : Balzac publie, pour la première fois sous son nom, *Le Dernier Chouan ou la Bretagne en 1800* – qui sera le premier roman à prendre place dans *La Comédie humaine.*
Juin : Balzac rédige *La Paix du ménage*, la plus ancienne des *Scènes de la vie privée.*
19 juin : mort du père de l'écrivain.
Décembre : *Physiologie du mariage* « par un jeune célibataire », qui amorce le succès mondain de Balzac.

(Mérimée, *Chroniques du règne de Charles X* ; Hugo, *Les Orientales.*)

1830 : Balzac collabore désormais avec plusieurs journaux et revues, notamment *La Mode* de Girardin, et leur livre articles et nouvelles.
30 janvier : *El Verdugo*, premier texte signé Honoré de Balzac, dans *La Mode.*
Avril : premières *Scènes de la vie privée.*
Juin-août : séjour à la Grenadière, près de Tours, avec Mme de Berny, et descente de la Loire en bateau.
Septembre-décembre : *Lettres sur Paris* dans *Le Voleur* ; *L'Élixir de longue vie, Sarrasine* et *Une passion dans le désert* dans la *Revue de Paris.*
(Stendhal, *Le Rouge et le Noir.*)

1831 : Balzac rencontre Rossini et George Sand.
Décembre 1830-juillet : rédaction de *La Peau de chagrin.* Balzac est tenté de présenter sa candidature aux élections législatives, puis renonce.
1er août : grand succès de *La Peau de chagrin*, qui consacre la réputation de Balzac.
Le Chef-d'œuvre inconnu dans *L'Artiste.*
Fin septembre : *Romans et contes philosophiques* (deuxième édition de *La Peau de chagrin*, augmentée de contes).
(Hugo, *Notre-Dame de Paris.*)

1832 : Février : *La Transaction* (futur *Colonel Chabert*) dans *L'Artiste.*
Première lettre à Balzac signée « L'Étrangère » (Mme Hanska).
Avril : premier dizain des *Contes drolatiques.*
Juin-juillet : Balzac écrit *Louis Lambert*.
Août-octobre : séjour à Aix-les-Bains puis à Genève avec la marquise de Castries, qui se refuse à lui ; Balzac se « vengera » avec *La Duchesse de Langeais.*
Octobre : *Nouveaux Contes philosophiques* contenant *Louis Lambert*.
9 décembre : première réponse de Balzac à l'Étrangère.
(Mort de Goethe.)

1833 : Balzac ne donne plus aux journaux que la prépublication de ses œuvres. Début d'une correspondance suivie avec Mme Hanska. Liaison avec Marie du Fresnay. Balzac élargit

le cercle de ses relations.
Juillet : deuxième dizain des *Contes drolatiques.*
Début septembre : *Le Médecin de campagne.*
25 septembre : première rencontre avec Mme Hanska à Neuchâtel.
Octobre : contrat avec Mme Béchet pour la publication des *Études de Mœurs au XIX*^e^ *siècle.*
Décembre : tomes V-VI des *Études de Mœurs,* contenant *Eugénie Grandet.*
24 décembre : Balzac retrouve Mme Hanska à Genève et lui offre en cadeau de Noël le manuscrit d'*Eugénie Grandet.*

1834 : Janvier-8 février : séjour à Genève avec Mme Hanska, devenue sa maîtresse.
Fin mars : tomes X-XI des *Études de Mœurs,* contenant *Histoire des Treize.*
26 avril : rencontre avec Vidocq.
4 juin : naissance de Maria du Fresnay, fille présumée de Balzac (qui vivra jusqu'en 1930).
16 juillet : Balzac a pris conscience de l'unité de son œuvre et songe à la diviser en trois grandes séries : *Études de Mœurs au XIX*^e^ *siècle, Études philosophiques* et *Études analytiques.* Contrat avec l'éditeur Werdet pour la publication des *Études philosophiques.*
Septembre : tomes III-IV des *Études de Mœurs,* contenant *La Femme de trente ans* et *La Recherche de l'absolu.*
25 septembre-10 octobre : rédaction du début du *Père Goriot.* Balzac invente le procédé du retour des personnages.
Décembre : première livraison des *Études philosophiques.*
(Musset, *Lorenzaccio* ; Sainte-Beuve, *Volupté.*)

1835 : Mars : *Le Père Goriot.* Balzac se fait installer, rue des Batailles, à Chaillot, une « cellule inabordable » sous le nom de Mme veuve Durand.
Mai-4 juin : Balzac a rejoint Mme Hanska et son mari à Vienne ; il est reçu par Metternich ; il ne reverra Mme Hanska que huit ans plus tard.
Juin : tomes I et XII des *Études de Mœurs.*
Octobre : Mme de Berny, accablée par la mort de son fils, décide de ne plus revoir Balzac.
Novembre-décembre : tomes II et IX des *Études de Mœurs,* contenant *La Fleur des Pois* (*Le Contrat de mariage*). *Le Livre mystique,* contenant *Séraphîta.*

1836 : Janvier : Balzac se consacre à la direction de son nouveau journal, *La Chronique de Paris.* Cession des *Études de Mœurs au* XIXe *siècle* à Werdet, qui devient son unique éditeur.
18 juin : *Le Lys dans la vallée.* Balzac commence à écrire *Illusions perdues.*
Juillet : Balzac doit abandonner *La Chronique de Paris.* Ses dettes s'alourdissent.
Août : Balzac découvre l'Italie. Au retour, il apprend la mort de Mme de Berny, survenue le 27 juillet.
Septembre : deuxième livraison des *Études philosophiques*, contenant *L'Interdiction.* Balzac, poursuivi par les créanciers, quitte définitivement la rue Cassini pour son refuge de Chaillot.
23 octobre-4 novembre : Balzac donne, pour la première fois en France, un roman dans un quotidien : *La Vieille Fille*, dans *La Presse*, journal d'Émile de Girardin.
15 novembre : traité avec les éditeurs Delloye et Lecou ; une avance substantielle permet à Balzac de payer ses dettes les plus urgentes.

1837 : Février : tomes VII-VIII (les derniers) des *Études de Mœurs*, contenant la première partie d'*Illusions perdues* et *La Vieille Fille.*
14 février-3 mai : long voyage en Italie.
Mai : faillite de l'éditeur Werdet.
Fin juin-début juillet : Balzac échappe de justesse, en se cachant, à la prison pour dettes. Troisième livraison des *Études philosophiques*, assumée par Delloye et Lecou.
Septembre : Balzac achète à Sèvres un chalet et des terrains au lieu-dit « Les Jardies ».
Décembre : troisième et dernier dizain des *Contes drolatiques. César Birotteau.*

1838 : Fin février : visite à Nohant chez George Sand, qui suggère à Balzac le sujet de *Béatrix*.
Mars-début juin : voyage en Sardaigne, où Balzac envisageait d'exploiter des mines argentifères. Voyage en Italie, séjour à Turin. À son retour, Balzac apprend la mort de la duchesse d'Abrantès, survenue le 7 juin.
Début juillet : Balzac s'installe aux Jardies, où il dépense une fortune en aménagements et en plantations.
Septembre : *La Femme supérieure* (*Les Employés*) ; *La Maison Nucingen* ; *La Torpille* (début de *Splendeurs et*

misères des courtisanes).
12 novembre : contrat de réimpression avec l'éditeur Charpentier, qui lance sa célèbre collection « Bibliothèque in-18° ».
28 décembre : Balzac adhère à la toute neuve Société des gens de lettres.
(Victor Hugo fait jouer *Ruy Blas*.)

1839 : Mars : *Le Cabinet des Antiques*, suivi de *Gambara*.
Avril : Balzac réside désormais aux Jardies.
Juin : *Un grand homme de province à Paris* (deuxième partie d'*Illusions perdues*).
Août : *Une fille d'Ève*, suivi de *Massimila Doni*.
30 août-28 octobre : affaire Peytel ; Balzac essaie en vain de sauver la tête d'un notaire de Bourg-en-Bresse, accusé d'un double meurtre.
Novembre : *Béatrix ou les amours forcées*.
2 décembre : candidat à l'Académie française, Balzac s'efface devant Hugo, qui n'est d'ailleurs pas élu.
(Stendhal, *La Chartreuse de Parme*.)

1840 : Janvier : Balzac trouve le titre de *La Comédie humaine*.
14 mars : création de *Vautrin* au théâtre de la Porte Saint-Martin ; la pièce est interdite le lendemain même, car Frederick Lemaître, dans le rôle de Vautrin, s'est fait une tête de Louis-Philippe.
Juillet : Balzac lance la *Revue parisienne*, qu'il rédige pratiquement tout seul.
Septembre : quatrième livraison des *Études philosophiques*, contenant *Les Proscrits*. Un créancier obtient la saisie des Jardies. Célèbre article sur *La Chartreuse de Parme* dans la *Revue parisienne*, dont c'est le dernier numéro.
Octobre : Balzac se cache sous un faux nom dans un appartement à double issue rue Basse, à Passy (aujourd'hui Maison de Balzac, rue Raynouard).
Novembre : *Pierrette*, suivi de *Pierre Grassou*.
15 décembre : Balzac assiste au retour des cendres de Napoléon.
(Sainte-Beuve, *Port-Royal*.)

1841 : Mars : *Le Curé de Village*.
14 avril : premier traité avec Hetzel, Dubochet et Sanches pour la publication de *La Comédie humaine*.

3 juin : Balzac assiste à la réception de Victor Hugo à l'Académie française.
15 juillet : vente par adjudication des Jardies, que Balzac fait acheter par un prête-nom.
Août : *Physiologie de l'employé*.
2 octobre : deuxième contrat, annulant le premier, avec Furne, Dubochet et Hetzel pour la publication de *La Comédie humaine*.

1842 : Janvier : le 5, Balzac apprend la mort du comte Hanski, survenue le 10 novembre précédent. Son idée fixe sera désormais d'épouser Mme Hanska. *Mémoires de deux jeunes mariées*.
Mars : *Ursule Mirouët*.
Avril : le 16, première livraison de l'édition Furne de *La Comédie humaine*. Au théâtre, échec des *Ressources de Quinola*.
Juillet : George Sand ayant renoncé, après Charles Nodier, à préfacer *La Comédie humaine*, Balzac écrit son grand *Avant-propos*.
Septembre : *La Fausse Maîtresse ; Autre Étude de femme*.
Novembre : *Albert Savants*.
Décembre : *Les Deux Frères (La Rabouilleuse)*.
(Eugène Sue, *Les Mystères de Paris* ; mort de Stendhal.)

1843 : Mars : *Une ténébreuse affaire*.
Juillet : *La Muse du département*.
29 juillet-novembre : séjour à Saint-Pétersbourg avec Mme Hanska. Balzac est victime d'une sévère insolation (au retour, le docteur Nacquart diagnostiquera une sorte de méningite chronique). Retour à Paris via l'Allemagne et la Belgique.
Décembre : candidature à l'Académie française, et retrait. Balzac pose pour le sculpteur David d'Angers.

1844 : Janvier : douleurs nerveuses. Balzac travaille entre autres à *Modeste Mignon*, dont l'idée lui vient de Mme Hanska – à laquelle il écrit alors chaque jour.
Mars : *David Séchard* (troisième partie d'*Illusions perdues*).
Avril-mai : jaunisse.
Juin : *Un début dans la vie*.
26 juillet : Balzac établit un catalogue des ouvrages que contiendra *La Comédie humaine* : 125 ouvrages, dont 40

restent à écrire.
Septembre : *Esther* (deuxième partie de *Splendeurs et misères des courtisanes*) ; *Catherine de Médicis expliquée* ; *Le Martyr calviniste*.
Octobre-novembre : névralgies et inquiétudes. *Honorine*, suivi d'*Un prince de la bohème*.
Novembre (-janvier 1845) : *Modeste Mignon*, suivi d'*Un épisode sous la Terreur* et *Une passion dans le désert*. (Vigny, *La Maison du berger* ; Dumas, début du *Comte de Monte-Cristo* et des *Trois Mousquetaires* ; mort de Charles Nodier ; naissance d'Anatole France.)

1845 : Janvier : Balzac reçoit son buste en marbre par David d'Angers.
24 avril : Balzac est fait chevalier de la Légion d'honneur.
25 avril-5 juillet : Balzac rejoint Mme Hanska, sa fille et son fiancé à Dresde ; voyage ensemble en Allemagne.
Mai : *La Lune de miel* (deuxième partie de *Béatrix*).
Juillet : Mme Hanska et sa fille séjournent rue de la Tour, à Passy.
Août : voyage ensemble en France (Orléanais, Berry), puis en Hollande.
Septembre : Balzac revient seul à Paris.
Octobre-novembre : liquidation définitive des Jardies.
Descente en bateau de la Saône et du Rhône, et voyage à Naples avec Mme Hanska, sa fille et son fiancé. Balzac rentre seul à Paris, après avoir acheté des antiquités à Marseille ; depuis dix-huit mois, il se ruine en meubles et objets en vue de son mariage avec Mme Hanska.

1846 : Janvier-mars : travail lent et difficile sur la fin de *Splendeurs et misères des courtisanes*.
Mars-mai : Balzac retrouve Mme Hanska à Rome, puis séjourne avec elle en Suisse.
30 mai : allusion à un espoir de maternité.
Septembre : *Petites Misères de la vie conjugale. La Femme de soixante ans* (première partie de *L'Envers de l'histoire contemporaine*), suivi de *L'Enfant maudit*.
19 septembre : dernière livraison de l'édition Furne de *La Comédie humaine*.
28 septembre : Balzac achète, à crédit, la maison de la rue Fortunée (aujourd'hui rue Balzac).
11 octobre : *Lettre à Hippolyte Castille* dans *La Semaine*,

pour défendre son œuvre accusée d'immoralité.
1er décembre : Balzac apprend que Mme Hanska a fait une fausse couche et en est désespéré.
(Michelet, *Le Peuple* ; George Sand, *La Mare au diable*.)

1847 : 15 février : Balzac et Mme Hanska louent pour deux mois un appartement meublé rue Neuve-de-Berry.
15 avril : installation rue Fortunée.
Début mai : Balzac reconduit Mme Hanska en Allemagne.
Juin : *Un drame dans les prisons* (*Où mènent les mauvais chemins* – troisième partie de *Splendeurs et misères des courtisanes*).
28 juin : Balzac malade fait son testament, léguant tout à Mme Hanska.
Juillet : *La Dernière Incarnation de Vautrin* (quatrième partie de *Splendeurs et misères*).
5 septembre : Balzac quitte Paris pour Wierzchownia ; il restera en Ukraine jusqu'en janvier 1848.
Fin de l'année : *Le Provincial à Paris* (*Les Comédiens sans le savoir* et *Gaudissart II*). Début de la publication des *Parents pauvres* (*Le Cousin Pons* et *La Cousine Bette*).
(Emily Brontë, *Les Hauts de Hurlevent*.)

1848 : 15 février : retour de Balzac à Paris. Révolution de Février. Balzac assiste au pillage des Tuileries.
Mars-mai : Balzac candidat aux élections législatives. Il écrit pour le théâtre *La Marâtre*, dont les représentations seront interrompues par les événements politiques.
Juin : séjour à Saché, d'où Balzac perçoit les échos affaiblis des Journées de Juin – et les premiers symptômes d'une grave maladie de cœur.
8 juillet : Balzac assiste aux obsèques de Chateaubriand.
11 septembre : Balzac, de nouveau candidat à l'Académie, n'est pas élu.
20 septembre : Balzac quitte Paris pour l'Ukraine, où il passera tout l'hiver avec Mme Hanska, puis toute l'année suivante, jusqu'en avril 1850.
Fin de l'année : publication des *Parents pauvres* comme XVIIe volume, en supplément, de l'édition Furne de *La Comédie humaine*.
(Dumas fils, *La Dame aux camélias* ; début de la publication posthume des *Mémoires d'outre-tombe* de Chateaubriand.)

1849 : En Ukraine.
Février : la libraire Furne et Cie remet en vente *La Comédie humaine.*
30 avril : Balzac écrit à sa sœur qu'il souffre d'une « hypertrophie du cœur ».
Juin : affreuse crise.
2 juillet : le Tsar repousse la supplique de Mme Hanska : elle perdra ses biens si elle épouse Balzac.
Septembre-octobre : « Fièvre céphalalgique intermittente » ; grave bronchite.

1850 : Janvier : nouvelle bronchite, « rhume effroyable ».
14 mars : Balzac épouse Evelyne Hanska.
Mai : retour à Paris, via Dresde et Francfort.
1er juin : Balzac écrit sa dernière lettre.
Juillet : Péritonite.
(5 août : naissance de Guy de Maupassant.)
Dimanche 18 août, à 11 heures et demie du soir, mort d'Honoré de Balzac. Les obsèques ont lieu le 21 août, en l'église Saint-Philippe du Roule – convoi de troisième classe, mais Hugo, Dumas, Sainte-Beuve et Baroche, ministre de l'Intérieur, tiennent les cordons du poêle. Au Père-Lachaise, Victor Hugo prononce un vibrant hommage au génie de Balzac.

BIBLIOGRAPHIE

Le texte de la présente édition est celui du « Furne corrigé », c'est-à-dire de l'exemplaire personnel de Balzac dans l'édition Furne (1845, t. XIV de *La Comédie humaine*, vol. 1 des *Études philosophiques*), annoté de sa main en vue d'une nouvelle édition.

Il est impossible de donner ici une bibliographie exhaustive des écrits critiques suscités par *La Peau de chagrin*. La présente bibliographie, si elle rappelle brièvement les principaux articles et ouvrages classiques consacrés au roman, propose une sélection des éditions, articles et ouvrages récents les plus suggestifs.

Éditions de référence

La Peau de chagrin, in *La Comédie humaine*, Gallimard, « Bibliothèque de la Pléiade », 1976-1981, vol. 10, 1979 ; texte présenté, établi et annoté par Pierre Citron ; introduction, histoire du texte, notes et variantes, indications bibliographiques ; le texte du roman est celui du Furne corrigé.

La Peau de chagrin, Imprimerie nationale, 1982 ; texte présenté et commenté par Madeleine Ambrière ; introduction, indications bibliographiques, documents iconographiques (particulièrement intéressantes les quelques reproductions des illustrations de l'édition Delloye et Lecou 1838) ; le texte du roman est celui du Furne corrigé.

La Peau de chagrin, LGF, « Le Livre de Poche », 1984 ; préface, commentaires et notes de Pierre Barbéris ; le texte du roman est celui de l'édition originale [1831].

La Peau de chagrin, Gallimard, « Folioplus classiques », 2003 ; dossier réalisé par Guillaume Kichenin ; lecture d'image (*Le Désespéré* [1843] de Courbet) par Alain Jaubert.

Articles et ouvrages « classiques »

Pierre BARBÉRIS, « L'accueil de la critique aux premières grandes œuvres de Balzac (1831-1832) ; IV. *La Peau de chagrin* », *L'Année balzacienne*, 1968, p. 165-195.

–, *Balzac et le mal du siècle*, Gallimard, 1970, p. 1417-1613, 2 vol.

François BILODEAU, « Espace et temps romanesques dans *La Peau de chagrin* », *L'Année balzacienne*, 1969, p. 47-70.

–, *Balzac et le jeu des mots*, Montréal, Presses de l'Université, 1971 (développement des idées esquissées dans l'article *supra*).

Graham FALCONER, « Le travail du style dans les révisions de *La Peau de chagrin* », *L'Année balzacienne*, 1969, p. 71-106.

Madeleine FARGEAUD, « Balzac et les Messieurs du Muséum », *Revue d'histoire littéraire de la France*, 1965, p. 637-656.

Martin KANES, « Logic and Langage in *La Peau de chagrin* », *Studi francesi*, mai-août 1970, p. 244-256.

–, « The Mythic Structures of *La Peau de chagrin* », *Studi francesi*, 1972, p. 46-59.

Moïse LE YAOUANC, « La visite de Raphaël au naturaliste Lavrille », *Revue d'histoire littéraire de la France*, 1950, p. 280-290.

Linda RUDICH, « Une interprétation de *La Peau de chagrin* », *L'Année balzacienne*, 1971, p. 205-233.

Sélection d'articles

Norman ARAUJO, « Time and Rhythm in Balzac's *La Peau de chagrin* », *The French Review*, special issue n° 2, hiver 1971 (vol. 44), p. 59-68.

Yvonne BARGUES-ROLLINS, « "Une danse macabre" : du fantastique au grotesque dans *La Peau de chagrin* », *Romantisme*, 1985 (15e année, n° 48), p. 33-46.

David F. BELL, « Epigrams and Ministerial Eloquence : The War of Words in Balzac's *La Peau de chagrin* », *Nineteenth-Century French Studies*, printemps 1987 (vol. 15, n° 3), p. 252-264.

Claude E. BERNARD, « À propos de *La Peau de chagrin* d'Honoré de Balzac : comment le sens vient au texte », *Nineteenth-Century French Studies*, printemps-été 1982 (vol. 10, n° 3 et 4), p. 244-267.

Thierry BODIN, « Autour d'une critique de *La Peau de chagrin* », *L'Année balzacienne*, n° 18, 1997, p. 290-302.

Régine BORDERIE, « Le corps de la philosophie : *La Peau de chagrin* », *L'Année balzacienne*, n° 2, 2001, p. 199-219.

Marcel BRION, « Scepticisme éthique et rédemption religieuse : Balzac lecteur de *Faust* », *L'Année balzacienne*, n° 11, 2010, p. 267-289.

Jacques CHOCHEYRAS, « L'*incipit* de *La Peau de chagrin* : la rouge, la noire et la veuve », *Recherches et travaux*, n° 38, p. 27-37.

Pierre DANGER, « La castration dans *La Peau de chagrin* », *L'Année balzacienne*, 1982, p. 227-246.

Paul DENIS, « Le mal-être dépressif envisagé à partir de *La Peau de chagrin* de Balzac », *Le Courrier balzacien*, n° 82, 2001, p. 3-13.

Cécile DHEILLY, « Séraphîta, Louis Lambert, Raphaël de Valentin, miroirs obliques de Janus », *Lieux littéraires/La Revue*, 1, 2000, p. 263-274.

Anna FIERRO, « Scene balzachiane : elementi di teatralità nella *Peau de chagrin* », *Rivista di letterature moderne e comparate*, 63, 4, 2010, p. 397-412.

Lucienne FRAPPIER-MAZURE, « Parodie, imitation et circularité : les épigraphes dans les romans de Balzac », *L'Année balzacienne*, 1980, p. 169-180.

Pierre GLAUDES, « Le tournebroche et l'ostensoir. L'imaginaire de la crise dans *La Peau de chagrin* », *Recherches et travaux*, n° 38, p. 39-64.

Stirling HAIG, « Dualistic Patterns in *La Peau de chagrin* », *Nineteenth-Century French Studies*, septembre 1973 (vol. 1, n° 4), p. 211-218 (repris en volume dans Stirling HAIG, *The Madame Bovary Blues. The Pursuit of Illusion in Nineteenth-Century French Fiction*, Louisiana State University Press, Baton Rouge et Londres, 1987, p. 7-16, sous le titre : « Distortions of Desire in Balzac's *La Peau de chagrin* »).

Margaret HAYWARD, « Supercherie et hallucination : *La Peau de chagrin*. Balzac orientaliste et mesmérien », *Revue de littérature comparée*, 1982 (vol. 51), p. 437-456.

Willi JUNG, « *La Peau de chagrin* : une théorie romantique du temps », *L'Année balzacienne*, n° 8, 2007.

Lewis KAMM, « The Claws of the Cat in Balzac's *La Peau de chagrin* », *Romance Notes*, printemps 1990 (vol. 30, n° 3), p. 209-217.

–, « Balzac's *La Peau de chagrin* and Zola's *Germinal* : Points of contact », *Nineteenth-Century French Studies*, hiver 1991 (vol. 19, n° 2), p. 223-230.

Chia-Ping KAN, « Les pactes entre la noblesse et les bas-fonds dans quelques romans de Balzac », *Revue d'histoire littéraire de la France*, n° 2, 2010, p. 295-312.

Ilya KLIGER, « Anamorphic Realism : Veridictory Plots in Balzac, Dostoievsky and Henry James », *Comparative literature*, 59, 4, 2007, p. 294-314.

Bettina L. KNAPP, « Balzac's *La Peau de chagrin* : the Gambler's Quest for Power », *Nineteenth-Century French Studies* (vol. 27, n°s 1 et 2), 1998-1999, p. 16-32.

Michaël LASTINGER, « Narration et "point de vue" dans deux romans de Balzac : *La Peau de chagrin* et *Le Lys dans la vallée* », *L'Année balzacienne*, 1988, p. 271-290.

Pierre LASZLO, « Production d'énergie romanesque : *La Peau de chagrin* », *Modern Language Notes*, French issue n° 4, mai 1982 (vol. 97), p. 862-871.

Marie LATHERS, « Tués par un excès d'amour : Raphaël, Balzac, Ingres », *French Review* (vol. 71, n° 4), 1998.

Anne-Marie LEFEBVRE, « *La Peau de chagrin* », *L'Année balzacienne*, n° 19, 1998.

Hiroshi MATSUMURA, « Balzac et la médecine de synthèse : le point de vue médical dans *La Peau de chagrin* », *Études de langue et de littérature françaises*, n° 74, Société japonaise de langue et littérature française, 1999, p. 33-46.

Arlette MICHEL, « Le pathétique balzacien dans *La Peau de chagrin*, *Histoire des Treize* et *Le Père Goriot* », *L'Année balzacienne*, 1985, p. 229-245.

Kyoko MURATA, « Les métamorphoses du pacte diabolique dans l'œuvre de Balzac », *Dix-neuvième siècle*, n° 35, 2002, p. 101-104 (résumé par l'auteur de sa thèse, dirigée par Nicole Mozet, soutenue le 19 décembre 2001 à l'université Paris VII).

Paule PETITIER, « 1830 ou les métamorphoses du centre (Michelet, Balzac, Hugo) », *Romantisme*, n° 123, 2004, p. 7-20.

Kurt RINGER, « Le délai fatal. À propos d'une situation stendhalienne dans *La Peau de chagrin* », *Stendhal-Club*, octobre 1981 (24e année), n° 93, p. 209-212.

Sonja G. STARY, « Balzac's Cold-Hearted Coquettes : the Link between Fœdora, Antoinette and Valérie », *Degré Second*, juillet 1982, p. 101-120.

Émile J. TALBOT, « Pleasure/Time or Egoism/Love : Rereading *La Peau de chagrin* », *Nineteenth-Century French Studies*, hiver 1982 (vol. 11, n°s 1 et 2), p. 72-82.

Michael TILBY, « À partir d'une allusion à Sterne dans *La Peau de chagrin* », *L'Année balzacienne*, 1984, p. 247-262.

–, « Une polémique littéraire autour de *La Peau de chagrin* », *L'Année balzacienne*, n°11, 2010.

André VANONCINI, « Le pacte : structures et évolutions d'un motif balzacien », *L'Année balzacienne*, n° 3, 2002, p. 279-292.

Michel VIEGNES, « Le démon du hasard : la problématique du jeu chez Balzac, Dostoïevski, et Borgès », *Symposium*, été 1988 (vol. 52, n° 2), p. 153-166.

Lucien VINCIGUERRA, « Suite de rétrécissements et circuits de la vérité dans *La Peau de chagrin* », *La Licorne*, n° 47, 1998, p. 179-197.

Sélections d'ouvrages exclusivement consacrés à La Peau de chagrin

Pierre BAYARD, *Balzac et le troc de l'imaginaire. Lecture de « La Peau de chagrin »*, Lettres modernes Minard, « Situation », n° 40, 1978.

Claude DUCHET (dir.), *Balzac et « La Peau de chagrin »*, SEDES-CDU, 1979 :

– Claude DUCHET, « Présentation » ;

– Nicole MOZET, « La préface de l'édition originale : une poétique de la transgression » ;

– Pierre BARBÉRIS, « L'autobiographie : pourquoi ? comment ? » ;

– Ruth AMOSSY : « La "confession" de Raphaël : contradictions et interférences » ;

– André VANONCINI, « La dissémination de l'objet fantastique » ;

– Claude DUCHET, « La mise en texte du social » ;

– Roland LE HUENEN, « Le personnage et son désir » ;

– Elisheva ROSEN, « Le festin de Taillefer ou les "Saturnales" de la monarchie de Juillet » ;

– Jacques NEEFS, « La localisation des sciences » ;

– Jeannine JALLAT, « Fœdora ou le corps de l'autre » ;

– José-Luis DIAZ, « Esthétique balzacienne : l'économie, la dépense et l'oxymore » ;

– Pierre-Marc DE BIASI, « *Cette singulière lucidité*… Notes pour la lecture d'une figure symbolique » ;
– Note bibliographique.

Pierre GLAUDES, *Pierre Glaudes présente : « La Peau de chagrin » de Balzac*, Gallimard, « Foliothèque », 2003.

Agnès GUGLIELMETTI, *Feu et lumière dans « La Peau de chagrin » de Balzac. Les réseaux symboliques du vocabulaire des sensations*, Lettres modernes Minard, « Archives des Lettres modernes », n° 182 (« Archives balzaciennes n° 1 »), 1978.

Nouvelles lectures de « La Peau de chagrin », Actes du colloque de l'École normale supérieure (20-21 janvier 1979), publiés par la Société des études romantiques, recueillis par les soins du Centre de recherches révolutionnaires et romantiques (université de Clermont 2) :
– Pierre-Georges CASTEX, « *La Peau de chagrin* devant la critique d'hier et d'aujourd'hui » ;
– Pierre LARTHOMAS, « De la première à la dernière édition : quelques aspects du style de Balzac dans *La Peau de chagrin* » ;
– Pierre BARBÉRIS, « Le mythe de *La Peau de chagrin* comme moyen de lecture du romanesque balzacien » ;
– Geneviève PONCIN-BAR, « Fragments d'un discours poétique dans *La Peau de chagrin* » ;
– Maurice MÉNARD, « *La Peau de chagrin*, roman comique ? » (publié aussi sous le titre « L'Arabesque et la Ménippée », *Revue des sciences humaines*, 3e trimestre 1979, p. 17-31) ;
– Monique GOSSELIN, « Le discours du corps et le texte du désir dans *La Peau de chagrin* » ;
– Jeannine GUICHARDET, « Paris dans *La Peau de chagrin* » ;
– Madeleine FARGEAUD, « Balzac et la science dans *La Peau de chagrin* » ;
– Rose FORTASSIER, « *La Peau de chagrin* et la pathologie de la vie sociale » ;
– Margaret WALLER, « Images du roman dans *La Peau de chagrin* » ;
– Arlette MICHEL, « Les problèmes de l'amour dans *La Peau de chagrin* : le désir, l'imaginaire et l'idéal » ;
– Françoise GAILLARD, « L'effet *Peau de chagrin* » (repris dans *Le Roman de Balzac : recherches critiques, méthodes, lectures*, études réunies par Roland Le Huenen et Paul Perron, Montréal, Didier, 1980, p. 213-230) ;

– Gérard GENGEMBRE, « Le sablier d'or, ou le temps dans *La Peau de chagrin* » ;
– Pierre-Marc DE BIASI, « La boutique de l'antiquaire. Notes pour la lecture d'un parcours symbolique » ;
– Claude DUCHET, « L'épisode auvergnat ».

Michel POUGEOISE, *Honoré de Balzac. « La Peau de chagrin »*, Rosny, Bréal, « Connaissance d'une œuvre », 2000.

Alain SCHAFFNER, *Honoré de Balzac. « La Peau de chagrin »*, PUF, « Études littéraires », 1996.

Samuel WEBER, *Unwrapping Balzac. A Reading of « La Peau de chagrin »*, Toronto-Buffalo-Londres, University of Toronto Press, 1979.

Pour aller plus loin

Victor BROMBERT, *The Hidden Reader*, Harvard University Press, Cambridge, Massachusetts, et Londres, 1988, p. 37-47 : « *La Peau de chagrin* : The Novel as Treshold ».

Michel BUTOR, *Improvisations sur Balzac, 3. Balzac et le roman philosophique*, La Différence, 1998.

Nicole CAZAURAN, « Le tableau du magasin d'antiquités dans *La Peau de chagrin* », in *Mélanges de langue et de littérature française offerts à Pierre Larthomas*, Collection de l'ENSJF, nº 26, 1985, p. 87-98.

Pierre DANGER, *L'Éros balzacien. Structures du désir dans « La Comédie humaine »*, Corti, 1989.

Graham FALCONER, « Le paratexte dans le texte », in *Paratextes balzaciens : « La Comédie humaine » en ses marges*, études réunies par Roland Le Huenen et Andrew Oliver, Toronto, Centre d'études du XIXe siècle Joseph Sablé, 2007.

Anne-Marie GARAGNON, « Balzac et la métarhétorique dans *La Peau de chagrin* », in *Mélanges de langue et de littérature française offerts à Pierre Larthomas*, Collection de l'ENSJF, nº 26, 1985, p. 195-204.

Andrea GOULET, *Optiques : The Science of the Eyes and The Birth of Modern French Fiction*, Philadelphia, University of Philadelphia Press, 2006.

Kerstin JONASSON, « Berättarperspektiv, referens och nominalfraser : *La Peau de chagrin* », in *Résonances de la Recherche*, Festskrift till Sigbrit Swahn, édité par Kerstin JONASSON, Bengt NOVEN, Gunilla RANSBO, Véronique SIMON, Maria

WALECKA-GARBALINSKA et *al.*, Uppsala, Acta Universitatis Upsaliensis, 1999, p. 193-201.

Pierre LAFORGUE, « Sociocritique de l'ironie balzacienne en 1830 : *La Peau de chagrin* », in *Ironies entre dualité et duplicité*, Actes des journées d'études organisées en novembre 2004 et mai 2005 à l'université de Provence, textes réunis et présentés par Joëlle Gardes Tamine, Christine Marcandier et Vincent Vives, Aix-en-Provence, Publications de l'université de Provence, « Textuelles littérature », 2007 p. 33-41.

–, *Balzac dans le texte*, Saint-Cyr-sur-Loire, Christian Pirot, 2006.

Roland LE HUENEN, « La sémiotique du corps dans *La Peau de chagrin* : le tout et le fragment », in *Le Roman de Balzac. Recherches critiques, méthodes, lectures*, études réunies par Roland Le Huenen et Paul Perron, Montréal, Didier, 1980, p. 51-64.

Kyoko MURATA, *Les Métamorphoses du pacte diabolique dans l'œuvre de Balzac*, préface de Nicole Mozet, Osaka Municipal Universities Press et Klincksieck, 2003.

Catherine NESCI, « L'œuvre de la mort », in *Balzac ou la tentation de l'impossible*, études présentées et réunies par Robert Mahieu et Franc Schuerewegen, SEDES, 1998, p. 143-151.

Nicole RAMOGNINO (dir.), *Lectures actuelles d'œuvres de Balzac*, vol. 2 : *Livre réel, livres possibles, monde commun*, L'Harmattan, 2006.

Thomas STOBER, *Vitalistische Energetik und literarische Transgression im französische Realismus-Naturalismus : Stendhal, Balzac, Flaubert, Zola*, Tübingen, Gunter Narr Verlag, 2006.

Anne TOMICHE, « Parasites à table, tables de parasites : statut et fonction des parasites dans quelques banquets, antiques et modernes », in *L'Hospitalité : signes et rites*, études rassemblées par Alain Montandon, Clermont-Ferrand, Presses universitaires Blaise Pascal, 2008, p. 195-212.

Paul VERNOIS, « Dynamique de l'invention dans *La Peau de chagrin* », in *Le Réel et le texte*, Armand Colin, 1974.

Nathaniel WALLACE, « Confrontations with Longevity in French and Chinese literature », in *Comparative Literature Now : Theories and Practice*, contributions choisies du Congrès de l'Association internationale de littérature comparée tenu à l'université d'Alberta (1994), Honoré Champion, 1999, p. 616-623.

TABLE

LA PEAU DE CHAGRIN

Mise en pages par Meta-systems
59100 Roubaix

N° d'édition : L.01EHPN000604.A003
Dépôt légal : septembre 2013
Imprimé en Espagne par Novoprint (Barcelone)